La reina blanca

Philippa Gregory

D1097553

Planeta Internacional

La reina blanca

Philippa Gregory

Traducción de Cristina Martín Sanz

Obra editada en colaboración con Editorial Planeta – España

Título original: *The White Queen*

© 2009, Philippa Gregory Ltd.
Publicado de acuerdo con el editor original, Simon & Schuster, Inc.
© 2011, Cristina Martín Sanz, por la traducción
© 2011, Editorial Planeta, S. A. – Barcelona, España

Derechos reservados

© 2011, Editorial Planeta Mexicana, S.A. de C.V.
Bajo el sello editorial PLANETA M.R.
Avenida Presidente Masarik núm. 111, 2o. piso
Colonia Chapultepec Morales
C.P. 11570 México, D.F.
www.editorialplaneta.com.mx

Primera edición impresa en España: mayo de 2011
ISBN: 978-84-08-10206-9
ISBN 978-1-4165-6368-6, Touchstone, Simon & Schuster, Nueva York,
edición original

Primera edición impresa en México: junio de 2011
Primera reimpresión: noviembre de 2011
ISBN: 978-607-07-0806-0

Impreso en los talleres de Litográfica Cozuga, S.A. de C.V.
Av. Tlatilco núm. 78, colonia Tlatilco, México, D.F.
Impreso en México – *Printed in Mexico*

En *La reina blanca* confluyen personajes históricos de la corte inglesa cuyos nombres, por tradición, se han traducido al castellano, junto con personajes menos conocidos cuyos nombres nunca han sido traducidos. En la edición que aquí presentamos, hemos creído conveniente mantener en inglés estos últimos. De esta manera, pretendemos evitar que el lector se sienta confuso por la presencia en la novela de nombres propios en inglés junto con nombres propios traducidos al castellano.

Para Anthony

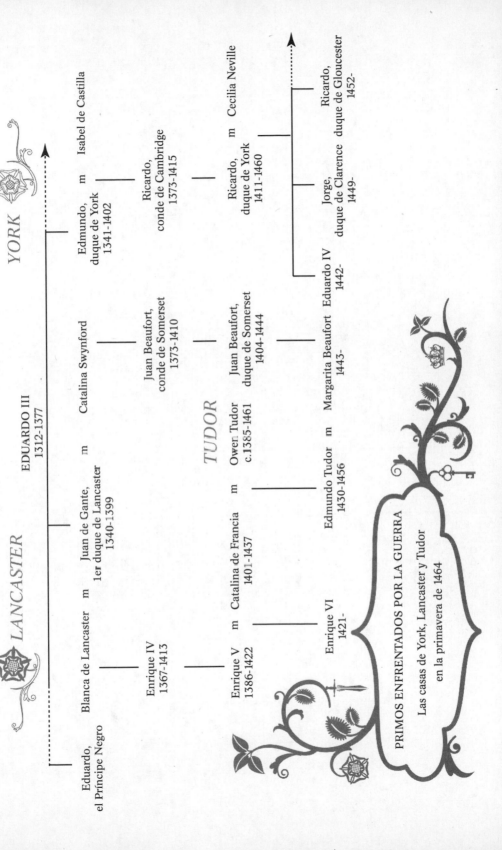

LANCASTER

YORK

EDUARDO III
1312-1377

Eduardo,
el Príncipe Negro

Blanca de Lancaster m Juan de Gante,
1er duque de Lancaster
1340-1399

Catalina Swynford

Edmundo, m Isabel de Castilla
duque de York
1341-1402

Enrique IV
1367-1413

Juan Beaufort,
conde de Somerset
1373-1410

Ricardo,
conde de Cambridge
1373-1415

TUDOR

Enrique V m Catalina de Francia m Owen Tudor
1386-1422   1401-1437   c.1385-1461

Juan Beaufort,
duque de Somerset
1404-1444

Ricardo, m Cecilia Neville
duque de York
1411-1460

Enrique VI
1421-

Edmundo Tudor
1430-1456

Margarita Beaufort Eduardo IV
1443-   1442-

Jorge,
duque de Clarence
1449-

Ricardo,
duque de Gloucester
1452-

PRIMOS ENFRENTADOS POR LA GUERRA

Las casas de York, Lancaster y Tudor
en la primavera de 1464

En la oscuridad del bosque el joven caballero oyó el rumor de la fuente mucho antes de alcanzar a ver el resplandor de la luna reflejado en la superficie serena. Estaba a punto de acercarse a ella, ansiando sumergir la cabeza, beber de aquel frescor, cuando de pronto contuvo la respiración al captar una forma oscura que se movía allí abajo, dentro del agua. En el profundo seno de la fuente se discernía una sombra verdosa, algo semejante a un pez enorme, algo semejante a un cuerpo ahogado. Entonces la sombra se movió y se irguió, y el caballero vio lo que era: una mujer, temible en su desnudez, que estaba bañándose. Cuando se incorporó y el agua le resbaló por los costados, su piel brilló aún más blanca que el blanco de la gran taza de mármol; y su cabello, negro como una sombra.

Es Melusina, la diosa del agua, que se encuentra en cascadas y manantiales escondidos de cualquier bosque de la cristiandad, incluso en los que están tan lejos como Grecia. También se baña en las fuentes morunas. Se la conoce por otro nombre en los países del norte, donde los lagos están cubiertos de una capa de hielo que cruje cuando ella se levanta. Un hombre puede amarla si le guarda el secreto y la deja a solas cuando ella desee bañarse, y ella puede amarlo a su vez hasta que él incumpla su palabra, cosa que los hombres hacen siempre, y lo arrastre a las profundidades con su cola de pez, y transforme su sangre desleal en agua.

La tragedia de Melusina, sea cual sea la lengua que la narre, sea cual sea la melodía que la cante, es que un hombre siempre le prometerá hacer más de lo que es capaz de hacer a una mujer a la que no puede entender.

Primavera de 1464

Mi padre es sir Richard Woodville, barón de Rivers, un noble inglés, terrateniente y defensor de los verdaderos reyes de Inglaterra, el linaje de los Lancaster. Mi madre desciende de los duques de Borgoña, y por consiguiente lleva en sus venas la sangre acuosa de la diosa Melusina, que fundó dicha casa real con el duque que era su rendido amante y a quien todavía puede verse por las azoteas de los castillos en momentos de aflicción extrema dando aviso, entre lágrimas, cuando el hijo y heredero está agonizando y la familia se enfrenta a la desaparición. O eso dicen los que creen en esas cosas.

Con tan contradictorios progenitores, la sólida tierra inglesa y una diosa del agua de Francia, cabría esperar cualquier cosa de mí: una hechicera o una muchacha corriente. Hay quienes dicen que soy ambas cosas. Pero hoy, mientras me cepillo el cabello con especial cuidado y lo arreglo bajo el tocado más alto que tengo, mientras tomo de las manos a mis dos hijos sin padre y echo a andar por el camino que lleva a Northampton, daría todo lo que soy por estar, sólo en esta ocasión, simplemente irresistible.

He de atraer la atención de un joven que partirá a librar otra batalla más contra un enemigo imposible de derrotar. Puede que no me vea. Puede que no esté de humor para mendigos ni coqueteos. He de suscitar su compasión acerca de mi posición, conseguir que se apiade de mis necesidades y persistir en su memoria el tiempo suficiente para que haga algo al respecto de lo uno y de lo otro. Y se trata de un hombre que todas las noches tiene a su disposición bellas mujeres que se arrojan a sus brazos y un centenar de solicitantes que buscan cualquier puesto que él pueda concederles.

Es un usurpador y un tirano, enemigo mío e hijo de mi enemigo, pero yo estoy muy lejos de deber lealtad a nadie que no sean mis hijos y yo misma. Mi propio padre acudió a la batalla de Towton a luchar contra este hombre que ahora se hace llamar rey de Inglaterra, a pesar de que no es más que un muchacho jactancioso; y nunca he visto a una persona tan destrozada como lo estaba mi padre cuando regresó de Towton con el brazo con que empuñaba la espada sangrando a través del jubón, el semblante pálido, diciendo que aquel muchacho era un comandante de los que no se han visto jamás, y que nuestra causa estaba perdida, y que mientras él viviera no podíamos abrigar esperanza alguna. Veinte mil hombres fueron muertos en Towton bajo las órdenes de aquel joven; nadie había visto nunca tanta muerte en Inglaterra. Mi padre dijo que había sido una siega de miembros de la casa de Lancaster, no una batalla. El legítimo rey Enrique y su esposa, la reina Margarita de Anjou, huyeron a Escocia, desolados por semejante matanza.

Aquellos de nosotros que permanecimos en Inglaterra no nos rendimos fácilmente. Continuaron librándose contactos para resistir al falso rey, el joven de York. Mi propio esposo murió al frente de nuestra caballería en St. Albans, hace sólo tres años. Y ahora me he quedado viuda, y las tierras y la fortuna que en otro tiempo eran mías han sido adquiridas por mi suegra con el beneplácito del vencedor, el amo de ese rey niño, el gran maestro de títeres al que se conoce como hacedor de reyes: Richard Neville, conde de Warwick, que hizo monarca a ese muchacho engreído que ahora cuenta sólo veintidós años, y que convertirá Inglaterra en un infierno para aquellos de nosotros que todavía defiendan la casa de Lancaster.

Actualmente, en todas las grandes casas del país hay defensores de los de York, y todo negocio, establecimiento o impuesto rentable está en manos de ellos. En el trono se sienta su rey niño y su corte está formada por seguidores suyos. Nosotros, los vencidos, somos menesterosos en nuestra propia casa y forasteros en nuestro propio país, nuestro soberano es un exiliado, nuestra reina una extranjera vengativa que conspira contra nuestro antiguo enemigo de Francia. Tenemos que guardar buenas relaciones con el tirano de York y mientras tanto rezar para que Dios se vuelva contra él y nuestro verdadero monarca barra el sur con un ejército para librar otra batalla más.

Entretanto yo, al igual que hacen muchas mujeres que tienen un esposo muerto y un padre derrotado, tengo que recomponer mi vida como si fuera una colcha hecha de remiendos. Tengo que ingeniármelas para recuperar mi fortuna, aunque me da la impresión de que ningún pariente ni amigo va a poder hacer progreso alguno en mi favor. A todos se nos conoce como traidores. Se nos ha perdonado, pero no se nos quiere. Todos carecemos de poder. Tendré que defenderme sola y presentar yo misma mi alegato ante un muchacho que siente tan poco respeto por la justicia que se atrevió a lanzar un ejército contra su propio primo, un rey ordenado. ¿Qué se le puede decir a semejante salvaje que sea capaz de entenderlo?

Mis hijos, Thomas, que tiene nueve años, y Richard, que tiene ocho, van vestidos con sus mejores galas, el cabello humedecido y alisado, la cara lustrosa por el jabón. Los llevo uno a cada lado, firmemente sujetos de la mano, porque éstos son niños de verdad y atraen la suciedad como por arte de magia. Si los suelto un segundo, el uno se rozará los zapatos y el otro se hará un jirón en la pernera, y los dos se las arreglarán para acabar con hojas en el pelo y barro en la cara, y sin duda alguna Thomas se caerá al arroyo. Pero bien sujetos de mi mano caminan poniendo un pie tras otro muertos de aburrimiento, y tan sólo se enderezan cuando yo les digo: «Chis, oigo caballos.»

Al principio parece el repiqueteo de la lluvia, y un momento después suena igual que el retumbar de un trueno. El zangoloteo de los arneses y el flamear de los estandartes, el tintineo de las cotas de malla y el resollar de los caballos, el ruido, el olor y el fragor de un centenar de jinetes acercándose al galope; todo forma un estruendo abrumador, y aunque estoy decidida a quedarme donde estoy y obligarlos a detenerse, no puedo evitar el gesto de encogerme. ¿Cómo será enfrentarse en la batalla a esos hombres a caballo que cabalgan con las lanzas ante sí como si fueran un galopante muro de picas? ¿Cómo puede enfrentarse a ellos un hombre cualquiera?

Thomas distingue entre la furia y el ruido la cabeza rubia y descubierta, y grita «¡Hurra!» como el niño que es, y advierto que al oír esa vocecilla aguda el hombre se gira y nos ve a los niños y a mí, y tira de pronto de las riendas y exclama: «¡Alto!» Su caballo se levanta sobre los cuartos traseros, obligado a frenar, y la cabalgata entera se detiene y lanza juramentos quejándose de la súbita parada, pero de repente todo queda en silencio, envuelto en una nube de polvo.

Su caballo resopla y sacude la cabeza, pero el jinete permanece en lo alto del lomo con aspecto de estatua. Me mira a mí y yo a él; el silencio es tan intenso que alcanzo a oír un tordo en las ramas del roble que se eleva a mi lado. Lo oigo cantar. Dios mío, suena como un alegre cascabel, como la dicha hecha sonido. Nunca he oído cantar así a un pájaro, como si transformara la felicidad en música.

Doy un paso al frente, sin soltar a mis hijos de la mano, y abro la boca para exponer mis razones, pero en este momento, en este crucial momento, me quedo sin palabras. Había ensayado mucho. Tenía preparado un breve discurso, pero ahora no tengo nada. Y es casi como si no necesitara hablar. Me limito a mirarlo y a esperar que de algún modo él lo entienda todo: el miedo que tengo al futuro, las esperanzas que abrigo para mis hijos, mi falta de dinero y la irritable compasión de mi padre –por culpa de la cual me resulta tan insoportable vivir bajo su techo–, el frío de mi cama por las noches, el anhelo de tener otro hijo, la sensación de que mi vida se ha acabado. Dios santo, sólo tengo veintisiete años, mi causa ha sido derrotada, mi marido está muerto. ¿He de convertirme en una de esas muchas viudas pobres que pasan el resto de sus días acurrucadas junto a la chimenea de otra persona intentando ser buenas huéspedes en casa ajena? ¿Es que ya nunca van a besarme otra vez? ¿Es que nunca volveré a ser dichosa? ¿Nunca jamás?

Y sin embargo el pájaro canta como si quisiera decir que el placer es fácil para aquellos que lo desean.

Hace un ademán con la mano al hombre que tiene a su lado; éste ladra una orden y los soldados sacan los caballos del camino y se refugian bajo la sombra de los árboles. En cambio el rey desciende de su gigantesca montura, suelta las riendas y se acerca a pie hacia mí. Soy una mujer alta, pero él me saca una cabeza; debe de medir más de seis pies. Mis hijos alzan el cuello para mirarlo, para ellos es un gigante. Tiene el cabello rubio, los ojos grises y un rostro bronceado, abierto, sonriente, lleno de gracia y encanto. He aquí un rey que nunca habíamos visto en Inglaterra, un rey al que el pueblo amará nada más verlo. Y sus ojos se clavan en los míos como si yo conociera un secreto que él guarda, como si nos conociéramos desde siempre, y noto que me arden las mejillas pero no puedo apartar la vista de él.

En este mundo, una mujer modesta baja la mirada y no la levanta de las zapatillas; un suplicante se agacha en una reverencia y tiende una mano implorando limosna. En cambio yo me mantengo erguida, horrorizada conmigo misma, mirándolo fijamente como una campesina ignorante, y descubro que no puedo apartar los ojos de él, de su boca sonriente, de su mirada, que me está quemando el rostro.

—¿Quién es ésta? —pregunta sin dejar de mirarme.

—Excelencia, ésta es mi madre, lady Isabel Grey —responde cortésmente mi hijo Thomas, y acto seguido se descubre la cabeza y dobla una rodilla.

Richard, que está a mi otro costado, se arrodilla también y murmura, como si no lo oyeran:

—¿Éste es el rey? ¿De verdad? ¡Es el hombre más alto que he visto en mi vida!

Yo ejecuto una profunda reverencia, pero no puedo desviar la mirada. En vez de eso, miro al soberano como una mujer miraría al hombre que adora, con ojos cálidos.

—Levantaos —me dice él. Su tono de voz es bajo, para que tan sólo lo oiga yo—. ¿Habéis venido a verme?

—Necesito vuestra ayuda —respondo. Me cuesta trabajo pronunciar. Me siento igual que si la poción de amor con que mi madre mojó el pañuelo que ondea desde mi tocado me estuviera embriagando a mí, y no a él—. No puedo obtener las tierras de mi dote, mis propiedades, ahora que he enviudado. —Se me traba la lengua al ver que él sonríe mostrando interés—. Ahora soy viuda. No tengo de qué vivir.

—¿Viuda?

—Mi esposo era sir John Grey. Murió en St Albans —explico. Es para confesar la traición y la condenación de mis hijos. El rey reconocerá el nombre del comandante de la caballería de su enemigo. Me muerdo el labio—. Su padre murió mientras cumplía con su deber, tal como lo concibió, excelencia; era leal al hombre que él consideraba el rey. Mis hijos son inocentes de todo.

—¿Os dejó estos dos hijos? —pregunta sonriendo a los niños.

—La mejor parte de mi fortuna —replico—. Éste es Richard, y éste es Thomas Grey.

Saluda a ambos con un gesto de cabeza: y ellos lo miran como si fuera una especie de caballo de buena raza, demasiado grande para tenerlo ellos en casa pero un animal digno de admiración y reverencia. Luego el monarca vuelve a mirarme a mí.

—Tengo sed —dice—. ¿Vuestro hogar se encuentra cerca de aquí?

—Para nosotros sería un honor...

Echo una ojeada a la guardia que cabalga con él. Debe de haber más de un centenar. El rey deja escapar una leve risa y toma una decisión:

—Ellos pueden seguir avanzando. ¡Hastings! —El otro se gira y espera—. Continuad hasta Grafton. Ya os alcanzaré. Smollett puede quedarse conmigo, y también Forbes. Llegaré dentro de una hora más o menos.

Sir William Hastings me mira de arriba abajo como si yo fuera una bonita tela a la venta. Yo le devuelvo una mirada dura y él se descubre y me hace una venia; a continuación saluda a su soberano y por último ordena al guardia que vuelva a montar.

—¿Adónde os dirigís? —le pregunta al monarca.

El rey niño me mira a mí.

—Vamos a la casa de mi padre, el barón de Rivers, sir Richard Woodville —contesto con orgullo, aunque sé que al rey le sonará el nombre de un caballero que gozaba del favor de la corte de los Lancaster, que luchó por ellos y que en cierta ocasión recibió una áspera reprimenda de él en persona cuando York y Lancaster estaban enfrentados. Todos nos conocemos bien los unos a los otros, pero en general se observa la cortesía de olvidar que en cierta época todos éramos leales a Enrique VI, hasta que éste se convirtió en traidor.

Sir William enarca la ceja, sorprendido por el lugar que ha escogido el rey para hacer un descanso.

—Entonces dudo que deseéis quedaros mucho tiempo —responde en tono desagradable, y reanuda la marcha. Tiembla el suelo cuando pasan todos y nos dejan envueltos en una tibia quietud mientras la nube de polvo se va asentando.

—Mi padre ha sido perdonado y se le ha restaurado el título —digo a la defensiva—. Vos mismo lo perdonasteis después de Towton.

—Me acuerdo de vuestro padre y de vuestra madre —contesta el rey en tono sosegado—. Los conozco desde que era pequeño, en los buenos tiempos y en los malos. Y me sorprende que no os presentaran a mí.

Me veo obligada a reprimir una risita. Éste es un rey famoso por sus artes de seducción. Nadie que estuviera en su sano juicio permitiría que conociera a una hija suya.

—¿Os gustaría venir por este camino? —le pregunto—. Se tarda poco en llegar andando a la casa de mi padre.

—¿Os apetece montar a caballo, muchachos? —pregunta a mis hijos. Ambos levantan la cabeza como patitos suplicantes—. Podéis subir los dos —dice el rey, y a continuación iza a Richard y a Thomas hasta la silla—. Ahora agarraos fuerte. Tú agárrate a tu hermano, y tú... Thomas, ¿verdad?, tú cógete bien fuerte al pomo.

Después se pasa la rienda por un brazo y me ofrece a mí el otro, y así echamos a andar hacia mi hogar, a través del bosque, bajo la sombra de los árboles. Noto el calor de su brazo a través de la tela de su manga. Tengo que frenarme para no inclinarme hacia él. Miro al frente, en dirección a la casa y la ventana de mi madre, y veo, por el leve movimiento que se aprecia tras los cristales divididos por parteluces, que ha estado asomada y deseando que sucediera precisamente esto.

Al aproximarnos descubro que está junto a la puerta de entrada, acompañada por el criado de la casa. Hace una profunda reverencia para recibirnos.

—Excelencia —dice encantada, como si el rey acudiera a visitarla todos los días—, sois muy bienvenido a Grafton Manor.

Un mozo de cuadras llega corriendo y se hace cargo de las riendas del caballo para llevarlo a los establos. Mi hijo permanece unos instantes más subido a la silla, mientras mi madre se hace a un lado e indica al rey que pase al salón.

—¿Os apetece un vaso de cerveza ligera? —le ofrece—. También tenemos un vino muy bueno de mis primos de Borgoña.

—Tomaré la cerveza, si os place —responde él en tono afable—. Montar a caballo da mucha sed. Hace calor, para estar en primavera. Os doy los buenos días, lady Rivers.

Sobre la alta mesa del gran salón han colocado la mejor cristalería y una jarra de cerveza, además del vino.

—¿Esperáis compañía? —inquiere el rey.

Mi madre le sonríe.

—No existe hombre en el mundo capaz de pasar de largo sin ver a mi hija —replica ella—. Cuando me dijo que deseaba llevar su petición ante vos, di orden de que trajeran la mejor cerveza que tenemos. Sabía que desearíais hacer un alto aquí.

Él ríe, divertido por esa muestra de orgullo, y luego se vuelve y me sonríe a mí.

—En efecto, habría que ser ciego para pasar de largo sin veros —me dice.

Yo estoy a punto de hacer un pequeño comentario, pero entonces sucede otra vez: nuestras miradas se cruzan entre sí y ya no se me ocurre nada que decirle. Nos quedamos tal como estamos, contemplándonos el uno al otro durante largos instantes, hasta que mi madre le tiende un vaso y le dice en voz baja:

—A vuestra salud, excelencia.

Él sacude la cabeza como si despertara.

—Y ¿se encuentra aquí vuestro padre? —pregunta.

—Sir Richard ha ido a ver a nuestros vecinos —explico—. Esperamos tenerlo de vuelta para la cena.

Mi madre coge una copa limpia y la levanta hacia la luz como si tuviera algún defecto.

—Disculpadme —dice, y se va. El rey y yo nos quedamos solos en el gran salón, con el sol penetrando por el amplio ventanal que hay detrás de la mesa y la casa en silencio; parecería que todo el mundo estuviera conteniendo la respiración y escuchando.

Va hasta el otro lado de la mesa y toma asiento en el sillón del amo.

—Por favor, sentaos —me dice indicando con una seña el sillón que tiene a su lado. Yo me siento como si fuera su reina, a su derecha, y permito que me sirva un vaso de cerveza–. Pienso estudiar vuestra reclamación de tierras –afirma–. ¿Deseáis tener una casa independiente? ¿Es que no sois feliz viviendo con vuestros padres?

–Son buenos conmigo –respondo–, pero estoy acostumbrada a tener una familia propia y a administrar mis tierras. Y mis hijos no tendrán nada si no puedo reclamar las tierras de su padre. Es la herencia que les pertenece. Debo defender a mis vástagos.

–Han sido malos tiempos –comenta él–. Pero si logro conservar el trono, me encargaré de que vuelvan a estar en vigor las leyes del reino de una costa de Inglaterra a la otra, y vuestros hijos crecerán sin miedo a la guerra.

Yo asiento con la cabeza.

–¿Sois leal al rey Enrique? –me pregunta–. ¿Seguís a vuestra familia como miembros leales de la casa Lancaster?

Nuestra historia no se puede negar. Sé que hubo una furiosa contienda en Calais entre este rey, que por aquel entonces no era más que un hijo joven de la casa de York, y mi padre, que a la sazón era uno de los grandes lores de los Lancaster. Mi madre fue la primera dama de la corte de Margarita de Anjou; debió de conocer y tratar con condescendencia al joven hijo de York una docena de veces. Pero ¿quién habría imaginado entonces que el mundo podía volverse patas arriba y que la hija del barón de Rivers iba a tener que rogar a aquel mismo muchacho que le fueran restituidas sus propias tierras?

–Mi madre y mi padre gozaban de una alta posición en la corte del rey Enrique, pero actualmente mi familia y yo aceptamos vuestro gobierno –me apresuro a decir.

Él sonríe.

–Muy sensato por vuestra parte, dado que he ganado yo –contesta–. Acepto vuestro homenaje.

Dejo escapar una risita y al momento se le ablanda el semblante.

—Pronto terminará, Dios lo quiera —dice—. Enrique no posee nada más que un puñado de castillos en el norte del país, un territorio sin ley. Puede reclutar una partida de bandidos como cualquier proscrito, pero no puede reunir un ejército decente. Y su reina no puede continuar indefinidamente trayendo enemigos al país para que combatan contra su propio pueblo. Los que luchen por mí serán recompensados, pero incluso los que han lidiado contra mí verán que soy justo en la victoria. Además extenderé mi dominio incluso hasta el norte de Inglaterra, hasta sus fortalezas, hasta la frontera misma con Escocia.

—¿Os dirigís ahora hacia el norte? —le pregunto. Bebo un sorbo de cerveza. Es la mejor que hace mi madre, pero tiene un regusto fuerte; le habrá añadido unas gotas de alguna tintura, un filtro de amor, algo que haga crecer el deseo. Pero no necesito nada, ya estoy sin aliento.

—Necesitamos que haya paz —dice el rey—. Paz con Francia, paz con los escoceses y paz entre un hermano y otro, entre un primo y otro. Enrique ha de rendirse; su esposa tiene que dejar de traer tropas francesas para que batallen contra los ingleses. No debemos dividirnos más, York contra Lancaster. Debemos ser todos ingleses. No hay nada que enferme más a un país que la lucha interna de su pueblo. Destruye familias, nos mata a diario. Esto tiene que acabar, y yo pienso ponerle fin. Este mismo año.

Siento el miedo enfermizo que llevan experimentando las gentes de este país desde hace casi una década.

—¿Ha de haber otra batalla?

Él sonríe.

—Procuraré que no se acerque a vuestra puerta, mi señora. Pero ha de librarse, y a no tardar. Perdoné al duque de Somerset y le entregué mi amistad, y ahora ha huido una vez más con Enrique. Es un Lancaster traidor, desleal como todos los Beaufort. Los Percy están sublevando al norte contra mí. Odian a los Neville, y los Neville son mis mayores aliados. Ahora es como un baile: los bailarines están en el sitio que les corresponde y tienen que ejecutar los pasos a que están obligados. Tendrán una batalla, no se puede evitar.

—¿Va a venir hacia aquí el ejército de la reina? —Aunque mi madre la amaba y era la primera de sus damas, he de decir que su armada constituye un contingente que inspira auténtico terror. Mercenarios a los que no les importa nada el país; franceses que nos odian; y los salvajes del norte de Inglaterra, que consideran que nuestros fértiles campos y nuestras prósperas ciudades tan sólo sirven para ser saqueados. La vez anterior, trajo a los escoceses tras haber pactado con ellos que todo cuanto robasen se lo podrían quedar en concepto de sueldo. Bien podría haber contratado lobos.

—Yo lo detendré —replica el rey con sencillez—. Me enfrentaré a él en el norte de Inglaterra y lo derrotaré.

—¿Cómo podéis estar tan seguro? —pregunto.

El rey me lanza una sonrisa que me deja sin respiración.

—Porque jamás he perdido una batalla —responde sin más—. Y jamás la perderé. En el campo soy rápido y poseo destreza; soy valiente y tengo suerte. Mi ejército se mueve más de prisa que ningún otro, yo lo obligo a marchar con rapidez y traslado a mis hombres con todas las armas. Me adelanto a las tácticas y los movimientos de mi enemigo. No pierdo contiendas. Tengo tanta suerte en la guerra como la que tengo en el amor. Nunca he perdido en un terreno ni en el otro. No pienso perder contra Margarita de Anjou, pienso ganar.

Yo lanzo una carcajada al ver tanta seguridad en sí mismo, como si no me impresionase, pero lo cierto es que me tiene deslumbrada.

Se termina el vaso de cerveza y se pone en pie.

—Gracias por vuestra amabilidad —me dice.

—¿Os marcháis? ¿Os marcháis ya? —tartamudeo.

—¿Me informaréis por escrito de los detalles de vuestra reclamación?

—Sí, pero...

—¿Con nombres, fechas y demás? ¿Las tierras que decís que os pertenecen y los detalles de vuestra condición de propietaria de las mismas?

Casi lo agarro de la manga para que se quede conmigo, como un mendigo.

—Así lo haré, pero...

—En ese caso me despido de vos.

No hay nada que pueda hacer para impedírselo, a no ser que a mi madre se le haya ocurrido dejarle cojo el caballo.

—Sí, excelencia, y gracias. Pero podéis quedaros si lo deseáis. No tardaremos en cenar... o bien...

—No, he de irme. Mi amigo William Hastings estará esperándome.

—Por supuesto, por supuesto. No quiero entreteneros...

Lo acompaño hasta la puerta. Me angustia que se marche tan bruscamente, y sin embargo no se me ocurre nada que lo incite a quedarse. Al llegar al umbral se da la vuelta y me toma la mano; inclina su rubia cabeza y, con un gesto delicioso, la vuelve, deposita un beso en la palma y me cierra los dedos como para mantenerlo a salvo. En su sonrisa veo que sabe perfectamente bien que con ese gesto me ha derretido y que voy a seguir con el puño cerrado hasta que me vaya a dormir, momento en que podré llevármelo a la boca.

Él observa mi expresión de embeleso, mi mano que se extiende, en contra de mi voluntad, para tocarle la manga. Y entonces se ablanda.

—Mañana os traeré, yo mismo, el documento que debéis preparar —me dice—. Naturalmente. ¿Habíais imaginado otra cosa? ¿Cómo habéis podido? ¿Pensabais que iba a ser capaz de dejaros así y no regresar? Por supuesto que voy a volver. Mañana al mediodía. ¿Os veré entonces?

Seguro que se ha dado cuenta de mi exclamación ahogada. Mi rostro ha recuperado el color, hasta el punto de que me arden las mejillas.

—Sí —balbuceo—. M... mañana.

—Al mediodía. Y además me quedaré a cenar, si me lo permitís.

—Será un honor para nosotros.

Se despide con una inclinación de cabeza y se aleja por el salón, en dirección a las dobles puertas, abiertas de par en par, para salir a la luz del sol. Yo me llevo las manos a la espalda y me agarro a la gran hoja de madera, en busca de apoyo. Ciertamente, siento las rodillas demasiado débiles para que aguanten mi peso.

—¿Se ha ido? —pregunta mi madre apareciendo sin hacer ruido por la puerta lateral.

—Va a regresar mañana —respondo—. Va a volver mañana. Va a volver mañana a verme.

Cuando el sol ya se está poniendo y mis hijos están rezando sus oraciones de antes de dormir —arrodillados al pie de sus literas, con sus cabecitas rubias y las manos juntas—, mi madre sale por la puerta principal de la casa y toma el tortuoso camino que desciende hasta el puente —un par de tablones de madera— que cruza el río Tove. Lo atraviesa rozando las ramas de los árboles con su tocado cónico y me hace una seña para que la siga. Ya en la otra orilla, apoya la mano en un gigantesco fresno y me percato de que alrededor de la corteza áspera del árbol hay un oscuro hilo de seda atado.

—¿Qué es esto?

—Ve recogiéndolo —es todo cuanto me dice—. Ve recogiéndolo un tramo cada día.

Toco el hilo con la mano y tiro suavemente de él. Cede con facilidad; tiene algo ligero y pequeño anudado en el otro extremo. Ni siquiera alcanzo a ver qué puede ser, porque la hebra se extiende sobre el río y se mete entre los juncos de la otra orilla, en el agua profunda.

—Es magia —digo sin más. Mi padre ha desterrado estas prácticas de su casa, están prohibidas por las leyes del reino. Que a una mujer la declaren bruja acarrea pena de muerte, muerte por ahogamiento en el barril de agua o por estrangulamiento a manos del herrero en el cruce de caminos de la aldea. Hoy en día, en Inglaterra, a las mujeres como mi madre no se nos permite practicar nuestras habilidades; somos personas prohibidas.

—Magia —concuerda ella sin inmutarse—. Una magia poderosa, para una buena causa. Merece la pena correr el riesgo. Ven aquí todos los días y tira del hilo, un poco cada vez.

—¿Y qué ocurrirá? —le pregunto—. ¿Qué hay al final de este sedal de pescar vuestro? ¿Qué pez terminaré capturando?

Ella me sonríe y me acaricia la mejilla con la mano.

—El que desea tu corazón —me contesta con suavidad—. No te crié para que fueras una viuda pobre.

Seguidamente da media vuelta y cruza otra vez el puente; yo tiro del hilo tal como me ha dicho. Lo recojo doce pulgadas, vuelvo a atarlo al árbol y me voy detrás de mi madre.

—¿Y para qué me criasteis, entonces? —le pregunto mientras las dos regresamos juntas hacia la casa—. ¿Qué he de ser, según vuestros planes, en un mundo que está en guerra y en el que, a pesar de vuestra clarividencia y vuestra magia, según parece estamos atrapados en el lado de los perdedores?

Está saliendo la luna nueva, una estrecha hoz de color blanco. Sin pronunciar una palabra, ambas le lanzamos un deseo; luego hacemos una breve reverencia y en ese momento se oye el tintineo de las monedas que llevamos en los bolsillos.

—Te crié para que fueras lo máximo posible —me responde mi madre con sencillez—. Entonces no sabía exactamente el qué, ni tampoco lo sé ahora. Pero no te crié para que fueras una mujer sola que echa en falta a su esposo y tiene que luchar por la seguridad de sus hijos; una mujer sola en una cama fría que desperdicia su belleza en unas tierras vacías.

—Pues amén —contesto con la mirada fija en la delgada franja de la luna—. Amén a eso. Y ojalá la luna nueva me traiga algo mejor.

Al día siguiente, a mediodía, me encuentro sentada en mi cámara privada, con un vestido corriente, cuando de pronto entra la muchacha toda apresurada para avisarme de que el rey viene a caballo por el camino que conduce a esta casa. No me doy permiso para precipitarme hacia la ventana a buscarlo con la mirada, no me doy permiso para ir corriendo a verme en el espejo de plata que tiene mi madre en su habitación, sino que dejo la labor de costura y bajo la gran escalinata de madera para que, cuando se abra la puerta y el rey entre por ella, me encuentre descendiendo con actitud serena, como si me hubieran sacado de mis ocupaciones domésticas para que acuda a recibir a un invitado que ha llegado por sorpresa.

Voy hasta él con una sonrisa y él me saluda con un cortés beso en la mejilla; percibo la tibieza de su piel y veo, con los ojos entrecerrados, la suavidad del vello que se le riza en la nuca. Su cabello desprende un leve aroma a especias y la piel del cuello le huele a limpio. Cuando fija la mirada en mí, advierto una expresión de deseo. Me suelta la mano lentamente y yo me aparto de él de mala gana. Me giro y ejecuto una reverencia cuando mi padre y mis dos hermanos mayores, Anthony y John, se adelantan para hacer la venia al rey.

Durante la cena la conversación es poco natural, como debe ser. Mi familia muestra deferencia a este nuevo rey de Inglaterra, pero es innegable que hemos entregado nuestra vida y nuestra fortuna batallando contra él, y mi esposo no fue el único de nuestra familia y de nuestra parentela que no regresó a casa. Pero así es como han de ser las cosas en una guerra que ellos han denominado «guerra entre primos», dado que en ella luchan hermano contra hermano, y los hijos de uno y otro los siguen después a la muerte. Mi padre ha sido perdonado, mis hermanos también, y ahora el vencedor parte el pan con ellos como para olvidar que los aplastó en Calais, como para olvidar que mi padre dio media vuelta y huyó de su ejército a través de la nieve manchada de sangre de Towton.

El rey Eduardo es de trato afable. Se muestra encantador con mi madre y divertido con mis hermanos Anthony y John, y más tarde también con Richard, Edward y Lionel, que se suman a nosotros. Tres de mis hermanas pequeñas están en casa y cenan en silencio, con los ojos llenos de admiración pero demasiado asustadas para decir una palabra. Elizabeth, la esposa de Anthony, permanece sentada junto a mi madre, elegante y silenciosa. El rey es cumplidor con mi padre y le pregunta por la caza y por las tierras, por el precio del trigo y la continuidad de los trabajadores contratados. Para cuando se sirven la fruta en conserva y los dulces, ya está conversando como si fuera un amigo de la familia, y yo puedo reclinarme en mi asiento y observarlo.

—Bien, hablemos ahora de negocios —le dice a mi padre—. Lady Isabel me dice que ha perdido las tierras que le legó su marido.

Mi padre asiente.

—Lamento molestaros con ese asunto, pero hemos intentado razonar con lady Ferrers y lord Warwick sin resultado alguno. Esas tierras quedaron confiscadas después... —se aclara la garganta— después de St Albans, ya comprendéis. Allí murió su esposo. Y ahora no consigue que se le devuelvan las tierras que le dejó él en viudedad. Aunque vos consideréis traidor a su esposo, ella personalmente es inocente, y al menos debería tener los bienes que le corresponden como viuda.

El rey se gira hacia mí.

—¿Habéis puesto por escrito vuestra titularidad y reclamación de dichas propiedades?

—Sí —respondo. Le entrego el papel y él le echa una ojeada.

—Voy a hablar con sir William Hastings y a pedirle que se ocupe de zanjar este asunto —dice sin más—. Él será vuestro defensor.

Al parecer, es así de fácil. De un solo plumazo, seré liberada de la pobreza y volveré a tener una tierra que será mía; mis hijos dispondrán de una herencia y yo dejaré de suponer una carga para mi familia. Si alguien me pide en matrimonio, podré aportar propiedades. Ya no seré objeto de la caridad de nadie. No tendré que mostrarme agradecida por recibir una propuesta. No tendré que dar las gracias a ningún hombre por que se case conmigo.

—Sois muy bondadoso, sire —dice mi padre en tono relajado, y después me hace un gesto a mí con la cabeza.

Yo, obediente, me levanto del asiento y ejecuto una reverencia profunda.

—Os estoy agradecida —digo—. Esto lo es todo para mí.

—Seré un rey justo —replica él, mirando a mi padre—. No quiero que ningún inglés sufra porque yo suba al trono.

Mi padre hace un esfuerzo visible por abstenerse de replicar que varios de nosotros ya hemos sufrido.

—¿Más vino? —lo interrumpe mi madre rápidamente—. ¿Excelencia? ¿Esposo?

—No, he de irme —dice el rey—. Estamos reuniendo tropas por todo Northamptonshire y equipándolas. —Retira su silla, y todos los demás —mi padre y mis hermanos, mi madre, mis hermanas y yo— nos inclinamos hacia delante como marionetas para incorporarnos al tiempo que se levanta él—. Lady Isabel, ¿querríais enseñarme el jardín antes de que me vaya?

—Será un honor —contesto.

Mi padre abre la boca para ofrecerse a acompañarnos, pero mi madre se apresura a decir:

—Sí, ve, Isabel.

Y los dos nos vamos de la habitación sin llevar ningún acompañante.

Cuando salimos de la oscuridad de la casa nos encontramos con un aire cálido como el del verano. El rey me ofrece su brazo y bajamos los escalones que conducen al jardín agarrados y en silencio. Enfilo el sendero que rodea el diminuto recinto y comenzamos a pasear sin prisas, observando los setos podados y las piedras pulidas y blancas; pero yo no veo nada. El rey guarda mi mano un poco más dentro de su brazo y yo noto el calor que despide su cuerpo. La lavanda ya casi está en flor y percibo su aroma, dulce como el azahar, penetrante como los limones.

—Sólo tengo un ratito muy breve —me dice—. Somerset y Percy están armándose contra mí. El propio Enrique saldrá de su castillo y se pondrá al frente de su ejército si está en sus cabales y es capaz de comandarlo. Pobre diablo, me dicen que actualmente está en su sano juicio, pero que en cualquier momento podría perder la razón. La reina debe de estar planeando desembarcar un ejército de franceses que acudan en su ayuda, y vamos a tener que enfrentarnos al poder de Francia en suelo inglés.

—Rezaré por vos —le digo.

—La muerte nos acecha a todos —replica él en tono serio—. Pero es la compañera constante de un monarca que ha conseguido la corona en el campo de batalla y que ahora tiene que salir a luchar de nuevo.

Se detiene unos instantes y yo me detengo con él. Reina un profundo silencio, a excepción del gorjeo de un pájaro. El semblante del rey es grave.

—¿Me permitís que esta noche envíe un paje a recogeros? —me pregunta en voz queda—. Siento hacia vos un anhelo, lady Isabel Grey, que no he sentido jamás por ninguna otra mujer. ¿Querréis venir a mí? No os lo pido como soberano, ni siquiera como soldado que podría morir en la batalla, sino como se lo pediría un simple hombre a la mujer más hermosa que ha visto jamás. Venid a mí, os lo ruego, venid a mí. Podría ser mi último deseo. ¿Querréis venir a mí esta noche?

Yo sacudo la cabeza en un gesto negativo.

—Perdonadme, excelencia, pero soy una mujer honrada.

—Puede que no vuelva a pedíroslo nunca más. Dios es testigo de que tal vez no se lo vuelva a pedir a ninguna mujer. No puede haber deshonra en esto. Podría morir la semana próxima.

—Aun así.

—¿Es que no os sentís sola? —me pregunta. Sus labios casi me rozan la frente de tan cerca que está de mí, noto el calor de su aliento en la mejilla–. ¿Y no sentís nada por mí? ¿Podéis decir que no me deseáis? ¿Sólo una vez? ¿No me deseáis en este momento?

Con toda la lentitud de que soy capaz, levanto los ojos hacia su rostro. Mi mirada se detiene un instante en su boca y después continúa hacia arriba.

–Santo Dios, habéis de ser mía –jadea.

–No puedo ser vuestra amante –replico con sencillez–. Antes prefiero la muerte que deshonrar mi apellido. No puedo traer esa vergüenza a mi familia. –Callo unos instantes. No quisiera desanimarlo en exceso–. Sea cual sea el deseo que alberga mi corazón –termino en voz muy baja.

–¿Pero me deseáis? –insiste él igual que un adolescente; yo permito que vea la expresión cálida que me inunda el rostro.

–Ah –le digo–, no puedo deciros...

El rey aguarda.

–No puedo deciros hasta qué punto.

Advierto, aunque él se apresura a disimularlo, el brillo del triunfo. Cree que voy a ser suya.

–¿Entonces vendréis?

–No.

–En ese caso, ¿he de marcharme? ¿Debo dejaros? ¿No puedo...? –Inclina su rostro hacia mí y yo levanto el mío. Su beso es tan suave como el roce de una pluma en mi boca. Mis labios se abren ligeramente y lo siento temblar igual que un caballo sujeto por una rienda demasiado corta–. Lady Isabel... Os lo juro... Tengo que...

Yo doy un paso atrás en este delicioso baile.

–Ojalá... –digo.

–Volveré mañana –dice él bruscamente–. Por la noche. Cuando se ponga el sol. ¿Querréis reuniros conmigo en el lugar en que os vi por primera vez, bajo el roble? ¿Querréis reuniros allí conmigo? Os diría adiós antes de partir hacia el norte: Tengo que veros de nuevo, lady Isabel. Aunque sólo sea eso. Tengo que veros.

Yo asiento sin decir nada y lo contemplo mientras él da media vuelta y regresa a la casa. Lo veo dirigirse hacia el establo y momentos después su caballo sale al galope y vuelve a tomar el camino acompañado por sus dos pajes, que espolean a sus monturas en el esfuerzo por alcanzarlo. Lo sigo con la mirada hasta que lo pierdo de vista y después cruzo el pequeño puentecillo que atraviesa el río y busco el hilo atado al fresno. Con expresión pensativa, recojo el sedal otro trecho más y vuelvo a atarlo. Y después regreso a mi casa.

En la cena del día siguiente se celebra una especie de conferencia familiar. El rey ha enviado una carta en la que dice que su amigo sir William Hastings va a defender en Bradgate la reclamación que he presentado respecto de mi casa y mis tierras, y que puedo tener la seguridad de que se me restituirá mi fortuna. Mi padre está complacido; pero todos mis hermanos varones, Anthony, John, Richard, Edward y Lionel, que muestran el vigilante orgullo típico de los jóvenes, sospechan de forma unánime del rey.

—Es de sobra conocido que es un mujeriego. Le exigirá que se acueste con él. Seguro que la llama a la corte —declara John.

—No va a devolverle las tierras por caridad, querrá algo a cambio —coincide Richard . No hay una sola mujer en la corte que no se haya llevado a la cama. ¿Por qué no iba a probar ahora con Isabel?

—Un miembro de la casa de Lancaster —dice Edward como si eso bastase para firmar nuestra enemistad, y Lionel asiente sabiamente.

—Un hombre difícil de rechazar —reflexiona Anthony, que es mucho más mundano que John; ha viajado por toda la cristiandad y ha estudiado con grandes pensadores, así que mis padres siempre escuchan sus opiniones–. Yo diría, Isabel, que cabría la posibilidad de que te sintieras en un compromiso. Temo que puedas considerar que estás en deuda con él.

Yo me encojo de hombros.

–En absoluto. No tengo nada más que lo que era mío. Solicité justicia al rey y eso es lo que he recibido, lo que recibiría cualquier suplicante que tuviera el derecho de su parte.

–De todas formas, si envía a buscarte, no debes acudir a la corte –me dice mi padre–. Se trata de un hombre que ha conseguido meterse entre las piernas de la mitad de las viudas de Londres y que ahora está haciendo lo mismo con las de Lancaster. No es un hombre santo como el bendito rey Enrique.

Ni de cabeza blanda como el bendito rey Enrique, me digo yo, pero en voz alta contesto:

–Por supuesto, padre, se hará como ordenéis.

Él me mira con fijeza, suspicaz ante mi disposición a obedecer.

–¿No consideras que le debes un favor? ¿Sonreírle? ¿O algo peor?

Yo me encojo de hombros.

–Le he pedido que haga justicia, no un favor –replico–. Yo no soy un criado cuyos servicios se puedan comprar ni un campesino que pueda jurar vasallaje. Yo soy una dama de buena familia, tengo mis lealtades y mis obligaciones, que respeto y honro. Y ésas no le pertenecen a él. No están a disposición de cualquier hombre que las requiera.

Mi madre baja la cabeza para disimular la sonrisa. Ella es hija de Borgoña, descendiente de Melusina, la diosa del agua. Jamás en su vida se ha considerado obligada a hacer nada; y jamás pensaría que su hija está obligada a hacer nada.

Mi padre la mira primero a ella y después a mí y se encoge de hombros como si se hubiera rendido a la inveterada independencia de las mujeres voluntariosas. Después hace un gesto con la cabeza a mi hermano John y dice:

—Voy a ir a la aldea de Old Stratford. ¿Quieres acompañarme?
—Y los dos salen juntos.

—¿Tú quieres ir a la corte? ¿Admiras al rey, a pesar de todo? —me pregunta Anthony cuando mis demás hermanos varones se van de la habitación.

—Es el rey de Inglaterra —respondo—. Naturalmente que iré si me invita. ¿Por qué no habría de ir?

—Tal vez porque padre acaba de decir que no debes ir y porque yo te he aconsejado lo mismo.

Me encojo de hombros.

—Ya os he oído.

—¿Qué otro recurso posee una pobre viuda para abrirse camino en este mundo tan malvado? —bromea.

—En efecto.

—Serías una idiota si te vendieras barata —me advierte.

Yo lo miro con gesto sagaz.

—No tengo la menor intención de venderme —le digo—. No soy un trozo de tela. No soy una pata de jamón. No estoy en venta para nadie.

Al ponerse el sol estoy aguardándolo debajo del roble, oculta entre el verdor. Siento alivio al oír los cascos de un único caballo por el camino. Si hubiera venido acompañado de un guardia, yo me habría escabullido y habría regresado a casa temiendo por mi seguridad. Por muy tierno que se mostrara en los confines del jardín de mi padre, no se me olvida que es el rey autoproclamado del ejército de York y que ellos violan a las mujeres y asesinan a sus maridos por rutina. Eduardo se habrá endurecido viendo cosas que nadie debería presenciar; él mismo habrá hecho cosas que constituyen el peor de los pecados. No puedo fiarme de él. Por más vuelcos que se me dé el corazón al ver su sonrisa y por más sincera que me parezca su mirada, por más que lo considere un muchacho impulsado hacia la grandeza por su propia ambición, no puedo fiarme de él. No vivimos en los tiempos de la caballería; no son los tiempos en los que había caballeros en los bosques oscuros, y bellas damiselas en fuentes iluminadas por la luna, y promesas de amor que se convertían en baladas y se cantaban eternamente.

En cambio, el rey parece un caballero en un bosque oscuro cuando detiene su montura y se apea de ella con un grácil movimiento.

—¡Habéis venido! —exclama.

—No puedo quedarme mucho tiempo.

—Me alegra mucho que hayáis acudido, al menos. —Se ríe de sí mismo, maravillado casi—. Hoy he actuado como un muchacho todo el día, anoche no pude dormir pensando en vos, y he estado la jornada entera pensando si asistiríais a la cita, ¡y aquí estáis!

Ata las riendas de su caballo a la rama de un árbol y desliza una mano alrededor de mi cintura.

—Mi dulce dama —me dice al oído—, sed amable conmigo. ¿Por qué no os quitáis el tocado y os dejáis el cabello suelto?

Es lo último que pensé que iba a pedirme y me he quedado tan atónita que consiento al instante. Al momento muevo la mano hacia las cintas de mi tocado.

—Ya sé, ya sé. Creo que me estáis volviendo loco. Lo único en que he podido pensar durante todo el día ha sido en si os soltaríais el cabello por mí.

A modo de respuesta, desanudo los lazos que sujetan mi tocado cónico y lo retiro. Lo dejo con cuidado en el suelo y me vuelvo hacia el rey. A continuación, con la delicadeza de una dama de compañía, él acerca una mano a mi cabeza y retira las horquillas de marfil; se las va guardando de una en una en el bolsillo del jubón. Siento el beso sedoso de mi tupida cabellera cayendo en cascada sobre mi rostro. Sacudo la cabeza y la echo hacia atrás como si fuera la gruesa melena dorada de un león, y oigo al rey gemir de deseo.

Él se desprende de la capa y la extiende sobre el suelo, a mis pies.

—¡Sentaos conmigo! —me ordena, aunque en realidad quiere decir: «Yaced conmigo» y los dos lo sabemos.

Tomo asiento con cautela en el borde de su capa, con las rodillas levantadas y rodeadas con los brazos y mi hermoso vestido de seda esparcido a mi alrededor. Él me acaricia el pelo suelto hundiendo los dedos en él poco a poco, cada vez más, hasta que acaba tocándome el cuello, y entonces me gira la cabeza hacia él para besarme.

Se inclina suavemente sobre mí, hasta que termino estando debajo de su cuerpo. Entonces, al sentir su mano tirando de mi vestido, levantándolo, apoyo ambas manos en su pecho y lo aparto con suavidad.

—Isabel —jadea él.

—Ya os dije que no —digo con firmeza—. Y lo dije en serio.

—¡Pero habéis acudido a la cita!

—Vos me lo pedisteis. ¿Debo irme?

—¡No! ¡Quedaos! ¡Quedaos! No huyáis, os juro que no... Sólo permitidme besaros de nuevo.

Mi propio corazón está palpitando con tanta fuerza y estoy tan deseosa de sentir sus caricias, que empiezo a pensar que podría yacer con él una sola vez, que podría permitirme ese placer una sola vez... pero me zafo de él diciendo:

—No, no, no.

—Sí —insiste él con más energía—. No sufriréis daño alguno, os lo juro. Vendréis a la corte. Todo lo que me pidáis. Por Dios santo, Isabel, permitid que os tome, os deseo con desesperación. Desde el momento en que os vi aquí...

Siento su peso sobre mí, me está aprisionando contra el suelo. Giro la cabeza, pero tengo su boca en el cuello, en el seno; estoy jadeando de deseo y de repente me invade, de forma inesperada, un súbito sentimiento de rabia al darme cuenta de que ya no me está abrazando, sino que me está forzando, aprisionando, como si yo fuera una mujerzuela detrás de una pila de heno. Está alzándome el vestido como si yo fuera una ramera; está metiendo la rodilla entre mis piernas como si yo hubiera dado mi consentimiento, y la furia me vuelve tan fuerte que lo empujo de nuevo y a continuación palpo la empuñadura de la daga que lleva sujeta al cinto.

Me ha levantado el vestido y ya está intentando quitarse el jubón y las calzas; dentro de un momento será demasiado tarde para quejas, de modo que saco la daga de la funda. Nada más oír el roce del metal, retrocede sobresaltado y se incorpora sobre las rodillas, momento que yo aprovecho para escabullirme y ponerme en pie de un salto, con la daga desenvainada, reluciendo peligrosa bajo los últimos rayos del sol.

Él se levanta al instante, tambaleante y alerta, como un guerrero.

—¿Sacáis una hoja contra vuestro rey? —escupe—. ¿Sabéis que con ello cometéis traición, mi señora?

—Saco una hoja contra mí misma —me apresuro a decir. Me pongo la daga en la garganta y veo que él entorna los ojos—. Os juro que si dais un paso más, si os acercáis una pulgada más, me corto el cuello delante de vos y me dejo morir desangrada aquí mismo, en el suelo, donde me habríais deshonrado.

—¡Estáis fingiendo!

—No. Para mí esto no es un juego, excelencia. No puedo ser vuestra amante. Primero acudí a vos solicitando justicia, y esta tarde he venido por amor; soy una necia por haberlo hecho y os pido perdón por mi desvarío. Pero yo tampoco puedo dormir, yo tampoco soy capaz de pensar en nada que no seáis vos, y también he pasado el día preguntándome si vendríais. Pero aun así... aun así, no deberíais...

—Podría quitaros esa daga en un momento —me amenaza.

—Olvidáis que tengo cinco hermanos. Llevo jugando con dagas y espadas desde que era pequeña. Me cortaré la garganta antes de que podáis ponerme una mano encima.

—No seréis capaz. Sois una mujer y no tenéis más valor que el que tienen las mujeres.

—Ponedme a prueba. Ponedme a prueba. No sabéis cuál es el valor que tengo. Quizá lamentéis lo que suceda.

El rey titubea durante un segundo, también con el corazón retumbando con una mezcla de rabia y deseo, hasta que por fin se domina, levanta las manos en ademán de rendición y da un paso atrás.

—Vos ganáis —dice—. Vos ganáis, mi señora. Y podéis quedaros esa daga a modo de botín de guerra. Tomad... —abre la hebilla de la funda y la arroja al suelo—, coged también la maldita vaina, ya que vamos a eso.

Las piedras preciosas y el oro esmaltado refulgen a la luz del crepúsculo. Sin apartar los ojos del rey, me agacho y recojo la funda.

—Os acompañaré hasta vuestra casa —me dice—. Me encargaré de dejaros sana y salva en la puerta.

Pero yo niego con la cabeza.

—No. No pueden verme con vos. Nadie ha de saber que nos hemos visto en secreto. Sería una vergüenza para mí.

Por un momento pienso que él va a discutir, pero en cambio asiente.

—Adelantaos, pues —propone—, y yo os seguiré como un paje, como vuestro sirviente, hasta veros entrar a salvo en vuestro hogar. Podéis regodearos en vuestro triunfo llevándome detrás igual que un perrillo. Ya que me tratáis como a un necio, os serviré como tal; y podréis regocijaros con ello.

No hay nada que decir en contra de su enfado, de manera que hago un gesto de asentimiento y echo a andar por delante de él, como ha indicado. Caminamos en silencio. Oigo el roce de su capa a mi espalda. Cuando llegamos a la linde del bosque y ya se nos puede ver desde la casa, me detengo y me giro hacia él.

—A partir de aquí ya estaré a salvo —le digo—. He de rogaros que me perdonéis por mi fatuo proceder.

—Y yo he de rogaros que me perdonéis por haber hecho uso de

la fuerza —contesta él en tono formal—. Tal vez estoy demasiado acostumbrado a obtener todo lo que deseo. Pero he de decir que jamás he sido rechazado a punta de cuchillo. Y de un cuchillo mío, además.

Yo me vuelvo y le ofrezco la daga por la empuñadura.

—¿Queréis recuperarlo, excelencia?

Él hace un gesto negativo.

—Conservadlo para que os recuerde a mí. Será lo único que os obsequie. Un regalo de despedida.

—¿Es que no voy a veros más?

—Nunca —contesta él con sencillez; y tras una breve reverencia emprende el regreso.

—¡Excelencia! —lo llamo, y él se vuelve y se detiene.

—No deseo separarme de vos con malos sentimientos —digo débilmente—. Espero que podáis perdonarme.

—Me habéis dejado en ridículo —replica él en tono glacial—. Podéis felicitaros por ser la primera mujer que ha hecho tal cosa. Pero seréis la última. Y jamás volveréis a hacerlo.

Ejecuto una profunda reverencia y antes de incorporarme lo oigo darse media vuelta y rozar con su capa los arbustos que crecen a un lado y al otro del camino. Espero hasta dejar de oírlo del todo y finalmente me levanto y me encamino hacia mi casa.

Hay una parte de mí, como mujer joven que soy, que desea echar a correr hacia esa casa, refugiarse en la cama y romper a llorar hasta quedarme dormida. Pero no hago tal cosa. Yo no soy una de mis hermanas, que ríen con facilidad y lloran con facilidad. Ellas son muchachas a las que les ocurren cosas y se resienten dolorosamente. En cambio yo me conduzco mejor que una joven tonta. Yo soy hija de una diosa del agua. Soy una mujer que lleva agua en las venas y autoridad en su pedigrí. Soy una mujer que hace que ocurran las cosas y todavía no he sido derrotada. No me ha derrotado un niño que luce una corona recién adquirida; y ningún hombre se irá jamás de mí con la certeza de que no va a volver.

De modo que todavía no entro en casa. Tomo el sendero que lleva al puentecillo del río y me dirijo al fresno a cuyo tronco está atado el hilo de mi madre. Le doy una vuelta más al sedal y lo anudo con fuerza; sólo entonces regreso a casa, pensativa, bajo la tenue luz de la luna.

Espero. Todas las noches, durante veintidós días, voy hasta el río y recojo un trozo de hilo, igual que un pescador armado de paciencia. En una de esas ocasiones noto que se traba y que se pone tenso cuando el objeto que tiene en el extremo, sea el que sea, se libera de los juncos que crecen al borde del agua. Tiro suavemente, como si estuviera cobrando una pieza, y entonces noto que el sedal se relaja. Con un leve chapoteo, algo pequeño pero pesado se hunde un poco más, resbala corriente abajo y por fin se queda inmóvil entre los cantos rodados del lecho del río.

Vuclvo a casa. Mi madre está esperándome junto al lago de las carpas contemplando su propia imagen reflejada en el agua, ya plateada por el tono gris del ocaso. Su reflejo parece un pez alargado y argentino que se mueve por el lago o una mujer nadando. A su espalda, el cielo está cubierto por unas nubes semejantes a plumas blancas en contraste con una tela de seda de color claro. Está saliendo la luna, una luna ya menguante. Esta noche las aguas bajan crecidas y besan el pequeño embarcadero. Cuando me acerco hasta ella y observo la superficie, se diría que las dos estamos surgiendo del agua, como los espíritus del lago.

—¿Haces esto todas las noches? —me pregunta—. Tirar del hilo.

—Sí.

—Bien. Eso está bien. ¿Te ha hecho llegar alguna señal? ¿Algún mensaje?

—No espero recibir nada. Dijo que no volvería a verme más.

Mi madre suspira.

—Oh, bien.

Emprendemos el regreso a la casa.

—Dicen que está reuniendo tropas en Northampton —me dice—. El rey Enrique está agrupando sus fuerzas en Northumberland y marchará hacia el sur, hacia Londres. La reina se reunirá con él acompañada de un ejército francés que ha desembarcado en Hull. Si vence el rey Enrique, ya no tendrá importancia lo que diga o piense Eduardo, porque estará muerto y el verdadero rey será restaurado en el trono.

Al instante, mi mano se dispara para asirla de la manga en un intento por contradecirla. Veloz como una víbora atacando, mi madre me coge de los dedos.

—¿Qué te pasa? ¿Es que no eres capaz de soportar que pueda ser vencido?

—No digáis eso. No lo digáis.

—¿Que no diga qué?

—No tolero imaginarlo vencido. No resisto imaginarlo muerto. Me pidió que yaciera con él en calidad de soldado que se enfrenta a la muerte.

Mi madre lanza una estruendosa carcajada.

—Naturalmente. ¿Qué hombre que parte a la guerra ha desperdiciado alguna vez la tentación de sacar el máximo provecho de una oportunidad?

—Pues yo lo rechacé. Y, si no regresa, lamentaré haberlo hecho durante el resto de mi vida. Ya lo estoy lamentando ahora. Lo lamentaré siempre.

—¿Y por qué razón? —me atormenta ella—. De una forma o de otra, vas a recuperar tus tierras. O las recuperas por orden del rey Eduardo o éste muere y es rey Enrique, que te las devolverá. Es nuestro soberano, de la casa auténtica, la de Lancaster. Creía que le deseábamos a él la victoria y la muerte al usurpador Eduardo.

—No lo digáis —repito—. No le deseéis ningún mal.

—Con independencia de lo que diga yo, párate a pensar —me aconseja con dureza—. Tú perteneces a la casa de Lancaster. No puedes enamorarte del heredero de la casa de York a no ser que sea un rey victorioso y que dicho enamoramiento te beneficie en algo. Vivimos tiempos difíciles. La muerte es nuestra compañera, nuestro fantasma amigo; no tienes que creer que vas a poder mantenerla alejada, porque descubrirás que te acompaña muy de cerca. Te ha quitado a tu esposo y, óyeme: te quitará a tu padre, y a tus hermanos varones, y a tus hijos.

Yo levanto las manos para impedirle que siga.

—Callad, callad. Habláis igual que Melusina advirtiendo a su casa de la muerte de los hombres.

—Y te estoy advirtiendo —replica con seriedad—. Me conviertes en Melusina cuando vas por ahí sonriendo como si la vida fuese fácil, pensando que puedes tener escarceos amorosos con un usurpador. No has nacido en una época libre de preocupaciones. Vas a vivir tu vida en un país dividido. Tendrás que abrirte camino a través de la sangre y conocerás la pérdida.

—¿Es que no va a haber nada bueno para mí? —exijo apretando los dientes—. ¿Acaso vos, como madre amorosa, no prevéis nada bueno en absoluto para vuestra hija? De nada os servirá maldecirme, porque ya estoy deseando echarme a llorar.

De pronto se detiene y el duro semblante de la vidente se disuelve para transformarse en la expresión cariñosa de la madre que amo.

—Creo que tendrás a Eduardo, si eso es lo que quieres —me dice.

—Más que a la vida misma.

Se ríe de mí, pero su semblante es blando.

—Ah, no digas eso, pequeña. No hay nada en el mundo que sea más importante que la vida. Si no sabes eso, es que tienes un largo camino por recorrer y muchas lecciones que aprender.

Yo me encojo de hombros y la tomo del brazo; acto seguido, ajustando la una el paso al de la otra, ambas damos la vuelta para regresar a casa.

—Cuando la batalla haya finalizado, gane quien gane, tus hermanas han de ir a la corte —dice mi madre. Siempre está planificando—. Pueden vivir con los Bourchier, o con los Vaughn. Deberían haber ido hace meses, pero es que no soportaba la idea de tenerlas lejos de casa estando el país tan alborotado, sin saber en ningún momento qué podría ocurrir a continuación y sin poder tener noticias. Pero cuando haya finalizado esta contienda, quizá la vida vuelva a ser lo que era, sólo que nos gobernará York en lugar de Lancaster, y las niñas podrán ir a casa de nuestros primos a educarse.

—Sí.

—Y tu hijo Thomas pronto será lo bastante mayor para marcharse de casa. Ha de vivir con otros parientes, le conviene aprender a ser un caballero.

—No —contesto con tanto énfasis que mi madre se gira hacia mí y me mira.

—¿Qué sucede?

—Mis hijos se quedarán conmigo —afirmo—. Nadie ha de separarlos de mi lado.

—Van a necesitar una educación como es debido, tendrán que servir en la familia de un lord. Tu padre buscará alguno, a lo mejor sus propios padrinos podrían...

—No —repito—. No, madre, no. No puedo tomarlo en consideración. No van a marcharse de casa.

—Pequeña —me vuelve el rostro hacia la luz de la luna para verme con mayor claridad—, no resulta propio de ti encapricharte de pronto por nada. Y todas las madres del mundo han de permitir que sus vástagos varones dejen el hogar y aprendan a ser hombres.

—Mis hijos no se separarán de mí. —Yo misma oigo cómo me tiembla la voz—. Tengo miedo... Tengo miedo por ellos. Temo... Temo por ellos. Ni siquiera sé el qué, pero no puedo permitir que mis hijos vayan a vivir entre desconocidos.

Mi madre me rodea la cintura con el brazo en un gesto de cariño.

—Bueno, es natural —me dice con dulzura—. Has perdido a tu esposo y deseas velar por la seguridad de tus dos niños. Pero algún día tendrán que marcharse, ya lo sabes.

Sin embargo, yo no cedo a la presión.

—Es más que un capricho —replico—. Lo siento más como...

—¿Como una premonición? —me pregunta ella en voz muy queda—. ¿Presientes algo que podría sucederles? ¿Has tenido una visión, Isabel?

Niego con la cabeza al tiempo que las lágrimas acuden a mis ojos.

—No lo sé, no lo sé. No puedo distinguirlo. Pero la idea de que se vayan de mí y estén bajo el cuidado de personas desconocidas, de que yo me despierte por la noche y me dé cuenta de que no duermen bajo mi techo y me despierte por la mañana y no oiga sus voces, la idea de que estén en una habitación ajena, de que les sirvan personas que no conozco, de que no puedan verme... No puedo soportarlo. Ni siquiera puedo soportar pensar en ello.

Mi madre me estrecha en sus brazos.

—Calla —me dice—. Calla. No tienes que pensar en eso. Ya hablaré yo con tu padre. Los niños no tienen por qué marcharse hasta que tú estés conforme. —Me coge la mano—. Oh, pero si estás helada —dice, sorprendida. Luego me toca la frente con súbita certeza—. No es un capricho, dado que tienes frío y calor a la vez bajo la luz de la luna. Esto es una premonición. Querida mía, se te está advirtiendo de un peligro que acecha a tus hijos.

Yo hago un gesto de negación con la cabeza.

—No lo sé. No puedo estar segura. Lo único que sé es que nadie debe apartarlos de mi lado, que no debo permitir que se vayan.

Ella asiente.

—Muy bien. Por fin me has convencido. Has visto un riesgo que tus hijos correrán si los separan de ti. Pues que así sea. No llores. Conservarás a los niños a tu lado y nos ocuparemos de mantenerlos a salvo.

Entonces espero. El rey me dijo con toda claridad que no volvería a verlo nunca, de modo que no espero nada, sabiendo muy bien que no estoy esperando nada. Pero, por alguna razón, no puedo evitar esperar. Sueño con él, son duermevelas apasionados y anhelantes que me despiertan en la oscuridad, enredada en las sábanas y sudorosa de deseo. Mi padre me pregunta por qué no como. Anthony sacude la cabeza y me mira con fingida compasión.

Mi madre me lanza una mirada fugaz con sus ojos brillantes y dice:

—Se encuentra bien. Ya comerá.

Mis hermanas me preguntan entre susurros si es que suspiro por el apuesto rey, y yo les respondo con gesto severo:

—De bien poco serviría algo así.

Y luego espero.

Espero otras siete noches y otros siete días, igual que las doncellas encerradas en una torre que aparecen en los cuentos de hadas, igual que Melusina bañándose en la fuente del bosque mientras espera a que llegue un caballero en su montura por caminos que no ha pisado nadie y le entregue su amor. Todas las noches recojo un poco más el hilo atado al árbol, hasta que el octavo día oigo un tintineo metálico contra la piedra y al observar el agua alcanzo a ver un destello dorado. Me agacho para recogerlo. Es un anillo de oro, sencillo y muy bonito. Uno de los bordes es recto, pero el otro ha sido forjado formando puntas, como los picos de una corona. Me lo pongo en la palma de la mano, donde el rey depositó el beso, y parece una corona en miniatura. A continuación me lo deslizo en el otro anular —no deseo tentar a la mala suerte poniéndolo en el dedo de casada— y veo que me encaja a la perfección y que me sienta bien. Luego me lo quito encogiéndome de hombros —como si no fuera de oro borgoñés de la mejor calidad—, me lo guardo en el bolsillo y regreso a casa llevándolo conmigo a buen recaudo.

Y allí, sin previo aviso, hay un caballo junto a la puerta y un jinete a lomos del mismo con una enseña en lo alto: la rosa blanca de York que ondea en la brisa. En el umbral se encuentra mi padre leyendo una carta. Lo oigo decir:

—Decid a su excelencia que para mí será un honor. Estaré listo pasado mañana.

El jinete inclina la cabeza desde su montura, me dirige a mí un saludo informal, espolea a su caballo y se va.

—¿Qué ocurre? —pregunto al llegar a los escalones.

—Una leva —responde mi padre con gesto grave—. Todos hemos de ir a la guerra otra vez.

—¡Vos no! —exclamo temerosa—. Vos no, padre. Otra vez no.

—No. El rey me ordena que le envíe diez hombres de Grafton y cinco de Stony Stratford equipados para marchar bajo su mando contra el rey de Lancaster. Hemos de cambiar de bando. Según parece, la cena que le dimos al rey nos ha salido muy cara.

—¿Quién va a dirigirlos? —Temo que diga que serán mis hermanos—. No será Anthony, ni John...

—Ellos han de servir a las órdenes de sir William Hastings —me dice—. Él los situará dentro de tropas entrenadas.

Titubeo.

—¿Ha dicho algo más ese mensajero?

—Esto es una leva —contesta mi padre en tono irritado—, no una invitación a desayunar el uno de mayo. Naturalmente que no ha dicho nada, excepto que regresarán pasado mañana por la mañana y que para entonces los hombres deberán estar listos para partir.

Acto seguido gira sobre sus talones y entra en la casa; me deja con el anillo de oro en forma de corona, notando su tacto en mi bolsillo.

Durante el desayuno, mi madre sugiere que a mis hermanas y a mí, así como a las dos primas que viven actualmente con nosotros, a lo mejor nos gustaría ver pasar el ejército y contemplar cómo se van nuestros hombres a la guerra.

—No entiendo por qué —comenta mi padre con enfado—. Habría pensado que ya habíais visto suficientes hombres yéndose a la guerra.

—Está bien que mostremos nuestro apoyo —replica ella en voz

baja–. Si vence él, será mejor para nosotros que crea que hemos enviado a los hombres voluntariamente . Si pierde, nadie se acordará de que lo vimos marchar y podremos negarlo.

—Les voy a pagar yo, ¿no es cierto? Los voy a armar yo con lo que tengo, con las armas que me sobraron de la última vez que fui a la guerra, una guerra que, casualmente, libré contra él. Voy a seleccionarlos y enviarlos al frente y compraré botas a los que no las tengan. ¡Yo diría que ya estoy demostrando mi apoyo de sobra!

—Pues entonces debemos hacerlo de buen grado —insiste mi madre.

Mi padre asiente. Siempre cede ante mi madre en estos asuntos. Ella fue duquesa, estaba casada con el real duque de Bedford cuando mi padre no era más que el escudero de aquél. Es hija del conde de Saint-Pol, de la familia real de Borgoña, y es una cortesana que no tiene parangón.

—Me gustaría que nos acompañarais —continúa diciendo—. Y quizá podríamos ir a la habitación de los caudales a buscar una bolsa de oro para su excelencia.

—¡Una bolsa de oro! ¡Una bolsa de oro! ¿Para que le haga la guerra al rey Enrique? ¿Es que ahora somos defensores de los York?

Ella aguarda hasta que mi padre se apacigua.

—Para demostrar nuestra lealtad —dice—. Si derrota al rey Enrique y vuelve a Londres victorioso, su corte y sus favores reales pasarán a ser la fuente de toda riqueza y toda oportunidad. Será él quien distribuya las tierras y el patronazgo, será él quien conceda los permisos para celebrar matrimonios. Y nosotros tenemos una familia muy grande, con muchas hijas, sir Richard.

Durante un instante todos nos quedamos paralizados y con la cabeza gacha esperando uno de los furiosos estallidos de cólera de mi padre. Pero a continuación, de mala gana, éste se echa a reír.

—Dios os bendiga, hechicera mía —dice—. Tenéis razón, siempre tenéis razón. Haré lo que decís, aunque vaya contracorriente;

y podéis decir a las chicas que luzcan una rosa blanca, si es que encuentran ya alguna siendo tan temprano.

Ella se inclina y le da un beso en la mejilla.

—Las rosas silvestres ya han echado capullos —dice—. Aún no están plenamente abiertas, pero el rey comprenderá lo que simbolizan, y eso es todo cuanto importa.

Por supuesto, mis hermanas y mis primas pasan el resto del día envueltas en un intenso frenesí, probándose vestidos, lavándose el cabello, intercambiando cintas y ensayando reverencias. Elizabeth, la esposa de Anthony, y otras dos, más calladas, dicen que no van a acudir, pero mis hermanas están todas fuera de sí de tanto entusiasmo. Van a pasar por aquí el rey y la mayoría de los lores de su corte; ¡qué oportunidad para causar una buena impresión a los hombres que van a ser los nuevos amos del país! Si es que ganan.

—¿Qué vas a ponerte? —me pregunta Margaret al verme ajena a todo ese revuelo.

—El vestido gris y el velo gris.

—No es el que mejor te sienta, es el que usas los domingos. ¿Por qué no te pones el azul?

Me encojo de hombros.

—Voy a asistir porque madre quiere que asistamos —replico—. No espero que nadie nos mire dos veces. —Saco el vestido del armario y lo sacudo. Tiene un corte esbelto y lleva una pequeña cola por detrás. Suelo llevarlo con un ceñidor gris un poco caído sobre la cintura. No le digo nada a Margaret, pero sé que me sienta mejor que el vestido azul.

—¿A pesar de que el rey en persona acudió a cenar por invitación tuya? —exclama—. ¿Por qué no iba a mirarte dos veces? Bien que te escrutó la primera vez. Debiste de gustarle, porque te ha devuelto tus tierras; se quedó a cenar, paseó contigo por el jardín. ¿Por qué no iba a venir de nuevo a casa? ¿Por qué no iba a mostrarte su favor?

—Porque entre aquel día y ahora yo he obtenido lo que deseaba y él no —contesto con crudeza a la vez que arrojo el vestido a un lado—. Y resulta que no es un soberano generoso como los que cantan las baladas. El precio que puso a su amabilidad era elevado, demasiado elevado para mí.

—¿Quiso tomarte? —susurra horrorizada.

—Exacto.

—Oh, Dios mío, Isabel. ¿Y qué le dijiste tú? ¿Qué hiciste?

—Le dije que no. Pero no fue fácil.

Mi hermana está deliciosamente escandalizada.

—¿Intentó forzarte?

—No mucho, no importa —murmuro—. Además, no es que yo fuera para él más que una muchacha que iba por el camino.

—Quizá no deberías acudir mañana —sugiere— si te ofendió. Puedes decirle a madre que estás enferma. Se lo diré yo, si quieres.

—Oh, sí que acudiré —replico como si diera lo mismo ir que no ir.

Al día siguiente no me siento tan valiente. Una noche sin dormir y un trozo de pan y un poco de carne para desayunar no han hecho sino acentuar la mala cara que tengo. Estoy más pálida que el mármol y, aunque Margaret me aplica un poco de ocre rojo en los labios, sigo estando demacrada, con la belleza de un espectro. Entre mis hermanas y mis primas, todas ataviadas con colores vivos, yo, con mi vestido y mi tocado gris, destaco igual que una novicia en un convento. Pero cuando mi madre me ve hace un gesto de asentimiento, complacida.

—Pareces una dama —me dice—. No una campesina llena de artificios para acudir lo más guapa posible a una feria.

Como comentario reprobatorio, no tiene éxito. Las chicas están tan felices por tener siquiera permiso para ver pasar la leva que no les importa lo más mínimo que les reprochen haberse arreglado en exceso. Recorremos juntas el camino que lleva a Grafton y vemos ante nosotras, al lado de la senda, un grupo rezagado formado por una docena de hombres armados con lanzas y, uno o dos de ellos, con garrotes. Son los que ha reclutado nuestro padre. Les ha puesto a todos como insignia una rosa blanca y les ha recordado que ahora han de luchar por la casa de York. Antes eran soldados de infantería de los Lancaster; han de acordarse que ahora han cambiado de bando. Por supuesto, ellos son indiferentes a ese cambio de lealtad, ellos luchan tal como les ordena él porque es su señor, el dueño de sus tierras, de sus casas, de casi todo lo que ven a su alrededor. De su señor es el molino en el que muelen el maíz y la taberna en la que beben le paga una renta. Algunos de ellos no han estado nunca más allá del confín de las tierras que posee su señor, por lo tanto difícilmente pueden imaginar un mundo en el que «terrateniente» no signifique simplemente sir Richard Woodville o el hijo de éste. Cuando él era Lancaster, ellos lo eran también. Después recibió el título de Rivers, pero ellos continuaron siendo suyos y él de ellos. Ahora los envía a luchar por York, y ellos harán todo lo que esté en su mano, como siempre. Se les ha prometido que se les pagará por luchar y que sus viudas y sus hijos no quedarán desatendidos si ellos caen. Y eso es lo único que necesitan saber. Eso no los convierte en un ejército ilusionado, pero lanzan vítores por mi padre y se descubren la cabeza sonriéndonos apreciativamente a mis hermanas y a mí; sus esposas y sus hijos nos hacen reverencias cuando ven que nos acercamos.

Suena un estruendo de trompetas y todas las cabezas se giran hacia ellas. Doblando el recodo, a un trote lento, aparecen los colores y los trompeteros del rey, detrás de ellos los heraldos, detrás de éstos los sirvientes de la casa real y, en medio de todo ese estrépito y ese agitar de gallardetes, aparece él.

Por un momento tengo la sensación de que voy a desmayarme, pero mi madre me sujeta el brazo con firmeza y me tranquilizo. El rey levanta una mano para indicar que desea hacer un alto y el desfile se detiene. Detrás de los primeros caballos y jinetes viene una larga fila de hombres armados; detrás de éstos, otros reclutas nuevos en actitud tímida, igual que nuestros hombres, y a continuación una hilera de carromatos que transportan víveres, suministros y armas, un enorme carro con fusiles tirado por cuatro gigantescos percherones y finalmente una retahíla de caballos no tan grandes, mujeres, simpatizantes y vagabundos. Es como una ciudad pequeña en movimiento, una ciudad pequeña y letal que se dirige a causar la muerte.

El rey Eduardo se apea de su caballo y se acerca a mi padre, el cual le hace una reverencia profunda.

—Son todos los que hemos podido reclutar, me temo, excelencia. Pero han jurado serviros —dice mi padre— y luchar por vuestra causa.

Mi madre se adelanta y le ofrece la bolsa de oro. El rey Eduardo la toma y la sopesa en la mano. Seguidamente besa con cariño a mi madre en ambas mejillas.

—Sois muy generosa —le dice—. Y no olvidaré el apoyo que me brindáis.

Después su mirada se posa en mí, que estoy junto con mis hermanas, y todas juntas hacemos una venia. Cuando me incorporo, veo que el rey aún está mirándome, y por un instante todo el ruido causado por el ejército, los caballos y los hombres desaparece y se transforma en un silencio absoluto, como si en el mundo entero existiéramos tan sólo él y yo. Sin pensar lo que hago, como si me hubiera llamado a su lado sin pronunciar palabra, doy un paso hacia el monarca, y luego otro, hasta que he dejado atrás a mi padre y a mi madre y me encuentro cara a cara con él, tan cerca que podría besarme si quisiera.

—No puedo dormir —me dice en voz tan baja que sólo yo puedo oírlo—. No puedo dormir. No puedo dormir. No puedo dormir.

—Yo tampoco.

—¿Vos tampoco?

—No.

—¿De verdad?

—Sí.

Lanza un suspiro profundo, como si se sintiera aliviado.

—¿Entonces es amor?

—Supongo que sí.

—No puedo comer.

—No.

—No puedo pensar en otra cosa que no seáis vos. No puedo vivir ni un segundo más sintiéndome como me siento, no puedo ir a la batalla estando así. Me comporto igual que un adolescente, estoy loco por vos, como un mozalbete. No puedo estar sin vos, no quiero estar sin vos. No me importa lo que me cueste.

Siento que me sube el color a las mejillas en forma de un calor intenso y por primera vez en varios días noto que sonrío.

—Y yo no puedo pensar en otra cosa que no seáis vos —susurro—. En nada. Creía que estaba enferma.

El anillo con forma de corona me pesa en el bolsillo, el tocado me tira del pelo; pero yo no me percato de nada, no veo otra cosa más que a él, no siento nada más que el calor de su aliento en mi mejilla y no huelo nada más que el pelaje de su caballo, el cuero de su montura y el aroma que desprende Eduardo, a especias, agua de rosas, sudor.

—Estoy loco por vos —me dice.

Noto que mi sonrisa me eleva las comisuras de los labios cuando por fin lo miro a la cara.

—Y yo por vos —respondo en voz baja—. De verdad.

—Pues entonces casaos conmigo.

—¿Qué?

—Casaos conmigo. No hay ningún otro modo de resolverlo.

Yo dejo escapar una risa nerviosa.

—Os reís de mí.

—Hablo en serio. Estoy seguro de que moriré si no sois mía. ¿Queréis casaros conmigo?

—Sí —respondo en un jadeo.

—Mañana por la mañana, vendré temprano. Casaos conmigo mañana por la mañana en vuestra pequeña capilla. Traeré a mi capellán, vos traed testigos. Escoged a alguien que sea de fiar, porque durante un tiempo tendrá que ser un secreto. ¿Consentís?

—Sí.

Entonces sonríe por primera vez, un gesto cálido que se extiende por su ancho semblante.

—Dios mío, desearía tomaros en mis brazos ahora mismo —dice.

—Mañana —susurro yo.

—A las nueve en punto —dice.

Luego se vuelve hacia mi padre.

—¿Me permitís que os ofrezca un refrigerio? —propone éste mirando primero mi rostro arrebolado y después la sonrisa del monarca.

—No, pero en cambio cenaré con vos mañana, si no os importa —contesta el soberano—. Voy a estar cazando cerca de aquí y espero tener una buena jornada. —Seguidamente inclina la cabeza ante mi madre y ante mí, saluda a mis hermanas y a mis primas, y vuelve a subirse al caballo—. Adelante —ordena a sus hombres—. El camino es corto y la causa es digna; os espera una buena cena al final del día. Sedme fieles y yo seré un buen amo. Jamás he perdido una batalla y conmigo estaréis seguros. Os procuraré un gran botín y os devolveré a casa sanos y salvos.

Eso es exactamente lo que hay que decirles. Al instante todos cobran ánimos y la agitación se extiende hasta el final de la fila. Mis hermanas agitan sus capullos de rosas blancas, suenan las trompetas y el ejército entero reanuda la marcha. El rey me hace un gesto con la cabeza, sin sonreír, y yo levanto la mano para despedirlo.

—Mañana —susurro al verlo partir.

Dudo de él, incluso aunque ordeno al paje de mi madre que madrugue mañana y acuda a la capilla preparado para entonar un salmo. Dudo de él, incluso aunque me acerco a mi madre y le digo que el mismísimo rey de Inglaterra ha dicho que quiere casarse conmigo en secreto y le pregunto si quiere estar presente en calidad de testigo y traer a su dama de compañía, Catherine. Dudo de él mientras aguardo de pie, ataviada con mi mejor vestido azul, en el intenso frío matinal del interior de la capilla. Dudo de él hasta el momento mismo en que oigo sus zancadas rápidas en el corto pasillo, hasta en el instante de sentir su brazo alrededor de mi cintura y su beso en mi boca, y hasta que oigo que le dice al sacerdote:

—Casadnos, padre. Tengo prisa.

El paje entona su salmo y el sacerdote pronuncia las palabras de rigor. Yo presto juramento y el rey hace lo propio. Vagamente alcanzo a entrever el gesto de placer de mi madre y los colores de la vidriera, que forman un arco iris a nuestros pies en el suelo de piedra de la capilla.

Entonces el sacerdote dice:

—¿Y el anillo?

Y el rey exclama:

—¡Un anillo! ¡Qué necio soy! ¡Lo he olvidado! No tengo ningún anillo para vos. —Se gira hacia mi madre—. Mi señora, ¿podéis prestarme un anillo?

—Oh, pero yo tengo uno —digo yo casi sorprendiéndome a mí misma—. Tengo uno aquí.

Saco del bolsillo el anillo que tan despacio y con tanta paciencia extraje del agua, el anillo forjado en forma de corona de Inglaterra que apareció con acuosa magia para concederme lo que ansiaba mi corazón, y el rey de Inglaterra en persona me lo pone en el dedo a modo de alianza. Y ya soy su esposa.

Y reina de Inglaterra... o, en cualquier caso, la reina de York de Inglaterra.

El soberano me estrecha la cintura con fuerza mientras el paje canta las preces. A continuación, se vuelve hacia mi madre y le dice:

—Mi señora, ¿adónde puedo llevar a mi esposa?

Mi madre sonríe y le entrega una llave.

—Junto al río hay una cabaña de caza. —Luego se dirige a mí—: River Lodge. He dado orden de que la preparasen para ti.

El rey asiente y acto seguido me saca de la pequeña capilla y me sube a lomos de su gran caballo de guerra. Luego monta detrás de mí y noto cómo me estrecha con los brazos al coger las riendas. Recorremos al paso la margen del río, yo recostada contra él, sintiendo latir su corazón. Atisbamos la pequeña cabaña por entre los árboles y vemos que sale una columna de humo por la chimenea. Él se apea del caballo, me ayuda a desmontar a mí y, mientras abro la puerta, se lleva el animal a los establos que hay en la parte posterior de la cabaña. Se trata de una estancia de lo más simple, con un fuego encendido en el hogar, una jarra de cerveza nupcial y dos vasos sobre una mesa hecha con tablones, dos taburetes preparados para comer el pan, el queso y la carne, y una cama grande de madera provista de las mejores sábanas de lino. La estancia se oscurece cuando él aparece en el umbral agachando la cabeza para salvar las vigas.

—Excelencia... —empiezo, pero en seguida me corrijo yo sola—. Mi señor. Esposo.

—Esposa —dice él con callada satisfacción—. Venid a la cama.

El sol de la mañana, que cuando nos acostamos brillaba con tanta fuerza sobre las vigas y el techo de yeso, está tiñendo de dorado la habitación a media tarde cuando el rey me dice:

—Doy gracias a la santísima Virgen de que vuestro padre me invitase a cenar. Estoy débil de no comer. Me muero de hambre. Dejadme salir de la cama, bruja.

—Hace dos horas os ofrecí pan y queso —señalo yo—, pero no me permitisteis bajar los tres peldaños que hay hasta la mesa para ir a buscarlos.

—Estaba ocupado —replica él y vuelve a atraerme hacia su hombro desnudo. Al percibir su olor y sentir su contacto, noto que mi deseo por él renace y nos movemos juntos. Cuando quedamos tendidos en el lecho, la habitación tiene un color sonrosado por efecto del crepúsculo, y por fin se levanta de la cama.

—Tengo que lavarme —dice—. ¿Queréis que os traiga una jarra de agua del patio?

La cabeza le roza con el techo. Tiene un cuerpo perfecto. Lo contemplo con satisfacción, igual que un tratante de caballos contempla un bello semental. Es alto y delgado, de músculos duros, pecho ancho, hombros fuertes. De pronto me sonríe y yo siento que el corazón me da un vuelco por él.

—Me miráis como si quisierais devorarme —comenta.

—Así es —contesto—. No sé cómo saciar el deseo que siento por vos. Creo que voy a tener que manteneros prisionero aquí dentro y devoraros a trocitos, día tras día.

—Si yo os mantuviera prisionera a vos, os devoraría de un solo bocado —ríe—. Pero no saldríais de aquí hasta que quedarais encinta.

—¡Oh! —De repente se me ocurre la idea más deliciosa—. Oh, voy a daros hijos varones y serán príncipes.

—Seréis la madre del rey de Inglaterra y la madre de la casa de York, que reinará para siempre, Dios mediante.

—Amén —exclamo devotamente sin sentir el menor ápice de sombra, el menor estremecimiento, la menor inquietud—. Ruego a Dios que os devuelva a mí sano y salvo después de la batalla.

—Yo gano siempre —replica él con suprema seguridad en sí mismo—. Estad contenta, Isabel, no vais a perderme en el campo de batalla.

—Y seré reina —repito. Por primera vez comprendo, comprendo de verdad, que, si él regresa de la batalla y el verdadero rey, Enrique, acaba muerto, este joven será indiscutiblemente el soberano de Inglaterra... y yo seré la primera dama del país.

Después de cenar se despide de mi padre y se apresta para partir en dirección a Northampton. Su paje ha ido al establo y ha dado de comer y de beber a los caballos y ya los tiene preparados ante la puerta.

—Volveré mañana por la noche —dice—. He de ver a mis hombres y reunir mi ejército durante todo el día. Pero estaré con vos para cuando se ponga el sol.

—Acudid a la cabaña de caza —le susurro—, y os tendré preparada la cena como una buena esposa.

—Mañana por la noche —promete. Acto seguido se vuelve hacia mis padres y les da las gracias por su hospitalidad, acepta sus reverencias con un gesto de cabeza y se va.

—Su excelencia es muy atento contigo —señala mi padre—. No vuelvas la cabeza hacia otro lado.

—Isabel es la mujer más bella de Inglaterra —replica mi madre en tono sereno— y al rey le gustan las caras bonitas; pero ella sabe cuál es su deber.

Luego tengo que esperar otra vez. La velada entera, mientras juego a las cartas con mis hijos y finalmente los oigo rezar sus oraciones antes de irse a la cama. La noche entera, que paso despierta a pesar de estar agotada y deliciosamente dolorida. El día siguiente entero, mientras voy de aquí para allá y hablo con unos y con otros como si estuviera en medio de un sueño, mientras espero a que se haga de noche y llegue el momento en que él asome la cabeza por la puerta, y penetre en la pequeña estancia, y me tome en sus brazos, y me diga: «Esposa, venid a la cama.»

Transcurren tres noches en esta embriaguez de placer, hasta que la última mañana él dice:

—Tengo que irme, amor mío, os veré cuando todo haya terminado.

Es como si me hubieran arrojado un jarro de agua fría a la cara; lanzo una exclamación ahogada y digo:

—¿Os vais a la guerra?

—Ya he juntado mi ejército y mis espías me informan de que Enrique ha recibido de su esposa la orden de reunirse con ella en la costa este, con sus tropas. Iré de inmediato, lo haré entrar en batalla y después marcharé a encontrarme con su mujer tan pronto como desembarque.

Me aferro a la camisa que se está poniendo.

—No iréis a marcharos ahora mismo.

—Hoy —responde él apartándome con dulzura para seguir vistiéndose.

—Pero no puedo soportar estar sin vos.

—No. Pero lo soportaréis. Escuchadme.

Es un hombre distinto del joven y embelesado amante que ha sido durante las tres noches de nuestra luna de miel. Yo no he pensado en otra cosa que en nuestro placer; en cambio él ha estado haciendo planes. He aquí un monarca que defiende su reino. Espero a saber qué ordena.

—Si gano, que lo haré, volveré a buscaros, y daremos a conocer nuestro casamiento lo antes que podamos. Habrá muchos que no se sientan complacidos, pero ya está hecho y lo único que pueden hacer es aceptarlo.

Asiento con la cabeza. Sé que su gran consejero, lord Warwick, está pensando en concertar su matrimonio con una princesa francesa. Y lord Warwick está acostumbrado a dar órdenes a mi joven esposo.

—Si la suerte se vuelve en mi contra y muero, vos no debéis decir nada respecto de nuestro casamiento y de estos días pasados. —Alza una mano para acallar mis protestas—. Nada. No ganaríais nada siendo la viuda de un impostor muerto cuya cabeza se exhibirá clavada en las puertas de York. Sería vuestra desgracia. A los ojos de todo el mundo, sois la hija de una familia leal a la casa de Lancaster y debéis seguir siéndolo. Me recordaréis en vuestras oraciones, espero. Pero será un secreto entre vos y yo y Dios. Y dos de nosotros guardaremos silencio con toda seguridad, porque uno es Dios y el otro estará muerto.

—Mi madre sabe que...

—Vuestra madre sabe que la mejor manera de manteneros a

salvo sería silenciar a su paje y su dama de compañía. Ya está preparada para eso, lo entiende, y yo le he devuelto su dinero.

Me trago un sollozo.

—Muy bien.

—Y me gustaría que volvierais a casaros. Elegid un hombre bueno, uno que os ame y que se preocupe por los chicos, y sed feliz. Quisiera que fuerais feliz.

Yo bajo la cabeza con una profunda tristeza.

—Ahora bien, si descubrís que estáis encinta, tendréis que marcharos de Inglaterra —me ordena—. Decídselo en seguida a vuestra madre. Ya he hablado con ella y sabe lo que hay que hacer. El duque de Borgoña manda en todo Flandes y os dará una casa propia por ser pariente de vuestra madre y por amor a mí. Si tenéis una niña, podréis esperar el momento propicio, obtener el perdón de Enrique, y regresar a Inglaterra. Si aguardáis un año, llamaréis la atención deliciosamente, los hombres enloquecerán por vos. Seréis la bella viuda de un pretendiente fallecido. Disfrutadlo en mi nombre, os lo ruego. Pero si tenéis un niño, las cosas serán distintas por completo. Mi hijo será el heredero del trono. Será el heredero de York. Tendréis que velar por su seguridad. Puede que tengáis que mantenerlo oculto hasta que alcance la edad suficiente para reclamar sus derechos. Podrá vivir con un nombre falso y con gentes pobres. No pequéis de vano orgullo. Escondedlo en donde esté a salvo hasta que sea lo bastante mayor y lo bastante fuerte para reivindicar su herencia. Ricardo y Jorge, mis hermanos, serán sus tíos y sus guardianes. Podéis confiar en que ellos protegerán a cualquier hijo mío. Puede suceder que Enrique y sus hijos mueran jóvenes, y en ese caso vuestro hijo será el único heredero del trono de Inglaterra. No cuento a esa mujer de la casa de Lancaster, Margarita Beaufort. El trono ha de ocuparlo mi hijo. Es mi deseo que se siente en el trono si consigue ganarlo o si Ricardo y Jorge logran ganarlo para él. ¿Comprendéis? Debéis esconder a mi hijo en Flandes y mantenerlo sano y salvo por mí. Podría ser el próximo rey de York.

—Sí —respondo simplemente. Veo que mi aflicción y mi temor por él ya no es un asunto privado. Si durante estas largas noches de placer hemos engendrado un hijo, no será tan sólo fruto del amor, sino un heredero del trono, un pretendiente, un nuevo jugador en la larga y mortal rivalidad que existe entre la casa de Lancaster y la de York.

—Esto es duro para vos —dice el rey al ver la palidez de mi rostro—. Mi intención es que no llegue a ocurrir. Pero recordad que debéis refugiaros en Flandes si os veis obligada a mantener a salvo a mi hijo. Vuestra madre tiene dinero y sabe adónde tiene que ir.

—Lo recordaré —respondo—. Pero regresad conmigo.

Él lanza una carcajada. No es forzada, es la risa de un hombre feliz, confiado en su suerte y en sus capacidades.

—Volveré —afirma—. Confiad en mí. Os habéis desposado con un hombre que va a morir en su cama, preferiblemente después de haberle hecho el amor a la mujer más hermosa de toda Inglaterra.

Me tiende los brazos, yo voy hacia él y siento el calor de su cuerpo.

—Cercioraos de que así sea —respondo—. Y yo me aseguraré de que la mujer más hermosa que vean vuestros ojos sea siempre yo.

Me besa, pero a toda prisa, como si ya tuviera la mente en otra parte, y se suelta de mis manos que lo aferran. Se ha separado de mí mucho antes de traspasar el umbral agachando la cabeza; veo que su paje le ha traído el caballo hasta la puerta y está listo para partir.

Salgo corriendo para despedirlo y lo veo ya subido a la silla de montar. Su caballo está impaciente; es un magnífico ejemplar de color castaño, fuerte y poderoso. Arquea el pescuezo e intenta recular contra la tensa rienda de Eduardo. El rey de Inglaterra se yergue con el sol a la espalda, a lomos de su enorme caballo de guerra, y por un momento también yo tengo el convencimiento de que es invencible.

—¡Adiós y buena suerte! —exclamo; él me saluda, y espolea su montura y se va, el rey de Inglaterra por derecho, a luchar contra el otro monarca de Inglaterra por derecho, por el propio reino en sí.

Yo permanezco de pie, con la mano levantada en un gesto de despedida, hasta que pierdo de vista la enseña de la rosa blanca de York que portan por delante de él, hasta que dejo de oír los cascos de su caballo, hasta que se ha ido de mí del todo; y entonces, para mi horror, mi hermano Anthony, que lo ha visto todo, que ha estado mirando desde quién sabe cuándo, sale de la sombra del árbol y viene hacia mí.

—Eres una ramera —me dice.

Yo lo miro como si no entendiese lo que significa esa palabra.

—¿Qué?

—Eres una ramera. Has deshonrado nuestra casa, y tu apellido, y el apellido de tu pobre esposo fallecido, que murió luchando contra ese usurpador. Que Dios te perdone, Isabel. Voy a decírselo en seguida a mi padre y él te encerrará en un convento, si es que antes no te estrangula.

—¡No! —Voy hasta él y lo agarro por el brazo, pero él se zafa de mi mano.

—No me toques, furcia. ¿Crees que voy a consentir que me pongas una mano encima después de haberlo tocado a él?

—¡Anthony, no es lo que crees!

—¿Es que me engañan mis ojos? —espeta él en tono agresivo—. ¿Se trata de un hechizo? ¿Acaso eres Melusina, una bella diosa que se baña en el bosque, y acaso el hombre que acaba de marcharse era un caballero que ha jurado servirte? ¿Es que esto es Camelot? ¿Un amor respetable? ¿Es esto poesía y no una cloaca?

—¡Es respetable! —exclamo impulsivamente.

—No conoces el significado de esa palabra. Eres una furcia, y la próxima vez que Eduardo pase por aquí te entregará a sir William Hastings, como hace con todas sus furcias.

—¡Él me ama!

—Eso mismo les dice a todas.

—Pero es verdad. Va a volver a mí...

—Es lo que promete siempre.

Furiosa, lanzo el puño derecho contra él, pero mi hermano, esperando un puñetazo en la cara, lo esquiva. Entonces ve relucir el oro en mi dedo y a punto está de soltar una carcajada.

—¿Te ha regalado esto? ¿Un anillo? ¿Debo impresionarme por una prenda de amor?

—No es una prenda de amor, es una alianza de matrimonio. Un anillo como es debido, el que se entrega en el momento de la boda. Estamos casados. —Hago el anuncio con voz triunfante, pero al momento me siento desilusionada.

—Santo Dios, te ha engañado —dice mi hermano angustiado. Me toma entre sus brazos y me aprieta la cabeza contra su pecho—. Mi pobre hermana, mi pobre tonta.

Yo me suelto de él con un forcejeo.

—Suéltame, no soy ninguna tonta. ¿Qué estás diciendo?

Me mira con lástima, pero su boca está torcida en una sonrisa rencorosa.

—Déjame adivinarlo, ¿ha sido una boda secreta, en una capilla privada? ¿No ha asistido ninguno de sus amigos ni de sus cortesanos? ¿No se va a informar a lord Warwick? ¿Va a mantenerse en secreto? ¿Piensas negarla si te preguntan?

—Sí, pero...

—No estás casada, Isabel. Te han engañado. Ha sido una ceremonia fingida que no tiene peso a los ojos de Dios ni de los hombres. Eduardo te ha engañado con un anillo carente de valor y un falso sacerdote para poder llevarte a la cama.

—No.

—Éste es el hombre que abriga la esperanza de ser el rey de Inglaterra. Tiene que casarse con una princesa. No va a casarse con una miserable viuda del campamento de su enemigo que salió al camino para suplicarle que le devolviera la dote. Si se desposa con una inglesa, será con una de las grandes damas de la corte Lancaster, probablemente con Isabel, la hija de Warwick. No va a casarse con una mujer cuyo propio padre luchó contra él. Es más probable que elija a una gran princesa de Europa, una infanta de España, una delfina de Francia. Tiene que desposarse con alguien que le permita afianzarse más en el trono, establecer alianzas; no va a hacerlo por amor con una cara bonita. Lord Warwick no lo permitiría jamás. Y él no es tan necio como para obrar en contra de sus propios intereses.

—¡Él no está obligado a hacer lo que quiera lord Warwick! Es el rey.

—Es su marioneta —replica mi hermano con crueldad—. Lord Warwick decidió respaldarlo, igual que su padre respaldó al padre de Eduardo. Sin el apoyo de esos lores, ni tu amante ni su padre habrían podido reclamar el trono. Warwick es el hacedor de reyes y ha hecho a tu querido rey de Inglaterra. Ten por seguro que también se encargará de fabricar a la reina. Escogerá la mujer con la que ha de casarse Eduardo, y Eduardo se casará con ella.

Estoy tan aturdida que no digo nada.

—Pero no ha hecho tal cosa. No puede. Eduardo se ha casado conmigo.

—Un juego, una farsa, una pantomima, nada más.

—No es verdad. Ha habido testigos.

—¿Cuáles?

—Madre, para empezar —termino diciendo.

—¿Nuestra madre?

—Ha actuado de testigo, junto con Catherine, su dama de compañía.

—¿Lo sabe padre? ¿Ha estado presente?

Yo muevo la cabeza en un gesto de negación.

—Pues ahí lo tienes —dice Anthony—. ¿Quiénes son tus numerosos testigos?

—Madre, Catherine, el sacerdote y un niño cantor —enumero.

—¿Qué sacerdote?

—Uno que no conozco. Lo hizo venir el rey.

Anthony se encoge de hombros.

—Si es que era un sacerdote auténtico. Lo más seguro es que fuera algún necio o un cómico que fingía con la intención de hacerle un favor. Y, aunque fuera un clérigo ordenado, el soberano todavía podría negar que ese casamiento haya tenido validez, y sería la palabra de tres mujeres y un niño contra la del rey de Inglaterra. Es fácil que os apresen a las tres con cualquier acusación y os tengan prisioneras un año o así, hasta que Eduardo contraiga matrimonio con la princesa que haya elegido. Os ha tomado por tontas a madre y a ti.

—Te juro que me ama.

—Es posible —concede—, como también es posible que ame a todas y cada una de las mujeres con las que ha yacido, y son centenares. Pero, cuando haya finalizado la batalla y en el camino de regreso se tope con otra bella muchacha, se olvidará de ti en el término de una semana.

Me paso la mano por la cara y descubro que tengo las mejillas mojadas por las lágrimas.

—Voy a contarle a madre lo que has dicho —afirmo débilmente. Es la amenaza que empleaba cuando ambos éramos pequeños; ni siquiera entonces lo asustaba.

—Vamos los dos. No se va a alegrar mucho cuando se dé cuenta de que la han engañado para empujar a su hija a la deshonra.

Caminamos en silencio por entre los árboles y llegamos al puentecillo. Al pasar junto al enorme fresno vuelvo la vista hacia él y descubro que el hilo que antes estaba atado al tronco ha desaparecido; no queda prueba alguna de que alguna vez haya habido magia en ese lugar. Las aguas del río del que saqué el anillo han vuelto a cerrarse. No hay indicio alguno de que alguna vez se haya obrado un hechizo. No queda prueba alguna de que los hechizos existan siquiera. Lo único que tengo es un pequeño anillo de oro en forma de corona que tal vez no signifique nada.

Mi madre se encuentra en el huerto que hay a un costado de la casa y, cuando nos ve a mi hermano y a mí caminando juntos, en silencio y con expresión tensa, un tanto apartados el uno del otro, sin decir nada, se incorpora con la cesta de hierbas medicinales y aguarda a que lleguemos hasta ella al tiempo que se prepara para posibles problemas.

—Hijo —saluda a mi hermano. Anthony se arrodilla para recibir su bendición y ella pone una mano sobre su cabeza rubia y le sonríe. Acto seguido, Anthony se levanta y la toma de la mano.

—Creo que el rey os ha mentido a vos y a mi hermana —dice sin rodeos—. La ceremonia de casamiento ha sido tan secreta que no hay nadie con autoridad que pueda demostrar que se ha celebrado. En mi opinión, Eduardo llevó a cabo esa farsa para tener derecho a yacer con mi hermana y más tarde negará que estén casados.

—Oh, ¿eso crees? —dice mi madre sin inmutarse.

—Desde luego —contesta Anthony—. Y no será la primera vez que finja desposarse con una mujer para poder acostarse con ella. Ya ha jugado a este juego otras veces, y la muchacha terminó con un hijo bastardo y sin anillo de bodas.

Mi madre, con magnificencia, responde encogiéndose de hombros.

—Lo que haya hecho en el pasado es asunto suyo —dice—, pero yo lo he visto desposarse y acostarse con ella, y apuesto a que regresará a reclamar a Isabel como esposa.

—No hará tal cosa —contesta Anthony sin más—. Y mi hermana quedará deshonrada. Si está encinta, caerá en la más profunda ignominia.

Mi madre sonríe al ver su expresión irritada.

—Si estuvieras en lo cierto y el rey fuera a negar el casamiento, el futuro de Isabel sería sombrío, desde luego —acepta.

Yo les vuelvo la cara a los dos. Hace apenas un momento, mi amante me estaba explicando el modo de mantener a su hijo a salvo. Y ahora esa misma criatura está siendo tachada de ser mi deshonra.

—Voy a ver a mis hijos —les digo con frialdad a ambos—. No quiero oír decir estas cosas y no quiero hablar de ellas. Soy fiel al rey y el rey me será fiel a mí, y los dos lamentaréis haber dudado de nosotros.

—Eres una necia —dice mi hermano sin impresionarse—. Eso sí me inspira lástima, al menos. —Y después agrega dirigiéndose a mi madre—: Habéis hecho una fuerte apuesta con ella, una apuesta brillante; pero habéis arriesgado su vida y su felicidad por la palabra de un hombre a quien todo el mundo conoce por ser un embustero.

—Tal vez —contesta mi madre, impertérrita—. Eres un hombre sabio, hijo mío, un filósofo; pero hay cosas que yo conozco mejor que tú, incluso en estos momentos.

Me alejo de ellos y ninguno de los dos me pide que regrese.

Tengo que esperar, el reino entero tiene que esperar de nuevo para saber a quién ha de saludar como soberano, quién va a mandar. Mi hermano Anthony envía un hombre al norte, a recabar noticias, y todos esperamos a que regrese para decirnos si ya se ha entablado la batalla y si el rey Eduardo ha tenido la suerte de su parte. Por fin, en mayo, llega a casa el sirviente de Anthony y nos dice que ha estado muy al norte, cerca de Hexham, y que se ha tropezado con un hombre que lo ha informado de todo. Ha sido una contienda difícil, una batalla cruenta. Yo vacilo en el umbral de la casa; deseo conocer el resultado, no los detalles. Ya no tengo necesidad de ver una lucha para imaginarla; somos un país que se ha acostumbrado a los relatos del campo de batalla. Todo el mundo sabe cómo se colocan los ejércitos en sus posiciones o ha visto la carga, la retirada y la pausa que hacen, agotados, mientras se reagrupan. O todo el mundo conoce a alguien que ha estado en una ciudad por la que han pasado los soldados victoriosos, deseosos de divertirse, robar y violar; todo el mundo sabe historias de mujeres que han corrido a refugiarse en una iglesia pidiendo socorro a gritos. Todo el mundo sabe que estas guerras han desgarrado nuestro país, que han acabado con nuestra prosperidad, con nuestra amistad entre vecinos, nuestra confianza hacia los forasteros, el amor entre hermanos, la seguridad de nuestros caminos, el afecto por nuestro monarca; y sin embargo nada parece poner fin a las batallas. Seguimos buscando una victoria final y un soberano triunfante que nos traiga la paz; pero la culminación no llega nunca y el trono no acaba de asentarse.

El mensajero de Anthony llega al meollo de la cuestión. Ha vencido el ejército del rey Eduardo, y lo ha hecho de manera decisiva. Las fuerzas de los Lancaster han sido dispersadas y el rey Enrique, el pobre, errante y perdido rey Enrique, que no sabe del todo bien dónde está ni siquiera cuando se encuentra en su palacio de Whitehall, ha huido a los páramos de Northumberland con un precio puesto a su cabeza como si fuera un proscrito, sin criados, sin amigos, sin seguidores siquiera, igual que un rebelde de la frontera, salvaje como un pájaro.

Su esposa, la reina Margarita de Anjou, que en otra época fue gran amiga de mi madre, se ha escapado a Escocia con el príncipe heredero. Está derrotada y su esposo vencido. Pero todo el mundo sabe que no aceptará dicho fracaso, que maquinará y conspirará por su hijo de igual modo que Eduardo me dijo que debía yo maquinar y conspirar por el nuestro. No descansará hasta regresar a Inglaterra y presentar batalla de nuevo. No descansará hasta que su esposo muera, hasta que fallezca su hijo y ya no tenga a nadie a quien sentar en el trono. Eso es lo que significa ser reina de Inglaterra hoy en día. Eso es lo que le lleva sucediendo a ella casi diez años, desde que su marido se volvió inhábil para gobernar y su país se convirtió en una liebre aterrorizada a la que arrojan a un prado ante una manada de perros e intenta correr en una dirección y luego en otra. Peor aún, yo sé que eso es lo que me sucederá a mí si Eduardo vuelve a casa y me nombra nueva reina y hacemos un hijo varón y heredero. El joven al que amo será soberano de un reino incierto y yo tendré que ser una mujer pretendiente a reina.

Y efectivamente vuelve a casa. Me hace saber que ha ganado

la batalla, que ha roto el asedio del castillo de Bamburgh, y que pasará a buscarme de camino, cuando su ejército marche hacia el sur. Vendrá a cenar, le escribe a mi padre, y en una nota privada me dice a mí que se quedará a pasar la noche.

Le muestro la nota a mi madre.

—Podéis decir a Anthony que mi esposo me es fiel —digo.

—No pienso decirle nada a Anthony —replica ella sin ánimo de ayudar.

Mi padre, en todo caso, se las arregla para sentirse complacido por la perspectiva de que lo visite el vencedor.

—Hicimos bien en proporcionar hombres a Eduardo —le comenta a mi madre—. Dios os bendiga por ello, amor mío. Es el rey victorioso y vos nos habéis situado una vez más en el lado de los ganadores.

Ella le dedica una sonrisa.

—Podría haber sucedido una cosa u otra, como siempre —contesta—. Y ha sido Isabel la que le ha hecho volver la cabeza. Es a ella a quien viene a ver.

¿Tenemos carne de vaca bien conservada? —pregunta—. John y los muchachos y yo saldremos a cazar con los halcones y os traeremos varias piezas.

—Le prepararemos una buena cena —lo tranquiliza mi madre. Pero no le dice que tiene un motivo mayor de celebración: que el rey de Inglaterra se ha casado con su hija. Guarda silencio y yo me pregunto si también ella creerá que Eduardo está siendo falso conmigo.

No hay nada que delate lo que piensa mi madre, ni en un sentido ni en otro, cuando saluda al rey con una profunda reverencia. No muestra familiaridad alguna, tal como haría una mujer con su yerno; sin embargo tampoco lo trata con frialdad, cosa que haría si pensara que se ha burlado de nosotras dos. En vez de eso, lo recibe como monarca victorioso y él la saluda como a una gran dama, una antigua duquesa, y ambos me tratan a mí como a la hija predilecta de la casa.

La cena es un todo un éxito, tal como estaba previsto, dado que mi padre está rebosante de satisfacción y emoción, mi madre tan elegante como siempre, mis hermanas en su habitual estado de admiración y asombro, y mis hermanos furiosamente mudos. El soberano se despide de mis padres y se aleja a caballo por el camino, como si regresara a Northampton, y yo me echo por encima la capa y echo a correr por el sendero que lleva a la cabaña de caza situada junto al río.

Allí está él, frente a mí, su enorme caballo de guerra en el establo, su paje en el granero, y me toma en sus brazos sin decir una palabra. Yo tampoco digo nada. No soy tan tonta como para recibir a un hombre con suspicacias y quejas; y, además, cuando él me toca lo único que deseo son sus caricias, cuando me besa lo único que deseo son sus besos, y lo único que deseo oír son las palabras más dulces del mundo, las que él pronuncia:

—Venid a la cama, esposa.

Al día siguiente estoy peinándome el cabello delante del espejito de plata y sujetándolo con horquillas. Eduardo está de pie detrás de mí, contemplándome, tomando de vez en cuando un mechón dorado y enroscándoselo en el dedo para ver cómo refleja la luz.

—No me estáis ayudando —le digo con una sonrisa.

—No quiero ayudar, quiero entorpecer. Adoro vuestro cabello, me gusta verlo suelto.

—¿Y cuándo daremos a conocer nuestro casamiento, mi señor? —le pregunto mientras observo atentamente su rostro reflejado en el espejo.

—Aún no —contesta él con rapidez, con demasiada rapidez. Se trata de una respuesta preparada—. Lord Warwick está empeñado en que despose a la princesa Bona de Saboya para garantizar la paz con Francia. Tengo que dejar pasar un tiempo para decirle que no puede ser. Tendrá que acostumbrarse a la idea.

—¿Días? —sugiero yo.

—Semanas —dice eludiendo la verdad—. Se sentirá decepcionado, y sabe Dios cuántos sobornos habrá necesitado para propiciar dicho desposorio.

—¿Es desleal? ¿Lo han sobornado?

—No, él no. Acepta el dinero francés, pero no para traicionarme; ambos somos como una sola persona. Nos conocemos desde la infancia. Él me enseñó a justar, me regaló mi primera espada. Su padre fue como un padre para mí, y él ha sido como mi hermano mayor. Yo no habría luchado por mi derecho al trono si no lo hubiera tenido a mi lado. Su padre elevó al mío hasta el trono mismo y lo convirtió en heredero del rey de Inglaterra; y a su vez Richard Neville me ha apoyado a mí. Es mi gran mentor, mi gran amigo. Me ha enseñado todo lo que sé sobre luchar y gobernar un reino. He de buscar el momento apropiado para hablarle de nosotros y explicarle que no he podido resistirme a vos. Es algo que le debo.

—¿Tan importante es para vos?

—Es el hombre más importante que hay en mi vida.

—Pero vais a decirle esto; vais a llevarme a la corte —respondo procurando mantener un tono de voz ligero y nada dramático— y presentarme ante ella como vuestra esposa.

—Cuando sea el momento oportuno.

—¿Puedo decírselo al menos a mi padre, para que podamos estar juntos en público como marido y mujer?

Él lanza una carcajada.

—Y, ya puestos, al pregonero del pueblo. No, amor mío, debéis guardar nuestro secreto durante un poco más de tiempo.

Tomo mi alto tocado rematado en un velo y lo anudo sin decir nada. Pesa tanto que me da dolor de cabeza.

—Confiáis en mí, ¿verdad, Isabel? —me pregunta con dulzura.

—Sí —miento—. Completamente.

Anthony está de pie a mi lado contemplando cómo se va el rey, con la mano alzada en un gesto de despedida y una sonrisa falsa en la cara.

—¿No te vas con él? —me pregunta en tono sarcástico—. ¿No vas a Londres a comprarte ropa nueva? ¿No vas a ser presentada en la corte? ¿No vas a asistir en calidad de reina a la misa de acción de gracias?

—Tiene que decírselo a lord Warwick —contesto—. Tiene que explicárselo.

—Será lord Warwick el que se lo explique a él —replica mi hermano sin tacto alguno—. Le dirá que ningún rey de Inglaterra puede permitirse el lujo de casarse con una plebeya, que ningún soberano de Inglaterra se casaría con una mujer que no fuera virgen sin la menor sombra de duda. Ningún monarca de Inglaterra se casaría con una inglesa que careciera de familia y de fortuna. Y tu preciado rey le explicará que ha sido una boda en la que no ha habido ningún lord ni funcionario de la corte como testigos, que su flamante esposa ni siquiera se lo ha dicho a su familia, que lleva el anillo de casada en el bolsillo; y ambos coincidirán en que pueden ignorarlo como si no hubiera ocurrido nunca. Lo mismo que ha hecho en otras ocasiones será lo que haga de nuevo mientras haya mujeres necias en el reino, es decir, siempre.

Me vuelvo hacia él y al ver la expresión de dolor de mi rostro deja de atormentarme.

—Ah, Isabel, no pongas esa cara.

—No me importa lo más mínimo que el rey no me reconozca, idiota —exploto—. No se trata de que yo quiera ser reina, ni siquiera se trata de que quiera ya un amor respetable. Estoy loca por él, locamente enamorada de él. Acudiría a Eduardo aunque tuviera que caminar descalza. Dime que soy una de tantas. ¡No me importa! Ya no me importan ni mi apellido ni mi orgullo. Mientras pueda estar con él una vez más, eso es lo único que quiero, amarlo sin más; la única certeza que necesito es la de que voy a verlo de nuevo, la de que él me ama.

Anthony me toma en sus brazos y me palmea la espalda.

—Pues claro que te ama —me dice—. ¿Qué hombre podría no amarte? Y si no, es que es un idiota.

—Yo lo amo —digo desconsolada—. Lo amaría aunque no fuera nadie.

—No, nada de eso —replica él con dulzura—. Eres hija de tu madre hasta la médula de los huesos, no es casualidad que lleves dentro la sangre de una diosa. Naciste para ser reina y puede que todo termine saliendo bien. Puede que el rey te ame y permanezca a tu lado.

Inclino la cabeza para ver su expresión.

—Pero tú no crees tal cosa.

—No —responde mi hermano con sinceridad—. A decir verdad, pienso que ésta va a ser la última vez que lo veas.

Septiembre de 1464

Me envía una carta. Se dirige a mí como lady Isabel Grey y dentro me llama «amor mío»; no dice «esposa» para no darme nada que pueda demostrar nuestro casamiento en el caso de que tuviera que negarlo. Me escribe que está ocupado, pero que pronto enviará a alguien a buscarme. La corte se encuentra en Reading, no tardará en hablar con lord Warwick. El Consejo va a reunirse y hay mucho que hacer. El rey perdido, Enrique, aún no ha sido capturado, se encuentra en algún punto de las colinas de Northumberland; pero la reina ha huido a su hogar francés en busca de ayuda, así que ahora tiene más importancia que nunca firmar una alianza con Francia a fin de impedirle el acceso a los Consejos galos y asegurarnos de que no pueda tener aliados. No comenta que ese objetivo lo conseguiría casándose con una francesa. Dice que me ama, que arde de amor por mí. Palabras de un amante, promesas de un amante; nada que pueda atarlo.

El mismo mensajero trae una orden dirigida a mi padre para que acuda a Reading, a la corte. Se trata de una carta habitual, todos los nobles del país la habrán recibido. Han de acompañarlo mis hermanos Anthony, John, Richard, Edward y Lionel.

—Escribidme y contádmelo todo —ordena mi madre a mi padre

cuando están subiendo a sus monturas. Entre todos forman un pequeño ejército, la hermosa camada de varones que ha parido mi madre.

—Seguramente nos manda acudir para anunciarnos sus esponsales con la princesa francesa —gruñe mi padre al tiempo que se inclina para tensar la cincha bajo la solapa de la silla de montar—. Una alianza con los franceses nos hará mucho bien, como ha ocurrido con anterioridad. Así y todo, será necesaria para hacer callar a Margarita de Anjou. Además, una esposa gala os recibiría gustosamente en la corte a vos, que estáis emparentada con ella.

Mi madre no parpadea siquiera ante la perspectiva de que Eduardo se case con una francesa.

—Escribid y contádmelo todo en seguida —repite—. Y que Dios os acompañe, esposo mío, y os guarde bien.

Mi padre se inclina desde la silla de montar para besarle la mano y acto seguido hace girar su caballo hacia el camino que se dirige al sur. Mis hermanos agitan las fustas, se descubren la cabeza, se despiden a voz en grito. Mis hermanas saludan con la mano; mi cuñada Elizabeth hace una venia a Anthony, que alza el brazo para despedirse de ella, de mi madre y de mí. Tiene el semblante serio.

Pero es el mismo Anthony quien me escribe a mí dos días más tarde y su criado, el que llega cabalgando como un loco para traerme su carta.

Hermana,

He aquí tu triunfo, y me alegro de corazón por ti. Ha tenido lugar una trascendental discusión entre el rey y lord Warwick, ya que mi señor le presentó al soberano un contrato matrimonial para que se desposara con la princesa Bona de Saboya, tal como todos esperaban. El rey, teniendo el contrato delante y la pluma en la mano, levantó la cabeza y le dijo a su señoría que no podía casarse con la princesa porque de hecho ya estaba casado. En aquel momento podría haberse oído caer una pluma de ave; po-

dría haberse oído suspirar a los ángeles. Juro que oí el latido del corazón de lord Warwick cuando le pidió al rey que repitiera lo que acababa de decir. El monarca estaba pálido como una muchacha, pero se encaró con su amigo (cosa que yo mismo no hubiera osado hacer) y le dijo que todos sus planes y todas sus promesas no valían nada. Su señoría agarró al rey por el brazo como si fuera un niño y lo sacó de la habitación para irse con él a una cámara privada, y los demás nos quedamos hirviendo de curiosidad y de asombro.

Aproveché la oportunidad para llevar a nuestro padre hasta un rincón y decirle que estaba seguro de que el rey iba a anunciar que se había casado contigo, con la intención de evitar que ambos pareciéramos unos grandes necios cuando lord Warwick... pero te confieso que incluso en aquel momento temí que el soberano admitiera haber contraído matrimonio con otra mujer. Se ha mencionado el nombre de otra dama de noble cuna –más alta que la nuestra, en realidad– que tiene un hijo varón del rey. Perdóname, hermana, pero tú no sabes cuán negativa ha sido hasta ahora la reputación del rey. Así que padre y yo estábamos como liebres en marzo, dando saltos sin motivo, mientras la puerta de la cámara privada seguía cerrada y el rey continuaba en el interior con el hombre que lo había hecho monarca y que –Dios lo sabe– tal vez podría hacer que dejara de serlo con la misma rapidez.

Naturalmente, Lionel quiso saber de qué hablábamos en susurros, y John también. Gracias a Dios, Edward y Richard habían salido, de manera que sólo había dos más a quienes revelar el secreto. Pero ninguno de ellos lo creyó más que padre y tuve que esforzarme mucho para que los tres guardasen silencio. Ya puedes imaginarte cómo fue.

Debía de haber transcurrido una hora, pero nadie había sido capaz de salir de la Cámara del Consejo sin enterarse del final de la historia. Hermana, incluso orinaron en las chimeneas con tal de no abandonar el gran salón. Y de pronto se abrió la puerta y *salieron ambos, el rey con el semblante ceniciento y lord Warwick con gesto grave. El soberano puso su mejor sonrisa y dijo: «Bien, milores, os doy las gracias por vuestra paciencia. Tengo la felicidad y el orgullo de comunicaros que estoy casado con lady Isabel Grey.» Tras decir eso, hizo un gesto con la cabeza en dirección a nuestro padre y juro que a mí me lanzó una mirada con la que me rogaba que lo obligara a guardar silencio, de modo que agarré a nuestro padre por el hombro y apreté con fuerza para sujetarlo bien anclado al suelo. Edward lo asió del otro lado como el lastre de un barco y Lionel se santiguó como si ya fuera un arzobispo. Padre y yo nos inclinamos en una reverencia, henchidos de orgullo, y sonreímos satisfechos, como si lo hubiéramos sabido desde el principio y únicamente por delicadeza no hubiéramos mencionado que ahora éramos el suegro y el cuñado del rey de Inglaterra.*

John y Richard entraron con torpeza en el momento más inoportuno y tuvimos que susurrarles que el mundo se había puesto patas arriba; se comportaron mejor de lo que puedas imaginarte. Se las arreglaron para cerrar la boca y permanecer junto a nuestro padre y junto a mí, y quienes nos rodeaban tomaron por orgullo sereno lo que en realidad eran expresiones de asombro mudo. Éramos un cuarteto de idiotas que intentaban parecer fríos. No puedes imaginar los vítores, los gritos, las quejas y el alboroto que siguieron a continuación. Nadie de nuestro entorno se atrevió a sugerir que el rey hubiera caído demasiado bajo, pero yo sé que detrás de mí y a un lado y al otro había hombres que opinaban de ese modo y que continuarán opinando de ese modo. Con todo, el monarca mantuvo la cabeza bien alta y plantó cara a la situación; padre y yo nos pusimos a uno y otro lado de él y todos mis hermanos detrás. Nadie puede negar que formamos una familia sumamente atractiva, o por lo menos de elevada estatura. Y lo hecho, hecho está, ya nadie puede negarlo. Puedes decirle a madre que su gran apuesta le aportará beneficios a razón de mil por uno. Tú vas a ser la reina de Inglaterra y nosotros vamos a ser la familia que gobierne en este país, aunque nadie nos quiera.

Padre se mantuvo en silencio hasta que estuvimos fuera de la corte, pero juro que tenía la mirada perdida, como la de un demente, hasta que llegamos a nuestro alojamiento y pude contarle lo que había sucedido y de qué modo se había hecho, por lo menos lo que yo sé. Ahora se siente profundamente dolido de que nadie se lo dijera en su momento, porque lo habría llevado muy bien y con mucha discreción, pero, teniendo en cuenta que es el suegro del rey de Inglaterra, creo que os perdonará a madre y a ti por haber guardado en secreto vuestros asuntos de mujeres. Tus hermanos salieron y se emborracharon a crédito, como haría cualquiera. Lionel jura que va a ser papa.

Tu flamante esposo está claramente aturdido por la estaca que se ha roto en la cabeza, y le va a costar mucho reconciliarse con su antiguo maestro, lord Warwick, que esta noche está cenando aparte y podría convertirse en un enemigo peligroso. Nosotros vamos a cenar con el soberano, y sus intereses son los nuestros. El mundo ha cambiado para nosotros, los Rivers, y vamos a ser tan grandes que confío en que inundemos las colinas. Ahora somos fervientes defensores de York y seguro que padre plantará rosas blancas en el jardín y lucirá una en el sombrero. Puedes decirle a madre que, sea cual sea el hechizo que ha obrado para que sucediera esto, cuenta con la profunda admiración de su esposo y de sus hijos. Si dicho encantamiento no fue otro que tu belleza, lo admiramos igualmente.

Ahora van a llamarte para que seas presentada en la corte, aquí en Reading. La orden del rey se enviará mañana. Hermana, haz caso de mi advertencia y ven vestida con modestia y acompañada tan sólo de una breve escolta. No evitarás las envidias, pero hemos de procurar no empeorar las cosas todavía más. Nos hemos ganado enemigos en todas las familias del reino, clanes que ni siquiera conocemos y que ahora estarán maldiciendo nuestra suerte y deseando nuestra caída. Padres ambiciosos con hijas hermosas que no te perdonarán jamás. Habremos de estar

en guardia durante el resto de nuestra vida. Tú nos has puesto en
una situación de grandes oportunidades, pero también de gran-
des peligros, hermana. Yo soy cuñado del rey de Inglaterra, pero
debo decir que esta noche mi mayor esperanza es morir en mi
cama, en paz con el mundo, cuando sea un anciano.

Tu hermano,

ANTHONY

Pero opino que, entretanto, antes de que me llegue tan apaci-
ble muerte, te pediré que me conviertas en duque.

Mi madre hace planes para el viaje a Reading y la convocato-
ria de nuestra familia como si fuera una reina militante. Hace
venir de todos los rincones de Inglaterra a todo pariente que pueda beneficiarse de nuestro ascenso o que pueda aportar algo a
nuestra posición; hasta nuestros familiares de Borgoña —parientes suyos— son invitados a acudir a Londres para mi coronación.
Dice que tanta parentela me concederá el estatus noble y regio
que necesitamos y que, además, dado el estado en que se encuentra el mundo, siempre es conveniente contar con familiares poderosos que puedan proporcionarnos apoyo o refugio.

Empieza a confeccionar una lista de lores y ladies apropiados
para casarlos con mis hermanos y mis hermanas; comienza a tomar en cuenta a hijos de nobles que se puedan convertir en pupi-
los y puedan criarse en un cuarto de niños de palacio en beneficio
nuestro. Ella entiende, y empieza a enseñarme a mí, cómo funcio-
na el mecenazgo y el poder de la corte inglesa. Lo sabe muy bien.
Entró en la familia real gracias a su primer marido, el duque
de Bedford. Luego fue la segunda dama del reino bajo la reina de
Lancaster y ahora volverá a serlo bajo la reina de York: yo. Nadie
sabe mejor que ella cómo abrirse camino en el terreno que constituye la realeza de Inglaterra.

Envía una serie de instrucciones a Anthony para que haga
venir a sastres y costureras —de modo que tendré vestidos nuevos

esperándome–, pero hace caso del consejo que le da él en cuanto a que debemos asumir nuestra grandeza con discreción y sin dar muestras de vanagloriarnos por el salto que vamos a dar al dejar de pertenecer a la derrotada casa de Lancaster para pasar a formar parte de la victoriosa casa de York. En el viaje a Reading nos acompañarán mis hermanas, mis primas y mi cuñada, pero no llevaremos ningún gran séquito con estandartes ni trompetas. Padre le escribe diciéndole que hay muchos que sienten rencor por nuestra prosperidad, pero que a los que más teme él son el gran amigo del rey, sir William Hastings, el gran aliado del rey, lord Warwick, y los familiares más allegados de Eduardo: su madre, sus hermanas y sus hermanos, porque son quienes más tienen que perder a favor de los nuevos favoritos de la corte.

Recuerdo que la primera vez que me encontré con el rey, Hastings me miró como si yo fuera una mercancía de las que se venden junto a los caminos, de las que llevan los buhoneros, y me hago a mí misma la promesa de que jamás volverá a mirarme de ese modo. A Hastings creo poder manejarlo. Él ama al soberano como nadie y aceptará toda decisión que tome Eduardo, y además la defenderá. En cambio lord Warwick me da miedo. Es un hombre que no se detiene ante nada con tal de salirse con la suya. De pequeño vio a su padre rebelarse contra su legítimo rey e instalar una casa rival en el nombre de York. Cuando su padre y el padre de Eduardo murieron juntos, él se apresuró a continuar la obra de su progenitor y vio a Eduardo coronado rey cuando tan sólo contaba diecinueve años. Warwick tiene trece años más que él, es un hombre adulto en comparación con un muchacho. Está claro que lleva toda la vida planeando sentar a un niño en el trono y gobernar él desde la sombra. Que Eduardo me haya elegido a mí constituye la primera declaración de independencia respecto de su mentor, y Warwick se dará prisa en impedir que haya más. Lo llaman el hacedor de reyes y, cuando nosotros éramos de Lancaster, decíamos que los York no eran sino marionetas y que él y su familia eran quienes manejaban los hilos. Ahora estoy casada con el títere de Warwick y sé que también intentará hacerme bailar a mí al son que él marque. Aun así, no hay tiempo para hacer otra cosa que despedirme de mis hijos, obligarlos a prometer que obedecerán a sus tutores y se portarán bien, montar el caballo nuevo que me ha enviado el rey para el viaje y, con mi madre a mi lado y mis hermanas detrás, tomar el camino que me llevará a Reading y al futuro que me aguarda.

Le digo a mi madre:

—Tengo miedo.

Ella acerca su caballo al mío y echa la capucha de su capa hacia atrás para que vea la sonrisa de seguridad que lleva en el rostro.

—Tal vez —me dice—, pero yo he estado en la corte de la reina Margarita de Anjou y te juro que tú no puedes ser peor reina que ella.

Sin querer, dejo escapar una risita. Eso lo dice una mujer que fue la dama de compañía de más confianza de Margarita de Anjou y la primera dama de su corte.

—Habéis cambiado de melodía.

—Sí, porque ahora me encuentro en un coro distinto. Pero de todas formas es verdad lo que digo. No podrías ser peor reina para este país de lo que fue ella, que Dios la ayude dondequiera que esté ahora.

—Madre... ella se casó con un hombre que la mitad del tiempo estaba fuera de sus cabales.

—Y ya fuera santo, cuerdo o demente, ella siempre hizo lo que se le antojó. Tomó un amante —dice en tono alegre y sin hacer caso de mi exclamación escandalizada—, por supuesto que sí. ¿De quién crees que es su hijo Edward? No fue del rey, que estuvo sordo y mudo casi todo el año durante el cual fue concebido y parido ese niño. Espero que tú lo hagas mejor que ella. Y Edward no puede evitar ser otra cosa que un santo medio loco, Dios lo bendiga, pobrecillo. Y por lo demás, deberás dar a tu esposo un hijo varón y heredero, proteger a los pobres y a los inocentes, y actuar en beneficio de las esperanzas de tu familia. Eso es todo lo que tienes que hacer, y puedes hacerlo. Está al alcance de cualquier boba que tenga un corazón sincero, una familia conspiradora y una bolsa bien abierta.

—Habrá muchas personas que me odien —digo yo—. Que nos odien.

Ella afirma con la cabeza.

—Entonces cerciórate de obtener los favores que quieres y los puestos que necesitas antes de que esas personas hagan que el rey las oiga —responde con sencillez—. Hay muy pocos puestos de relevancia para tus hermanos y muy pocos nobles para casar a tus hermanas. Asegúrate de conseguir todo lo que deseas a lo largo del primer año, y entonces te habrás adueñado del terreno y estarás en posición de batalla. Estamos preparados para todo cuanto venga contra nosotros y, aunque tu influencia con el rey disminuyese, aún estaremos sanos y salvos.

—Pero lord Warwick... —digo con nerviosismo.

Mi madre asiente.

—Es nuestro enemigo. Es la declaración de una disputa entre familias. Habrás de vigilarlo y ser muy cauta con él. Todos estaremos en guardia en su contra. En contra de él y de los hermanos del rey: Jorge, el duque de Clarence, que siempre se muestra tan encantador, y el niño Ricardo, el duque de Gloucester. Ellos también serán tus enemigos.

—¿Por qué los hermanos del rey?

—Porque tus hijos los desheredarán. Tu influencia apartará al rey de ellos. Han sido tres niños huérfanos de padre, han luchado codo con codo por su familia. Él los llamaba los tres hijos de York, vio una señal en los cielos que apuntaba a los tres. Pero ahora querrá estar contigo, no con ellos. Y las concesiones de tierras y de riquezas que podría haberles adjudicado a ellos serán para ti y para los tuyos. Jorge era el heredero por detrás de Eduardo, y Ricardo por detrás de él. En cuanto tú tengas un hijo varón, ellos perderán un escalón.

—Voy a ser la reina de Inglaterra —protesto—. Vos hacéis que esto parezca una batalla a muerte.

—Es una batalla a muerte —replica ella sin más—. Eso es lo que significa ser reina de Inglaterra. Tú no eres Melusina, que surge de una fuente para ser feliz sin ningún esfuerzo. Tú no vas a ser una mujer bella en la corte que no tenga otra cosa que hacer salvo obrar hechizos. El camino que has elegido implica que tendrás que pasar la vida intrigando y peleando. Nuestra tarea, como familiares tuyos, consiste en asegurarnos de que tú seas la vencedora.

En la oscuridad del bosque la vio y susurró su nombre, Melusina, y al oír aquella llamada ella salió de la fuente. Entonces él observó que era una mujer de una belleza fresca y completa hasta la cintura, y que por debajo de aquélla estaba toda cubierta de escamas, como un pez. Ella le prometió que iría con él y que sería su esposa, le prometió que lo haría tan feliz como podría hacerlo cualquier mujer mortal, le prometió que reprimiría su lado indómito —su naturaleza semejante a las mareas—, que sería para él una esposa normal, una mujer de la que pudiera enorgullecerse, si él a cambio le permitía disponer de un poco de tiempo durante el cual pudiera volver a ser ella misma, durante el cual pudiera regresar a su elemento líquido, durante el cual pudiera desprenderse de toda la pesadez que implica ser mujer y ser una vez más, sólo durante un rato, una diosa del agua. Sabía que ser una mujer mortal es doloroso para el alma, doloroso para los pies. Sabía que tendría necesidad de estar a solas en el agua, debajo del agua, dejando que formara pequeños remolinos en su cola de escamas. Él le prometió que le daría todo, todo lo que quisiera, como hacen siempre los hombres. Y ella confió en él sin querer, como hacen siempre las mujeres enamoradas.

Mi padre y todos mis hermanos salen cabalgando de Reading para acudir a nuestro encuentro a fin de que yo pueda entrar en la ciudad acompañada por los míos. Hay centenares de curiosos dispersos a los lados del camino, contemplando cómo mi padre se descubre la cabeza al acercarse a mí, cómo desmonta y se arrodilla en el polvo del suelo para rendirme honores de reina.

—¡Levantaos, padre! —exclamo yo alarmada.

Él se yergue despacio y vuelve a hacerme una reverencia.

—Debéis acostumbraros, excelencia —me dice con la cabeza a la altura de las rodillas.

Yo espero hasta que se incorpora y me sonríe.

—Padre, no me gusta veros inclinado ante mí.

—Ahora sois la reina de Inglaterra, excelencia. Todos los hombres excepto uno deben inclinarse ante vos.

—¿Pero me seguiréis llamando Isabel, padre?

—Sólo cuando estemos solos.

—¿Y me daréis vuestra bendición?

Su ancha sonrisa me tranquiliza, pues veo que todo sigue siendo como siempre.

—Hija, tenemos que jugar a ser reyes y reinas. Tú eres la nueva y sumamente inesperada reina de una casa nueva e inesperada. Yo jamás soñé que fueras a cazar a un rey. Y, desde luego, jamás pensé que este muchacho fuera a capturar un trono. Estamos fabricando un mundo nuevo; estamos formando una nueva familia real. Tenemos que ser más regios que la propia realeza, o de lo contrario no nos creerá nadie. A mí mismo me cuesta trabajo creerlo.

Todos mis hermanos se bajan de un salto de sus monturas, se descubren y se arrodillan ante mí en la vía pública. Yo vuelvo la vista hacia Anthony, que a mí me llamó ramera y a mi esposo embustero.

—Puedes quedarte arrodillado —le digo—. ¿Quién tiene razón ahora?

—Tú —me dice él con regocijo al tiempo que se pone de pie, me besa la mano y vuelve a subir a su caballo—. Te felicito por tu triunfo.

Mis hermanos acuden todos a mi alrededor a besarme la mano. Yo les sonrío; es como si todos estuviéramos a punto de estallar en carcajadas por nuestra propia arrogancia.

—¿Quién lo habría pensado? —dice John maravillado—. ¿Quién habría podido soñar algo así?

—¿Dónde está el rey? —pregunto cuando iniciamos nuestra pequeña procesión cruzando las puertas de la ciudad. Las calles están abarrotadas de gente a ambos lados: artesanos, aprendices, todos lanzando vítores por mi belleza y riendo al presenciar el desfile. Veo que Anthony se ruboriza al oír un par de chistes obscenos, y yo apoyo una mano en el puño enguantado con que aferra con fuerza el pomo de la silla—. Calla —le digo—, la gente tiene que hacer burlas. Ésta ha sido una boda en secreto, no podemos negarlo, y vamos a tener que resignarnos a soportar este escándalo. Y no me ayuda en nada que tú pongas cara de ofendido.

Al momento él compone una sonrisa afectada que resulta verdaderamente horrorosa.

—Ésta es mi sonrisa de la corte —dice entre dientes—. La utilizaré para hablar con Warwick o con los duques reales. ¿Qué te parece?

—Muy elegante —contesto procurando no echarme a reír—. Santo Dios, Anthony, ¿tú llegaste a pensar que saldríamos bien de todo esto?

—Saldremos triunfantes —replica él—. Pero hemos de permanecer unidos.

Emprendemos la subida por la calle principal, y vemos, colgando por fuera de las ventanas, estandartes e imágenes de santos que las gentes han confeccionado a toda prisa para darme la bienvenida a la ciudad. Nos dirigimos hacia la abadía; y allí, en el centro de su corte y de sus consejeros, lo veo a él, Eduardo, vestido con paño de oro y cubierto con una capa escarlata y un gorro del mismo color. Resulta inconfundible, es el hombre más alto del grupo, el más apuesto; indudablemente, el rey de Inglaterra. Me ve a mí, nuestras miradas se cruzan, y de nuevo es como si no hubiera nadie más presente. Siento tal alivio al verlo que lo saludo levemente con la mano, igual que una niña, y entonces él, en lugar de esperar a que yo detenga mi caballo, desmonte y vaya a su encuentro siguiendo la alfombra, se separa del grupo que lo rodea y acude rápidamente a mi lado para bajarme del caballo y estrecharme entre sus brazos.

De entre la multitud se eleva una fuerte ovación de deleite, mientras que la corte, estupefacta, guarda un profundo silencio ante esta apasionada ruptura del protocolo.

—Esposa —me dice al oído—. Dios santo, cuánto me alegro de teneros en mis brazos.

—Eduardo, ¡he pasado mucho miedo! —exclamó.

—Hemos vencido —me dice con sencillez—. Vamos a estar juntos para siempre. Voy a haceros reina de Inglaterra.

—Y yo voy a haceros feliz —respondo citando los votos matrimoniales—. Seré hermosa y alegre, en el lecho y en la mesa.

—Me importa un bledo la hora de cenar —replica el rey con vulgaridad; yo escondo el rostro contra su hombro y me echo a reír.

Aún he de conocer a su madre, y Eduardo me lleva a los aposentos privados de mi suegra antes de cenar. No ha estado presente cuando la corte me ha dado la bienvenida y acierto al interpretar ese gesto como su primer desaire, el primero de muchos. Eduardo me deja ante la puerta.

—Desea veros a solas.

—¿Cómo creéis que estará? —pregunto yo nerviosa.

Él me contesta con una ancha sonrisa.

—¿Qué puede haceros?

—Eso es precisamente lo que me gustaría saber antes de enfrentarme a ella —respondo en tono irónico; seguidamente lo dejo a un lado para traspasar las puertas que acaban de abrirse y entrar en el salón de recibir. A modo de improvisada corte me acompañan mi madre y tres de mis hermanas, mis recién nombradas damas de compañía, y todas echamos a andar con la misma ilusión que un grupo de brujas arrastradas ante un tribunal.

La duquesa viuda Cecilia está sentada en un gran sillón, bajo un palio real, y no se toma la molestia de levantarse para saludarme. Lleva un vestido cuajado de joyas en el dobladillo y en el escote y un tocado cuadrado y de gran tamaño que luce con orgullo, igual que una corona. Muy bien, soy la esposa de su hijo, pero todavía no soy reina. No está obligada a hacerme la reverencia y seguro que me considera una Lancaster, de los enemigos de su hijo. Su cabeza vuelta hacia un lado y la frialdad de su sonrisa me indican claramente que para ella soy una plebeya, como si ella misma no hubiera nacido siendo una inglesa común. Detrás de su sillón se encuentran sus hijas, Anne, Isabel y Margarita, vestidas con discreción y modestia para no brillar más que su madre. Margarita es una joven muy guapa, rubia y alta como sus hermanos varones. Me sonríe con timidez, a mí, su nueva cuñada, pero nadie da un paso al frente para besarme y la estancia está igual de fría que un lago en diciembre.

Me inclino en una profunda pero no excesiva reverencia ante la duquesa Cecilia por respeto a la madre de mi esposo. Veo a mi espalda que mi propia madre hace una reverencia exagerada y a continuación permanece de pie e inmóvil con la cabeza alta; una reina en sí misma, en todo salvo en la corona.

—No voy a fingir que estoy contenta con este casamiento realizado en secreto —dice rudamente la duquesa viuda.

—En privado —la interrumpe mi madre con inteligencia.

La duquesa se contiene, sorprendida, y enarca sus cejas delineadas a la perfección.

—Os ruego que me disculpéis, lady Rivers, ¿habéis dicho algo?

—Ni mi hija ni vuestro hijo serían capaces de tener el atrevimiento de casarse en secreto —dice mi madre con su dejo de Borgoña resucitado de pronto. Es el acento mismo de la elegancia y del estilo que se reconoce en toda Europa. No tendría una manera más clara de recordarle a todo el mundo que ella es hija del conde de Saint-Pol, que pertenece a la realeza de Borgoña por nacimiento. Trataba de tú a tú a la reina, a quien ella es la única persona que todavía sigue llamando Margarita d'Anjou, poniendo el énfasis en el apóstrofo del título. Fue duquesa de Bedford por obra de su primer matrimonio, contraído con un duque de sangre real, y estuvo en lo más alto de la corte de Lancaster, mientras que, cuando nació, la mujer que tan orgullosamente se sienta ante nosotras no era más que lady Cecilia Neville, del castillo de Raby—. Está claro que no fue una boda secreta. Yo estuve presente en ella, al igual que otros testigos. Fue una boda celebrada en privado.

—Vuestra hija es viuda y varios años mayor que mi hijo —constata su excelencia sumándose a la batalla.

—Pero difícilmente se puede decir que sea un muchacho carente de experiencia. Posee una notoria reputación. Y sólo los separan cinco años.

Las damas de la duquesa dejan escapar una exclamación ahogada y entre las hijas cunde la alarma. Margarita me mira con compasión, como si me estuviera diciendo que no tengo forma de escapar de la humillación que me espera. Mis hermanas y yo estamos petrificadas como rocas, brujas danzarinas súbitamente presas de un encantamiento.

—Y lo bueno —dice mi madre cada vez más entusiasmada— es que nosotras por lo menos podemos tener la seguridad de que ambos son fértiles. Vuestro hijo tiene varios bastardos, según tengo entendido, y mi hija tiene dos preciosos vástagos legítimos.

—Mi hijo proviene de una familia fértil. Yo tuve ocho varones —presume la duquesa viuda.

Mi madre inclina la cabeza y el velo que cuelga de su tocado ondea igual que una vela que se hincha con la brisa de su orgullo.

—Oh, sí —señala—, así es. Pero de esos ocho sólo os han quedado tres, por supuesto. Una lástima. Resulta que yo tengo cinco hijos varones. Cinco. Y siete hijas. Isabel proviene de una estirpe real muy fértil. En mi opinión, podemos abrigar la esperanza de que Dios bendiga a la nueva familia real con un gran número de retoños.

—De todas maneras, a ella no la he escogido yo, ni tampoco la ha escogido lord Warwick —repite su excelencia, su voz temblando por la furia—. Si Eduardo no fuera rey, eso no tendría la menor importancia. Podría pasarlo por alto si fuera un tercer o cuarto hijo que se pierde a sí mismo...

—Puede que fuera así. Pero ese asunto no nos concierne a nosotras. El rey Eduardo es el rey. Y el rey es el rey. Bien sabe Dios que ha librado suficientes batallas para demostrar su reivindicación.

—Yo podría impedir que fuera soberano —se apresura a decir la duquesa dominada por la cólera, con las mejillas teñidas de rojo—. Podría desposeerle, negarle, poner a Jorge en el trono en su lugar. ¿Qué os parecería eso como resultado de tal boda privada, según vos decís, lady Rivers?

Las damas de la duquesa palidecen y retroceden horrorizadas. Margarita, que adora a su hermano, susurra:

—¡Madre!

Pero no se atreve a decir nada más. Eduardo nunca ha sido el favorito de su progenitora. Edmundo, su querido Edmundo, murió con su padre en Wakefield y los Lancaster vencedores clavaron las cabezas de ambos a las puertas de York. Jorge, su hermano también más joven y predilecto de su madre, es el niño mimado de la familia. Ricardo, el más pequeño de todos, es moreno y el más canalla de la camada. Es increíble que ella hable de poner a un hijo por delante de otro, sin orden alguno.

—¿Cómo? —dice mi madre con brusquedad y poniéndola en evidencia—. ¿Osaríais derrocar a vuestro hijo?

—Si no fuera hijo de mi esposo...

—¡Madre! —gime Margarita.

—¿Y cómo podría ser eso? —exige saber mi madre, dulce como el veneno—. ¿Llamaríais bastardo a vuestro propio hijo? ¿Os llamaríais vos misma ramera? Únicamente por despecho, para hundirnos a nosotros, ¿seríais capaz de destruir vos misma vuestra reputación y poner cuernos a vuestro propio esposo difunto? Cuando colgaron su cabeza a las puertas de York, le pusieron una corona de papel para mofarse de él. Eso no sería nada en comparación con coronarlo ahora como a un cornudo. ¿Seríais capaz de deshonrar vuestro propio nombre? ¿Os atreveríais a humillar a vuestro esposo aún más que sus enemigos?

Se oye un gritito que profieren las mujeres y la pobre Margarita se tambalea como si fuera a desmayarse. Mis hermanas y yo somos medio peces, no mujeres; nos limitamos a mirar a mi madre y después a la madre del rey con los ojos como platos, ambas enfrentadas, como dos hombres que se golpean el uno al otro con mazas en el campo de justa diciendo cosas impensables.

—Hay muchos que me creerían —amenaza la madre del rey.

—Más vergüenza para vos, entonces —replica mi madre con rotundidad—. Los rumores respecto de quién puede ser su padre han llegado hasta Inglaterra. En efecto, yo me encuentro entre las pocas personas que juraron que una dama de vuestra casa jamás caería tan bajo. Pero ha llegado a mis oídos, como a los de todos, que podría ser un arquero de nombre... cómo se llamaba... —Finge haberlo olvidado y se da unos golpecitos en la frente—. Ah, ya me acuerdo: Blaybourne. Un arquero de nombre Blaybourne, que según dicen era vuestro amante. Pero yo dije, e incluso la reina Margarita d'Anjou lo dijo también, que una gran dama como vos no sería capaz de rebajarse hasta el punto de yacer con un vulgar arquero y poner a su hijo bastardo en la cuna de un noble.

El nombre de Blaybourne cae en medio de la estancia produciendo un ruido sordo, como una bala de cañón. Casi se oye cómo rueda hasta quedarse inmóvil. Mi madre no teme a nada.

—Y de todos modos, si lográis que los lores bajen del trono al rey Eduardo, ¿quién va a apoyar a vuestro nuevo soberano Jorge? ¿Podríais fiaros de que su hermano Ricardo no intentara hacerse con el trono a su vez? ¿Acaso vuestro pariente lord Warwick, vuestro gran amigo, no desearía el trono para sí? ¿Y por qué no iban a iniciar una disputa entre ellos y dar lugar a otra generación más de enemigos, y dividir el país, y enfrentar nuevamente a hermano contra hermano, y desbaratar la misma paz que vuestro hijo ha ganado para él y para su casa? ¿Seríais capaz de destruirlo todo nada más que por despecho? Todos sabemos que la casa de York enloquece debido a la ambición; ¿se nos va a dar la oportunidad de ver cómo os devoráis vosotros mismos, igual que una gata aterrorizada devora a sus propias crías?

Ya es demasiado para ella. La madre del rey alza una mano hacia mi madre, como rogándole que no siga hablando.

—No, no. Ya basta. Basta.

—Hablo como amiga —dice mi madre rápidamente, escurridiza como una anguila—. Y vuestras irreflexivas palabras contra el monarca no saldrán de aquí. Mis hijas y yo no seríamos capaces de repetir semejante escándalo, semejante traición. Olvidaremos que habéis dicho esas cosas. Tan sólo lamento que las hayáis pensado siquiera. Me asombra que las hayáis dicho.

—Ya basta —repite la madre del rey—. Tan sólo he querido haceros saber que este matrimonio tan descabellado no lo he escogido yo. Aunque veo que he de aceptarlo. Vos me mostráis que debo hacerlo. Por más que me repugne, por más que denigre a mi hijo y a mi casa, tengo que aceptarlo. —Suspira—. Consideraré que es una carga que debo soportar.

—El rey lo ha decidido, y todos debemos obedecerlo —indica mi madre subrayando su ventaja—. El rey Eduardo ha elegido esposa y dicha mujer será reina de Inglaterra, la dama más importante, por encima de todas las demás, del reino. Y nadie podrá dudar que mi hija va a ser la reina más bella que Inglaterra haya visto jamás.

La madre del rey, cuya propia belleza fue famosa en su día, cuando la llamaban la Rosa de Raby, me mira a mí por primera vez sin placer alguno.

—Supongo que sí —dice de mala gana.

Yo vuelvo a hacerle la venia.

—¿He de llamaros madre? —le pregunto en tono jovial.

Una vez superado el calvario que ha supuesto que me reciba la madre de Eduardo, he de prepararme para mi presentación en la corte. Los pedidos que hizo Anthony a los sastres de Londres se han entregado a tiempo, y ahora tengo un vestido nuevo que ponerme, de color gris muy claro y ribeteado de perlas. Lleva un escote muy bajo por delante, un cinturón alto de perlas y mangas largas de seda. Lo acompaño con un tocado de forma cónica del que cuelga un largo pañuelo gris. Es a la vez lujoso y seductoramente modesto; cuando mi madre viene a mi habitación y ve cómo voy vestida, me toma de las manos y me besa en ambas mejillas.

—Preciosa —me dice—. Nadie podría dudar que el rey se ha casado contigo por amor a primera vista, un amor de trovador. Que Dios os bendiga a los dos.

—¿Están esperándome? —pregunto nerviosa.

Ella señala con un gesto de cabeza la estancia que hay al otro lado de la puerta de mi aposento.

—Están todos ahí fuera: lord Warwick, y el duque de Clarence, y otra media docena de personas.

Hago una inspiración profunda y me llevo una mano al tocado para que no se me caiga. Acto seguido hago una seña a mis damas de compañía para que abran la puerta doble y, con la cabeza bien alta como una reina, salgo de la habitación.

Lord Warwick, vestido de negro, se halla de pie junto a la chimenea. Es un hombre corpulento, de treinta y muchos años, de hombros anchos como un toro y rostro duro visto de perfil mientras contempla el fuego. Al oír abrirse las puertas, se vuelve y me ve, frunce el cejo, y después esboza una sonrisa forzada.

—Excelencia —me dice al tiempo que se inclina ante mí.

Yo también le hago una venia, pero advierto que su sonrisa no consigue ablandarle la mirada. Él contaba con que Eduardo siguiera estando bajo su control. Le había prometido al soberano de Francia entregar a Eduardo en matrimonio. Y ahora le ha salido todo mal y la gente se pregunta si continúa siendo él quien detenta el poder detrás de este nuevo trono o si Eduardo está tomando decisiones por sí mismo.

A su lado se encuentra el duque de Clarence, Jorge, el querido hermano del rey, con la planta de un auténtico príncipe de York: cabello dorado, sonrisa fácil, postura elegante incluso estando en reposo; una copia exquisita y atractiva de mi marido. Es rubio y está bien hecho, su reverencia es tan grácil como la de un bailarín italiano y sonríe de un modo encantador.

—Excelencia —dice—. Mi nueva hermana. Os doy la enhorabuena por vuestra boda sorpresa y os deseo felicidad en vuestro nuevo estado.

Yo le tiendo la mano y él me atrae hacia sí y me besa afectuosamente en ambas mejillas.

—De corazón os deseo toda suerte de parabienes —me dice en tono jovial—. Eduardo es en verdad un hombre afortunado. Y me alegro mucho de poder llamaros hermana.

A continuación me vuelvo hacia el conde de Warwick.

—Sé que mi esposo os ama y confía en vos, y que os considera un hermano y amigo —le digo—. Es un honor conoceros.

—El honor es todo mío —responde él sucintamente—. ¿Estáis preparada?

Miro a mi espalda. Mis hermanas y mi madre han formado una fila para seguirme en procesión.

—Estamos preparadas —contesto, y a continuación, con el duque de Clarence a un lado y el conde de Warwick al otro, echamos a andar con lentitud hacia la capilla de la abadía pasando por entre un nutrido grupo de personas que se va abriendo a medida que nos acercamos a él.

Mi primera impresión es la de que aquí se encuentran todas las personas que he visto en la corte, ataviadas con sus mejores galas para honrarme, y que también hay varios cientos de caras nuevas que han venido junto con los de York. La primera fila la ocupan los lores, con sus capas ribeteadas de armiño; detrás de ellos, la pequeña aristocracia, que luce cadenas que indican su rango y joyas. También han acudido en masa para presentarse los ediles y concejales de Londres, entre ellos los padres de la ciudad. También están aquí los jefes municipales, esforzándose por ver y ser vistos entre los grandes bonetes y las plumas, detrás de los gremios de artesanos de Reading y de la nobleza rural venida de toda Inglaterra. Éste es un acontecimiento de importancia nacional; todo el que ha podido comprarse un jubón y tomar prestado un caballo ha venido a ver a la escandalosa nueva reina. Tengo que enfrentarme a todos ellos sola, flanqueada por mis enemigos, mientras se posan en mí un millar de ojos que me escudriñan de arriba abajo, desde las zapatillas hasta el alto tocado y el etéreo velo, las perlas de mi vestido, el escote estudiadamente modesto, la perfección del encaje que oculta y, sin embargo, resalta la blancura de la piel de mis hombros. Muy despacio, igual que una brisa que sopla rozando las copas de los árboles, van descubriéndose la cabeza e inclinándose a mi paso; entonces caigo en la cuenta de que están reconociéndome como monarca, la soberana que sustituye a Margarita de Anjou, la reina de Inglaterra, la mujer más importante del reino, y de que en mi vida ya nada volverá a ser lo mismo. Sonrío de oreja a oreja en agradecimiento a las bendiciones y las alabanzas que murmuran, pero descubro que estoy apretando la mano de Warwick con demasiada fuerza, y éste me sonríe a su vez como si lo complaciera percibir mi miedo; me dice:

—Es natural que os sintáis abrumada, excelencia.

En efecto, resulta natural para una plebeya, pero jamás le habría ocurrido a una princesa, así que yo le devuelvo la sonrisa sin poder defenderme, sin poder hablar.

Esa noche, en la cama, después hacer el amor, le digo a Eduardo:

—No me gusta el conde de Warwick.

—Él me ha convertido en lo que soy hoy —responde él con sencillez—. Debéis amarlo por el bien mío.

—¿Y a vuestro hermano Jorge? ¿Y a William Hastings?

El rey se vuelve de costado y me sonríe.

—Ésos son mis compañeros y mis hermanos de armas —dice—. Os habéis casado con un ejército que está en guerra. A nuestros aliados no podemos elegirlos; como tampoco a nuestros amigos. Simplemente nos alegramos de contar con ellos. Amadlos por mí, querida mía.

Afirmo con la cabeza como si prometiera obedecer. Pero creo conocer a mis enemigos.

Mayo de 1465

El rey decide que he de tener la coronación más gloriosa que Inglaterra haya visto nunca. Y no lo dice sola y exclusivamente a modo de cumplido para mí.

—Os convertiremos en reina, en la reina indudable, y todos los lores del reino doblarán la rodilla ante vos. Mi madre... —se interrumpe y hace una mueca— deberá rendiros homenaje como parte de los festejos. Nadie podrá negar que sois mi esposa. Eso hará callar a quienes dicen que nuestro matrimonio no es válido.

—¿Quiénes son? —exijo saber—. ¿Quiénes osan decirlo?

El rey me dirige una ancha sonrisa. Sigue siendo un niño.

—¿Creéis que voy a decíroslo para que los transforméis en ranas? No os importe quién hable en nuestra contra. No han de preocuparos mientras lo único que hagan sea cuchichear en los rincones. Pero el hecho de organizar una coronación grandiosa para vos también servirá para declarar mi posición como rey. Todo el mundo verá que el soberano soy yo, y que el pobre Enrique vive como un mendigo en algún lugar de Cumbria, y que su esposa está prisionera de su padre en Anjou.

—¿Cómo de grandiosa? —pregunto sin que me agrade del todo la idea.

—Os tambalearéis bajo el peso de las joyas —me promete.

Llegado el acontecimiento en cuestión, resulta ser todavía más lujoso de lo que predijo Eduardo, más lujoso de lo que yo podría haber imaginado. Mi entrada en la ciudad es por el Puente de Londres, pero ese viejo camino de tierra ha sido transformado, a base de espolvorear carromatos y carromatos de arena, en una calzada más parecida a un campo de justa. Me reciben cómicos disfrazados de ángeles con trajes confeccionados con plumas de pavo real y alas deslumbrantes que semejan un millar de ojos de color azul, turquesa y añil. También hay un cuadro de teatro que representa a la virgen María y a los santos; de ese modo se me exhorta a que sea virtuosa y fértil. El pueblo me ve señalada como la persona que ha elegido Dios para que sea la reina de Inglaterra. Entro en la ciudad acompañada por cánticos que entonan coros de voces y bajo una lluvia de pétalos de rosa que me arrojan al pasar. Soy yo misma, mi propio cuadro de teatro, la inglesa de la casa de Lancaster que se ha convertido en la reina de York. Soy un objeto de paz y de unidad.

La noche anterior a mi coronación la paso en los magníficos aposentos reales de la Torre, recién decorados para mi estancia. No me gusta la Torre, me recorre un escalofrío cuando me transportan a hombros en una litera por debajo del rastrillo de la entrada. Anthony, que cabalga a mi lado, levanta la vista hacia mí y me pregunta:

—¿Qué sucede?

—Que odio la Torre. Huele a humedad.

—Te has vuelto muy escogida —comenta Anthony—. Ya eres una malcriada, ahora que el rey te ha concedido dependencias lujosas para ti sola, la mansión de Greenwich y también la de Sheen.

—No es eso —replico intentando dominar el desasosiego—. Es como si aquí hubiera fantasmas. ¿Mis hijos van a dormir aquí esta noche?

—Sí, aquí está la familia entera, en las habitaciones reales.

Hago una breve mueca de incomodidad.

—No me agrada que mis hijos estén aquí —digo—. En este lugar flotan malos presagios.

Anthony se santigua y se apea de su caballo para ayudarme a bajar de la litera.

—Sonríe —me ordena en voz baja.

El alcaide de la Torre está esperando para darme la bienvenida y entregarme las llaves. No es el momento de ver el futuro ni de buscar fantasmas de niños desaparecidos hace mucho tiempo.

—Mi graciosa majestad, sed bienvenida —me dice el alcaide; yo tomo la mano de Anthony y sonrío. Oigo murmurar a la gente que mi belleza es superior a la que todos imaginaban.

—No es nada excepcional —me dice Anthony en un tono de voz que sólo yo puedo oír, de modo que me veo obligada a girar la cabeza y dejar de sonreír tontamente—. Nada en comparación con nuestra madre, por ejemplo.

Al día siguiente tiene lugar mi coronación en la abadía de Westminster. Para el heraldo de la corte, cuya misión consiste en anunciar los nombres de los duques, las duquesas y los condes, constituye un desfile de las familias más encumbradas y más nobles de Inglaterra y de la cristiandad; para mi madre, que lleva la cola de mi vestido junto con Elizabeth y Margarita, las hermanas del rey, supone su triunfo; para Anthony, un hombre tan del mundo y sin embargo tan despegado de él, creo que representa una caterva de necios y que desearía estar muy lejos de aquí; y para Eduardo equivale a una vívida afirmación de su riqueza y de su poder ante un país deseoso de contar con una familia real que posea riqueza y poder. Para mí es una nebulosa de ceremonial en la que no siento otra cosa que angustia: estoy desesperada por avanzar a la velocidad adecuada, por recordar que he de quitarme los zapatos y caminar descalza por la alfombra de brocado, por aceptar los dos cetros —uno en cada mano—, por descubrirme el pecho para recibir los sagrados óleos, por sostener la cabeza bien firme para que soporte el peso de la corona.

Para coronarme son necesarios tres arzobispos, entre ellos Thomas Bourchier, y además un abad, unos doscientos miembros del clero y un millar de cantores en el coro que entonen mis alabanzas y hagan recaer sobre mí la bendición de Dios. Me acompañan los miembros de mi familia, que resultan ser varios cientos. Primero va la familia del rey, después mis hermanas, mi cuñada Elizabeth Scales, mis primas, mis primas de Borgoña, otras mujeres de mi parentela que sólo mi madre es capaz de reconocer, y toda otra dama bella que ha logrado ser presentada. Todo el mundo quiere ser dama en mi coronación, todo el mundo desea ocupar un lugar en mi corte.

Por tradición, Eduardo ni siquiera está conmigo. Observa la escena desde detrás de un biombo acompañado por mis hijos. Puede que ni siquiera llegue a verlo; por lo tanto no puedo cobrar valor viendo su sonrisa. Tengo que hacer esto totalmente sola, con miles de desconocidos atentos a todos mis movimientos. Nada debe delatar que he surgido de la nobleza rural para convertirme en la reina de Inglaterra, que he pasado de ser mortal a ser divina, lo más cercano a Dios. Cuando me coronen y me unjan con el óleo sagrado, pasaré a convertirme en un ser nuevo, situado por encima de los mortales, sólo un paso por debajo de los ángeles, amada y escogida por el cielo. Aguardo a sentir a lo largo de la espalda el escalofrío que me producirá el hecho de saber que Dios me ha elegido para ser la reina de Inglaterra, pero no experimento sino alivio al comprender que la ceremonia ha finalizado y aprensión ante el monumental banquete que seguirá a continuación.

Tres mil nobles y sus damas se sientan a cenar conmigo, y cada servicio abarca casi veinte platos. Para comer me quito la corona y entre un servicio y otro me la vuelvo a poner. Es como un larguísimo baile en el que tengo que recordar los pasos y que dura varias horas. A fin de protegerme de miradas aviesas mientras como, la condesa de Shrewsbury y la condesa de Kent permanecen arrodilladas frente a mí sosteniendo un velo. Por cortesía pruebo todos los platos, pero no como casi nada. La corona me pesa en la cabeza igual que una maldición y me duelen las sienes. Sé que he ascendido al puesto más alto que existe en todo el reino y lo único que anhelo es reunirme con mi esposo en la cama.

En un momento dado de la cena, probablemente alrededor del décimo servicio, me da por pensar que esto ha sido una terrible equivocación y que habría sido mucho más feliz quedándome en Grafton, sin ningún matrimonio ambicioso y sin ascender al rango de la realeza. Pero ya es demasiado tarde para arrepentirme y, aunque en mi cansancio los manjares más deliciosos no me saben a nada, debo continuar sonriendo sin parar, y volver a ponerme la corona, y enviar los platos mejores a los favoritos del rey.

Los primeros son para sus hermanos: Jorge, el joven de cabello dorado, duque de Clarence, y el más joven de los York, Ricardo, duque de Gloucester, de doce años, que me sonríe con timidez y agacha la cabeza cuando le envío un plato de pavo estofado. No se parece absolutamente nada a sus hermanos; es pequeño, tímido y moreno, de constitución frágil y carácter callado, mientras que los otros son todos altos, rubios y rebosan prepotencia. Ricardo me cae bien al primer golpe de vista y pienso que va a ser un buen compañero de juegos para mis hijos, que sólo son un poco más pequeños que él.

Al finalizar la cena, cuando de nuevo varias decenas de nobles y centenares de clérigos me escoltan hasta mis aposentos, camino con la cabeza bien alta, como si no estuviera fatigada, como si no me sintiera abrumada. Sé que hoy he pasado a ser algo más que una mujer mortal, que me he convertido en una semidiosa. Me he transformado en una divinidad parecida a mi antepasada Melusina, que nació siendo diosa y se transformó en mujer. Ella tuvo que negociar un difícil pacto con el mundo de los hombres para pasar de un ámbito al otro. Ella tuvo que rendir la libertad de que gozaba en el agua para tener unos pies que le permitieran caminar por la tierra al lado de su esposo. No puedo evitar preguntarme qué voy a tener que perder yo para ser reina.

Me acuestan en la cama de Margarita de Anjou, en la amplia alcoba real, y espero, tapada hasta las orejas con el paño de oro, a que Eduardo consiga escapar del festín y reunirse conmigo. Media docena de acompañantes y sirvientes lo escoltan hasta mi habitación y lo desnudan formalmente; lo dejan vestido tan sólo con su camisón de noche. Al ver mi expresión de sorpresa, lanza una carcajada al tiempo que cierra la puerta de la alcoba.

—Ahora somos de la realeza —dice—. Es necesario soportar estas ceremonias, Isabel.

Yo tiendo los brazos hacia él.

—Siempre y cuando sigáis siendo vos, incluso bajo la corona.

Acto seguido se quita el camisón y viene desnudo hacia mí, con sus anchos hombros, su piel suave, sus músculos moviéndose en los muslos, el vientre y los costados.

—Soy vuestro —me dice sin más; y cuando se desliza entre las sábanas frías a mi lado, me olvido de que somos rey y reina y pienso únicamente en sus caricias y en mi deseo.

Al día siguiente hay un torneo importante. Los nobles entran en la liza ataviados con bellos atuendos y poéticamente anunciados por sus escuderos. Mis hijos se encuentran conmigo en el palco real, boquiabiertos y mirándolo todo con gran asombro: la ceremonia, las banderas, el encanto que desprenden el ambiente y la multitud, la enormidad de la primera justa importante que van a presenciar en su vida. A mi lado están sentadas mis hermanas y Elizabeth, la esposa de Anthony. Empezamos a formar una corte de mujeres muy hermosas; la gente ya habla de una elegancia que jamás se había visto en Inglaterra.

Los primos de Borgoña salen a la arena luciendo todo su vigor. Su armadura es la más estilosa, el poema con que los anuncian es el que tiene la mejor métrica. Pero Anthony, mi hermano, está soberbio; la corte enloquece con él al ver la gracia con que cabalga a lomos de su caballo. Porta mis colores y rompe las lanzas de una docena de hombres. Y tampoco hay nadie que lo supere en los versos. Escribe con el estilo romántico de las tierras del sur; habla de la dicha con un tinte de tristeza, es un hombre que le sonríe a la tragedia. Compone poemas que hablan de un amor que no se puede consumar, de esperanzas que empujan a un hombre a atravesar desiertos de arena o a una mujer a cruzar océanos de agua. No es de extrañar que todas las señoras de la corte caigan rendidas de amor por él. Anthony sonríe, recoge las flores que ellas arrojan a la arena y se inclina, con una mano en el corazón, sin pedir los colores de ninguna dama.

—Lo conocí cuando era solamente mi tío —señala Thomas.

—Es el favorito de la jornada —le digo a mi padre, que ha venido al palco real para besarme la mano.

—¿En qué estará pensando? —me pregunta desconcertado—. En mi época, a los adversarios los matábamos, no componíamos poemas acerca de ellos.

Elizabeth, la esposa de Anthony, lanza una carcajada.

—Eso es lo que se hace en Borgoña.

—Vivimos tiempos caballerescos —le digo a mi padre sonriendo al ver su expresión de estupor.

Pero el ganador del día es lord Thomas Stanley, un caballero muy bien parecido que se levanta la visera y se acerca a recibir el premio complacido de haber ganado. Exhibe orgullosamente el lema de su familia en su estandarte: «*Sans Changer.*»

—¿Qué quiere decir? —murmura Richard a su hermano.

—Sin cambiar —contesta Thomas—. Lo sabrías si estudiaras, en lugar de perder el tiempo.

—¿Y vos no cambiáis nunca? —le pregunto a lord Stanley. Él me mira y ve a la hija de una familia que ha cambiado por completo, que ha pasado de un rey a otro, a una mujer que ha pasado de ser viuda a ser reina, e inclina la cabeza.

—Yo no cambio nunca —responde—. Estoy a favor de Dios, del rey y de mis derechos, por ese orden.

Esbozo una sonrisa. No merece la pena preguntarle cómo

sabe lo que quiere Dios, cómo sabe qué rey es el legítimo, cómo puede estar seguro de que sus derechos son justos. Ésas son cuestiones para tiempos de paz, y nuestro país lleva demasiado tiempo en guerra como para plantear preguntas complicadas.

—Sois un caballero muy diestro en el campo de justa —señalo.

Él sonríe.

—He tenido la suerte de no tener que lidiar contra vuestro hermano Anthony. Pero me siento orgulloso de justar ante vos, excelencia.

Desde el palco de la reina, me inclino hacia delante para entregarle el premio del torneo, un anillo de rubíes, y él me muestra que es demasiado pequeño para su enorme manaza.

—Debéis desposar a una dama hermosa —le digo en broma—. Una mujer virtuosa que valga más que los rubíes.

—La dama más hermosa del reino ya está casada y coronada —replica haciéndome una venia—. ¿Cómo haremos los rechazados para soportar nuestra infelicidad?

La frase me hace reír, es la misma forma de hablar de los míos, los de Borgoña, que han convertido el coqueteo en una forma suprema de arte.

—Habéis de esforzaros —le digo—. Tan formidable caballero ha de fundar una casa importante.

—Fundaré una casa y vos me veréis ganar de nuevo —responde él. Ante esas palabras, por alguna razón, experimento un leve escalofrío. Este hombre no es de los que son fuertes sólo en el campo de justa, me parece. Éste es un hombre que es fuerte en el campo de batalla. Éste es un hombre carente de escrúpulos que persigue sus propios intereses. Formidable, desde luego. Esperemos que haga honor a su lema y jamás cambie de sitio la lealtad que presta ahora a la casa de York.

Cuando la diosa Melusina se enamoró del caballero, éste le prometió que gozaría de libertad para ser ella misma con que accediera a ser su esposa. Acordaron que ella sería su mujer y caminaría con los pies durante un mes solamente, que luego podría irse a su aposento privado, llenar una gran bañera de agua y, tan sólo por una noche, volver a ser un pez. Y así vivieron muchos años siendo muy felices. Porque él la amaba y comprendía que una mujer no puede vivir siempre como un hombre. Entendía que ella no siempre podía pensar como pensaba él, andar como andaba él, respirar el mismo aire que respiraba él. Ella sería siempre un ser distinto, escucharía una música distinta, oiría un sonido distinto, conocería un elemento distinto.

Comprendía que ella necesitaba pasar tiempo a solas. Comprendía que ella tenía que cerrar los ojos, sumergirse bajo la brillante superficie del agua, agitar la cola, respirar por las branquias y olvidar las alegrías y las penas de ser esposa... sólo un rato, sólo una vez al mes. Juntos tuvieron hijos que crecieron con belleza y salud; él ganó en prosperidad y el castillo en que vivían se hizo famoso por sus riquezas y por su elegancia. También se hizo famoso por la gran belleza y dulzura de la mujer, y acudían visitantes llegados de tierras muy lejanas para ver el castillo, al señor del mismo y a la bella y misteriosa dama que estaba casada con él.

Tan pronto como me coronan reina, me dedico a acomodar a los miembros de mi familia, y mi madre y yo nos convertimos en las casamenteras más importantes de todo el reino.

—¿Esto no nos traerá más enemistades? —le pregunto a Eduardo—. Mi madre tiene una lista de lores para desposar con ellos a mis hermanas.

—Es necesario que lo hagáis —me tranquiliza él—. La gente se queja de que sois una viuda pobre que procede de un clan de desconocidos. Tenéis que mejorar el estatus de vuestra familia emparentándola con la nobleza.

—Somos tantos, tengo tantas hermanas, que acapararemos a

todos los jóvenes casaderos que existan. Os vamos a dejar escasos de lores.

El rey se encoge de hombros.

—Este país lleva demasiado tiempo dividido entre Lancaster y York. Dadme otra gran familia que me preste su apoyo cuando flaquee York o cuando me amenace Lancaster. Vos y yo necesitamos vincularnos con la nobleza, Isabel. Dad rienda suelta a vuestra madre; necesitamos contar con primos y parientes políticos en todos los condados. Yo haré nobles a vuestros hermanos y a vuestros dos hijos, que llevan el apellido Grey. Necesitamos formar a vuestro alrededor una gran familia que os proporcione tanto posición como defensa.

Lo tomo por la palabra y voy a ver a mi madre. La encuentro sentada ante la gran mesa que hay en mis aposentos, rodeada de pedigríes, contratos y mapas, igual que un comandante que está reclutando tropas.

—Veo que sois la diosa del amor —observo.

Ella levanta la vista hacia mí con el cejo fruncido por la concentración.

—Esto no es amor; son negocios —replica—. Tienes que velar por el bienestar de los miembros de tu familia, Isabel, y más vale que los cases con maridos y esposas que posean riquezas. Tienes un linaje que crear. Tu tarea como reina consiste en vigilar y ordenar la nobleza de tu país; ningún hombre ha de ser demasiado poderoso, ninguna mujer puede caer demasiado bajo. Una cosa sé: mi propio casamiento con tu padre era algo prohibido, y tuvimos que suplicar el perdón del rey y pagar una multa.

—Yo pensaba que aquello os habría puesto del lado de la libertad y del amor verdadero.

Ella deja escapar una breve risa.

—Cuando se trató de mi libertad y de mi amor, sí. Pero cuando se trata de ordenar tu corte como Dios manda, no.

—Debéis de lamentar que Anthony ya esté casado, ahora que podríamos concertar un matrimonio ventajoso para él.

Mi madre arruga el entrecejo.

—Lo que lamento es que su esposa sea estéril y tenga mala salud —dice sin rodeos—. Puedes tenerla en la corte como dama de compañía y pertenece a muy buena familia, pero no creo que vaya a darnos hijos ni herederos.

—Tendréis decenas de hijos y herederos —predigo mirando las largas listas de nombres que ha confeccionado y las marcadas flechas que ha dibujado entre los nombres de mis hermanas y los de los nobles ingleses.

—Así lo espero —dice con satisfacción—. Y ninguno de ellos será menos que lord.

De manera que tenemos un mes de bodas. Cada una de mis hermanas es desposada con un lord, excepto Katherine, en cuyo caso consigo un partido mejor y la prometo con un duque. Es un duque que aún no ha cumplido los diez años, un niño de carácter malhumorado; Henry Stafford se llama, duque de Buckingham. Warwick lo tenía en mente para su hija Isabel. Pero como este niño es pupilo real desde que falleció su padre, se encuentra a mi disposición. Me pagan un dinero por cuidarlo, y yo puedo hacer con él lo que quiera. Él se muestra arrogante y descortés conmigo; considera que proviene de una familia tan noble, está tan lleno de orgullo, que me divierte obligar a este joven pretendiente al trono a casarse con mi hermana Katherine. Él la considera, como a todos nosotros, inferior a él hasta el punto de encontrarla insoportable. Opina que emparentarse con nosotros le supone rebajarse, y ha llegado a mis oídos que les dice a sus amigos, alardeando igual que un jovenzuelo, que piensa vengarse y que un día tendremos miedo de él, que me hará lamentar haberlo insultado. Eso me hace reír, y Katherine está contenta de ser duquesa, aunque sea teniendo por marido a un niño tan antipático.

Mi hermano John, que tiene veinte años y que por fortuna todavía está soltero, se casará con la tía de lord Warwick, lady Catherine Neville. Es la duquesa viuda de Norfolk, por haber contraído y consumado matrimonio con un duque al que finalmente ha enterrado. Representa una bofetada para Warwick, y eso por sí solo me produce un placer malicioso. Además, como su tía debe de tener casi cien años, casarse con ella es una broma de lo más cruel. Warwick aprenderá quién establece las alianzas en Inglaterra en la actualidad. Seguro que su tía morirá pronto, y entonces mi hermano volverá a ser libre y dueño de indecibles riquezas.

Para mi hijo, mi querido Thomas Grey, compro a la pequeña Anne Holland. Su madre, la duquesa de Exeter, hermana de mi esposo, me cobra cuatro mil marcos por dicho privilegio, y yo tomo nota del precio que vale su orgullo y lo pago para que Thomas pueda heredar la fortuna de los Holland. Mi hijo va a ser tan rico como cualquier príncipe de la cristiandad. Además, le estoy robando el trofeo al conde de Warwick, pues él quería a Anne Holland para su sobrino y dicho casamiento ya estaba casi firmado y sellado; pero yo ofrecí mil marcos más que él, una fortuna, la fortuna de un soberano, que Warwick no puede permitirse pero yo sí. Eduardo concede a Thomas el título de marqués de Dorset para que esté a la altura de su futura esposa. Para mi hijo Richard Grey pronto tendré una candidata, en cuanto vea a una que le aporte fortuna; entretanto será armado caballero.

Mi padre pasa a ser conde; Anthony no adquiere el título de duque con el que bromeaba, pero obtiene el de señor de la isla de Wight. Y mis otros hermanos ocupan cada uno un puesto al servicio de la realeza o en la Iglesia. Lionel será obispo, tal como quería. Me valgo de mi alta posición de reina para otorgar poder a mi familia, igual que haría cualquier mujer, y desde luego igual que se le aconsejaría hacer a cualquier mujer que hubiera ascendido de la nada a la grandeza. Tendremos nuestros enemigos, de modo que necesitamos establecer contactos y aliados. Tenemos que estar en todas partes.

Para cuando finalice el largo proceso de casamientos y ennoblecimientos, en Inglaterra no habrá un solo hombre que no se tropiece con algún miembro de mi familia. No se podrá realizar una operación comercial, arar un campo o llevar un caso ante la justicia sin toparse con un miembro del gran clan de los Rivers o con alguna de las personas que dependen de él. Estamos por todas partes; estamos donde ha querido ponernos el rey. Y si llegara el día en que todos se volvieran contra él, descubrirá que nosotros, los Rivers, formamos un frente duro y fuerte, un foso alrededor de su castillo. Cuando pierda a todos los demás aliados, nosotros seguiremos siendo amigos suyos, y ahora estamos en el poder.

Somos leales a él y él se aferra a nosotros. Yo le he jurado mi fe y mi amor, y él sabe que no hay mujer en el mundo que lo ame más que yo. Mis hermanos varones y mi padre, mis primos y mis hermanas, junto con todos nuestros nuevos esposos y esposas, le hemos prometido lealtad absoluta, con independencia de lo que venga o quien venga contra nosotros. Formamos una familia nueva que no es ni Lancaster ni York; somos la familia Woodville, ennoblecida con el título de Rivers, y respaldamos al monarca igual que un muro de agua. Puede que la mitad del reino nos odie, pero ahora los he hecho a todos tan poderosos que ya no me importa.

Eduardo se dedica a la labor de gobernar un país que está acostumbrado a no tener soberano en absoluto. Nombra jueces y gobernadores para reemplazar a los que han muerto en la batalla; les ordena que impongan la ley y el orden en sus condados. Los hombres que han aprovechado la oportunidad de hacer la guerra a sus vecinos se ven obligados a regresar a sus propias fronteras. Los soldados liberados de un bando o del otro tienen que volver a su hogar. Los bandoleros que han aprovechado la ocasión para hacer incursiones y aterrorizar a las gentes han de ser capturados, los caminos tienen que ser seguros otra vez. Eduardo inicia el duro trabajo de volver a hacer de Inglaterra un país en el que reine la paz. Un país en paz, en lugar de un país en guerra.

Y por último se pone fin al constante guerrear cuando capturamos al rey anterior, Enrique, que andaba medio perdido y medio loco por las montañas de Northumberland. Eduardo ordena que sea llevado a la Torre de Londres, por su propia seguridad y por la nuestra. No siempre está en su sano juicio, Dios lo guarde. Penetra en las estancias de la Torre y parece saber dónde se encuentra; parece alegrarse de estar en casa después de haber llevado una vida errante. Vive serenamente, en comunión con Dios, con un sacerdote a su lado día y noche. Ni siquiera sabemos si se acuerda de su esposa o del hijo que ésta le dijo que era suyo; desde luego, nunca habla de ellos ni pregunta por ellos, que se encuentran en el lejano Anjou. No sabemos con seguridad si recuerda en todo momento que en otro tiempo fue rey. Ha dejado de existir para el mundo, pobre Enrique, y ha olvidado todo lo que le hemos arrebatado.

Verano de 1468

Eduardo envía a Warwick con una embajada a Francia, y éste aprovecha la oportunidad para escapar de Inglaterra y de la corte. No puede soportar ver cómo nuestra estrella va ascendiendo y cómo sus esperanzas van disminuyendo. Tiene pensado firmar un tratado con el rey de Francia y le promete que el gobierno de Inglaterra todavía está en su mano y que él va a escoger al futuro marido de Margarita, la heredera de la casa de York. Pero miente, y todo el mundo sabe que sus días de poder se han acabado. Eduardo nos hace caso a mi madre, a mí y a sus otros consejeros, que dicen que el ducado de Borgoña ha sido un amigo fiel mientras que Francia ha sido un enemigo constante, y que se podría firmar una alianza con Borgoña, por el bien del comercio, en aras de nuestra condición de primos, que podría consolidarse con el casamiento de Margarita, hermana de Eduardo, precisamente con el nuevo duque, Carlos, que acaba de heredar las ricas tierras de Borgoña.

Carlos es un amigo clave de Inglaterra. Como duque de Borgoña que es, posee todas las tierras de Flandes, además de su propio ducado de Borgoña, y por lo tanto manda en todos los territorios bajos del norte, en todos los que se encuentran entre Alemania y

Francia y en las ricas tierras del sur. Son grandes compradores de telas inglesas, comerciantes y aliados nuestros. Sus puertos se encuentran frente a los nuestros, al otro lado del canal de la Mancha; su enemigo habitual es Francia, y se vuelven hacia nosotros buscando alianzas. Tradicionalmente han sido amigos de Inglaterra, y ahora, gracias a mí, son parientes del monarca inglés.

Todo esto se ha planeado sin incluir a la propia joven, claro está; y Margarita se acerca a mí cuando estoy paseando por los jardines del palacio de Westminster, toda acalorada, porque le han dicho que su compromiso con don Pedro de Portugal va a quedar anulado y que ahora van a venderla al mejor postor, ya sea Luis de Francia o uno de los príncipes franceses, o bien a Carlos de Borgoña.

—Todo va a salir bien —le digo yo al tiempo que tomo su mano en la mía para que pueda pasear a mi lado. Sólo tiene veintidós años y no ha sido educada para ser hermana de un rey. No está acostumbrada a que su futuro esposo pueda cambiar según las necesidades del momento, y su madre, con la lealtad dividida entre sus hijos rivales, no se ha preocupado de velar por sus hijas.

Cuando Margarita era pequeña, creía que iba a casarse con un lord inglés y que iba a vivir en un castillo de Inglaterra criando hijos. Incluso soñó con hacerse monja, porque comparte el mismo entusiasmo que su madre por la Iglesia. Cuando su padre reclamó el trono y su hermano lo obtuvo, no se dio cuenta de que siempre hay que pagar un precio por el poder y de que ella habría de pagarlo tanto como lo pagamos los demás. Aún no comprende que, aunque los hombres sean los que van a la guerra, quienes sufren son las mujeres... acaso más que nadie.

—No pienso casarme con un francés. Odio a los franceses —dice con vehemencia—. Mi padre luchó contra ellos, no habría querido que me casara con uno. Mi hermano no debería pensarlo siquiera. No sé por qué mi madre lo está considerando; estuvo con el ejército inglés en Francia y sabe cómo son los franceses. Yo pertenezco a la casa de York, ¡no quiero ser francesa!

—Y no lo seréis —le digo en tono tranquilizador—. Ése es el plan que tiene el conde de Warwick, pero el rey ya no le presta oídos. Sí, acepta sobornos de los franceses y favorece a Francia, pero lo que yo aconsejo al soberano es que firme una alianza con el duque de Borgoña, y eso será mejor para vos. Pensad tan sólo... ¡seréis pariente mía! Os desposaréis con el duque de Borgoña y viviréis en el hermoso palacio de Lille. Vuestro futuro esposo es un respetado amigo de la casa de York y está emparentado conmigo a través de mi madre. Es un buen amigo, y desde su palacio podréis venir a casa de visita. Y cuando mis hijas sean lo bastante mayores, las enviaré con vos para que las aleccionéis respecto a la elegante vida de la corte de Borgoña. No existe nada más bello ni que esté más de moda que esta corte. Y, siendo su duquesa, seréis la madrina de mis hijos varones. ¿Qué os parece eso?

Ella se queda parcialmente conforme.

—Pero yo pertenezco a la casa de York —repite—. Quiero quedarme en Inglaterra. Por lo menos hasta que hayamos derrotado definitivamente a los de Lancaster; y también deseo ver el bautizo de vuestro hijo, el primer príncipe de York. Y más adelante querré verlo coronado Príncipe de Gales...

—Vendréis para asistir a su bautizo, cuandoquiera que Dios nos lo mande —le prometo—. Y sabrá que su tía es su atenta guardiana. Pero en Borgoña podréis servir mejor a las necesidades de la casa de York. Haréis que el ducado de Borgoña siga siendo amigo de York y de Inglaterra y, si alguna vez Eduardo se encontrara en un apuro, sabrá que puede recurrir a las riquezas y las armas de Borgoña. Y si en alguna ocasión corriera peligro a causa de un falso amigo, podrá acudir a vos en busca de ayuda. Os agradará ser la aliada que tengamos al otro lado del mar. Os agradará ser nuestro refugio.

Ella descansa la cabecita sobre mi hombro.

—Excelencia, hermana —me dice—, se me hace muy difícil marcharme. He perdido a un padre y no estoy segura de que mi hermano no siga estando en peligro. No estoy segura de que Jorge y él sean amigos de verdad; no estoy segura de que Jorge no sienta envidia de Eduardo y temo lo que pueda hacer mi señor Warwick. Deseo quedarme aquí. Quiero estar con Eduardo y con vos. Amo a mi hermano Jorge, no quiero separarme de él en este momento. No quiero separarme de mi madre. No quiero irme de mi hogar.

—Ya lo sé —replico en voz baja—. Pero siendo la duquesa de Borgoña podréis ser una buena hermana, muy poderosa, para Eduardo y para Jorge. Sabremos que siempre hay un país en el que podemos confiar como amigo. Sabremos que existe una bella duquesa que es defensora de York hasta le médula de los huesos. Podéis iros a Borgoña y tener hijos, hijos de York.

—¿Vos creéis que podré fundar una casa de York en el extranjero?

—Fundaréis una nueva estirpe —le aseguro—. Y nos alegrará saber que estáis allí, e iremos a visitaros.

Margarita pone al mal tiempo buena cara y Warwick pone cara de hipócrita y la escolta hasta el puerto de Margate. Todos la despedimos con la mano, a nuestra pequeña duquesa. Sé que de todos los hermanos y hermanas de Eduardo, Jorge el desleal y Ricardo el pequeño, acabamos de enviar a otro país a la más cariñosa, la más leal y la más fiable defensora de los York.

Para Warwick, esto representa otra derrota a mis manos y a manos de mi familia. Prometió que Margarita tendría un marido francés, pero se ve obligado a enviársela al duque de Borgoña. Tenía pensado firmar una alianza con Francia y aseguró que poseía el control de la toma de decisiones en Inglaterra; en cambio, va a contraer nupcias con la casa real de Borgoña, a la que pertenece la familia de mi madre. Todo el mundo ve que Inglaterra está bajo el mando de la familia Rivers y que el rey únicamente nos hace caso a nosotros. Warwick escolta a Margarita en su viaje nupcial con la misma expresión en la cara que si estuviera comiendo limones, y yo río para mis adentros al ver que nosotros lo superamos en poder y en número y me considero a salvo de su ambición y de su resentimiento.

Verano de 1469

Estoy equivocada. Estoy completamente equivocada. No somos tan poderosos, no somos lo bastante poderosos. Y debería haber tenido más cuidado. No reflexioné y, precisamente yo, que tenía miedo de Warwick antes de conocerlo siquiera, debería haber tomado en cuenta su envidia y su enemistad. No preví con antelación —y, precisamente yo, entre todas las reinas que tienen hijos que están creciendo, debería haberlo previsto— que Warwick y la antipática madre de Eduardo podrían unirse y pensar en sentar en el trono a otro hijo de York en lugar del primero que habían elegido para que el hacedor de reyes lo convirtiera en rey.

Debería haber tenido más cautela con Warwick, porque mi familia le quitó todo el poder que tenía y se adueñó de las tierras que seguramente él quería para sí. También debería haber previsto que Jorge, el joven duque de Clarence, iba a despertar su interés. Jorge es hijo de York, igual que Eduardo, pero maleable, fácil de instigar y, por encima de todo, soltero. Warwick nos miró a Eduardo y a mí, observó la riqueza y la fuerza que estaban adquiriendo los Rivers que yo he situado alrededor de Eduardo, y empezó a pensar que a lo mejor fabricaba otro rey, otro soberano más, uno que le fuera más obediente a él.

Tenemos tres hermosas hijas, una de ellas recién nacida, y abrigamos la esperanza, cada vez con mayor ansiedad, de que nos nazca un varón, cuando de pronto Eduardo recibe la noticia de que en Yorkshire hay un rebelde que se llama a sí mismo Robin. Robin de Redesdale, un nombre inventado que no significa nada, un rebelde de poca monta que se esconde detrás de un nombre legendario, que está reclutando tropas, calumniando a mi familia y exigiendo libertad y justicia y las tonterías de siempre que tientan a los hombres de bien a abandonar sus campos para ir a buscar la muerte. Al principio Eduardo presta escasa atención, y yo, como una tonta, no le doy ninguna importancia. Eduardo está de peregrinación con mi familia, mis hijos Richard y Thomas Grey, y su hermano pequeño, Ricardo, mostrándose al pueblo y dando gracias Dios. Yo voy a ponerme en camino con las niñas para reunirme con él, y, aunque nos escribimos a diario, pensamos tan poco en la revuelta que él ni siquiera la menciona en sus cartas.

Tampoco presto atención a mi padre cuando me comenta que alguien está pagando a esos hombres, que no están armados con horcas, que llevan buenas botas y marchan en formación. Ni siquiera lo escucho apenas cuando, unos días más tarde, me dice —haciendo gala de una prudencia ganada a base de esfuerzo— que esos sublevados pertenecen a alguien, que son campesinos, arrendatarios o vasallos de algún señor. Ni siquiera cuando me hace ver que nadie toma la hoz pensando que va a luchar en una guerra, que alguien, su señor, ha de darle la orden. Ni siquiera entonces le presto atención. Cuando mi hermano John dice que este país pertenece a Warwick y que lo más probable es que la insurgencia de esos rebeldes haya sido obra de él, continúo sin darle importancia. Tengo una hija recién nacida y mi mundo gira en torno a su cunita pintada de oro. Vamos de camino hacia el sureste de Inglaterra, donde somos muy queridos. El verano está siendo bueno y yo pienso, cuando me da por pensar, que seguramente los rebeldes se volverán a su casa a tiempo para recoger la cosecha y que la revuelta se apaciguará por sí sola.

No siento preocupación alguna hasta que viene a verme mi hermano John, con expresión grave, y me jura que hay centenares, tal vez miles, de hombres armados, y que todo ello tiene que ser obra del conde de Warwick que vuelve a hacer de las suyas, porque nadie más es capaz de reunir tantas tropas. Está fabricando reyes otra vez. En la ocasión anterior, sustituyó al rey Enrique por Eduardo; esta vez quiere que Jorge, el duque de Clarence, hermano del monarca, el hijo sin importancia, reemplace a Eduardo, mi esposo. Y al mismo tiempo pretende reemplazarnos a mí y a los míos.

Eduardo se reúne conmigo en Fotheringhay, tal como habíamos acordado. Aunque no lo deja ver, está furioso. Habíamos planeado disfrutar de esa hermosa mansión y de su entorno a principios del verano, y después viajar juntos a la próspera ciudad de Norwich para hacer una entrada triunfal en ella. Nuestro plan consistía en sumarnos a las peregrinaciones y los festejos de las ciudades del campo, en repartir justicia y favores, en dejarnos ver como el rey y la reina en el corazón de su pueblo; todo lo contrario del soberano loco que se encuentra en la Torre y de su reina, todavía más loca, que está en Francia.

—Pero ahora tengo que ir al norte a resolver ese asunto —se queja Eduardo—. Hay rebeliones nuevas que brotan como las fuentes en una inundación. Yo pensaba que se trataba de un terrateniente descontento, pero por lo visto el norte entero está alzándose en armas otra vez. Es Warwick, tiene que ser él, aunque no me haya dicho ni una palabra. En cambio le pedí que me acompañara y no ha venido. Me pareció extraño; sin embargo sabía que estaba enfadado conmigo, y ahora, precisamente hoy, me entero de que Jorge y él han embarcado. Se han ido juntos a Calais. Maldita sea, Isabel, he sido un tonto confiado. Warwick ha huido de Inglaterra, y Jorge con él; se han ido a la guarnición inglesa más fuerte, son inseparables, y todos los hombres que dicen que siguen a Robin de Redesdale son en realidad sirvientes pagados por Warwick o por Jorge.

Me quedo horrorizada. De pronto, el reino que parecía estar tan tranquilo en nuestras manos se está desmembrando.

—Warwick debe de tener planeado hacer uso contra mí de todas las tretas que yo empleé contra Enrique. —Eduardo está pensando en voz alta—. Ahora respalda a Jorge como antiguamente me respaldó a mí. Si sigue adelante con esto, si se sirve de la fortaleza de Calais como punto de partida para invadir Inglaterra, será una guerra entre hermanos, de la misma forma en que la anterior fue una guerra entre primos. Esto es detestable, Isabel. Y éste es el hombre al que yo consideraba un hermano. Ésta es la persona que prácticamente me sentó en el trono. Éste es mi pariente y mi primer aliado. ¡Era mi mejor amigo!

Desvía el rostro para que yo no pueda ver su expresión de rabia y de angustia; me cuesta respirar de sólo imaginar a ese ser tan importante, ese tremendo comandante de hombres, lanzándose contra nosotros.

—¿Estáis seguro? ¿Jorge está con él? ¿Y se han ido juntos a Calais? ¿Quiere el trono para Jorge?

—¡No estoy seguro de nada! —exclama Eduardo en su desesperación—. Se trata de mi amigo, el primero y el más fiel, y lo acompaña mi propio hermano. Hemos peleado hombro con hombro en el campo de batalla, hemos sido compañeros de armas además de parientes. En la batalla de Mortimer's Cross había tres soles en el cielo; yo mismo los vi, tres soles. Todo el mundo decía que era una señal que nos mandaba Dios a mí, a Jorge y a Ricardo, los tres hijos de York. ¿Cómo va uno de los tres a abandonar a los otros? ¿Y quién más me traiciona, además de él? Si no puedo fiarme de mi propio hermano, ¿quién va a permanecer a mi lado? Mi madre ha de estar enterada de esto, Jorge es su hijo predilecto. Él le habrá dicho que está conspirando contra mí y ella le ha guardado el secreto. ¿Cómo es capaz de traicionarme? ¿Y cómo es capaz ella?

—¿Vuestra madre? —repito—. ¿Vuestra madre, apoyando a Jorge contra vos? ¿Por qué iba a hacer algo semejante?

Eduardo se encoge de hombros.

—La historia de siempre: si yo soy hijo de mi padre, si soy legítimo, nacido York y criado como tal. Jorge va diciendo que soy bastardo, y eso lo convierte a él en el auténtico heredero. Sabrá Dios por qué mi madre está dispuesta a refrendar eso. Debe de odiarme más de lo que nunca soñé por haberme casado con vos y por haber tomado partido por vos.

—¡Cómo se atreve!

—No puedo fiarme de nadie más que de vos y de los vuestros —exclama Eduardo—. Todas las demás personas en las que confío me han retirado su apoyo; y ahora me entero de que ese tal Robin de Yorkshire tiene una lista de exigencias que pretende que yo cumpla y de que Warwick ha anunciado al pueblo que él las considera razonables. ¡Razonables! Promete que Jorge y él desembarcarán con un ejército para reconvenirme. ¡Reconvenirme! ¡Ya sé yo lo que quiere decir con eso! ¿Acaso no es lo mismo que le hicimos a Enrique? ¿Acaso no sé bien cómo se destruye a un monarca? ¿Es que el padre de Warwick no utilizó a mi propio padre para reconvenir al rey Enrique con la intención de apartarlo de su esposa y de sus aliados? ¿Es que no enseñó a mi padre cómo se debe separar a un hombre de su esposa y de sus aliados? Y ahora se propone destruirme a mí con la misma estrategia. ¿Pero es que piensa que soy un necio?

—¿Y Ricardo? —pregunto con nerviosismo pensando en su otro hermano, aquel niño tímido que ya se ha convertido en un joven callado y pensativo—. ¿Dónde pone Ricardo su lealtad? ¿Se ha puesto de parte de su madre?

Es la primera vez que Eduardo sonríe.

—Mi Ricardo me sigue siendo fiel a mí. Ya sé que vos lo consideráis un muchacho torpe y taciturno. Ya sé que vuestras hermanas se ríen de él, pero conmigo es sincero y fiel. Por el contrario a Jorge se le puede sobornar para que gire a la derecha o a la izquierda. Jorge es un niño avaricioso, no un hombre. Sólo Dios sabe qué le habrá prometido Warwick.

—Eso os lo puedo decir yo —contesto con vehemencia—. Es fácil. Vuestro trono. Y la herencia de mis hijas.

—Los conservaré a todos conmigo. —Me toma las manos y las besa—. Juro que los conservaré a todos. Vos id a la ciudad de Norwich como teníamos previsto. Cumplid con vuestro deber, sed la reina, dad la impresión de que nada os preocupa. Mostrad una expresión sonriente y segura. Y yo iré a aplastar esa rebelión de serpientes antes de que levante del suelo.

—¿Han admitido que su esperanza es derrocaros? ¿O insisten en que únicamente pretenden reconveniros?

Eduardo hace una mueca.

—Más bien pretenden derrocaros a vos, querida mía. Quieren ver a vuestra familia y a vuestros consejeros exiliados de mi corte. Su principal queja es que estoy siendo mal aconsejado y que vuestra parentela está acabando conmigo.

Yo dejo escapar una exclamación ahogada.

—¿Me están calumniando?

—Es una tapadera, una mascarada —contesta Eduardo—. No le prestéis oídos. Es la canción de siempre, de que esto no es una rebelión contra el rey, sino contra sus pérfidos consejeros. Yo mismo la entoné, como también mi padre, e incluso Warwick contra Enrique. Más adelante dijimos que todo había sido culpa de la reina y del duque de Somerset. Ahora dicen que es culpa vuestra y de la familia que os rodea. Es fácil culpar a la esposa. Siempre es más sencillo acusar a la reina de ejercer una mala influencia que declararse uno mismo en contra del rey. Quieren destruiros a vos y a vuestra familia, por supuesto. Luego, cuando me tengan solo ante ellos, sin amigos y sin parientes, me aplastarán a mí. Me obligarán a declarar que nuestro matrimonio fue una farsa, que nuestras hijas son bastardas. Me obligarán a nombrar heredero a Jorge, acaso a cederle el trono. He de llevarlos a una confrontación abierta donde pueda derrotarlos. Confiad en mí, os mantendré sana y salva.

Apoyo mi frente contra la de él.

—Ojalá os hubiera dado un hijo varón —digo en voz muy queda—. De ese modo sabrían que sólo podría haber un heredero. Ojalá os hubiera dado un príncipe.

—Ya habrá tiempo para eso —contesta él, tranquilizador—. Adoro a nuestras hijas. Vendrá un varón, no lo dudo, amor mío. Y yo conservaré el trono a salvo para él. Confiad en mí.

Lo dejo marchar. Ambos tenemos cosas que hacer. Él parte de Fotheringhay a caballo, detrás de un estandarte que ondea furiosamente y rodeado de una guardia preparada para entrar en batalla, en dirección a Nottingham, al poderoso castillo que hay allí, donde esperará a que el enemigo se deje ver. Yo prosigo hasta Norwich con mis hijas para actuar como si Inglaterra fuese toda mía, como si aún fuera un bello jardín para la rosa de York y yo no temiera nada. Me llevo conmigo a mis dos hijos mayores. Eduardo se ofreció a llevárselos consigo, para que supieran lo que es una batalla por primera vez, pero yo, temiendo por ellos, me los he llevado conmigo y con las niñas. Así que voy de camino a Norwich con dos jovencitos muy enfurruñados, de trece y quince años, a los que nada complace porque se están perdiendo la oportunidad de librar su primera batalla.

Hago una entrada regia, con coros que cantan y flores que se arrojan a mi paso, representaciones teatrales que ensalzan mi virtud y dan la bienvenida a mis hijas. Eduardo mata el tiempo en Nottingham reclutando de nuevo a sus soldados, esperando a que su enemigo desembarque.

Mientras aguardamos, desempeñando cada uno nuestros respectivos papeles, preguntándonos cuándo van a venir nuestros enemigos y dónde van a desembarcar, nos llegan más noticias. En la ciudad de Calais, con una licencia especial del papa —que debe de haber sido solicitada y obtenida en secreto por nuestros propios arzobispos—, Jorge se ha casado con la hija de Warwick, Isabel Neville. Ahora es su yerno y, si Warwick consigue sentar a Jorge en el trono de Eduardo, hará reina a su propia hija, que me quitará la corona a mí.

Escupo igual que un gato al pensar que nuestros hipócritas arzobispos han escrito al papa en secreto para ayudar a nuestros enemigos, al imaginar a Jorge en el altar con la hija de Warwick, al pensar en la paciente ambición del lord. Pienso en esa joven de piel clara, una de las dos únicas hermanas Neville, ya que Warwick no tiene ningún hijo varón y por lo visto ya no le nace más descendencia, y juro que jamás llevará la corona de Inglaterra mientras yo viva. Pienso en Jorge, cambiando de bando como el niño malcriado que es y cayendo en la trampa de los planes de Warwick como el idiota que es, y juro vengarme de ambos. Es tanta mi certeza de que esto terminará siendo una batalla, una amarga batalla entre mi esposo y su antiguo tutor para la guerra, que me toma por sorpresa, lo mismo que a Eduardo, la noticia de que Warwick ha desembarcado sin previo aviso y ha destrozado el ejército real reunido en Edgecote Moor, cerca de Banbury, antes siquiera de que Eduardo hubiera salido del castillo de Nottingham.

Es un desastre. Sir William Herbert, el conde de Pembroke, yace muerto en tierra, rodeado por un millar de galeses, y su pupilo de la casa Lancaster, Enrique Tudor, se ha quedado sin la protección de un guardián. Eduardo va de camino a Londres, galopando lo más aprisa que le es posible, con el fin de armar la ciudad para un asedio. Está a punto de advertirla de que Warwick se encuentra en Inglaterra cuando de pronto ve ante sí unas figuras armadas que le cierran el paso.

El arzobispo Neville, pariente de Warwick nombrado por nosotros, se adelanta y toma a Eduardo prisionero diciéndole, al mismo tiempo que lo rodean, que el lord y Jorge ya están en el reino y que el ejército real ya ha sido vencido. Se acabó, Eduardo ha sido derrotado antes incluso de que se haya declarado una batalla, antes incluso de haber podido poner los arneses a su caballo de guerra. Las guerras, que yo pensaba que habían terminado en paz, en nuestra paz, terminan con nuestra derrota, sin que Eduardo haya siquiera desenvainado la espada, y la casa de

York se fundará sobre Jorge, la marioneta, y no sobre mi hijo no nacido.

Estoy en Norwich, fingiendo seguridad en mí misma, fingiendo la gracia propia de una reina, cuando traen a mi presencia a un mensajero cubierto de barro al que envía mi esposo. Abro la carta:

Queridísima esposa:
Preparaos para una mala noticia.
Vuestro padre y vuestro hermano han sido apresados en una batalla librada cerca de Edgecote, mientras luchaban por nuestra causa, y ahora se encuentran en poder de Warwick. Yo también soy prisionero y estoy retenido en el castillo que Warwick posee en Middleham. Me capturaron en el camino, cuando me dirigía hacia vos. No estoy herido, ni ellos tampoco.

Warwick ha afirmado que vuestra madre es una hechicera y dice que nuestro casamiento fue un acto de brujería obrado por ella y por vos. De modo que quedad advertida: las dos os encontráis en grave peligro. Ella ha de salir del país de inmediato, la estrangularán por bruja si pueden. Y vos también debéis prepararos para el exilio.

Id con nuestras hijas a Londres lo más rápidamente posible, armad la Torre para un asedio y levantad la ciudad en armas. En cuanto la villa esté preparada para el sitio, debéis tomar a las niñas y refugiaros en Flandes. La acusación de brujería es muy grave, amor mío. Os ejecutarán si creen que así lograrán un mayor efecto. Por encima de todo, permaneced sana y salva.

Si lo consideráis más apropiado, enviad a las niñas fuera del país inmediatamente, en secreto, y escondedlas en una casa de gente humilde. No seáis orgullosa, Isabel. Escoged un refugio en el que no mire nadie. Si queremos luchar para reclamar de nuevo lo que es nuestro, hemos de sobrevivir a esto.

Me causa más aflicción que ninguna otra cosa en el mundo poneros en peligro a las niñas y a vos. He escrito a Warwick para

exigirle que me haga saber qué rescate pide para que vuestro pa-
dre y vuestro hermano John regresen sanos y salvos. No dudo de
que los enviará de vuelta con vos y que podréis pagarle lo que
quiera que exija del Tesoro.

Vuestro esposo,
El único rey de Inglaterra,

EDUARDO

Unos golpes en la puerta de mi sala de recibir y su brusca aper-
tura me hacen dar un brinco, a la espera de, no sé, el conde de
Warwick en persona cargando un haz de leña para quemarnos a
mi madre y a mí. Pero se trata del alcalde de Norwich, que hace
apenas unos días me recibió con ricos ceremoniales.

—Excelencia, tengo noticias urgentes —me dice—. Noticias graves. Lo lamento.

Tomo un poco de aire para tranquilizarme.

—Decidme.

—Se trata de vuestro padre y vuestro hermano.

Ya sé lo que va a decir. Y no porque sea clarividente, sino por
las arrugas de preocupación que surcan su orondo semblante al
pensar en el dolor que va a causarme. Lo sé por el modo en que
se apiñan los hombres que tiene a su espalda, con la torpeza de
quienes son portadores de una mala noticia. Lo sé por los suspi-
ros que exhalan mis damas de compañía, semejantes a una brisa
de duelo, al tiempo que se agrupan detrás de mi sillón.

—No —digo—. No. Están prisioneros. Están retenidos por ingleses de honor. Han de ser rescatados.

—¿Queréis que os deje sola? —me pregunta el alcalde. Me mira
como si estuviera enferma. No sabe qué decirle a una reina que
llegó a esta ciudad cubierta de gloria y va a salir de ella corriendo
un peligro mortal—. ¿Deseáis que me vaya y regrese más tarde,
excelencia?

—Decidme —ordeno—. Decídmelo ahora, por más grave que
sea, y ya hallaré la manera de soportarlo.

Él lanza una mirada a mis damas en busca de ayuda, y a continuación sus ojos oscuros vuelven a posarse en mí.

—Lo lamento, excelencia. Lo lamento más profundamente de lo que puedo expresar. Vuestro padre, el conde de Rivers, y vuestro hermano sir John Woodville fueron capturados en batalla, una lid nueva contra enemigos nuevos, el ejército del rey contra el de su propio hermano Jorge, duque de Clarence. Al parecer, el duque está aliado con el conde de Warwick en contra de vuestro esposo... pero quizá ya estéis enterada de eso. Es una alianza contra vuestro gracioso esposo y contra vos. Vuestro padre y vuestro hermano fueron hechos prisioneros mientras luchaban por vuestra excelencia y han sido ejecutados. Los han decapitado. —Me dirige una mirada furtiva—. No han sufrido —agrega de su propia cosecha—, estoy seguro de que fue rápido.

—¿Con qué acusación? —Apenas puedo hablar. Tengo la boca entumecida, como si me hubieran propinado un puñetazo en la cara—. Estaban luchando por un rey ordenado contra unos rebeldes. ¿Qué podría decir nadie en contra de ellos? ¿De qué podrían acusarlos?

El alcalde sacude la cabeza en un gesto negativo.

—Fueron ejecutados por orden de lord Warwick —dice en voz baja—. No hubo juicio, no hubo acusación. Según parece, ahora la propia palabra de lord Warwick es la ley. Los mandó decapitar sin juicio ni condena, sin justicia. ¿Deseáis que dé la orden de que os escolten hasta Londres? ¿O preferís que prepare un barco? ¿Vais a salir del país?

—Voy a ir a Londres —replico—. Es mi capital, es mi reino. No soy una soberana extranjera que deba huir a Francia. Soy una mujer inglesa. Vivo aquí y moriré aquí. —En seguida me corrijo—: Viviré y lucharé aquí.

—Permitid que os ofrezca mi más sentido pésame, a vos y al rey.

—¿Tenéis noticias del monarca?

—Esperábamos que vuestra excelencia pudiera tranquilizarnos a ese respecto.

—Yo no he sabido nada —miento. No estoy dispuesta a que sepan por mí que el rey está prisionero en el castillo de Middleham, que hemos sido derrotados—. Partiré a primera hora de la tarde, dentro de dos horas, decidles. Iré a Londres a reclamar mi ciudad, y posteriormente reivindicaremos Inglaterra. Mi esposo no ha perdido una batalla jamás. Derrotará a sus enemigos y llevará a todos los traidores ante la justicia.

El alcalde hace una reverencia; todos los demás lo imitan y comienzan a retroceder hacia la puerta. Yo me siento en mi sillón como una reina, con el dorado palio real por encima de mi cabeza, hasta que se cierra la puerta. Entonces les digo a mis damas:

—Dejadme. Preparaos para el viaje.

Ellas revolotean y titubean. Ansían hacer una pausa y consolarme, pero advierten la seriedad de mi rostro y salen de la habitación de una en una. Me quedo a solas en esa estancia iluminada por el sol y veo que el sillón en el que estoy sentada está astillado, que la madera tallada sobre la que descansa mi mano tiene defectos. El palio real que cuelga en lo alto está polvoriento. Veo que he perdido a mi padre y a mi hermano; el padre más bueno y afectuoso que jamás ha tenido una hija y un buen hermano. Los he perdido por un sillón viejo y un palio cubierto de polvo. Mi pasión por Eduardo y mi ambición de subir al trono nos han puesto a todos en la mismísima vanguardia de la batalla y me han costado esta primera sangre: mi querido hermano y el padre al que amo.

Recuerdo cuando mi padre me subió a mi primer poni y me dijo que levantara la barbilla y bajara las manos, que sujetara las riendas con fuerza, que hiciera saber al poni quién era el amo. Recuerdo cuando acariciaba la mejilla de mi madre con la mano y le decía que era la mujer más lista de toda Inglaterra y que no deseaba que nadie sino ella lo guiara, y luego hacía lo que se le antojaba. Pienso en que se enamoró de ella siendo el escudero de su primer marido y ella su señora, que ni siquiera debería haber posado los ojos en él. Pienso en que se casó con ella en el momento mismo en que quedó viuda, desafiando todas las normas, y en que la gente decía que formaban la pareja más atractiva de Inglaterra, casada por amor, cosa que nadie excepto ellos dos se habría atrevido a hacer. Pienso en cuando estuvo en Reading, tal como lo describió Anthony: fingiendo saberlo todo y poniendo los ojos en blanco. Me entran deseos de reír de amor por él al recordar el momento en que me dijo que sólo podía llamarme Isabel en privado, ahora que soy reina, y que debíamos acostumbrarnos. Recuerdo cómo se le hinchó el pecho cuando le dije que pensaba casar a su hijo con una duquesa y que él mismo iba a ser conde.

Y luego pienso en cómo se va a tomar mi madre su pérdida y en que he de ser yo quien le diga que mi padre ha sido ejecutado como un traidor por haber luchado por mi causa después de haber pasado la vida entera luchando a favor del otro bando. Pienso en todo esto y me siento cansada y enferma en el alma, más cansada y más enferma que nunca en mi vida, peor todavía que cuando padre volvió de la batalla de Towton y dijo que nuestra causa se había perdido, peor aún que cuando mi esposo no volvió a casa tras la batalla de St Albans y me dijeron que había muerto como un valiente, cargando contra la facción de York.

Me siento peor de lo que me he sentido nunca porque ahora sé que es más fácil llevar a un país a la guerra que hacerlo volver a vivir en paz, y un país en guerra es un lugar amargo en el que vivir, un lugar peligroso en el que tener hijas, y un lugar peligroso en el que ansiar un vástago varón.

En Londres me reciben como a una heroína y la ciudad entera está a favor de Eduardo; pero dará lo mismo si ese carnicero de Warwick lo mata en prisión. Por el momento instalo mi hogar en la bien fortificada Torre de Londres, con mis hijas y mis dos hijos mayores, obedientes, asustados como cachorrillos ahora que han visto que no todas las batallas se ganan y que no todos los seres queridos regresan a casa sanos y salvos. Están conmocionados por la pérdida de su tío John, y todos los días preguntan por la seguridad del rey. Todos estamos muy afligidos: mis hijas han perdido a un abuelo bueno y a un tío muy querido, y sé que su padre corre un peligro tremendo. Escribo a mi pariente, el duque de Borgoña, y le pido que prepare un escondite seguro en Flandes para mí, mis hijos mayores y mis hijas. Le digo que debemos buscar una localidad pequeña, que no sea importante, y una familia pobre que sepa fingir que acoge en su casa a unos primos ingleses. He de buscar un sitio en el que ocultar a mis hijas y en el que no las encuentren nunca.

El duque jura que hará incluso algo más: prestará apoyo a Londres si dicha ciudad se declara a mi favor y al de York. Promete enviar hombres y un ejército. También me pregunta qué noticias tengo del rey, si se encuentra a salvo.

No puedo decirle nada que lo tranquilice. Las noticias que tengo de mi esposo son imposibles de explicar. Es un soberano cautivo, igual que el pobre Enrique. ¿Cómo puede suceder semejante cosa? ¿Cómo puede continuar ocurriendo? Warwick aún lo tiene retenido en el castillo de Middleham y está persuadiendo a los lores para que nieguen que ha sido rey en algún momento. Hay quienes dicen que a Eduardo le darán a escoger: o abdicar del trono en favor de su hermano o subir al cadalso. Warwick obtendrá la corona o su cabeza. Hay rumores de que sólo es cuestión de días que nos llegue la noticia de que Eduardo ha sido derrocado y ha huido a Borgoña o de que ha muerto. En lugar de conseguir información he de escuchar esas habladurías y me pregunto si voy a enviudar en el mismo mes en que he perdido a mi padre y a mi hermano. ¿Cómo voy a poder soportarlo?

En la segunda semana de mi vigilia acude a verme mi madre. Viene de nuestro antiguo hogar de Grafton, con los ojos secos y un tanto encorvada, como si tuviera una herida en el vientre y caminara doblada por el dolor. Nada más verla, me doy cuenta de que no voy a tener que comunicarle que es viuda. Ella sabe que ha perdido al gran amor de su vida y su mano descansa todo el tiempo sobre el nudo de su cinturón, igual que si quisiera retener una herida mortal. Sabe que su esposo está muerto, pero nadie le ha dicho cómo murió ni por qué. Tengo que llevármela a mi aposento privado, cerrar la puerta para que no entren los niños y buscar la manera de describirle la muerte de su marido y de su hijo, que, además, fue vergonzosa, para unos hombres buenos, y a manos de un traidor.

—Lo siento muchísimo —le digo. Me arrodillo a sus pies y la tomo con fuerza de las manos—. Lo siento muchísimo, madre. Pienso pedir la cabeza de Warwick por esto. Y a Jorge lo veré muerto.

Pero ella niega con la cabeza. Le miro el rostro y descubro arrugas que juro que antes no estaban. Ha perdido el resplandor de una mujer feliz y la alegría que antes tenía en la cara ha desaparecido dejando en su lugar surcos de cansancio.

—No —responde. Me acaricia las trenzas y añade—: Calla, calla. Tu padre no habría querido verte afligida. Conocía de sobra los riesgos. No era su primera batalla, bien lo sabe Dios. Toma. —Busca en el interior de su vestido y me entrega una nota escrita a mano—. La última carta que me envió. Me pide que te haga llegar sus bendiciones y su amor. Escribió esta misiva mientras le decían que lo iban a dejar en libertad. Creo que sabía la verdad.

La letra de mi padre es clara y audaz, como su manera de hablar. Me cuesta creer que ya no voy a ver la una ni oír la otra nunca más.

—Y John... —Se interrumpe—. Él supone una pérdida para mí y para su generación —dice en voz queda—. Tu hermano tenía toda la vida por delante. —Calla unos instantes—. Cuando se cría a un hijo y éste se hace hombre, una empieza a creer que él está a salvo, que una misma está a salvo de las heridas del corazón. Cuando un hijo supera todas las enfermedades de la infancia, cuando un año llega la peste y se lleva a los hijos de tus vecinos y en cambio el tuyo sobrevive, comienzas a pensar que nunca le va a pasar nada malo. Cada año te dices: otro año más libre de peligro, otro año más para convertirse en un hombre adulto. Yo crié a John, crié a todos mis hijos, sin aliento a fuerza de abrigar esperanzas. Y lo casamos con esa anciana por el título y por la fortuna, y reímos sabiendo que iba a vivir más que ella. Fue una gran broma para nosotros, saber que él era un marido demasiado joven para una mujer tan vieja. Nos reíamos burlándonos de su edad porque sabíamos que estaba mucho más cerca de la tumba que él. Y ahora va a verlo enterrado y conservará su fortuna. ¿Cómo puede ser?

Deja escapar un largo suspiro, como si estuviera demasiado cansada para nada más.

—Pero yo debería haberlo sabido. Precisamente yo debería haberlo sabido. Poseo la visión. Debería haberlo visto todo, pero algunas cosas son demasiado oscuras para preverlas. Vivimos tiempos difíciles, e Inglaterra es un país de desdichas. Ninguna madre puede estar segura de que no vaya a enterrar a sus hijos. Cuando un país está en guerra, primo contra primo, hermano contra hermano, ningún joven está a salvo.

Me siento sobre los talones.

—La madre del rey, la duquesa Cecilia, conocerá este dolor. Sufrirá el mismo dolor que sufrís vos. Conocerá la pérdida de su hijo Jorge —escupo—. Lo juro. Lo verá morir como a un mentiroso y un renegado. Vos habéis perdido un hijo, y también lo perderá ella, os doy mi palabra.

—Entonces tú también, según esa regla —me advierte mi madre—. Cada vez más muertes, cada vez más disputas, más hijos huérfanos, más viudas. ¿Quieres llorar por la pérdida de tu vástago en los días venideros, tal como estoy haciendo yo ahora?

—Después de Jorge podremos hallar la reconciliación —insisto con terquedad—. Han de ser castigados por esto. Jorge y Warwick son hombres muertos a partir de hoy. —Me levanto y me acerco a la mesa—. Voy a romper una esquina de la carta —anuncio—. Voy a escribir las muertes de ambos en la carta de mi padre con mi propia sangre.

—Te equivocas —me dice ella con voz serena. Pero permite que corte una esquina de la misiva y después se la devuelva.

De pronto se oyen unos golpes en la puerta y me apresuro a limpiarme las lágrimas de la cara antes de indicar a mi madre que diga: «Adelante.» Pero la puerta se abre de golpe, sin ceremonias, y Eduardo, mi amado Eduardo, entra en la estancia como si llegara de una partida de caza y hubiera pensado en sorprenderme volviendo temprano a casa.

—¡Dios mío! ¡Sois vos! ¡Eduardo! ¿Sois vos? ¿Sois vos de verdad?

—Soy yo —confirma él—. Os saludo también a vos, mi señora madre Jacquetta.

Me arrojo sobre él y sus brazos me envuelven, percibo su familiar aroma y siento la fortaleza de su pecho. Estallo en sollozos de sólo notar su contacto.

—Os creía en prisión —le digo—. Pensaba que Warwick iba a daros muerte.

—Ha perdido fuerza —me contesta Eduardo de forma sucinta mientras intenta acariciarme la espalda y soltarme el pelo al mismo tiempo—. Sir Humphrey Neville levantó a Yorkshire en armas para Enrique, y cuando Warwick fue contra él no lo apoyó nadie. Me necesitaba a mí. Empezó a comprender que nadie deseaba tener por rey a Jorge y que yo no estaría dispuesto a renunciar a mi trono. No había negociado para ello. No se atrevió a decapitarme. A decir verdad, no creo que lograse encontrar a un verdugo que lo hiciera. Yo soy un rey coronado, no puede cortarme la cabeza sin más como si fuera un tronco de leña. He sido ordenado, mi cuerpo es sagrado. Ni siquiera Warwick se atreve a matar a un soberano a sangre fría.

»Vino a mí con el documento de mi abdicación y yo le dije que no veía motivo para firmarlo, que estaba contento de quedarme en su casa, que el cocinero era excelente y la bodega aún mejor. Le dije que, si deseaba tenerme de huésped para siempre, yo no tendría inconveniente en trasladar mi corte entera al castillo de

Middleham. Le espeté que no veía razón para no poder gobernar desde dicho castillo a expensas suyas. Pero que jamás negaría quién soy.

Lanza una carcajada, ruidoso y seguro de sí mismo como siempre.

—Amor mío, deberíais haberlo visto. Creía que, si me tenía en su poder, podría disponer de la corona a su antojo. Pero descubrió que yo no le servía de nada. Fue todo un espectáculo contemplar cómo cavilaba sobre lo que tenía que hacer. Cuando me enteré de que vos os encontrabais sana y salva en la Torre, ya no tuve miedo de nada. Warwick pensaba que iba a derrumbarme cuando me hiciera prisionero, y lo cierto es que ni siquiera me encogí. Creía que yo todavía era aquel niño que lo adoraba, no se había dado cuenta de que ya soy un hombre hecho y derecho. He sido un huésped de lo más agradable; comía bien, y cuando venían a verme mis amigos exigía que se les agasajara con el máximo lujo. Primero solicité poder pasear por los jardines, más tarde por el bosque. Luego dije que me gustaría salir a montar y que no haría ningún daño permitirme que fuera de caza. Warwick empezó a dejarme salir. Entonces llegó mi Consejo y exigió verme, y él no supo cómo negarse. Me reuní con los miembros del Consejo y aprobé una o dos leyes para que todo el mundo supiera que no había cambiado nada, que yo seguía reinando como soberano. Se hacía difícil no romper a reír en sus narices. Warwick pensaba que me tenía prisionero y en cambio descubrió que simplemente estaba costeando los gastos de una corte entera. Querida mía, solicité que hubiera un coro cantando mientras cenaba y no supo qué hacer para negármelo. Contraté cómicos y bailarines Warwick empezó a ver que no basta con el mero hecho de retener prisionero al rey, que es necesario destruirlo. Es necesario matarlo. Pero yo no le di nada; él sabía que yo estaba dispuesto a morir antes que darle algo.

»Entonces, una mañana, hace cuatro días, sus mozos de cuadra cometieron el error de darme mi propia montura, mi caballo de guerra, *Furia*, y supe que mi corcel era capaz de superar en la carrera a cualquier otro animal del establo. Así que pensé en alejarme un poco más y cabalgar un poco más de prisa de lo habitual, eso fue todo. Pensé que a lo mejor lograba llegar hasta vos... y lo he conseguido.

—¿Se acabó? —pregunto yo con incredulidad—. ¿Habéis escapado?

Él sonríe de oreja a oreja, orgulloso como un niño.

—Me gustaría ver el caballo que es capaz de alcanzarme montando a *Furia* —replica—. Lo habían dejado dos semanas en el establo dándole avena para comer. Antes de que pudiera recuperar el resuello ya estaba en Ripon. ¡No habría podido espolearlo más ni aunque hubiera querido!

Yo río compartiendo su placer.

—¡Dios santo, Eduardo, he pasado mucho miedo! Creía que no iba a veros nunca más.

Él me besa en la frente y me acaricia la espalda.

—¿Acaso no dije cuando nos desposamos que siempre volvería a vos? ¿Acaso no dije que moriría en mi lecho siendo vos mi esposa? ¿No habéis prometido darme un hijo varón? ¿Creíais que una prisión iba a poder apartarme de vos?

Yo aprieto la cara contra su pecho, como si quisiera enterrarme en su cuerpo.

—Amor mío. Amor mío. Entonces ¿vais a regresar con vuestros guardias para apresar a Warwick?

—No, es demasiado poderoso. Aún manda en la mayor parte del norte. Tengo la esperanza de que podamos hacer las paces otra vez. Él sabe que esta rebelión ha fracasado, que ha tocado a su fin. Es lo bastante astuto como para saber que ha perdido. Jorge y él tendrán que buscar la manera de reconciliarse conmigo. Me suplicarán que los perdone y los perdonaré. Pero Warwick ha aprendido que no puede retenerme y mantenerme preso. Ahora soy el rey, eso ya no lo puede cambiar. Ha jurado obedecerme como yo he jurado gobernar. Soy su soberano. Es un hecho inamovible. Y el país no tiene ganas de presenciar otro conflicto más entre reyes rivales. Y no deseo una guerra. He jurado traer la justicia y la paz al país.

Retira las últimas horquillas de mi cabello y roza la cara contra mi cuello.

—Os he echado de menos —me dice—. Y a las niñas. Viví malos momentos cuando me encerraron en el castillo y me vi dentro de una celda sin ventanas. Lamento mucho lo de vuestro padre y vuestro hermano.

Levanta la cabeza y mira a mi madre.

—Vuestra pérdida me aflige más de lo que puedo expresar, Jacquetta —dice con sinceridad—. Así son las vicisitudes de la guerra, y todos conocemos los riesgos; pero cuando se llevaron a vuestro esposo y a vuestro hijo se llevaron a dos hombres buenos.

Mi madre asiente.

—¿Y qué condiciones vais a poner para reconciliaros con el hombre que ha dado muerte a mi esposo y a mi hijo? ¿Debo entender que a él también lo vais a perdonar?

Eduardo hace una mueca como reacción al acerado filo de la voz de mi madre.

—No os agradará —nos advierte a las dos—. Voy a nombrar al sobrino de Warwick duque de Bedford. Es el heredero de Warwick y tengo que proporcionarle a su tío una manera de formar parte de nuestra familia; tengo que darle algo que lo ate a nosotros.

—¿Vais a darle mi antiguo título? —pregunta mi madre con incredulidad—. ¿El de Bedford? ¿El apellido de mi primer esposo? ¿A un traidor?

—A mí no me preocupa que su sobrino posea un ducado —me apresuro a decir yo—. Quien mató a mi padre fue Warwick, no el muchacho. El sobrino no me importa.

Eduardo afirma con la cabeza.

—Aún hay más —dice con un gesto de incomodidad—. Voy a entregar a vuestra hija Isabel en matrimonio al joven Bedford. De ese modo, la alianza será más fuerte.

Yo me giro hacia él.

—¿A Isabel? ¿Mi Isabel?

—Nuestra Isabel —me corrige él—. Sí.

—¿Vais a prometerla en matrimonio, a una niña que todavía no ha cumplido los cuatro años, a la familia del hombre que asesinó a su abuelo?

—Así es. Ha sido una guerra entre primos y la reconciliación ha de ser también entre primos. Y vos, querida mía, no me lo impediréis. Tengo que obligar a Warwick a que haga las paces conmigo. Tengo que entregarle una parte importante de la riqueza de Inglaterra. De ese modo, incluso le doy la posibilidad de que su linaje herede el trono.

—Es un traidor y un asesino ¿y pensáis que vais a casar a mi pequeña con su sobrino?

—Así es —contesta Eduardo en tono firme.

—Juro que eso no sucederá nunca —respondo con fiereza—. Y os digo más: vaticino que no habrá de suceder.

Eduardo sonríe.

—Me inclino ante vuestra superior clarividencia —me dice, y acto seguido nos hace una amplia reverencia a mi madre y a mí—. Y sólo el tiempo demostrará si vuestra predicción fue certera o fallida. Pero entretanto, mientras yo sea el rey de Inglaterra y tenga poder para entregar a mi hija en matrimonio a quien yo desee, haré todo lo que esté en mi mano para impedir que vuestros enemigos os ahoguen a las dos por brujas u os estrangulen en el cruce de caminos. Y os digo, como soberano que soy, que la única manera de lograr que vosotras y todas las mujeres de este reino, junto con sus hijos, estén a salvo como es debido consiste en poner fin a esta guerra.

Otoño de 1469

Warwick regresa a la corte en calidad de querido amigo y leal mentor. Hemos de comportarnos como una familia que riñe de vez en cuando, pero cuyos miembros también se aman. Eduardo lo está haciendo bastante bien. Saludo a Warwick con una sonrisa tan gélida como una montaña cubierta de hielo. Se espera que me comporte como si este hombre no fuera el asesino de mi padre y de mi hermano, además del carcelero de mi esposo. Hago lo que se me ha ordenado: no dejo escapar ni una sola palabra de rabia, pero Warwick sabe, sin necesidad de que se lo diga nadie, que se ha ganado un peligroso enemigo para el resto de su vida.

Sabe que yo no puedo decir nada y la breve reverencia que me hace al saludarme implica triunfo.

—Excelencia —me dice con voz calmosa.

Como me ocurre siempre con él, me siento en desventaja, igual que una niña. Él es un gran hombre de mundo que ya trazaba planes para el destino de este reino cuando yo todavía estaba practicando los modales que debía mostrar para con lady Grey, mi suegra, y obedeciendo a mi primer esposo. Me mira como si debiera estar dando de comer a las gallinas de Grafton.

Mi deseo es mostrarme glacial, pero me temo que tan sólo doy la impresión de estar de mal humor.

—Bienvenido de nuevo a la corte —digo de mala gana.

—Siempre tan gentil —responde él con una sonrisa—. Nacida para ser reina.

Mi hijo Thomas Grey lanza una pequeña exclamación de enfado, rabioso como el niño que es, y sale de la habitación.

Warwick se vuelve hacia mí con una ancha sonrisa.

—Ah, los jóvenes —comenta—. Un muchacho prometedor.

—Al menos me alegro de que no estuviera con su abuelo y su querido tío en Edgecote Moor —replico llena de odio hacia él.

—¡Oh, lo mismo digo!

Puede que logre que me sienta idiota y puede que, por mi condición de mujer, no pueda hacer nada; pero lo que pueda hacer, lo haré. En mi joyero hay un estuche de plata vieja y ennegrecida dentro del cual, encerrado a oscuras, guardo su nombre, Richard Neville, y el de Jorge, duque de Clarence. Ambos están escritos con mi sangre en el trozo de papel que arranqué de la carta postrera de mi padre. Éstos son mis enemigos. Los he maldecido y he de verlos muertos a mis pies.

Invierno de 1469-1470

En la hora más oscura de la noche más larga del solsticio de invierno, mi madre y yo descendemos hasta el río Támesis, que baja negro, como de cristal. El sendero que viene desde los jardines del palacio de Westminster discurre siguiendo la corriente, y esta noche el torrente viene muy crecido pero también muy oscuro. Apenas lo distinguimos, pero en cambio sí oímos el rumor que produce al rozar el embarcadero y lamer los muros, y también percibimos su presencia ancha y negra, lo sentimos respirar como un animal sinuoso que sube y baja, como el mar. Éste es nuestro elemento. Inhalo el olor de las frías aguas como quien aspira el aroma de su tierra al final de un largo exilio.

—Necesito tener un hijo varón —le digo a mi madre.

Y ella sonríe y contesta:

—Ya lo sé.

En el bolsillo lleva tres encantamientos en tres hilos, y, con el mismo cuidado con el que un pescador lanza el sedal, arroja cada uno de ellos al río y me entrega el cabo a mí para que lo sostenga. Al sumergirse en el agua producen un leve chapoteo que me recuerda el anillo de oro que rescaté del riachuelo de casa hace cinco años.

—Escoge —me dice mi madre—. Escoge cuál quieres sacar. —Separa los tres hilos en mi mano izquierda y yo los aprieto con fuerza.

De repente aparece la luna por detrás de una nube. Es una luna menguante, gorda y plateada. Traza un sendero de luz a lo largo de la oscura franja de agua, y yo elijo uno de los hilos y lo sujeto en la mano derecha.

—Éste.

—¿Estás segura?

—Sí.

Al instante ella saca unas tijeras de plata que llevaba en el bolsillo y corta los otros dos hilos para que las aguas oscuras arrastren lo que había atado a ellos, fuera lo que fuese.

—¿Qué eran?

—Las cosas que no van a suceder nunca: el futuro que jamás conoceremos. Son los hijos que no nacerán, las oportunidades que no aprovecharemos y la suerte con la que no seremos agraciados —me explica—. Han desaparecido. Las has perdido para siempre. Mira a ver qué has elegido en su lugar.

Me apoyo contra el muro del palacio para tirar del hilo y éste sale del río goteando agua. Al final trae una cuchara de plata, una bella cucharita de plata para un niño pequeño. Cuando la agarro con la mano veo, reluciendo bajo la luna, un grabado en forma de corona y un nombre: «Eduardo.»

Pasamos la Navidad en Londres a modo de fiesta de reconciliación, como si una festividad fuera a lograr convertir a Warwick en un amigo. Me vienen a la memoria todas las veces que el pobre rey Enrique intentó reunir a sus enemigos y obligarlos a jurarle amistad, y sé que habrá otras personas en la corte que considerarán a Warwick y a Jorge huéspedes de honor y reirán a escondidas.

Eduardo ordena una celebración a lo grande y casi dos mil nobles de Inglaterra se sientan a cenar con nosotros. Warwick, el primero de todos ellos. Eduardo y yo llevamos puesta la corona y vestimos nuestras mejores galas, las más modernas y lujosas. Yo voy exclusivamente de blanco plateado y paño de oro en esta temporada invernal, y dicen que soy la rosa blanca de York, en efecto.

Eduardo y yo repartimos obsequios a un millar de comensales y favores a todos los presentes. Warwick es un invitado sumamente popular, así que ambos nos saludamos con absoluta cortesía. Cuando así me lo ordena mi esposo, hasta salgo a bailar con mi cuñado Jorge, mano con mano y mirando con gesto sonriente su rostro juvenil. Una vez más, me sorprende lo mucho que se parece en lo físico a mi esposo: es una versión más menuda y más delicada de Eduardo, que es rubio y muy atractivo. Y también me asombra que la gente caiga rendida a sus pies a primera vista. Posee el fácil encanto de los York y nada del honor de Eduardo. Pero no olvido ni perdono.

Saludo a su flamante esposa Isabel, hija de Warwick, con amabilidad. Le doy la bienvenida a mi corte y le deseo toda suerte de parabienes. Es una pobre joven, pálida y delgada, que contempla un tanto horrorizada el papel que tiene que desempeñar en los planes trazados por su padre. Ahora está emparentada con la familia más traicionera y peligrosa de Inglaterra, vive en la corte del soberano al que traicionó su marido. Tiene necesidad de recibir un poco de bondad y yo le proporciono un trato cariñoso, de hermana. Un desconocido que estuviera de visita en la corte en esta época tan hospitalaria del año pensaría que la amo como si fuera de la familia; pensaría que yo no he perdido un padre, un hermano. Pensaría que carezco de memoria por completo.

Pero no olvido. Y en mi joyero guardo un estuche oscuro, y dentro de ese estuche oscuro está el trozo de papel de la última carta que envió mi padre, y en ese trozo de papel, escritos con mi propia sangre, están los nombres de Richard Neville, conde de Warwick, y Jorge, duque de Clarence. No olvido, y llegará un día en que se darán cuenta de ello.

Warwick, el hombre más poderoso del reino después del rey, continúa siendo un enigma. Acepta los honores y los favores que se le prodigan con fría dignidad, como un hombre que tiene derecho a todo. Su cómplice, Jorge, es como un cachorrito: no deja de dar saltitos y hacer lisonjas. Isabel, la esposa de Jorge, se sienta junto con mis damas, entre mis hermanas y mi cuñada, y no puedo por menos de sonreír al observar cómo desvía el rostro para no ver bailar a su esposo o cómo se encoge cuando éste habla a voces o brinda en honor del rey. Jorge, con ese cabello rubio y ese rostro tan redondo, siempre ha sido un niño muy querido entre los York. En esta celebración de Navidad actúa con respecto a su hermano mayor no sólo como si hubiera sido perdonado, sino también como si siempre se le fuera a perdonar todo. Es el niño malcriado de la familia, está totalmente convencido de que no puede hacer nada mal.

El más joven de los York, Ricardo, duque de Gloucester, que ya tiene diecisiete años y es un joven menudo y bien parecido, puede que sea el benjamín de la familia, pero nunca ha sido el favorito. De todos los hermanos York, él es el único que se parece a su padre, y además es moreno y de huesos pequeños, un tanto diferente del linaje típico de los York, guapos y de huesos grandes. Es un joven piadoso, reflexivo; donde más a gusto se siente es en la gran casa que posee en el norte de Inglaterra, donde lleva una vida austera, dedicada al cumplimiento del deber y al servicio de su pueblo. Nuestra estridente corte le resulta vergonzosa, como si estuviéramos engrandeciéndonos nosotros mismos como paganos en una festividad cristiana. A mí me mira, lo juro, como si yo fuera un dragón avariento sentado sobre un montón de tesoros, no como a una sirena cubierta de agua color plata. Supongo que me observa con miedo y deseo a la vez. Es un niño asustado de una mujer a la que jamás podría entender. A su lado, mis hijos mayores, que son sólo un poquito más jóvenes que él, resultan mundanos y alegres. Lo invitan constantemente a que salga de caza con ellos, a que los acompañe a las tabernas a beber y a recorrer las calles de jarana disfrazados con máscaras. Y él, nerviosamente, dice siempre que no.

La noticia de nuestra celebración de la Navidad se extiende por toda la cristiandad. Se dice que la nueva corte de Inglaterra es la más hermosa, elegante, cortés y gentil de toda Europa. Eduardo está empeñado en que la corte inglesa de York termine siendo tan famosa como la de Borgoña en lo que a moda, belleza y cultura se refiere. Él adora la buena música, de modo que en todas las comidas tenemos un coro de cantores o un grupo de músicos tocando; mis damas y yo aprendemos las danzas de la corte y también componemos algunas propias. Mi hermano Anthony es un gran guía y consejero en todo esto; ha viajado desde Italia y habla de las nuevas disciplinas y las nuevas artes, de la belleza de las ciudades antiguas de Grecia y de Roma, y de la manera de renovar sus artes y sus estudios. Habla con Eduardo para que éste haga venir desde Italia a pintores, poetas y músicos, para que emplee las riquezas de la corona en fundar escuelas y universidades. Habla de las materias novedosas que hay que aprender, de la nueva ciencia, de aritmética y astronomía, y de muchas cosas desconocidas y maravillosas. Habla de una aritmética que comienza con el número cero e intenta explicar que eso lo transforma todo. Habla de una ciencia capaz de calcular distancias que no pueden medirse; dice que es posible conocer el trecho que nos separa de la luna. Elizabeth, su esposa, lo observa en silencio y dice que es un mago, un sabio. Somos una corte de belleza, gracia y conocimiento, y Eduardo y yo tenemos lo mejor de todo.

Me asombra lo que cuesta mantener una corte, el precio de toda esta belleza; incluso lo que hay que pagar por la comida, la carga de soportar las continuas exigencias de todos los cortesanos —que solicitan una audiencia, un puesto, un pedazo de tierra o un favor, un cargo desde el que puedan cobrar impuestos o ayuda para reclamar una herencia.

—Esto es lo que implica ser rey —me dice Eduardo al tiempo que firma la última de las peticiones del día—. Como soberano de

Inglaterra, soy dueño de todo. Todo duque, conde y barón tiene tierras porque yo se las he concedido; todo caballero y terrateniente que esté por debajo de él posee un ramal del río; todo granjero, arrendatario, aparcero y campesino que esté por debajo depende de mi favor. Yo tengo que distribuir riquezas y poder para que los ríos sigan fluyendo. Y, si sale mal, al menor indicio de que esté yendo mal, ya habrá quien diga que ojalá volviera a estar Enrique en el trono, que antes se vivía mejor. O alguien que opine que su hijo Eduardo o Jorge tal vez fueran más generosos. O que, sin duda alguna, existe en alguna parte otro candidato que reclama el trono –Enrique, el hijo de Margarita Beaufort, pongamos por rey a ese joven de Lancaster, para variar– y que quizá lograse que los ríos corrieran más de prisa. A fin de conservar el poder, tengo que cederlo en dosis cuidadosamente medidas y espaciadas. Tengo que complacer a todos. Pero sin excederme con ninguno.

–Hay campesinos muy avaros –me quejo yo irritada–, y cuya lealtad varía según su interés. No piensan en nada que no sean sus propios deseos. Son peores que siervos.

Eduardo me sonríe.

–Así es, en efecto. Todos y cada uno. Cada uno de ellos quiere tener su pequeño terruño y su casita, de igual modo que yo quiero tener mi trono y vos queríais tener la mansión de Sheen y casas para todos vuestros parientes. Todos ansiamos tierras y riquezas, y yo las poseo todas y tengo que repartirlas con sumo cuidado.

Primavera de 1470

A medida que el tiempo se va tornando más cálido y que comienza a haber más luz por las mañanas y que los pájaros empiezan a trinar en los jardines del palacio de Westminster, los informadores de Eduardo le traen noticias de Lincolnshire: otro levantamiento más a favor de Enrique, el rey, como si éste no estuviera olvidado del mundo y no viviese tranquilo en la Torre de Londres, más como un anacoreta que como un prisionero.

—Voy a tener que ir —me dice Eduardo mientras sostiene la carta en la mano—. Si este cabecilla, quienquiera que sea, es un precursor de Margarita de Anjou, debo derrotarlo antes de que ella llegue con un ejército para respaldarlo. Al parecer, tiene pensado servirse de él para poner a prueba el apoyo que existe para su causa, obligarlo a que asuma él el riesgo de reunir tropas y, cuando vea que ha formado una armada para ella, hará desembarcar las suyas, y entonces tendremos que enfrentarnos a los dos.

—¿Correréis peligro —le pregunto— ante esa persona que ni siquiera tiene valor para presentarse con un nombre?

—Como siempre —me responde—. Pero no pienso consentir que el ejército vuelva a partir sin mí. Tengo que estar presente. Debo dirigirlo.

−¿Y dónde está vuestro leal amigo Warwick? −inquiero con acidez−. ¿Y vuestro hermano Jorge, en el que podíais confiar? ¿Están reclutando soldados para vos? ¿Están dándose prisa en acudir a vuestro lado?

Él sonríe al oírme hablar así.

−Ah, os equivocáis, mi querida reina de la desconfianza. Tengo una carta de Warwick en la que se ofrece a reclutar hombres que marchen conmigo, y Jorge dice que también vendrá.

−En ese caso, cercioraos de vigilarlos bien en la contienda −replico nada convencida−. No serán los primeros en llevar soldados al campo de batalla y cambiar de bando en el último momento. Cuando tengáis al enemigo enfrente, mirad a vuestra espalda para ver qué están haciendo en la retaguardia vuestros sinceros y fieles amigos.

−Me han prometido lealtad −intenta calmarme Eduardo−. De verdad, querida mía. Confiad en mí. Sé ganar batallas.

−Ya sé que sabéis, sé que las ganáis −contesto−. Pero es doloroso veros partir a la guerra. ¿Cuándo acabará esto? ¿Cuándo dejarán de formar ejércitos por una causa ya pasada?

−Pronto −afirma−. Verán que estamos unidos y que somos fuertes. Warwick pondrá el norte de nuestra parte y Jorge demostrará ser un verdadero hermano. Ricardo está conmigo, como siempre. Regresaré a casa tan pronto como haya derrotado a ese hombre. Volveré temprano, bailaré con vos la mañana del uno de mayo y vos sonreiréis.

−Eduardo, sólo por esta vez, esta única vez, creo que no voy a poder soportar veros partir. ¿No puede encargarse Ricardo de comandar el ejército? ¿Con Hastings? ¿No podéis quedaros conmigo? Esta vez, sólo esta vez.

Él me toma las manos y se las lleva a los labios. No se siente afectado por mi angustia, sino divertido. Está sonriendo.

−Oh, ¿por qué? ¿Por qué esta vez? ¿Qué sucede esta vez que sea tan importante? ¿Tenéis algo que contarme?

No puedo resistirme a él. Respondo con otra sonrisa.

—Sí, tengo algo que contaros. Pero estaba reservándolo.

—Ya lo sé, ya lo sé. ¿Creíais que no lo sabía? Está bien, decidme, ¿cuál es ese secreto del que se supone que no tengo idea?

—Es algo que debería devolveros a casa sano y salvo —le digo—. Algo que debería devolveros a mí en seguida y no enviaros fuera del hogar con tantas solemnidades.

Eduardo aguarda, sonriente. Ha estado esperando a que se lo dijera mientras yo me he deleitado con el secreto.

—Decídmelo —insiste—. Llevo esperando mucho tiempo.

—Estoy encinta de nuevo —anuncio—. Y esta vez sé que va a ser un varón.

Él me atrae hacia sí y me abraza con delicadeza.

—Ya lo sabía —me dice—. Sabía que estabais encinta. Lo notaba en los huesos. Y ¿cómo podéis estar convencida de que será un varón, mi brujita, mi hechicera?

Yo le sonrío, segura en los misterios femeninos.

—Ah, eso no tenéis por qué saberlo —replico—. Pero podéis enteraros de que tengo certeza absoluta. Podéis estar seguro. Sabedlo. Vamos a tener un hijo varón.

—Mi hijo, el príncipe Eduardo —dice.

Yo rompo a reír acordándome de la cucharita de plata que saqué del río en el solsticio de invierno.

—¿Cómo sabéis que se va a llamar Eduardo?

—Naturalmente que se llamará así. Lo tengo decidido desde hace años.

—Vuestro hijo, el príncipe Eduardo —repito—. Así pues, procurad volver a casa sano y salvo, a tiempo para cuando nazca.

—¿Sabéis cuándo será?

—En el otoño.

—Regresaré a casa sano y salvo para traeros melocotones y bacalao en salazón. ¿No era eso lo que os apetecía tanto cuando estabais encinta de Cecilia?

—Era hinojo —digo entre risas—. ¡Me asombra que lo recordéis! No me cansaba de comerlo. No os olvidéis de volver para traerme hinojo y todas las demás cosas que tanto me gustan. Llevo dentro un niño, un principito; ha de tener todo cuanto desee. Nacerá con una cucharita de plata.

—Regresaré a vos. Y no debéis preocuparos. No quiero que el niño nazca con el cejo fruncido.

—Pues entonces cuidaos de Warwick y de vuestro hermano. No me fío de ellos.

—¿Me prometéis descansar y ser feliz para que el niño crezca fuerte en vuestro vientre?

—Prometed vos que volveréis sano y salvo para que el niño tenga una herencia fuerte –replico.

—Lo prometo.

Estaba equivocado. Dios del cielo, Eduardo estaba muy equivocado. Gracias a Dios, no erró en lo de ganar la contienda, pues se trató de la batalla que llamaron de Losecoat Field,[1] en la que unos locos descalzos que luchaban por un rey demente tuvieron tanta prisa por huir que tiraron las armas y hasta las casacas en su afán por escapar de la carga de mi esposo, que se abría paso entre sus filas a brazo partido para cumplir la promesa que me hizo a mí, la de regresar a casa a tiempo para traerme los melocotones y el hinojo.

No, se equivocaba en lo de la lealtad de Warwick y de Jorge, su hermano, quienes, resulta ser, habían planeado y pagado el levantamiento. Habían decidido que esa vez se asegurarían de que Eduardo fuera derrotado. Iban a matar a mi Eduardo y sentar a Jorge en el trono. Su propio hermano y Warwick, que había sido su mejor amigo, habían resuelto juntos que la única manera de vencer al rey consistía en apuñalarlo por la espalda en el campo de batalla. Y así lo habrían hecho si no fuera porque mi esposo cabalgó tan aprisa durante la carga que ningún hombre fue capaz de alcanzarlo.

1. Significa «campo de casacas abandonadas». (*N. de la t.*)

Antes de que se iniciara siquiera la contienda, lord Richard Welles, el cabecilla de la revuelta, se hincó de rodillas ante Eduardo, le confesó el plan y mostró las órdenes recibidas de Warwick y el dinero que le había entregado Jorge. Lo habían pagado para que encabezara un levantamiento en nombre del rey Enrique, pero lo cierto era que se trataba únicamente de una estratagema para obligar a Eduardo a entrar en batalla y matarlo a lo largo de la misma. Warwick había aprendido bien la lección; había comprendido que no se puede retener prisionero a un hombre como mi Eduardo, que para vencerlo era preciso matarlo. Jorge, su propio hermano, había superado su afecto fraterno; estaba dispuesto a cortarle el cuello a mi esposo en el campo de batalla y a pisotear su propia sangre con tal de hacerse con la corona. Ambos habían sobornado al pobre lord Welles y le habían ordenado que presentara batalla con el fin de atraer a Eduardo al peligro; pero una vez más se dieron cuenta de que Eduardo era demasiado para ellos. Cuando el rey vio las pruebas que los acusaban, los convocó en calidad de parientes, al amigo que había sido para él un hermano mayor y al joven que era su verdadero hermano. Al ver que no acudían, supo por fin lo que tenía que pensar de ellos y los convocó en calidad de traidores para que rindieran cuentas ante él. Pero hacía mucho que ellos se habían ido.

—He de verlos muertos —le digo a mi madre. Las dos estamos sentadas ante la ventana abierta de la cámara privada que poseo en el palacio de Westminster devanando lana e hilo de oro. Formaremos una hilaza con la que confeccionar una rica capa para el niño que ha de nacer. Estará hecha de lana pura de oveja y carísimo oro, una capa apropiada para un principito, el príncipe más grande de toda la cristiandad—. He de verlos a los dos muertos. Lo juro, con independencia de lo que digáis vos.

Ella asiente sin levantar la vista del huso que sostiene en la mano o de la lana que yo estoy cardando.

—No debes depositar malos deseos en esta capa —me dice.

Detengo la rueca y dejo la lana a un lado.

—Ya está —digo—. La labor puede esperar, pero los malos deseos no.

—¿Sabías que Eduardo prometió un salvoconducto a lord Richard Welles si confesaba su traición y revelaba el complot, pero que, cuando así lo hizo, Eduardo incumplió la palabra dada y lo mató?

Yo niego con la cabeza.

Mi madre tiene el semblante grave.

—Ahora la familia Beaufort está de luto por Welles, que era uno de los suyos, y Eduardo ha proporcionado una causa nueva a sus enemigos. Además, ha incumplido su palabra. Nadie volverá a fiarse de él, nadie se atreverá a rendirse a él. Ha demostrado ser un hombre en el que no se puede confiar. Es tan malo como Warwick.

Yo me encojo de hombros.

—Así son las vicisitudes de la guerra. Margarita Beaufort las conoce tan bien como yo. Y de todos modos se habría sentido descontenta, porque es la heredera de la casa de Lancaster y nosotros llamamos a su esposo, Henry Stafford, para que marchase a la guerra por nosotros. —Lanzo una fuerte carcajada—. Pobre hombre, atrapado entre ella y las órdenes que nosotros le damos.

Mi madre no puede disimular una sonrisa.

—Seguro que ha estado todo el tiempo de rodillas —comenta con gesto felino—. Para ser una mujer que alardea de que Dios le presta oídos, es muy poco el beneficio que obtiene para demostrarlo.

—Sea como sea, Welles no es relevante —replico—. Ni vivo ni muerto. Lo que importa es que Warwick y Jorge acudirán a la corte de Francia y hablarán en nuestro descrédito con la intención de reunir una armada. Ahora tenemos un enemigo nuevo, y lo tenemos dentro de nuestra propia casa, es nuestro propio heredero. ¡Hay que ver qué familia somos los York!

—¿Dónde se encuentran en este momento? —me pregunta mi madre.

—En el mar, de camino a Calais, según Anthony. Isabel lleva muy adelantado el embarazo, pero no tiene a nadie que se preocupe por ella en ese barco salvo su madre, la condesa de Warwick. Deben de tener la esperanza de entrar en Calais y reclutar un ejército. Allí quieren mucho a Warwick. Y si consiguen afianzarse en esa ciudad, no estaremos en absoluto a salvo, estarán a la espera justo al otro lado del canal, amenazando nuestros barcos, a medio día de navegación de Londres. No deben entrar en Calais; tenemos que impedirlo. Eduardo ha dado orden de que la flota se haga a la mar, pero nuestros barcos no lograrán interceptarlos a tiempo de ningún modo.

Me levanto de mi asiento y me asomo por la ventana abierta para sentir el sol. Hoy hace un día templado. El río Támesis, que fluye a mis pies, resplandece como una fuente, está en calma. Vuelvo la vista hacia el suroeste y diviso una línea de nubes oscuras en el horizonte, como si en el mar el tiempo estuviera revuelto. Entonces junto los labios y lanzo un breve silbido.

Detrás de mí oigo que mi madre deja el huso a un lado y que también emite un suave silbido. Yo, con la mirada fija en la línea de nubes, dejo que mi aliento sisee igual que el viento en una tormenta. Mi madre se sitúa de pie a mi espalda, rodeándome la cintura, que ya está muy ensanchada, con un brazo, y juntas silbamos con suavidad al aire primaveral para levantar una tempestad.

Lentamente pero con fuerza, las nubes comienzan a arremolinarse las unas encima de las otras hasta que se forma un potente frente de nubarrones negros al sur, muy a lo lejos, en el mar. El aire se torna más fresco. Yo experimento un súbito escalofrío, y las dos le damos la espalda al cielo, que se ha vuelto de pronto más frío y más oscuro. Cerramos la ventana al sentir los primeros trallazos de lluvia.

—Por lo que parece, ha estallado una tempestad en el mar —señalo.

Una semana más tarde, mi madre viene a verme trayendo una carta en la mano.

—Tengo noticias de mi prima de Borgoña. Me dice que la tempestad apartó a Jorge y Warwick de la costa de Francia y que estuvieron a punto de naufragar frente a Calais, en medio de un mar embravecido. Suplicaron a los del fuerte que los dejaran entrar por el bien de Isabel, pero éstos no quisieron acogerlos. La entrada al puerto tenía echada la cadena. Se levantó un viento proveniente de ninguna parte y el mar estuvo a punto de lanzarlos contra las murallas. En el fuerte no les permitían entrar, y tampoco podían arribar a tierra estando el mar tan violento. La pobre Isabel se puso de parto en medio de la tormenta. Pasaron varias horas siendo zarandeados de un lado para otro y al final el niño murió.

Yo me santiguo.

—Dios bendiga a la pobre criatura. Nadie les habría deseado semejante desgracia.

—Nadie se la deseaba —afirma mi madre con convicción—. Pero si Isabel no se hubiera embarcado con unos traidores, habría permanecido sana y salva en Inglaterra, donde habría contado con amigas y parteras para asistirla.

—Pobre niña —digo posando una mano en mi propio vientre—. Pobre niña. Está teniendo pocas alegrías en su grandioso matrimonio. ¿Os acordáis de ella cuando estuvo en la corte en Navidad?

—Y aún hay noticias peores —prosigue mi madre—. Warwick y Jorge han acudido a su gran amigo, el rey Luis de Francia, y ahora los dos se han reunido en Angers con Margarita de Anjou y están tramando otra conspiración.

—¿Warwick sigue yendo contra nosotros?

Mi madre hace una mueca.

—Debe de ser un hombre de gran empeño, desde luego, para

haber permitido que el nacimiento de un nieto suyo se malograse mientras su familia se fugaba y para, después de haber estado a punto de perecer en un naufragio, ir de inmediato a renegar de sus juramentos de lealtad. Pero no hay nada que lo detenga. Cabría pensar que una tempestad surgida repentinamente de un cielo azul lo haría recapacitar, pero no hay nada que lo consiga. Ahora está cortejando a Margarita de Anjou, contra la que ya luchó en una ocasión. Ha tenido que pasar media hora de rodillas ante ella, su mayor enemiga, para suplicarle el perdón, ya que ella se negaba a verlo si antes no realizaba ese acto de contrición. Que Dios la bendiga, siempre ha tenido un elevado concepto de sí misma.

—¿Qué tiene planeado, según vuestra opinión?

—El que ahora está organizando los pasos de baile es el rey de Francia. Warwick se cree el hacedor de reyes, pero en estos momentos es un títere. A Luis de Francia lo llaman la araña, y he de decir que hila incluso más fino que nosotras. Su deseo es derrocar a tu esposo y disminuir el peso de nuestro país, y para alcanzar dicho fin está valiéndose de Warwick y de Margarita de Anjou. El hijo de Margarita, el denominado príncipe de Gales, el príncipe Eduardo de Lancaster, va a desposarse con la hija pequeña de Warwick, Ana, para unir a sus embusteros padres en un pacto que no podrán deshonrar. Después, imagino que vendrán todos a Inglaterra para sacar a Enrique de la Torre.

—¿Con Ana Neville, esa poquita cosa? —exclamo yo, divertida de inmediato—. ¿Están dispuestos a entregársela a ese monstruo de Eduardo para asegurarse de que su padre no juegue sucio?

—Así es —afirma mi madre—. Sólo tiene catorce años y van a casarla con un niño al que, cuando contaba once años, se le permitió escoger la manera de ejecutar a sus enemigos. Lo han educado para convertirlo en un demonio. Ana Neville debe de estar preguntándose si de mayor va a ser reina o va a encontrarse entre los condenados.

—Pero eso cambia totalmente las cosas para Jorge —digo yo

pensando en voz alta–. Una cosa era luchar contra su hermano, el rey, cuando abrigaba la esperanza de matarlo y sucederlo, pero ahora ¿para qué habría de luchar contra Eduardo sin tener nada que ganar para sí? ¿Por qué habría de batallar contra su sangre para sentar en el trono primero al rey y después al príncipe de Lancaster?

–Supongo que no pensaba que ocurriría tal cosa cuando se embarcó con una esposa a punto de dar a luz y un suegro empeñado en hacerse con la corona. Pero ahora se ha quedado sin su primogénito y heredero y Warwick tiene una segunda hija que podría ser reina. Las perspectivas de Jorge han cambiado mucho. Debería haber tenido el buen juicio de verlo así. Pero ¿tú crees que lo tiene?

–Alguien debería aconsejarlo. –Nuestras miradas se cruzan. Con mi madre nunca tengo necesidad de explicar las cosas, las dos nos entendemos a la perfección.

–¿Vas a ir a ver a la madre del rey antes de la cena? –me pregunta ella.

Yo retiro el pie del pedal de la rueca y la detengo con la mano.

–Vamos a verla ahora mismo –sugiero.

Se encuentra sentada con sus damas de compañía, cosiendo una sabanilla de altar. Mientras trabajan, una de ellas lee la Biblia. La madre del rey es famosa por su devoción; su sospecha de que no seamos tan santas como ella, o peor aún, de que seamos paganas, acaso brujas, es sólo uno de los muchos temores que alberga en mi contra. Los años no han mejorado la opinión que tiene de mí. No quería que me casara con su hijo, e incluso ahora, aunque he dejado clara mi fertilidad y he demostrado que soy una buena esposa para él, continúa odiándome. Ciertamente, ha sido tan descortés que Eduardo le ha entregado Fotheringhay para mantenerla apartada de la corte. En cuanto a mí, su santidad no me impresiona lo más mínimo; si tan bondadosa es, debería haber enseñado mejor a Jorge. Si Dios le prestase oídos, no habría perdido a su hijo Edmundo y a su esposo.

Me inclino ante ella al entrar, y ella, a su vez, se levanta y me hace una profunda reverencia. A continuación indica a sus damas con una seña que recojan la labor y se aparten a un lado. Sabe que no he venido a verla para preguntarle por su salud. Todavía no existe un gran cariño entre nosotras, y no existirá nunca.

—Excelencia —dice en tono sereno—. Es un honor.

—Mi señora madre —digo yo sonriendo—. El placer es mío.

Tomamos asiento todas a la vez, para evitar la cuestión de las prioridades, y ella aguarda a que yo hable.

—Estoy muy preocupada por vos —digo con amabilidad—. No me cabe duda de que os inquieta Jorge, que está tan lejos de casa, que ha sido declarado traidor, que ha estado a punto de caer en una trampa junto con el felón Warwick, que se ha distanciado de su hermano y de su familia. Ha perdido a su primer hijo y ha corrido él mismo un peligro mortal.

La madre del rey parpadea. No esperaba que yo sintiera preocupación por Jorge, su hijo favorito.

—Naturalmente que deseo que se reconcilie con nosotros —dice con cautela—. Siempre es triste que los hermanos se peleen.

—Y ahora me entero de que Jorge se dispone a abandonar a su propia familia —continúo en tono lastimero—. Es un renegado... no sólo le da la espalda a su hermano, sino también a vos y a su propia casa.

Ella posa la mirada en mi madre buscando una explicación.

—Se ha unido a Margarita de Anjou —le dice ella a bocajarro—. Vuestro hijo, defensor de la casa de York, va a luchar por el rey de Lancaster. Es una vergüenza.

—Será derrotado con toda certeza, Eduardo gana siempre —agrego yo—. Y después será ejecutado por traidor. ¿Cómo va a perdonarlo Eduardo, ni siquiera sobre la base del amor fraternal, si enarbola los colores de Lancaster? ¡Imaginadlo muriendo con una rosa roja en el cuello! ¡Sería vergonzoso para vos! ¿Qué habría dicho su padre?

Ella está verdaderamente horrorizada.

—Jamás seguiría a Margarita de Anjou —afirma—, la mayor enemiga de su padre.

—Margarita de Anjou clavó la cabeza del padre de Jorge en una pica de las murallas de York y ahora él la sirve —comento con gesto pensativo—. ¿Cómo vamos a poder perdonarlo ninguno de nosotros?

—Eso no puede ser —replica ella—. Tal vez se sintiera tentado de unirse a Warwick. Para él es doloroso ser siempre el segundo, por detrás de Eduardo, y... —Deja la frase sin terminar, pero todos sabemos que Jorge tiene celos de todo el mundo: de su hermano Ricardo, de Hastings, de mí y de todos los miembros de mi familia. Sabemos que ella le ha llenado la cabeza con ideas descabelladas sobre que Eduardo es un bastardo y de que, por lo tanto, el auténtico heredero es él—. Y además, ¿de qué...?

—¿De qué le sirve a él? —ofrezco yo en tono calmo—. Entiendo lo que opináis de él. Ciertamente, Jorge no piensa en nada que no sea su propio beneficio y nunca tiene en cuenta la lealtad, la palabra dada, ni su honor. Es todo Jorge y nada York.

Al oír eso la madre del rey se ruboriza, pero no puede negar que el mediano ha sido su hijo más egoísta y malcriado, siempre cambiando de bando.

—Cuando se unió a Warwick, creía que éste lo convertiría en rey —digo yo a quemarropa—. Y después descubrió que nadie quería tenerlo a él como rey si podía tener a Eduardo. En este país sólo hay dos personas que opinan que él es mejor persona que mi marido.

Ella aguarda.

—El propio Jorge y vos —especifico—. Luego, vuestro hijo huyó con Warwick porque no se atrevía a enfrentarse a Eduardo después de haberlo traicionado otra vez. Y ahora descubre que Warwick ha cambiado de planes y no quiere sentarlo en el trono; lo que quiere es casar a su hija Ana con Eduardo de Lancaster y, de ese modo, convertirse en suegro del rey de Inglaterra. Jorge e Isabel ya no son sus candidatos para ser los soberanos de Inglaterra, ahora son Eduardo de Lancaster y Ana. Lo más que puede esperar Jorge es ser cuñado del rey usurpador, un Lancaster, en vez de ser hermano del rey legítimo, el de York.

La madre del traidor afirma con la cabeza.

—Poco provecho ha sacado —observo yo—, a cambio de tanto trabajo y de tanto peligro.

Dejo que reflexione sobre eso durante unos momentos.

—Claro que, si volviera a cambiar de bando y regresara al lado de su hermano, penitente y verdaderamente leal, Eduardo lo aceptaría sin reservas —aseguro—. Eduardo lo perdonaría.

—¿En serio?

Hago un gesto de asentimiento.

—Puedo prometéroslo. —No agrego que quien nunca lo perdonará seré yo, ni que Warwick y él son hombres muertos para mí, lo han sido todo el tiempo, desde que ejecutaron a mi padre y a mi hermano tras la batalla de Edgecote Moor, y lo seguirán siendo después, hagan lo que hagan. Tengo sus nombres guardados en el estuche negro que reposa en el interior de mi joyero, y jamás volverán a ver la luz hasta que ellos mismos se encuentren en la oscuridad eterna.

—Sería sumamente beneficioso que a Jorge, un joven que carece de buenos consejeros, alguien le dijera en privado, en secreto, que podría regresar con su hermano sin sufrir daño alguno —comenta mi madre como por azar, mirando los nubarrones por la ventana—. Hay ocasiones en las que un muchacho necesita ser bien aconsejado. Hay ocasiones en las que necesita que le digan que ha tomado una senda errónea pero que puede regresar al buen camino. Un joven como Jorge no debería estar luchando por Lancaster ni morir con una rosa roja en el cuello. Un hombre como Jorge debería estar con su familia, con sus hermanos, que lo aman.

Hace una pausa para que la madre del rey lo vaya asimilando todo. La verdad es que va calando maravillosamente.

—Ojalá alguien pudiera decirle que sería bien recibido en casa; así vos tendríais de nuevo a vuestro hijo, los hermanos se reunirían otra vez, York volvería a luchar por York y Jorge no perdería nada. Será hermano del rey de Inglaterra y duque de Clarence, como lo ha sido siempre. Podríamos ocuparnos de que Eduardo restaurase su derecho. En ello reside su futuro. De esta otra forma es... ¿cómo se diría? —calla unos instantes para pensar cómo llamar al hijo favorito de Cecilia y por fin se le ocurre—: Un completo majadero.

De pronto la madre del rey se incorpora; la mía también se levanta. Yo permanezco sentada y sonriente, sin hacer nada por impedirle que esté de pie ante mí.

—Siempre es un placer conversar con las dos —me dice con la voz temblorosa a causa de la cólera.

Ahora sí que me levanto, con una mano apoyada en el abultado vientre, y aguardo a que me haga una reverencia.

—Oh, lo mismo digo. Que tengáis un buen día, mi señora madre —digo en tono afable.

Y así queda hecho, tan fácil como un encantamiento. Sin necesidad de decir otra palabra, sin que Eduardo lo sepa siquiera, una dama de la corte de la madre del rey decide hacer una visita a su gran amiga, la pobre Isabel Neville, esposa de Jorge. La dama en cuestión, cubierta con un tupido velo, toma un barco, llega a Angers, encuentra a Isabel, no pierde tiempo en consolarla y la deja llorando en su habitación; busca a Jorge y le comunica que su madre lo ama con ternura y que está preocupada por él. Éste a su vez le dice que se siente cada vez más incómodo con unos aliados a los que está vinculado no sólo mediante un juramento de lealtad, sino también por matrimonio. Piensa que Dios no bendice dicha unión, ya que su hijo murió en la tempestad y desde que contrajo nupcias con Isabel todo se le ha torcido constantemente. No deberían haberle sucedido cosas tan desagradables. Ahora se ve en compañía de los enemigos de su familia y, cosa mucho peor para él, de nuevo en segundo lugar. El renegado de Jorge dice que está dispuesto a regresar a Inglaterra con el ejército invasor de Lancaster, pero que tan pronto como ponga un pie en el reino de su querido hermano nos comunicará en qué punto han desembarcado y cuáles son sus fuerzas. Fingirá estar de parte de ellos en su calidad de cuñado del príncipe de Gales de la casa de Lancaster hasta que se entable una batalla, y entonces los atacará por detrás y se abrirá paso una vez más hasta sus hermanos. Será un hijo de York, será de nuevo uno de los tres hijos de York. Podemos confiar en él. Destruirá a sus actuales amigos, así como a la familia de su propia esposa. Él es leal a York. En lo más profundo de su alma, siempre será leal a York.

Mi esposo me trae esta estimulante noticia sin saber que es obra de mujeres que tejen sus hilos alrededor de los hombres. Yo me encuentro descansando en mi diván, con una mano sobre el vientre, sintiendo cómo se mueve el niño.

—¿No es maravilloso? —me dice Eduardo verdaderamente encantado—. ¡Jorge va a volver con nosotros!

—Ya sé que amáis a Jorge —contesto—. Pero incluso vos tenéis que reconocer que es una persona rastrera por completo y que no siente lealtad hacia nadie.

Mi esposo, que posee un corazón generoso, sonríe.

—Oh, es Jorge —dice bondadosamente—. No podéis ser demasiado severa con él. Siempre ha sido el favorito de todos y siempre ha sido de los que procuran hacer lo que se le antoja.

Yo consigo esbozar una sonrisa para responder:

—No soy demasiado severa con él. Me alegra que haya regresado a vos.

Pero, para mis adentros, me digo: «Sin embargo es hombre muerto.»

Verano de 1470

Voy corriendo detrás de mi esposo, con la mano apoyada en mi enorme vientre, por los largos y tortuosos corredores del palacio de Whitehall. Detrás de nosotros, vienen los sirvientes portando bultos.

—No podéis iros. Me jurasteis que estaríais a mi lado cuando naciera nuestro hijo. Será un varón, vuestro hijo varón. Debéis estar conmigo.

Él se da la vuelta con el rostro grave.

—Querida, si no me voy, nuestro hijo no tendrá ningún reino. El cuñado de Warwick, Henry Fitzhugh, ha provocado una insurrección en Northumberland. En mi mente no cabe la menor duda de que Warwick atacará en el norte y de que, a continuación, Margarita hará desembarcar su ejército en el sur. Vendrá directa a Londres para sacar a su esposo de la Torre. Tengo que irme y he de darme prisa. Tengo que lidiar con uno y después dar media vuelta y dirigirme al sur para interceptar a la otra antes de que venga a buscaros a vos. Ni siquiera me atrevo a detenerme un momento a disfrutar del placer de discutir con vos.

—¿Y yo? ¿Qué pasa conmigo y con las niñas?

Está musitando unas órdenes al sirviente que corre detrás de él con una escribanía en dirección a los establos. Hace una pausa para gritar una serie de consignas a los caballerizos. Los soldados se dirigen a toda velocidad a la armería para aprovisionarse de equipo, mientras los sargentos, vociferantes, les ordenan que formen filas. Los grandes carromatos se están cargando de nuevo con tiendas de campaña, armas, víveres y herramientas. El poderoso ejército de York vuelve a estar en marcha.

—Tenéis que ir a la Torre —me exige a mí girándose en redondo—. Necesito saber que os encontráis a salvo. Todos, incluida vuestra madre, id a las dependencias reales de la Torre. Preparadlo todo para que el niño nazca allí. Sabéis que regresaré a vuestro lado lo antes que pueda.

—¿Estando el enemigo en Northumberland? ¿Para qué debo ir a la Torre cuando vos vais a estar combatiendo contra un oponente que se encuentra a cientos de millas de distancia?

—Porque sólo el diablo sabe con seguridad dónde desembarcarán Warwick y Margarita —responde él de forma sucinta—. Supongo que se dividirán en dos bandos y que el uno desembarcará para apoyar el levantamiento del norte y el otro en Kent. Pero no lo sé. No he tenido noticias de Jorge. No sé qué es lo que tienen planeado. ¿Y qué ocurre si suben navegando por el Támesis mientras yo estoy luchando en Northumberland? Sed mi amor, sed valiente, sed una reina; id a la Torre con las niñas y manteneos allí sanas y salvas. Así yo podré luchar y ganar para regresar a vuestro lado.

—¿Y mis dos hijos mayores? —susurro yo.

—Vuestros hijos vendrán conmigo. Los protegeré tanto como me sea posible, pero ya es hora de que desempeñen el papel que les corresponde en nuestras batallas, Isabel.

El niño se da la vuelta dentro de mi vientre, como si él también quisiera protestar, y ese movimiento brusco me obliga a callarme.

—Eduardo, ¿cuándo llegará el día en que estemos a salvo?

—Cuando yo haya ganado —responde él con firmeza—. Ahora, dejadme partir y vencer, querida mía.

Lo dejo marchar. Creo que ningún poder del mundo habría sido capaz de impedírselo. Les digo a las niñas que vamos a irnos a vivir a Londres, a la Torre, uno de sus sitios favoritos, y que su padre y sus hermanastros se han ido a luchar contra los hombres malos que todavía añoran al antiguo rey Enrique aunque éste se halle prisionero en la Torre, sin decir nada, en las dependencias situadas justo en el piso de abajo. Les digo que su padre volverá a casa sano y salvo. Cuando por la noche se despiertan llamándolo entre sollozos porque tienen pesadillas en las que aparecen la reina malvada y el rey loco, así como su perverso tío Warwick, les prometo que su padre va a vencer a los malos y va a volver a casa. Les prometo que traerá consigo a los chicos, sanos y salvos. Ha dado su palabra y no la ha incumplido jamás. Regresará a casa.

Sin embargo, esta vez no va a ser así.

Esta vez no es así.

A él y a sus compañeros de armas, mi hermano Anthony, su hermano Ricardo, su querido amigo sir William Hastings, y también a sus leales seguidores, los despiertan en Doncaster a primera hora de la mañana un par de juglares del rey, quienes, al regresar bebidos de un prostíbulo, por casualidad han vuelto la vista hacia las murallas del castillo y han visto antorchas a lo largo del camino. Es la guardia de avanzadilla del enemigo, que marcha de noche, una señal inequívoca de que Warwick, al mando del contingente, se encuentra a apenas una hora de distancia, puede que a escasos momentos, y de que se propone llevarse al rey antes de que éste pueda hacerle frente con su ejército. El norte entero está en contra del soberano y listo para luchar por Warwick, y capturarán la partida real dentro de un instante. La influencia de Warwick es muy profunda y amplia en esta parte del mundo, y su hermano y su cuñado han dado la espalda a Eduardo y luchan por los suyos y por el rey Enrique. Llegarán a las puertas del castillo en el plazo de una hora. No cabe duda de que esta vez Warwick no va a hacer prisioneros.

Eduardo me envía a mis dos hijos mayores y, acto seguido,

sube a su caballo, seguido por Ricardo, Anthony y Hastings, y se pierde de vista en la noche, desesperado por que ni Warwick ni sus hombres lo capturen, con la certidumbre de que esta vez sufrirá una ejecución sumaria. Richard Neville ya intentó en una ocasión atrapar a Eduardo y retenerlo prisionero –igual que nosotros capturamos a Enrique y lo tenemos preso–, y aprendió que no existe una victoria tan definitiva como la muerte. Nunca volverá a encarcelar a Eduardo y a esperar a que todo el mundo reconozca la derrota. Esta vez lo quiere muerto.

Eduardo se interna en la oscuridad cabalgando al lado de sus amigos y sus parientes; no tiene tiempo para enviar a alguien a decirme dónde he de reunirme con él, ni siquiera puede escribirme para decirme adónde se dirige. Dudo que siquiera él mismo lo sepa. Lo único que hace es escapar de una muerte segura. Ya pensará más adelante en cómo regresar. Ahora, esta noche, el rey huye para salvar la vida.

Otoño de 1470

La noticia llega a Londres en forma de rumores poco de fiar, todos de lo más pesimista. Warwick ha desembarcado en Inglaterra, tal como predijo Eduardo, pero lo que no vaticinó fue que los nobles fueran a acudir en masa a ponerse del lado del traidor, en apoyo del rey que han dejado que se pudra en la Torre durante los cinco últimos años. El conde de Shrewsbury también se ha sumado a ellos. Y, así mismo, Jasper Tudor, que es capaz de levantar en armas a casi todo Gales. Y lord Thomas Stanley, el que en la justa celebrada con motivo de mi coronación aceptó el anillo de rubíes y me dijo que su lema era «Sin cambiar». A tan influyentes comandantes los sigue toda una hueste de nobles de inferior rango y Eduardo se ve rápidamente superado en número dentro de su propio reino. Todas las familias Lancaster están recuperando sus viejas armas y sacándoles brillo con la esperanza de marchar una vez más hacia la victoria. Es justo lo que Eduardo me advirtió: no era capaz de repartir la riqueza lo bastante aprisa, con la suficiente equidad y al suficiente número de personas. No éramos capaces de esparcir la influencia de mi familia lo bastante lejos, lo bastante hondo. Y ahora creen que les va a ir mejor con Warwick y el rey loco que con Eduardo y mis parientes.

A Eduardo le habrían dado muerte de inmediato si lo hubieran capturado, pero se les escapó, eso ha quedado bastante claro. Pero nadie sabe dónde está y, una vez al día, una persona viene a la Torre para asegurarme que se le ha visto agonizante a causa de sus heridas, o que se le ha visto huyendo a Francia, o que se le ha visto tumbado en unas parihuelas, muerto.

Mis hijos llegan a la Torre sucios y cansados del viaje, furiosos por no haber escapado con el rey. Yo procuro no abrazarme a ellos ni besarlos más que por la mañana y por la noche, pero me cuesta trabajo creer que hayan regresado conmigo sanos y salvos. El mismo trabajo que me cuesta creer que mi esposo y mi hermano no lo han hecho.

Envío a Grafton un mensaje dirigido a mi madre para que venga a estar con nosotros en la Torre. Necesito su compañía y su consejo y, si en efecto estamos perdidos y nos vemos obligados a huir al extranjero, quiero tenerla a mi lado. Pero el mensajero regresa con expresión grave.

—Vuestra señora madre no se encuentra en casa —me comunica.

—¿Y dónde está?

Se le nota inquieto, como si prefiriese que la mala noticia me la diera otro.

—Dímelo en seguida —le ordeno con la voz teñida de miedo—. ¿Dónde está?

—Ha sido apresada. Órdenes del conde de Warwick. Él mandó que la apresaran, y sus hombres fueron a Grafton y se la llevaron.

—¿Warwick tiene en su poder a mi madre? —Siento cómo me late el corazón en los oídos—. ¿Mi madre está presa?

—Sí.

De repente percibo un castañeteo y me doy cuenta de que me tiemblan las manos con tal intensidad que mis anillos chocan contra los brazos del sillón. Tomo aire para calmarme y me agarro con fuerza para reprimir el temblor. Mi hijo Thomas se me acerca y se coloca a mi lado. Richard se sitúa en el otro costado.

—¿Con qué acusación?

Me pongo a pensar. No puede ser traición: nadie podría cuestionar que mi madre haya hecho otra cosa que aconsejarme; nadie podría acusarla de traición cuando ha sido una buena suegra del rey coronado y una cariñosa compañera de su reina; ni siquiera Warwick podría caer tan bajo como para acusar de traición a una mujer y decapitarla por amar a su hija. Pero es que ese hombre mató a mi padre y a mi hermano sin razón. Su deseo debe de ser romperme el corazón a mí y arrebatarle a Eduardo el apoyo de mi familia. Ése es un hombre capaz de matarme, si alguna vez logra echarme la zarpa encima.

—Lo lamento muchísimo, excelencia...

—¿Con qué acusación? —exijo. Tengo la garganta seca y emito una pequeña tos.

—De brujería.

Para condenar a muerte a una bruja no es necesario que haya un juicio, aunque ningún proceso ha fallado jamás: es fácil encontrar a personas que testifiquen bajo juramento que sus vacas han muerto o que su caballo las ha arrojado al suelo porque una bruja lo había mirado mal. Pero en cualquier caso, no hay necesidad de aportar testigos ni de celebrar un juicio; lo único que se necesita para demostrar la culpabilidad de una bruja es un solo sacerdote, o bien un lord como Warwick, que simplemente declare que lo es, y ya nadie la defenderá. A continuación, ya pueden estrangularla y enterrarla en el cruce de caminos de la aldea. Por lo general, para ahogarla llaman al herrero, ya que éste, por efecto de su oficio, tiene las manos grandes y fuertes. Mi madre es una mujer alta, famosa por su belleza, dotada de un cuello largo y esbelto. Cualquier hombre podría quitarle la vida asfixiándola en cuestión de minutos, no sería necesario recurrir a un fornido herrero. Cualquier miembro de la guardia de Warwick podría encargarse de ello con facilidad; lo haría al momento, a la mínima orden, gustosamente, cuando se lo mandara su señor.

—¿Dónde está? —exijo saber—. ¿Adónde se la ha llevado?

—En Grafton nadie sabía adónde se dirigían —dice el mensajero—. Pregunté a todos. Llegó una tropa a caballo, obligaron a vuestra madre a subir a una montura que iba atada al caballo del oficial que estaba al mando y se la llevaron en dirección norte. No dijeron a nadie adónde iban, tan sólo dijeron que se la llevaban presa por brujería.

—He de escribir a Warwick —digo yo velozmente—. Ve a comer algo y a que te den un caballo descansado. Necesito que viajes todo lo rápido que te sea posible. ¿Estás listo para partir de inmediato?

—De inmediato —responde él. Hace una venia y sale de la habitación.

Escribo a Warwick para exigir que deje a mi madre en libertad. Escribo a todos los arzobispos que hemos tenido bajo nuestras órdenes y a todo aquel que considero que hablará en nuestro favor. Escribo a antiguas amistades de mi madre y a familiares unidos a nuestra casa enemiga. Escribo incluso a Margarita Beaufort, que, al ser heredera de la casa de Lancaster, puede que tenga alguna influencia. Después voy a mi capilla, la Capilla de la Reina, me arrodillo y paso la noche entera rezando para que Dios no permita que ese hombre tan malvado acabe con la vida de esa mujer buena que simplemente ha sido agraciada con una sagrada clarividencia, unos cuantos trucos paganos y una falta total de deferencia. Al alba, escribo su nombre en una pluma de paloma blanca y la arrojo río abajo para advertir a Melusina de que su hija corre peligro.

A continuación he de esperar a recibir noticias. Espero durante una semana entera sin saber nada y temiendo lo peor. Todos los días acuden personas a decirme que mi esposo está muerto; ahora tengo miedo de que me digan lo mismo de mi madre y de quedarme completamente sola en el mundo. Rezo a Dios, susurro al río; alguien tiene que salvar a mi madre. Hasta que por fin me llega la noticia de que ha sido liberada y dos días más tarde viene a verme a la Torre.

Corro a echarme en sus brazos llorando como si volviera a tener diez años. Ella me estrecha y me mece como si yo todavía fuera su niñita y, cuando levanto la vista hacia su amado rostro, veo que ella también tiene lágrimas en las mejillas.

—Estoy a salvo —me dice—. Warwick no me ha hecho daño. No me ha interrogado. Sólo me ha tenido prisionera unos cuantos días.

—¿Por qué os ha dejado en libertad? —le pregunto—. Yo le escribí, escribí a todo el mundo, recé y expresé deseos, pero no creí que fuera a mostrar clemencia con vos.

—Ha sido Margarita d'Anjou —responde ella con una sonrisa irónica—. ¡Precisamente ella! Le ordenó que me dejase libre en cuanto le llegó la noticia de que me había capturado. En otro tiempo fuimos buenas amigas y seguimos estando emparentadas. Recordó los servicios que yo presté en su corte y le exigió a Warwick que me pusiera en libertad; de lo contrario tendría que enfrentarse a su cólera.

Yo lanzo una carcajada de incredulidad.

—¿Le ordenó que os liberase y él obedeció?

—Ahora Margarita es la suegra de su hija, además de su reina —señala mi madre—. Y Warwick es su aliado y cuenta con su ejército para que lo apoye en la tarea de recuperar el país. Y yo era su compañera cuando llegó a Inglaterra siendo una recién casada. Y fui amiga suya durante todos los años que duró su reinado. En aquel entonces yo era de la casa de Lancaster, como lo éramos todos hasta que tú te desposaste con Eduardo.

—Ha sido un gesto bondadoso por su parte haberos liberado —concedo.

—Ésta es ciertamente una guerra entre primos —comenta mi madre—. Todos tenemos seres queridos en el bando contrario. Todos hemos de enfrentarnos a la posibilidad de matar a miembros de nuestra propia familia. Algunas veces podremos mostrar piedad. Bien sabe Dios que Margarita no es una mujer misericordiosa; en cambio conmigo ha querido serlo.

Duermo un sueño inquieto en los lujosos aposentos reales de la Torre de Londres. El parpadeo de la luna se refleja en el río e incide sobre los cortinajes de mi cama. Estoy tendida de espaldas soportando el peso del niño en mi vientre, con un dolor en el costado, oscilando entre el suelo y la vigilia, cuando de pronto veo, resplandeciente como la luna en el tapiz que cuelga en lo alto, el rostro de mi esposo, demacrado y envejecido, inclinado sobre las crines de su caballo mientras galopa como un loco en medio de la noche rodeado por menos de una docena de hombres.

Dejo escapar un leve grito y giro la cabeza sobre la almohada. El rico bordado me toca la mejilla y vuelvo a dormirme de nuevo, pero una vez más me despierto y veo la figura de Eduardo cabalgando a todo galope en medio de la oscuridad por un extraño camino.

Medio despierta, lloro al ver esas escenas en mi mente y me mezo entre el sueño y la vigilia. Veo un pequeño puerto de pescadores, a Eduardo, Anthony, William y Ricardo golpeando una puerta, discutiendo con un hombre, alquilando su barco volviendo siempre la vista atrás, hacia el oeste, por si divisan al enemigo. Los oigo prometerle de todo al dueño del barco, ¡lo que sea!, con tal de que se haga a la mar y los lleve hasta Flandes. Veo a Eduardo quitarse su lujosa capa de pieles y ofrecérsela a modo de pago. «Tómala —le dice—. Vale más del doble que tu barco. Tómala, y lo consideraré como un servicio prestado.»

—No —digo yo en sueños. Eduardo está abandonándome, está abandonando Inglaterra, está dejándome e incumpliendo la promesa de que estaría conmigo cuando naciera nuestro hijo.

Más allá del puerto, el mar está embravecido, las olas se ven oscuras y coronadas de espuma blanca. El barquito sube y baja, cabeceando entre las ondas, soportando los embates del agua contra la proa. Parece imposible que vaya a remontar hasta la cresta de las olas y de repente se estrella contra el seno de las mismas. Eduardo va de pie en la popa, agarrado para no caerse; el movimiento del barco lo zarandea, tiene la mirada fija en el país que deja atrás y que consideraba suyo, está atento a ver aparecer el brillo de las antorchas de los hombres que van a buscarlo. Ha perdido Inglaterra. Hemos perdido Inglaterra. Él reclamó el trono y fue coronado rey. Me coronó a mí reina y yo tuve el convencimiento de que estábamos asentados. Él jamás había perdido una batalla, pero Warwick ha sido demasiado, demasiado rápido y demasiado tramposo para él. Eduardo se dirige al destierro, lo mismo que hizo Warwick. Se dirige hacia una tempestad violenta, lo mismo que hizo Warwick. Pero Neville fue directo al rey de Francia y encontró un aliado y un ejército. En cambio no sé cuándo regresará Eduardo.

Warwick vuelve a ocupar el poder y ahora los fugitivos son mi esposo, mi hermano Anthony y mi cuñado Ricardo; sabe Dios qué viento los traerá de nuevo a Inglaterra. Las niñas y yo, así como el niño que llevo en mi vientre, somos los nuevos rehenes, los nuevos prisioneros. Puede que de momento esté alojada en los aposentos reales de la Torre, pero pronto estaré en las celdas de abajo, las que tienen ventanas provistas de barrotes, y el rey Enrique volverá a dormir en su cama. Seré yo la persona por cuya libertad clamará el pueblo, en aras de la caridad cristiana, para que no muera en prisión sin poder ver el cielo abierto.

—¡Eduardo! —Veo que él levanta la vista, casi como si pudiera oírme llamarlo en sueños—. ¡Eduardo!

Me cuesta creer que haya podido abandonarme, que hayamos podido perder nuestra batalla por el trono. Mi padre entregó su vida para que yo pudiera ser reina y mi hermano murió a su lado. ¿Es que ahora no vamos a ser nada más que pretendientes expulsados tras unos pocos años de buena suerte? ¿Un rey y una reina que quisieron sobrepasar sus propias posibilidades y a los que ha abandonado la suerte? ¿Es que mis niñas van a ser las hijas de un infecto traidor? ¿Han de casarse con miserables terratenientes de campo y abrigar la esperanza de librarse algún día de la mala fama de su padre? ¿Va a verse obligada mi madre a presentarse ante Margarita de Anjou de rodillas y con el anhelo de ir haciendo méritos para recuperar su favor? ¿Voy a verme yo forzada a escoger entre vivir en el exilio y vivir en prisión? ¿Y qué le va a ocurrir a mi hijo, el niño que está aún por nacer? ¿Es probable que Warwick le permita vivir, él, que perdió a su propio nieto y único heredero cuando nosotras le cerramos las puertas de Calais, cuando su hija perdió el niño en medio de un mar embravecido y un vendaval, provocado por una bruja, que los empujaba contra la costa?

De pronto exclamo a voz en grito:

—¡Eduardo! ¡No me dejéis! —Y el terror que tiñe mi voz termina por despertarme del todo.

Mi madre, que duerme en la estancia contigua, enciende una vela con el fuego de la chimenea y abre la puerta.

—¿Ya viene el niño? ¿Se ha adelantado?

—No. He tenido una pesadilla. Madre, he tenido una pesadilla de lo más terrible.

Bueno, bueno, no te preocupes —me dice ella apresurándose a consolarme. Prende varias velas junto a mi cama y después remueve el fuego propinándole una patada con el pie protegido por una zapatilla—. No pasa nada, Isabel. Ahora estás a salvo.

—No estamos a salvo —afirmo yo con certidumbre—. De eso se trata precisamente.

—¿Por qué, qué has soñado?

—Era Eduardo, en un barco, en una tormenta. Era de noche y el mar estaba enfurecido. Ni siquiera sé si ese navío consigue llegar a su destino. El viento perjudica a unos y beneficia a otros, madre, y él se enfrentaba a un viento nefasto. Era nuestro viento. Era la galerna que provocamos nosotras para que alejase a Jorge y a Warwick. Nosotras la originamos, pero no ha desaparecido. Eduardo se encuentra atrapado en una tempestad creada por nosotras. Iba vestido como un siervo, como un pobre; no tenía nada excepto la ropa que llevaba puesta. Había regalado su capa. Anthony estaba allí; ni siquiera tenía su manto. Los acompañaban William Hastings y también Ricardo, el hermano de Eduardo. Eran los únicos que habían sobrevivido, los únicos que lograron huir. Eran... —Cierro los ojos intentando recordar el sueño—. Nos estaban abandonando, madre. Oh, madre, ha dejado Inglaterra, nos ha abandonado a nosotras. Está perdido, y nosotras también. Eduardo se ha ido, igual que Anthony. Estoy segura de ello.

Ella toma mis manos frías y las frota entre las suyas.

—A lo mejor ha sido sólo una pesadilla —me dice—. Quizá no ha sido más que un sueño. Las mujeres que están encinta, cuando se acerca el momento del parto, tienen fantasías extrañas, sueños muy vívidos...

Yo niego con la cabeza al tiempo que aparto los cobertores de la cama.

—No, estoy segura. Ha sido una visión. Eduardo ha sido derrotado y ha huido.

—¿Piensas que ha escapado a Flandes? —me pregunta mi madre—, ¿a refugiarse con su hermana, la duquesa Margarita, y con Carlos de Borgoña?

Yo asiento.

—Por supuesto. Por supuesto que sí. Y enviará a alguien a buscarme, no dudo de él. Eduardo me ama y también ama a las niñas, y juró que no me abandonaría jamás. Pero se ha ido, madre. Margarita de Anjou debe de haber desembarcado y ya debe de estar de camino hacia aquí, hacia Londres, con la intención de liberar a Enrique. Tenemos que irnos. Tengo que llevarme a las niñas. No podemos estar aquí cuando llegue su ejército. Si nos encuentran, nos meterán en prisión para siempre.

Mi madre me echa un chal sobre los hombros.

—¿Estás segura? ¿Puedes viajar? ¿Quieres que envíe un mensaje a los muelles y que tomemos un barco?

Yo titubeo. Me da mucho miedo viajar por mar estando mi hijo tan cerca de nacer. Pienso en Isabel, la imagino gritando de dolor a bordo de una nave zarandeada por el oleaje, sin nadie que la ayudara en el parto, viendo morir a su hijo sin siquiera un sacerdote que lo bautizara. No puedo enfrentarme a lo que tuvo que afrontar ella, con el viento aullando en los aparejos del barco. Temo que el vendaval que yo provoqué con mis silbidos continúe soplando por las rutas marinas sin que su naturaleza maligna haya quedado satisfecha con la muerte de un niño, oteando el horizonte en busca de navíos poco estables. Si ese viento nos ve a mis hijas y a mí en medio de las olas, nos ahogaremos sin remedio.

—No, no puedo soportarlo. No me atrevo. Me da demasiado miedo la tempestad. Nos acogeremos a sagrado, nos refugiaremos en la abadía de Westminster. Allí no se atreverán a hacernos nada. Allí estaremos a salvo. Las gentes de Londres aún nos aman, y la reina Margarita no sería capaz de profanar ese derecho de asilo. Si el rey Enrique está en su sano juicio, no le permitirá que cometa semejante transgresión; él cree en el efecto que tiene el poder de Dios en el mundo, respetará ese lugar santo y ordenará a Warwick que nos deje en paz. Vamos a por las niñas y mis dos hijos mayores, nos acogeremos a sagrado. Al menos hasta que nazca mi varón.

Noviembre de 1470

Cada vez que llegaba a mis oídos la noticia de que había gentes desesperadas que reclamaban asilo aferrándose a la argolla que hay en las puertas de las iglesias y desafiando vociferantes a los ladrones usurpadores o lanzándose por el pasillo del templo para poner la mano en el altar como si estuvieran participando en un juego infantil, siempre imaginaba que a partir de ese momento iban a tener que sobrevivir bebiéndose el vino de misa y comiéndose el pan de consagración, y dormir en los bancos de los fieles usando los cojines a modo de almohadas. Y resulta que no es tan desagradable como yo creía. Estamos viviendo en la cripta de la iglesia, construida en el camposanto de santa Margarita, dentro del recinto de la abadía. Se asemeja un poco a residir en un sótano, pero alcanzamos a ver el río desde las ventanas bajas que hay en un lado de la estancia y, por el ventanillo de la puerta situada en el otro extremo, atisbamos la calzada. Vivimos como una familia pobre, dependiente de la buena voluntad de los seguidores de Eduardo y de los ciudadanos de Londres, que aman a la familia de York y no han flaqueado a pesar de que el mundo ha vuelto a cambiar, a pesar de que la familia de York vive escondida, y a pesar de que el rey Enrique ha sido aclamado como soberano una vez más.

Warwick, el lord que ahora se encuentra en ascenso, el asesino de mi padre y de mi hermano, el secuestrador de mi esposo, hace una entrada triunfal en la capital llevando a su lado a Jorge, su descontento yerno. Puede que Jorge sea un espía que camina entre sus filas, que secretamente esté de nuestra parte, pero también puede ser que haya cambiado de bando otra vez y que ahora espere quedarse con las migajas que caigan de la mesa real de los Lancaster. Sea como fuere, no me envía ningún mensaje ni hace nada para garantizar mi seguridad. Se deja llevar por la corriente del hacedor de reyes como si no tuviera hermano ni cuñada, tal vez aguardando todavía la oportunidad de convertirse él mismo en rey. Warwick, triunfante, saca de la Torre a su antiguo enemigo, el rey Enrique, y lo proclama apto para gobernar y plenamente restaurado. Ahora es el liberador de su soberano y el salvador de la casa de Lancaster y el país está rebosante de alegría. El rey Enrique se siente confuso por el giro que han dado los acontecimientos, pero una vez al día le explican, lentamente y con amabilidad, que vuelve a ser monarca de nuevo y que su primo, Eduardo de York, se ha ido. Es posible que incluso le digan que nosotros, los familiares de Eduardo, estamos escondidos en la abadía de Westminster, porque da la orden —o la da alguien en su nombre— de que se respete el derecho de asilo de los lugares sagrados, con lo cual estamos a salvo en esta prisión que nosotros mismos nos hemos impuesto.

Todos los días los carniceros nos hacen llegar carne, los panaderos nos mandan pan, hasta los lecheros de los verdes campos que hay en la ciudad nos traen leche para las niñas y los vendedores de fruta de Kent envían a la abadía lo mejor de su cosecha y nos lo dejan en la puerta. Dicen a los guardias de la iglesia que es para la «pobre reina», que vive momentos de aflicción, y luego se acuerdan de que ahora hay una reina nueva, Margarita de Anjou —que sólo está a la espera de que sople un viento favorable para zarpar y regresar a su trono—, y se tropiezan al hablar y dicen finalmente: «Ya sabéis a quién me refiero. Pero cercioraos de que ella reciba esta comida, porque la fruta de Kent es muy buena para una mujer que está a punto de dar a luz. Así el niño saldrá con más facilidad. Y decidle que le deseamos lo mejor y que volveremos.»

Para mis hijas es doloroso recibir tan pocas noticias de su padre, es doloroso vivir confinadas en espacios tan pequeños, dado que nacieron para disfrutar de las mejores cosas. Durante toda su vida han habitado en los palacios más lujosos de Inglaterra y ahora se encuentran encerradas. Pueden subirse de pie a un banco para asomarse por las ventanas que dan al río por el que antes subían y bajaban a bordo de una barcaza, entre un palacio y otro, y también pueden turnarse para subirse a una silla y mirar a través del ventanillo las calles de Londres por las que antes circulaban a caballo recibiendo las bendiciones de las gentes que las veían pasar, tan bonitas. Isabel, mi hija mayor, tiene sólo cuatro años, pero parece que entiende que nos ha sobrevenido una época de gran aflicción y dificultad. Nunca me pregunta dónde están sus aves domesticadas; nunca se interesa por las criadas que antes la cubrían de mimos y jugaban con ella; nunca pregunta por su cofia dorada ni por su perrito, ni tampoco por sus preciados juguetes. Actúa como si hubiera nacido y se hubiera criado en este reducido espacio y juega con sus hermanas pequeñas como si fuera una niñera de pago a la que hubieran impartido la orden de estar alegre. La única pregunta que hace es dónde está su padre, y yo he de aprender a acostumbrarme a que me mire con expresión de desconcierto en su carita redonda y me interrogue: «¿Mi padre sigue siendo el rey, mi señora madre?»

Pero para quien esto resulta más doloroso es para mis hijos varones, que parecen cachorros de león encerrados en este estrecho cubículo y no dejan de pasearse arriba y abajo, inquietos. Al final mi madre les impone ejercicios, prácticas de espada con palos de escoba, poemas que aprender, juegos consistentes en saltar y atraparse que deben repetir todos los días. Y ellos llevan un tablero de puntuaciones y esperan que dichos ejercicios los hagan más fuertes en la batalla que ansían librar, la que restaurará a Eduardo en el trono.

A medida que los días van haciéndose más cortos y las noches más oscuras, sé que se está cumpliendo mi tiempo y que el niño está a punto de nacer. Mi gran terror es morir aquí mismo, en el parto, y que mi madre se quede sola, en la ciudad de nuestro enemigo, guardando a mis hijos.

—¿Sabéis qué va a suceder? —le pregunto bruscamente—. ¿Lo habéis previsto? Y ¿qué les va a suceder a mis hijas?

Percibo en sus ojos que algo sabe, pero la expresión que me devuelve no revela preocupación.

—No vas a morir, si eso es lo que me preguntas —me responde sin rodeos—. Eres una mujer joven y sana, y el Consejo del rey va a hacer venir a lady Scrope para que te asista, y también a un par de comadronas. No hay motivos para pensar que vas a perecer, este parto no tiene por qué ser distinto de los anteriores. Preveo que sobrevivirás, y también que tendrás más hijos.

—¿Y el niño? —pregunto yo intentando leer su expresión.

—Ya sabes que está sano —responde sonriente—. Cualquiera que haya notado las patadas que da ese niño sabe que es fuerte. No hay razón para que temas nada.

—Pero hay algo —digo con certeza—. Prevéis algo relacionado con Eduardo, mi príncipe Eduardo.

Mi madre me mira durante un instante y entonces decide hablar con sinceridad.

—No logro verlo convertido en rey —confiesa—. He leído las cartas y he estudiado el reflejo de la luna en el agua. He probado a preguntar al cristal y a observar el humo. La verdad es que he tanteado todos los métodos que conozco que están dentro de las leyes de Dios y permitidos dentro de este sagrado recinto. Pero, para decirte la verdad, Isabel, no logro verlo convertido en soberano.

Yo lanzo una sonora carcajada.

—¿Era eso? ¿Eso es todo? ¡Dios santo, madre, tampoco veo

yo a su propio padre convertido de nuevo en rey, y eso que fue coronado y ordenado! Como tampoco me veo a mí misma siendo reina de nuevo, a pesar de que fui ungida en el pecho con el óleo sagrado y sostuve el cetro en la mano. No espero que venga un príncipe de Gales, sino únicamente un varón sano. Que nazca fuerte y que crezca para hacerse hombre, y con eso me contentaré. No necesito que sea rey de Inglaterra, sólo quiero saber que él y yo vamos a sobrevivir a esto.

—Oh, sobreviviréis a esto —me confirma mi madre al tiempo que hace un gesto de displicencia con la mano para indicar las estrechas habitaciones; los camastros de las niñas arrimados a un rincón; en otra esquina, los colchones de paja de las criadas colocados en el suelo; la pobreza que impera en este lugar; el frío del sótano; la humedad que rezuman las piedras de los muros; el humo que despide la chimenea; el valor tenaz de mis hijos, que comienzan a olvidarse de que antes han llevado una vida mejor—. Esto no es nada. Preveo que lo superaremos pronto.

—¿Cómo? —inquiero yo en tono de incredulidad.

Ella se inclina hacia mí y me acerca la boca al oído.

—Porque en Flandes tu esposo no va a dedicarse a cultivar viñedos y a fabricar vino —me dice—. No está cardando lana ni aprendiendo a tejer. Está equipando una expedición, reclutando aliados, recaudando dinero, planeando invadir Inglaterra. Los comerciantes de Londres no son los únicos de este país que prefieren York antes que Lancaster. Y Eduardo nunca ha perdido una batalla, ¿recuerdas?

Yo afirmo con la cabeza sin estar segura del todo. Aunque se encuentre vencido y en el exilio, es cierto que nunca ha perdido una batalla.

—Así pues, cuando arremeta contra las fuerzas de Enrique, incluso aunque éstas estén capitaneadas por Warwick y espoleadas por Margarita de Anjou, ¿no crees que ganará?

El confinamiento previo al parto no es el adecuado, el que debería corresponder a una reina, con un ceremonioso retiro de la corte seis semanas antes de la fecha del nacimiento, con los postigos de las ventanas cerrados y una bendición de la habitación.

—Tonterías —dice mi madre con optimismo—. Ya te has retirado de la misma luz del día, ¿no es así? ¿Confinarte para el parto, dices? Yo diría que ninguna reina ha estado nunca tan confinada como tú. ¿Cuál de ellas ha estado encerrada en un lugar sagrado?

Y el parto tampoco es el alumbramiento propio de un hijo de la familia real, con tres parteras y dos amas de cría, y con cunas, en presencia de madrinas y gobernantas del cuarto de los niños, y con embajadores esperando para hacer entrega de hermosos regalos. La corte de Lancaster envía a lady Scrope para asegurarse de que tengo todo lo que necesito y, ciertamente, considero que es un gentil gesto que el conde de Warwick ha tenido conmigo. Pero debo traer a mi hijo al mundo sin un padre ni una corte que lo esté aguardando a la puerta, sin contar con casi nadie que me ayude; sus padrinos van a ser el abad de Westminster y el prior, y su madrina será lady Scrope. Éstas son las únicas personas que están conmigo: ni grandes lores del país ni reyes extranjeros, que son normalmente los padrinos de un vástago de la realeza, sino personas buenas y amables que han quedado atrapadas en Westminster con nosotros.

Le pongo por nombre Eduardo, tal como quiere su padre y como predijo la cucharita de plata que saqué del río. Margarita de Anjou, cuya flota invasora ha quedado retenida en puerto por culpa de las tormentas, me manda un mensaje para decirme que lo llame Juan. No desea que haya en Inglaterra otro príncipe Eduardo que rivalice con su propio hijo. Pero yo hago caso omiso, como si esas palabras provinieran de un don nadie. ¿Por qué iba yo a tomar en cuenta las preferencias de Margarita de Anjou?

Mi esposo le puso el nombre de Eduardo y la cucharita de plata que salió del río llevaba grabado ese mismo nombre. Será Eduardo, príncipe de Gales, aunque mi madre tenga razón y jamás llegue a ser el rey Eduardo.

Entre nosotras lo llamamos pequeñín, y nadie se refiere a él como príncipe de Gales; y mientras voy sumiéndome en la somnolencia de después del parto, con su cuerpecillo caliente en mis brazos y medio ebria por el vino que me han hecho beber, pienso que tal vez este niño no sea rey. No se han disparado salvas de cañón en su honor ni se han encendido hogueras en lo alto de los cerros. Las fuentes y los acueductos de Londres no se han llenado de vino, los ciudadanos no se han emborrachado para demostrar su alegría; no se han enviado a toda prisa anuncios de su llegada a las grandes cortes de Europa. Ha sido como si hubiera nacido un niño corriente, no un príncipe. Tal vez sea un niño corriente y yo vuelva a ser una mujer corriente también. Quizá no seamos nunca personas importantes, escogidas por Dios, sino simplemente personas felices.

Invierno de 1470-1471

Pasamos la Navidad acogidos a sagrado. Los carniceros de Londres nos mandan un ganso bien gordo, y mis dos hijos mayores y la pequeña Isabel y yo jugamos a las cartas. Me aseguro de perder una moneda de plata y que la gane mi hija; esa noche se va a la cama emocionada, creyendo ser una jugadora excelente. La noche de Reyes la pasamos aún acogidos a sagrado, y mi madre y yo componemos una obra de teatro para los niños, con disfraces, máscaras y hechizos. Les narramos la historia de nuestra pariente Melusina, la hermosa mujer mitad humana, mitad pez, que se encuentra en la fuente del bosque y que se casa con un mortal por amor. Yo me envuelvo en una sábana; después la anudamos a los pies para formar una gran cola de pez y me suelto el cabello. Cuando me levanto del suelo las niñas se quedan fascinadas por Melusina, la mujer pez, y los niños aplauden. En eso entra mi madre con una cabeza de caballo confeccionada con papel y pegada al palo de una escoba; va ataviada con el justillo del portero y con una corona de papel. Las niñas no la reconocen en absoluto y contemplan la obra de teatro como si fuéramos actrices pagadas actuando en la corte más grandiosa del mundo. Les contamos la historia de cómo fue cortejada la bella mujer que es mitad humana, mitad pez y de cómo su amante la convence para que abandone la fuente del bosque en la que habita y pruebe a vivir en el gran mundo. Les contamos sólo media historia: que se va a vivir con él, le da hermosos hijos y ambos son felices para siempre.

La historia no termina ahí, naturalmente. Pero descubro que no me apetece pensar en matrimonios por amor que terminan en separaciones. No me apetece pensar en ser una mujer que no puede vivir en el nuevo mundo que los hombres están forjando. No me apetece imaginar a Melusina saliendo de su fuente y encerrándose en un castillo mientras yo esté enclaustrada y acogida a sagrado, mientras todas nosotras, hijas de Melusina, estemos acorraladas en un lugar en el que no podemos ser del todo nosotras mismas.

El esposo mortal que tenía Melusina la amaba, pero no acababa de entenderla. No comprendía su naturaleza y no estaba contento de vivir con una mujer que para él era un misterio. Permitió que un invitado lo persuadiera de espiar sus movimientos. Se ocultó detrás de las colgaduras de su cuarto de baño y la vio nadar bajo el agua, vio —horrorizado— cómo brillaban, ondulantes, sus escamas, descubrió su secreto: que aunque ella lo amara, aunque lo quisiera de verdad, seguía siendo mitad mujer, mitad pez. Él no podía soportar lo que ella era y ella no podía evitar ser lo que era. Así que él la dejó, porque en el fondo de su alma temía que fuera una mujer de naturaleza dividida... y no se dio cuenta de que todas las mujeres son criaturas que poseen una naturaleza dividida. No podía soportar el hecho de pensar en que guardara un secreto, en que tuviera una vida que permanecía oculta para él. De hecho, no podía tolerar la verdad de que Melusina era una mujer que conocía las profundidades desconocidas, que nadaba en ellas.

Pobre Melusina, que se esforzó tanto por ser una buena esposa, que tuvo que dejar a un hombre que la amaba y regresar al agua porque la tierra le resultaba demasiado dura. Al igual que muchas mujeres, no consiguió coincidir exactamente con el punto de vista de su marido. Le dolían los pies, no podía caminar por la senda que su esposo había escogido. Intentó bailar a fin de complacerlo, pero no pudo evitar el dolor. Ella es la antepasada de la casa real de Borgoña, y nosotras, sus descendientes, aún seguimos intentando caminar por la senda de los hombres; en ocasiones, también nos resulta de una dureza insoportable.

Me ha llegado la noticia de que la nueva corte celebra una alegre fiesta de Navidad. Enrique, el rey, ha recuperado el juicio, y la casa de Lancaster se siente triunfante. Desde las ventanas de la abadía vemos las barcazas subir y bajar por el río transportando a los nobles que se dirigen desde sus palacios situados en la ribera hacia Whitehall. Veo pasar la barcaza de Stanley. Lord Stanley, el que me besó la mano en el torneo de mi coronación y me dijo que su lema era «*Sans Changer*», fue uno de los primeros que acudieron al encuentro de Warwick cuando éste desembarcó en Inglaterra. Resulta que, después de todo, es partidario de Lancaster; a lo mejor con ellos no cambia.

Veo la barcaza de Beaufort, que lleva la bandera del dragón rojo de Gales ondeando en la popa. Jasper Tudor, el gran poder de Gales, lleva a su joven sobrino, Enrique Tudor, a la corte para que visite al rey, que es pariente suyo. Medio proscrito, medio príncipe. Jasper volverá a habitar los castillos de Gales y lady Margarita Beaufort llorará lágrimas de alegría por su hijo de catorce años, Enrique Tudor, no me cabe duda. Lo separaron de ella cuando nosotros lo pusimos bajo la custodia de esos buenos guardianes de York, los Herbert, y su madre tuvo que hacer frente a la posibilidad de que se desposara con la hija de esa familia, un clan defensor de la casa de York. Pero ahora que William Herbert ha muerto sirviéndonos, Margarita Beaufort vuelve a tener consigo a su hijo. Lo hará prosperar en la corte, lo situará de forma que obtenga favores y cargos. Querrá que le sean devueltos sus títulos, que le sea garantizada su herencia. Jorge, duque de Clarence, robó tanto su título como sus tierras, y desde entonces ella habrá incluido ambas cosas en sus oraciones. Es una mujer sumamente ambiciosa y una madre decidida. No tengo la menor duda de que en el plazo de un año le habrá quitado a Jorge el condado de Richmond y de que, si puede, logrará que su hijo sea nombrado heredero de Lancaster por detrás del príncipe.

También veo la barcaza de lord Warwick, la más hermosa que navega por el río, con sus remeros bogando todos a una al son del tambor de la popa, moviéndose con rapidez contracorriente, como si nada pudiera detener su avance, ni siquiera el fluir del lecho. Incluso logro distinguirlo a él, de pie en la proa como si gobernara el caudal del propio Támesis, con la cabeza descubierta para poder sentir el aire frío en el pelo. Frunzo los labios para silbar y llamar al viento, pero lo dejo pasar. Da lo mismo.

Es posible que Isabel, la hija mayor de Warwick, vaya cogida de la mano con mi cuñado Jorge en los asientos que hay en la parte posterior de la barcaza mientras pasan frente a mi prisión subterránea. Es posible que se acuerde de aquella Navidad en que acudió a la corte en calidad de mujer recién casada de mala gana cuando yo era la reina de la rosa blanca. Jorge sabrá que aquí se encuentra la esposa de su hermano, la mujer que continuó siendo leal cuando él dejó de serlo, viviendo en la pobreza y en la semioscuridad. Sabrá que estoy aquí, puede que incluso perciba que lo estoy mirando, que lo estoy observando con los ojos entrecerrados, a él, al que fue en otro tiempo Jorge de la casa de York y que ahora es un pariente favorecido que vive en la corte de Lancaster.

Mi madre me posa una mano en el hombro.

—No les desees nada malo —me advierte—. Ya recuperarás lo que era tuyo. Es mejor esperar. Eduardo está en camino. No tengo ninguna duda. No desconfío de él ni por un instante. Este período nos parecerá una pesadilla. Es como dice Anthony: sombras en la pared. Lo que importa es que Eduardo reúna un ejército lo bastante grande para derrotar a Warwick.

—¿Y cómo va a hacer eso? —replico yo contemplando la ciudad que ahora se declara totalmente a favor de Lancaster—. ¿Cómo va a lograrlo?

—Ha permanecido en contacto con tus hermanos y con todos nuestros parientes. Está reuniendo fuerzas y jamás ha perdido una batalla.

—Pero nunca ha luchado contra Warwick. Y fue él quien le enseñó todo lo que sabe de la guerra.

—Es rey —dice mi madre—. Aunque ahora digan que eso no significa nada. Fue coronado, ha sido ordenado por Dios, ha recibido el óleo sagrado en el pecho... no pueden negar que es soberano. Aunque se siente en el trono otro rey coronado y ordenado. Pero Eduardo es afortunado, y Enrique no. Quizá todo se reduzca solamente a eso, a ser un hombre con suerte. Y los York son una casa afortunada. —Sonríe—. Y por supuesto nos tiene a nosotras. Nosotras podemos desearle fortuna, no hay nada de malo en hacer un pequeño encantamiento que le depare buena estrella. Y, si con eso no mejoran sus posibilidades, ya no mejorarán con nada.

Primavera de 1471

Mi madre prepara tisanas y a continuación se asoma por la ventana y las vierte en el río susurrando palabras que nadie puede oír; arroja al fuego unos polvos que al quemarse adquieren un color verdoso y despiden una nube de humo; nunca remueve las gachas de los niños sin musitar una plegaria; antes de acostarse da dos vueltas a la almohada y siempre golpea los zapatos el uno contra el otro antes de ponérselos para librarlos de la mala suerte.

—¿Tiene algún significado todo eso? —me pregunta mi hijo Richard sin quitarle ojo a su abuela, que está retorciendo una trenza de cintas al tiempo que musita unas palabras.

Yo me encojo de hombros.

—A veces, sí —respondo.

—¿Es brujería? —me pregunta nervioso.

—A veces, sí.

Más adelante, en marzo, mi madre me dice:

—Eduardo está de camino hacia aquí. Estoy segura de ello.

—¿Lo habéis visto en el futuro? —inquiero yo.

Ella deja escapar una risita.

—No, me lo ha dicho el carnicero.

—¿Qué os ha dicho el carnicero? Londres está lleno de chismorreos.

—Sí, pero él ha recibido un mensaje de un hombre de Smithfield que presta servicio a los barcos que van a Flandes. Ese hombre vio una pequeña flota navegando con rumbo norte en medio de un tiempo muy poco propicio, y en uno de esos navíos ondeaba el sol en esplendor, la insignia de la casa de York.

—¿Eduardo se propone invadir el país?

—Puede que en este mismo momento.

En abril, durante las primeras horas de la noche, oigo que en las calles la gente lanza vítores, así que salto de la cama y voy hasta la ventana para escuchar mejor. La muchacha que sirve en la abadía llama a la puerta y seguidamente irrumpe en la habitación farfullando:

—¡Excelencia! ¡Excelencia! Es él. Es el rey. No el rey Enrique, sino el otro rey, el vuestro. El rey de York. ¡El rey Eduardo!

Me pongo una bata a toda prisa y me llevo una mano a la trenza con que me he recogido el pelo.

—¿Está aquí? ¿Esos vítores son en honor a él?

—¡Lo están vitoreando a él! —exclama la joven—. La gente está prendiendo antorchas para guiarlo, cantando y arrojando monedas de oro a su paso. Lo acompaña un contingente de soldados. ¡Y seguro que se dirige hacia aquí!

—¡Madre! ¡Isabel! ¡Richard! ¡Thomas! —Los llamo a todos—. ¡Levantaos! ¡Vestíos! Viene vuestro padre. ¡Vuestro padre viene a vernos! —Agarro a la criada por el brazo—. Tráeme agua caliente para lavarme y el mejor vestido que tenga. Deja la leña, no importa; ¿quién va a volver a sentarse junto a esa miserable chimenea?

La apremio a que salga de la estancia para ir a buscar el agua y empiezo a deshacerme la trenza. En ese momento Isabel entra corriendo en mi habitación con los ojos muy abiertos.

—¿Va a venir la reina malvada? Señora madre, ¿está aquí la reina malvada?

—¡No, tesoro! Estamos salvadas. El que viene a vernos es tu propio padre. ¿No oyes cómo lo aclama la gente?

La subo a un taburete para que alcance a mirar por la rejilla de la puerta y después me lavo la cara con agua y me recojo el cabello para introducirlo dentro del tocado. La criada me trae el vestido y comienza a anudármelo, manoteando nerviosamente con las cintas. De repente oímos unos golpes potentes en la puerta. Isabel lanza un grito y corre a abrirla; retrocede asombrada al ver entrar a su padre, más alto y más grave de lo que lo recordaba, y al instante siguiente yo me precipito hacia él, descalza como estoy, y de nuevo estoy en sus brazos.

—¿Y mi hijo? —me pregunta después de estrecharme, besarme y frotar su áspero mentón contra mi mejilla—. ¿Dónde está mi hijo? ¿Está fuerte? ¿Se encuentra bien?

—Está fuerte y se encuentra bien. A punto de cumplir cinco meses —responde mi madre trayendo en brazos al niño, firmemente envuelto en telas. A continuación ofrece a Eduardo una amplia reverencia—. Sed bienvenido a casa, Eduardo, hijo mío, excelencia.

Eduardo me deja a un lado con delicadeza y acude a ella con rapidez. Se me había olvidado que movía los pies con mucha agilidad, igual que un bailarín. Toma a su hijo de los brazos de mi madre, a quien ni siquiera ve a pesar de murmurarle un «gracias». Tiene la atención completamente centrada en otra parte. Se lleva al niño hacia la luz de la ventana; el pequeño Eduardo abre sus ojos color azul oscuro y bosteza abriendo su boquita con forma de capullo de rosa. Mira el rostro de su padre como si quisiera responder a esos ojos grises que lo escrutan con intensidad.

—Mi hijo —dice el rey en voz queda—. Isabel, perdonadme que hayáis tenido que alumbrarlo en este lugar. Yo no lo hubiera deseado por nada del mundo.

Yo afirmo en silencio.

—¿Lo han bautizado y le han puesto el nombre de Eduardo tal como yo quería?

—Así es.

—¿Y crece bien?

—Acabamos de empezar a darle alimentos sólidos —dice mi madre con orgullo—. Y le están gustando. Duerme bien y es un niño muy inteligente. Lo ha amamantado la propia Isabel, y nadie podría haber tenido mejor ama de cría. Os hemos fabricado un hermoso principito.

Eduardo se gira hacia ella.

—Os agradezco todos esos cuidados —le dice—. Y el hecho de que os hayáis quedado aquí con mi Isabel.

A continuación baja la vista. Sus hijas Isabel, María y Cecilia se han agrupado a su alrededor y lo están mirando como si fuera un animal extraño, tal vez un unicornio, que hubiera irrumpido de pronto en su cuarto de juegos.

Muy despacio, se arrodilla para no resultarles tan imponente. Todavía sostiene al recién nacido en el hueco del brazo.

—Y vosotras sois mis hijas, mis princesas —les dice con voz tranquila—. ¿Os acordáis de mí? He estado mucho tiempo ausente, más de medio año, pero soy vuestro padre. He estado un período demasiado largo alejado de vosotras; en cambio no ha habido ni un solo día en que no haya pensado en vosotras y en vuestra bella madre, y en que no haya jurado regresar a vuestro lado y colocaros de nuevo en el lugar que os corresponde. ¿Os acordáis de mí?

A Cecilia le tiembla el labio inferior, pero Isabel consigue hablar:

—Yo sí me acuerdo de vos. —Le apoya una mano en el hombro y lo mira a la cara sin miedo—. Yo soy Isabel, la mayor. Me acuerdo de vos; las otras son demasiado pequeñas. ¿Os acordáis de mí, de vuestra Isabel, la princesa Isabel? Algún día seré la reina de Inglaterra, como mi madre.

Todos reímos al oírla hablar así y Eduardo se incorpora, entrega el niño a mi madre y me toma en sus brazos. Richard y Thomas dan un paso al frente y se arrodillan para solicitar su bendición.

—Hijos míos —dice el rey con afecto—. Debéis de haber odiado vivir encerrados en este lugar.

Richard hace un gesto de asentimiento.

—Ojalá hubiera podido acompañaros, sire.

—Me acompañarás la próxima vez —le promete Eduardo.

—¿Cuánto tiempo hace que estáis en Inglaterra? —le pregunto yo mientras empieza a soltarme el cabello—. ¿Tenéis un ejército?

—He venido con vuestro hermano y con mis verdaderos amigos —contesta—. Mi hermano Ricardo, vuestro hermano Anthony y Hastings, desde luego; los que fueron al exilio conmigo. Y ahora se nos están sumando varios más. Mi hermano Jorge ha abandonado a Warwick y está dispuesto a luchar por mí. Él, Ricardo y yo hemos vuelto a abrazarnos una vez más como hermanos, ante las propias murallas de Coventry y bajo las narices de Warwick. Jorge ha atraído a nuestro bando a lord Shrewsbury y también tengo de mi parte a lord Stanley. Ya habrá otros más.

Yo pienso en el poder que tienen Warwick y sus parientes Lancaster, así como en el ejército francés que va a traer Margarita, y sé que con eso no basta.

—Puedo quedarme por esta noche —anuncia Eduardo—. Tenía que veros. Pero mañana he de ir a la guerra.

A mí me cuesta trabajo creer lo que dice.

—¿Volvéis a dejarme mañana?

—Amor mío, me he arriesgado mucho al venir aquí. Warwick está agazapado en Coventry y no se rendirá ni presentará batalla porque sabe que Margarita de Anjou está a punto de llegar con su ejército y que juntos formarán un poderoso contingente. Jorge ha salido de allí y está con nosotros; además nos ha traído a Shrewsbury y a los arrendatarios de éste, pero no es suficiente. Tengo que tomar a Enrique como rehén y acudir al encuentro de Margarita.

Ellos tendrán la esperanza de acorralarme aquí, pero yo voy a plantarles cara, y, si tengo suerte, me enfrentaré a Warwick y lo derrotaré antes de tener que enfrentarme a Margarita y derrotarla.

Tengo la boca cada vez más seca. Trago saliva, muerta de miedo al imaginar a mi esposo oponiéndose a un importante general y después a la poderosa armada de Margarita.

—¿Margarita va a venir acompañada por el ejército francés?

—El milagro es que no haya desembarcado todavía. Ambos estábamos preparados para zarpar al mismo tiempo. Estábamos a punto de competir el uno contra el otro para llegar primeros a Inglaterra. Los dos hemos estado retenidos por el mal tiempo desde febrero. Hace casi un mes, ella tenía la flota lista para zarpar desde Honfleur, pero cada vez que se ha hecho a la mar se ha visto obligada a dar la vuelta a causa de las continuas tormentas. Hace no más de un día hubo un hueco a mi favor en el viento. Fue como cosa de magia, amor mío, de modo que aprovechamos para escapar y llegamos a toda vela hasta Workshire. Pero por lo menos eso me da la oportunidad de enfrentarme a ellos por separado, y no a un ejército unificado y comandado por los dos a la vez.

Al oír mencionar la tormenta, vuelvo la vista hacia mi madre, pero la expresión de ella es sonriente e inocente.

—No os marchéis mañana.

—Amor mío, esta noche me tendréis a vuestro lado. ¿Vamos a perder el tiempo hablando?

Damos media vuelta y entramos en mi cámara. Él cierra la puerta de una patada y después me toma en sus brazos, como hace siempre.

—Venid a la cama, esposa —me dice.

Me toma como me ha tomado siempre, de forma apasionada, igual que un hombre seco que intenta saciar la sed. Pero, por una vez, esta noche es un hombre distinto. El olor de su piel y de su cabello es el mismo, y eso es suficiente para que yo ansíe sus caricias, pero después de tomarme me estrecha con fuerza entre sus brazos, como si en esta ocasión el placer no fuera bastante. Es como si quisiera algo más de mí.

—Eduardo —murmuro—, ¿os encontráis bien?

No me responde, sino que hunde la cabeza en mi hombro y mi cuello, igual que si pretendiese aislarse del mundo por medio del calor de mi carne.

—Amor mío, he pasado miedo —me dice. Casi no lo oigo de tan bajo como me habla—. Amor mío, he pasado mucho miedo.

—¿De qué? —inquiero. Es una pregunta absurda tratándose de un hombre que ha tenido que huir para salvar la vida, que ha reunido una hueste estando en el exilio y que va a enfrentarse al ejército más poderoso de la cristiandad.

Él se da la vuelta y queda tendido de espaldas, todavía sujetándome fuertemente con la mano a su costado para tenerme pegada a él desde el pecho hasta los dedos de los pies.

—Cuando dijeron que Warwick venía a capturarme, y Jorge con él, supe que esa vez no iba a limitarse a tenerme prisionero. Supe que esa vez iba a suponer mi muerte. Antes nunca había pensado que alguien deseara matarme, pero entonces sabía que Warwick lo haría y que Jorge se lo permitiría.

—Pero escapasteis.

—Huí —replica—. No fue una retirada pensada, amor mío, no fue una maniobra. Fue una desbandada. Huí temiendo por mi vida y todo el tiempo considerándome a mí mismo un cobarde. Huí y os abandoné a vos.

—No es cobardía escapar de un enemigo —contesto—. Sea como fuere, habéis regresado para enfrentaros a él.

—Para enfrentarme a él huí y os abandoné a las niñas y a vos —me dice—. Y no tengo un buen concepto de mí mismo por ello. No huí a Londres por vos, no vine aquí a quedarme quieto, desesperado; fui al puerto más cercano y subí al primer barco que vi.

—Cualquiera habría hecho lo mismo. Yo jamás os lo he reprochado. —Me incorporo apoyándome en el codo y lo miro fijamente a la cara—. Teníais que escapar para poder reunir un ejército y regresar a salvarnos. Eso lo sabía todo el mundo. Y mi hermano os acompañó, y también vuestro hermano Ricardo. Ellos también juzgaron que era el modo más atinado de proceder.

—No sé lo que sentían ellos mientras huíamos como ciervos, pero sé lo que sentía yo. Estaba asustado como un niño al que persigue un matón.

Yo guardo silencio. No sé cómo consolarlo ni qué decir.

Él deja escapar un suspiro.

—Llevo toda la vida luchando por mi reino, desde que era pequeño. Y, a lo largo de todo ese tiempo, en ningún momento he pensado que podría perder. En ningún momento he pensado que me iban a capturar, ni que iba a morir. Resulta extraño, ¿no? Pensaréis que digo cosas absurdas, pero en todo ese tiempo, incluso cuando mataron a mi padre y también a mi hermano, jamás pensé que aquello podría sucederme a mí. Jamás me dio por pensar que podría scr mi cabeza la que acabara cercenada y colgada de una pica en las murallas de la ciudad. Me creía invencible, invulnerable.

Yo aguardo.

—Y ahora sé que no lo soy —concluye—. Esto no se lo he dicho a nadie y no se lo diré a nadie más que a vos, pero ya no soy el hombre con el que os casasteis, Isabel. Vos os casasteis con un muchacho que no conocía el miedo. Yo creía que eso significaba que era valiente. Pero no cra valiente... simplemente había tenido suerte. Hasta ahora. Ahora soy un hombre, y he sentido miedo y he huido de él.

Estoy a punto de decir algo que lo consuele, una mentira piadosa; pero luego pienso que debo decirle la verdad.

—El que no tiene miedo a nada es un necio —sentencio—. El valiente es el que conoce el temor y aun así se enfrenta a él. En aquel momento huisteis, pero ahora habéis vuelto. ¿Acaso vais a rehuir la batalla mañana?

—¡Dios, no!

Sonrío.

—Entonces, sois el hombre con el que me casé. Porque el hombre con el que me casé era un joven muy valiente, y vos seguís siéndolo. El hombre con el que me casé no había conocido el miedo, pero tampoco tenía un hijo y no sabía lo que era el amor. Ahora nos han sucedido todas esas cosas y nos han cambiado; sin embargo no nos han destruido.

Él me mira con expresión grave.

—¿Lo decís en serio?

—Sí —contesto—. Y yo también he pasado mucho miedo, pero teniéndoos de nuevo a mi lado ya no temo nada.

Él me acerca todavía más a sí.

—Estoy pensando que voy a dormirme —me dice, consolado como un niño pequeño. Y yo lo abrazo con ternura, como si fuera mi hijito.

A la mañana siguiente despierto preguntándome a qué se debe la alegría que siento, el tacto sedoso de mi piel, el calor que noto en el vientre y esta sensación de renovación y de vitalidad. Entonces Eduardo se remueve a mi lado y me doy cuenta de que estoy a salvo, de que él está a salvo, de que una vez más estamos juntos, y de que ése es el motivo de que haya despertado con la piel desnuda e iluminada por el sol. Luego, al instante siguiente, recuerdo que él tiene que marcharse. Y, aunque ya se está rebullendo, esta mañana no está sonriente. Eso vuelve a preocuparme. Eduardo se muestra siempre muy seguro de sí mismo, en cambio esta mañana tiene una expresión seria.

—No digáis una sola palabra para retrasarme —me dice al tiempo que se levanta de la cama y se viste a toda prisa—. No soporto tener que irme, no soporto tener que dejaros otra vez. Si me retenéis, juro que no podré resistirme. Sonreíd y deseadme buena suerte, amor mío. Necesito vuestra bendición, necesito vuestro valor.

Yo me trago el miedo.

—Tenéis mi bendición —digo con la voz tensa—. Siempre tenéis mi bendición. Y toda la buena suerte del mundo. —Procuro parecer alegre, pero me tiembla la voz—. ¿Vais a partir de inmediato?

—Voy a buscar a ese Enrique al que han estado llamando rey —me contesta—, y me lo llevaré conmigo como rehén. Ayer lo vi en sus aposentos de la Torre, antes de venir con vos. Me reconoció. Dijo que sabía que estaría a salvo conmigo, que soy su primo. Era igual que un niño pequeño, el pobre. Según parece, no sabía que había vuelto a ser el rey.

—Sólo hay un soberano de Inglaterra —afirmo yo con vehemencia—. Y sólo ha habido un rey de Inglaterra desde que vos fuisteis coronado.

—Os veré dentro de unos días —me dice—. Prefiero irme ahora mismo, sin despedirme de vuestra madre ni de las niñas. Así es mejor. Dejadme partir en seguida.

—¿Ni siquiera vais a desayunar? —No es mi intención quejarme, pero es que me cuesta mucho dejarlo marchar.

—Ya comeré algo con mis hombres.

—Por supuesto. —Replico con tono jovial—. ¿Y mis dos hijos mayores?

—Voy a llevármelos conmigo. Pueden servirme de mensajeros. Cuidaré de ellos lo mejor que pueda.

Siento que el corazón me da un vuelco de pánico también por ellos.

—Bien —digo—. Además, estaréis de vuelta antes de que acabe la semana, ¿no es así?

—Si Dios lo quiere —contesta él.

He aquí el hombre que antes me juraba que había nacido para morir en su cama, teniéndome a mí a su lado. Nunca había dicho «Si Dios lo quiere». Antes era siempre la voluntad de él, no la de Dios.

Se detiene un momento en el umbral de la puerta.

—Si muero, huid con los niños a Flandes —me advierte—. En Tournai hay una casa pobre en la que vive un hombre que me debe un favor. Es un primo bastardo, o algo así, de la familia de vuestra madre. Está dispuesto a acogeros de buen grado por ser pariente suya. Tiene una historia que contaros. Yo fui a verlo y acordamos el modo de obrar llegado el momento de necesidad. Ya le he pagado y os he dejado su nombre escrito. Lo tenéis sobre la mesa de vuestra habitación. Leedlo y después quemadlo. Podréis alojaros en su casa y, cuando la caza haya finalizado, podréis compraros una propia. Pero permaneced escondida uno o dos años. Cuando mi hijo se haya hecho mayor podrá reclamar lo que le pertenece, quizá.

—No habléis de eso —replico yo con pasión—. Jamás habéis perdido una batalla y jamás la perderéis. Estaréis de vuelta antes de que acabe la semana, estoy segura.

—Es cierto —dice él—. Jamás he perdido una batalla. —Consigue esbozar una tenue sonrisa—. Pero es que nunca he luchado contra Warwick en persona. Y no voy a poder reunir suficientes hombres a tiempo. Sin embargo, estoy en manos de Dios y, con Su voluntad, ganaremos nosotros.

Y dicho esto, se va.

Hoy es Sábado Santo, a la hora del crepúsculo, y las campanas de las iglesias de Londres comienzan a doblar lentamente, una detrás de otra. La ciudad está silenciosa, aún sombría tras las oraciones del Viernes Santo, inquieta; es una capital que tuvo dos reyes y que ahora no tiene ninguno, porque Eduardo se ha marchado a la guerra y se ha llevado consigo a Enrique. Si mueren los dos, ¿qué será de Inglaterra? ¿Qué será de Londres? ¿Qué será de mí y de mis hijos, que ahora duermen?

Mi madre y yo hemos pasado el día cosiendo, jugando con los niños y ordenando nuestras cuatro habitaciones. Hemos rezado las plegarias propias del Sábado Santo, hemos cocido huevos y los hemos pintado para utilizarlos como obsequios para el Domingo de Pascua. Hemos oído misa y hemos recibido la sagrada comunión. Si alguien informa a Warwick sobre nosotros, tendrá que decirle que estábamos calmados, dirá que dábamos la impresión de sentirnos llenos de confianza. Pero ahora, a medida que la tarde va tornándose gris, nos apiñamos junto a la pequeña ventana que da al río que transcurre tan cercano a nosotros. Mi madre abre los postigos para escuchar el suave chapoteo, como si el agua pudiera susurrarnos alguna noticia del ejército de Eduardo o decirnos si el hijo de York podrá erguirse de nuevo esta primavera como una azucena de cuaresma, tal como lo hizo anteriormente.

Warwick ha salido de la plaza fuerte de Coventry para emprender una cansina marcha hacia Londres, seguro de poder derrotar a Eduardo. Los lores de Lancaster han acudido en masa junto a su enseña; la mitad de Inglaterra está con él y la otra mitad está esperando a que Margarita de Anjou desembarque en la costa meridional. El viento encantado que la tenía retenida en puerto ya ha amainado: estamos desprotegidos.

Eduardo recluta hombres en la ciudad de Londres y en las afueras de la misma. Seguidamente se encamina hacia el norte para acudir al encuentro de Warwick. Sus hermanos Jorge y Ricardo lo acompañan cabalgando junto a la fila de soldados de a pie para recordarles que York nunca ha perdido una batalla cuando su rey está al frente. Todos aman a Ricardo. Los hombres confían en él, aunque sólo tiene dieciocho años. Jorge lleva detrás a lord Shrewsbury y al ejército de éste, y hay otros que están dispuestos a seguirlo a la batalla y no se preocupan del bando en que se encuentren siempre y cuando sigan a su señor. Todos juntos forman una armada que la componen unos nueve mil hombres, no más. William Hastings cabalga al lado derecho de Eduardo, fiel como un perro. Mi hermano Anthony se encarga de cubrir la retaguardia, vigilando el camino que va quedando atrás, escéptico como siempre.

Está oscureciendo y el ejército ya está empezando a pensar en instalar un campamento para pasar la noche, cuando de pronto llegan a caballo Richard y Thomas Grey, a quienes Eduardo había enviado a modo de avanzadilla al camino principal del norte para otear el terreno.

—¡Ya está aquí! —exclama Thomas—. ¡Excelencia! Warwick ya está aquí, con todas sus fuerzas desplegadas a las afueras de Barnet en formación de batalla. Están esparcidas por el repecho de un promontorio que se extiende de este a oeste, atravesando el camino. No podremos pasar. Debe de saber que venimos, nos está esperando. Nos tiene el paso cerrado.

—Baja la voz, muchacho —dice Hastings con acritud—. No hay necesidad de que lo sepa el ejército entero. ¿Cuántos son?

—No he podido verlo. No lo sé. Está demasiado oscuro. Son más que nosotros.

Eduardo y Hastings cruzan una mirada seria.

—¿Muchos más? —pregunta Hastings.

Richard acude en ayuda de su hermano:

—Por la impresión que daban, nos doblan en número, señor. Puede que nos tripliquen.

Hastings se inclina hacia él estirándose sobre su silla de montar.

—Eso también debes guardártelo para tus adentros. —Hace una seña con la cabeza para despedir al chico y se vuelve hacia Eduardo—. ¿Queréis que retrocedamos y esperemos a mañana? ¿O incluso que regresemos a Londres? ¿Tomamos la Torre? ¿La ponemos bajo asedio? ¿Esperamos a recibir refuerzos de Borgoña?

Eduardo niega con la cabeza.

—Seguiremos adelante.

—Si los muchachos están en lo cierto y Warwick se encuentra en un terreno elevado esperándonos con el doble de efectivos...

Hastings no tiene necesidad de terminar la frase para predecir lo que va a suceder. La única esperanza que le queda a Eduardo frente a un ejército tan superior es el elemento sorpresa. El estilo de batalla del rey es la marcha rápida y el ataque por sorpresa, pero Warwick lo conoce de sobra; fue él quien le enseñó a ser general y, por lo tanto, está preparado a fondo para batirse con él. Es un enfrentamiento entre maestro y alumno, y el primero conoce todos los trucos.

—Seguiremos adelante —insiste Eduardo.

—Dentro de media hora ya no veremos por dónde vamos —apunta Hastings.

—Exacto —replica el de York—, y ellos tampoco. Que los hombres avancen en silencio. Da la orden: quiero un silencio absoluto. Que avancen en formación, listos para luchar, dando la cara al enemigo. Los quiero en posición para cuando empiece a amanecer. Atacaremos con las primeras luces. No quiero ni fogatas ni antorchas. Silencio. Diles que la orden proviene de mí. Pasaré ronda y les hablaré en susurros. No quiero oír una sola palabra.

Jorge y Ricardo, igual que Hastings y Anthony, hacen un gesto de asentimiento y comienzan a recorrer la fila de soldados a caballo para ordenarles que avancen en silencio total y que, cuando se dé la orden, acampen al pie del promontorio, de cara al ejército de Warwick. Ya cuando inician la marcha por el camino sin hacer un solo ruido, el cielo se ha oscurecido un poco más y el perfil del promontorio y las siluetas de los estandartes van desapareciendo en la negrura. Todavía no ha salido la luna, el mundo está sumido en la oscuridad.

—No pasa nada —dice Eduardo mitad para sí mismo, mitad para Anthony—. Nosotros alcanzamos a distinguirlos a duras penas, y eso que tienen como fondo el cielo; ellos no nos verán en absoluto cuando miren colina abajo, hacia el valle. Lo único que percibirán será oscuridad. Si tenemos suerte y por la mañana hay niebla, ni siquiera sabrán que estamos aquí. Estaremos en el valle, ocultos por las nubes. Y ellos estarán en un sitio donde nosotros podremos verlos, igual que palomas posadas en el techo de un granero.

—¿Creéis que van a esperar hasta que se haga de día? —le pregunta Anthony—. ¿Para que los cacen igual que palomas posadas en el techo de un granero?

Su cuñado hace un gesto negativo.

—Yo no esperaría. Y Warwick tampoco.

De pronto, como para ratificar lo que acaba de decir, se oye un tremendo rugido, muy próximo, y las llamas del cañón de Warwick surcan la oscuridad iluminando, en una lengua de fuego amarillo, la forma oscura del masivo ejército que los aguarda sobre el promontorio.

—Cielo santo, son por lo menos veinte mil —jura Eduardo—. Di a los hombres que no hagan ruido, pasa la voz. Diles que no devuelvan el fuego. Quiero que permanezcan silenciosos como los ratones. Como si fueran ratones dormidos.

De repente se oye una risa amortiguada, la de algún bromista que lanza en voz baja un chillido de ratón. Anthony y Eduardo oyen cómo la orden va recorriendo la fila de soldados.

Los cañones vuelven a rugir y reaparece Ricardo con su caballo negro, casi invisible en la oscuridad.

—¿Eres tú, hermano? No veo nada. Ese disparo ha pasado justo por encima de nosotros, gracias a Dios. Warwick no tiene ni idea de dónde estamos. Ha calculado mal la distancia, cree que nos encontramos media milla más atrás.

—Di a los hombres que guarden silencio y Warwick seguirá sin saberlo hasta que sea de día —replica Eduardo—. Ricardo, diles que no se dejen ver: nada de luces ni hogueras, silencio absoluto. —Su hermano asiente y vuelve a internarse en la oscuridad. A continuación Eduardo llama a Anthony haciéndole una seña con el dedo—. Toma a Richard y Thomas Grey y alejaos como una milla; prended dos o tres fogatas pequeñas, espaciadas entre sí, como si estuviéramos instalando un campamento en el sitio en que están cayendo los proyectiles. Y después separaos de ellas. Que tengan algo a lo que apuntar. Puede que las hogueras se apaguen en seguida, pero no se os ocurra volver a avivarlas, no vaya a ser que resultéis heridos. Se trata simplemente de que crean que estamos lejos.

Anthony asiente y se va.

Eduardo se apea de *Furia*, su caballo, y el paje se adelanta y se hace cargo de la rienda.

—Ocúpate de darle de comer. Quítale la silla de montar y el bocado, pero déjale puesta la brida —ordena Eduardo—. Conserva la silla a mano, no sé cuánto va a durar esta noche. Después puedes descansar un poco, muchacho, pero no mucho tiempo. Voy a necesitar el caballo alrededor de una hora antes del alba, puede que antes.

—Sí, sire —contesta el paje—. Están repartiendo agua y forraje a las monturas.

—Pues diles que lo hagan en silencio —repite el rey—. Infórmales de que lo he mandado yo.

El muchacho asiente y se lleva el caballo un poco aparte de donde se encuentran los lores.

—Establece una guardia —le dice Eduardo a Hastings. Los cañones vuelven a rugir y el ruido los hace dar un respingo. Se oye el silbido de las balas al pasar por encima de ellos y a continuación el golpe sordo que producen cuando caen, demasiado desviadas hacia el sur, muy por detrás de las líneas del ejército oculto. Eduardo deja escapar una breve risa—. Nosotros no vamos a dormir mucho, pero ellos no van a dormir nada —comenta—. Despiértame pasada la medianoche, a eso de las dos.

Acto seguido, se quita la capa de los hombros y la extiende en el suelo. Luego se retira el sombrero de la cabeza y se lo pone encima de la cara. En cuestión de momentos, a pesar del intermitente bramido de los cañones y del ruido sordo de las balas, se queda dormido. Hastings se quita su propia capa y, con la ternura de una madre, la extiende sobre el rey dormido. Luego se gira hacia Jorge, Ricardo y Anthony.

—¿Guardias de dos horas cada uno? —sugiere—. Yo voy a hacer la primera; después os despertaré a vos, Ricardo, para que acompañéis a Jorge a revisar las tropas y a enviar ojeadores; y después a vos, Anthony.

Los tres afirman con la cabeza.

Anthony se envuelve en su capa y se tumba cerca del rey.

—¿Jorge y Ricardo juntos? —le pregunta a Hastings en voz baja.

—Jorge me inspira menos confianza que un nublado —responde Hastings sin levantar la voz—. En cambio a Ricardo le confiaría mi vida. Mantendrá a su hermano en nuestro bando hasta que se entable la batalla. Y hasta que se gane, Dios lo quiera.

—Pocas posibilidades hay de eso —dice Anthony con gesto pensativo.

—Jamás las he visto peores —coincide Hastings en tono jovial—. Pero tenemos el derecho de nuestra parte, Eduardo es un comandante afortunado y los tres hijos de York vuelven a estar otra vez juntos. Es posible que salgamos vivos de ésta, Dios mediante.

—Amén. —Anthony se santigua y se echa a dormir.

—Además —dice Hastings en voz muy queda, para sí mismo—, no hay ninguna otra cosa que podamos hacer.

No consigo conciliar el sueño en Westminster y mi madre guarda vigilia conmigo. Unas horas antes de que amanezca, cuando el cielo está más oscuro que nunca y la luna está poniéndose, mi madre abre los postigos de la ventana para que las dos contemplemos juntas cómo pasa el río. Expelo suavemente el aire de los pulmones al negro de la noche y, en el frío nocturno, mi aliento forma una nubecilla, como una neblina. Mi madre deja escapar un suspiro y entonces su aliento se junta con el mío y escapa formando volutas. Exhalo aire una y otra vez, hasta que la neblina comienza a arremolinarse sobre la superficie del río, gris en contraste con las negras aguas, una sombra que destaca contra la oscuridad. Mi madre suspira y la nube recién creada se desplaza río abajo impidiendo que se vea la otra orilla, reteniendo en su interior la oscuridad de la noche y eclipsando el resplandor de las estrellas. La bruma se hace más densa y se transforma en una niebla que empieza a extender su frialdad a lo largo del río y de las calles de Londres, alejándose cada vez más, saliendo hacia el norte y hacia el oeste, ascendiendo por los valles de los ríos, sujetando la oscuridad pegada al suelo de tal manera que, incluso cuando comienza a clarear poco a poco, toda la tierra continúa cubierta por un sudario. Cuando los hombres de Warwick, acampados en el promontorio que se eleva a las afueras de Barnet, se despiertan en la hora gélida que precede al amanecer buscando con la vista a su enemigo, no ven nada allá abajo salvo un extraño mar interior de nubes que cuelga pesadamente a lo largo de todo el valle; no ven ni rastro del ejército que aguarda a sus pies, silencioso y envuelto en esa niebla densa y opaca.

—Llévate a *Furia* —ordena Eduardo al paje en voz queda—. Voy a luchar a pie. Tráeme mi hacha y mi espada.

Los otros lores, Anthony, Jorge, Ricardo y William Hastings, ya están armados para enfrentarse al pavoroso enemigo que los aguarda ese día, con los caballos desenganchados, ensillados y embridados. Están preparados —aunque nadie lo dice— para salir huyendo en caso de que algo saliera mal o para lanzarse a la carga si las cosas van bien.

—¿Ya estamos listos? —pregunta Eduardo a Hastings.

—Más que nunca —responde William.

Eduardo levanta la vista hacia el promontorio y de pronto dice:

—Cristo nos valga. Nos hemos equivocado.

—¿Qué?

La niebla se disipa dejando un pequeño hueco a través del cual el rey ve que no se encuentran colocados frente a las tropas de Warwick, los dos contingentes cara a cara, sino demasiado desviados hacia la izquierda. Toda el ala derecha de Warwick no tiene frente a sí nada que la detenga. Es como si el ejército de Eduardo se quedara corto por un tercio, se extiende ligeramente hacia la izquierda. Los hombres de ese flanco no tienen ningún enemigo delante; cuando arremetan no hallarán resistencia alguna y romperán el orden de la línea. En cambio el rey se ha quedado corto en el lado derecho.

—Ya es demasiado tarde para reagruparse —decide—. Dios nos ayude, empezando con un error así. Que suenen las trompetas, ha llegado nuestro momento.

Se alzan los estandartes, pero las enseñas quedan lacias, colgando en el aire húmedo, y sobresalen de la niebla semejando a un súbito bosque desprovisto de follaje. Braman las trompetas, sordas y amortiguadas en medio de la oscuridad. Todavía no ha amanecido y la bruma lo vuelve todo extraño y confuso.

—Cargad —ordena Eduardo aunque su ejército apenas logra distinguir al enemigo. Sigue un instante de silencio en el que percibe que los soldados están igual que él, aplastados por ese aire denso, helados hasta los huesos a causa de la niebla, invadidos por el pánico—. ¡Cargad! —chilla y, acto seguido, emprende la subida por el repecho al tiempo que sus hombres, con un rugido, se lanzan también contra el ejército de Warwick. La armada del conde, que acaba de despertarse y aún tiene los ojos soñolientos, los oye acercarse y acierta a vislumbrarlos aquí y allá, pero no tiene certeza de nada, hasta que, como si hubieran brotado de una pared, los soldados de las huestes de York, con su rey de figura alta e imponente blandiendo un hacha de guerra a la cabeza, caen sobre su enemigo como una horda de gigantes salidos de las tinieblas.

El soberano, situado en el centro del campo de batalla, va avanzando implacable y los de Lancaster van cayendo ante él. Pero en el flanco, en ese fatal flanco vacío, los de Lancaster avanzan a su vez y arremeten contra el ejército de York, al que superan ampliamente en número: varios centenares embisten contra los pocos hombres que hay en el lado derecho. Rodeadas por la oscuridad y por la niebla, las tropas de York comienzan a caer a medida que la ala izquierda del ejército de Warwick baja a la carga por la ladera y, a base de acuchillar, golpear, asestar patadas y cortar cabezas, va abriéndose camino poco a poco en dirección al núcleo de los de York. Un hombre da media vuelta y echa a correr, pero apenas ha alcanzado a dar un par de pasos cuando de repente una enorme maza le parte la cabeza en dos. No obstante, ese primer movimiento de huida da lugar a otro. Otro soldado de York, viendo que cada vez descienden más enemigos por la ladera y que no tiene ningún compañero a su lado, se vuelve y corre a refugiarse al amparo de la niebla y de la oscuridad. Después otro hace lo mismo, y luego otro más. Uno de ellos cae derribado por una espada que se le clava en la espalda y su camarada se vuelve a mirar, con la cara súbitamente pálida en medio de la oscuridad, arroja el arma al suelo y echa a correr. A lo largo de toda la línea los hombres vacilan, observan con ansiedad la tentadora seguridad que les ofrece la oscura niebla, miran al frente y oyen rugir al enemigo, que ya percibe la victoria, que apenas se distingue las manos delante de la cara pero sin embargo huele la sangre y el miedo. El ala izquierda de los de Lancaster, al no encontrar oposición, se lanza colina abajo, y el flanco derecho de los de York no se atreve a hacerle frente. Los soldados de Eduardo sueltan las armas y salen huyendo como ciervos, se dispersan igual que un rebaño, invadidos por el pánico.

Los hombres del conde de Oxford, que luchan en el lado de Lancaster, se lanzan en pos de ellos de inmediato, ladrando como perros de caza, siguiendo el olor ya que aún siguen ciegos en la niebla. El conde los enardece sin descanso hasta que el campo de batalla queda a su espalda y el fragor de la lucha se debilita, amortiguado por la niebla. Por fin los de York desaparecen y el conde se da cuenta de que sus hombres corren por su cuenta y riesgo, en dirección a Barnet y a las tabernas. Ya han aminorado el paso y están limpiando las espadas y alardeando de la victoria. Se ve obligado a adelantarlos al galope a fin de cerrarles el paso con su caballo. Se ve obligado a recurrir al látigo, a decir a sus capitanes que los reconvengan y los llamen al orden. Se ve obligado a apearse de su montura y a atravesar a uno de sus propios hombres con una estocada en el corazón y a insultar a los demás para que atiendan a razones y se queden quietos.

—¡Aún no ha finalizado la batalla, majaderos! —vocifera—. ¡York continúa vivo, y también su hermano Ricardo, y también su otro hermano, el renegado de Jorge! Todos hemos jurado que esta batalla terminaría cuando estuvieran muertos. ¡Vamos! ¡Vamos! Habéis probado el sabor de la sangre, los habéis visto huir. Venid a terminar lo que habéis empezado, venid a acabar con ellos. ¡Pensad en el botín! Están casi vencidos, no tienen salvación. Hagamos huir al resto, que corran dando saltos. ¡Vamos, muchachos, vamos a verlos huir como conejos!

Una vez llamados al orden y persuadidos para que vuelvan a las filas, los soldados dan media vuelta y el conde, llevando ante sí con orgullo el emblema del sol radiante, los apremia para que se lancen a medio trote y dejen atrás Barnet con el fin de regresar a la refriega. Está cegado por la niebla y ansioso de reunirse con Warwick, que ha prometido riquezas a todo hombre que hoy luche a su lado. Pero lo que De Vere de Oxford no sabe mientras conduce a los novecientos hombres que conforman sus tropas es que las líneas de la batalla han cambiado totalmente. La ruptura del ala derecha de York y la presión ejercida por la izquierda han desplazado el terreno de la contienda y lo han apartado del promontorio. Ahora la línea de batalla discurre de arriba abajo, a lo largo del camino de Londres.

Eduardo sigue ocupando el centro, pero advierte que está perdiendo terreno y que está saliéndose poco a poco del camino, conforme los hombres de Warwick van ejerciendo más y más presión. Empieza a experimentar el sentimiento de la derrota, una sensación que le resulta nueva, porque sabe a miedo. Rodeado por la oscuridad y por la niebla, no ve nada que no sean los enemigos que surgen ante él, uno tras otro. Guiándose por el instinto de un ciego, reacciona al ataque de todo el que se le echa encima defendiéndose con una espada, una hacha o, en ocasiones, una hoz.

Se acuerda de su esposa y de su hijo pequeño, que lo están esperando y dependen de que él obtenga la victoria. No tiene tiempo para pensar en lo que les sucederá si fracasa. Siente a su alrededor la presencia de sus propios soldados, que van cediendo, como si se vieran empujados y obligados a retroceder por el peso de los hombres de Warwick, que son muchos más. Él mismo se nota cada vez más exhausto a causa del avance imparable de sus enemigos, de la constante exigencia de tener que golpear, acuchillar, ensartar, matar... o de lo contrario lo asesinarán a él. Ensimismado en el ritmo de su resistencia, de repente tiene una vislumbre −casi una visión, de tan lúcida que es− de su hermano Ricardo asestando mandobles, ensartando enemigos en su espada, luchando incansable, pero sintiendo también el brazo cada vez más cansado, errando algunos golpes. Se imagina mentalmente a Ricardo solo en un campo de batalla, sin él, girándose para recibir una embestida de frente sin contar con ningún amigo a su lado, y esa fantasía lo pone furioso y lo hace gritar:

−¡York! ¡Dios y York!

De Vere de Oxford, que trae a sus tropas a la carrera, da la orden de cargar cuando divisa ante sí la línea de la batalla. Tiene la esperanza de situar a sus hombres en la retaguardia de las filas de York; sabe que causarán estragos si surgen de la niebla y se lanzan contra ellos con la misma eficacia que un contingente de tropas de refuerzo e igual de terroríficos que una emboscada. Se abalanzan en la oscuridad, con las espadas desenvainadas y ya manchadas de sangre, contra la retaguardia... sólo que no es la de York, sino la de su propio ejército, la línea de Lancaster, que en medio de la refriega se ha dado la vuelta y ya no está en la colina.

–¡Traidor! ¡Traición! –chilla un hombre al sentirse acuchillado por la espalda, tras mirar en derredor y ver a De Vere. Un oficial de las filas de Lancaster vuelve la cabeza y ve lo que más puede temer un hombre en un campo de batalla: soldados de refresco atacando por la retaguardia. Por culpa de la niebla no logra distinguir con claridad la enseña, pero sí alcanza a ver, de eso no tiene la menor duda, el sol en esplendor, el emblema de York, ondeando orgulloso por encima de los soldados recién llegados del camino de Barnet, de los que vienen con las espadas desenvainadas, blandiendo hachas y gritando a pleno pulmón al tiempo que se lanzan poderosamente a la carga. Ha confundido el estandarte del sol radiante de Oxford con el emblema de York. Sus hombres y él tienen ante sí a los soldados de York, que avanzan con determinación y pelean como hombres que no tienen nada que perder, pero por detrás van surgiendo otros de la niebla, cada vez en mayor número, igual que si fueran un ejército de espectros. Y eso es más de lo que cualquier hombre puede soportar.

–¡Volved! ¡Volved! –grita alguien presa del pánico.

Y otra voz exclama:

–¡Reagrupaos! ¡Reagrupaos! ¡Retroceded!

Las órdenes son atinadas, pero las voces que las profieren están teñidas de pánico y, cuando los hombres dan media vuelta para huir de los enemigos de York, se topan con otro ejército que tienen a la espalda. Son incapaces de reconocer a sus aliados. Se consideran rodeados y superados en número, víctimas de una muerte segura, y pierden todo su arrojo al instante.

–¡De Vere! –grita el conde de Oxford al ver que sus hombres están atacando su propio flanco–. ¡De Vere! ¡Por Lancaster! ¡Resistid! ¡Resistid! ¡En el nombre de Dios, resistid!

Pero es demasiado tarde. Los que reconocen la enseña de Oxford que representa un sol radiante y ven a De Vere dando palos de ciego en medio de la confusión y gritando a sus hombres para llamarlos al orden creen que ha cambiado de bando a mitad de la batalla –como suelen hacer los hombres–, y los que están lo bastante cerca, sus amigos de siempre, se vuelven contra él como perros furiosos, con la intención de matarlo porque es una alimaña peor que el enemigo: un traidor en el campo de batalla. Pero en medio de la niebla y del caos, la mayor parte de las fuerzas de Lancaster tan sólo saben que tienen ante sí a un enemigo desconocido que avanza con soldados salidos de la niebla, y que ahora ha aparecido por detrás un batallón nuevo, y que en las tinieblas que llenan el camino podría ocultarse otro más a cada flanco. ¿Quién sabe cuántos soldados surgirán del río? ¿Quién sabe qué horrores podría conjurar ese tal Eduardo, casado con una bruja, para que surjan de los ríos, los arroyos y las fuentes?

Oyen el fragor de la lucha y los alaridos de los que caen heridos, pero no ven a sus lores, no son capaces de reconocer a sus comandantes. El campo de batalla se está desplazando; en medio de esa inquietante media luz, ni siquiera tienen la seguridad de distinguir a sus propios camaradas. Cientos de ellos arrojan las armas y echan a correr. Todo el mundo sabe que ésta es una guerra en la que no se toman prisioneros. Al que pierda lo aguarda la muerte.

En el centro mismo de la contienda, Eduardo, sin dejar de lanzar estocadas y mandobles, con William Hastings a su izquierda, armado con la espada en una mano y el puñal en la otra, exclama:

—¡Victoria para York! ¡Victoria para York!

Sus soldados se convencen de la veracidad de ese poderoso grito, al igual que el ejército de Lancaster —atacado de frente sin poder ver nada, por la retaguardia en medio de la niebla y ahora carente de un jefe que los mande, ya que Warwick le grita a su paje que acuda en su socorro, se sube a lomos de su caballo y huye a todo galope.

Es la señal para que la batalla se disperse en un millar de aventuras.

—¡Mi caballo! —vocifera Eduardo dirigiéndose a su paje—. ¡Tráeme a *Furia*!

William forma un estribo con las manos y ayuda al rey a izarse hasta la silla de montar. Después agarra la brida de su propio caballo, lo monta a toda prisa y se apresura a seguir a su amo y señor, su más querido amigo. Ambos se lanzan a galope tendido en pos de Warwick, maldiciéndolo por haber logrado escapar.

Mi madre se incorpora con un suspiro y las dos juntas cerramos la ventana. A resultas de haber pasado la noche en vela, ambas estamos pálidas.

—Se acabó —dice ella con certidumbre—. Tu enemigo ha muerto. Tu enemigo primero y más peligroso. Warwick ya no hará más reyes. Tendrá que enfrentarse al Rey de los Cielos y explicarle lo que le ha estado haciendo a este pobre reino de aquí abajo.

—¿Entonces he de pensar que mis dos hijos están sanos y salvos?

—Estoy segura de ello.

Tengo las manos transformadas en garras, como las de un gato.

—¿Y Jorge, duque de Clarence? —inquiero—. ¿Qué pensamientos tenéis de él? ¡Decidme que yace muerto en el campo de batalla!

Mi madre sonríe.

—Está en el bando vencedor, como de costumbre —responde—. La batalla la ha ganado tu Eduardo, y el leal Jorge está a su lado. Es posible que descubras que tienes que perdonarle a Jorge las muertes de tu padre y de tu hermano. Es posible que yo tenga que dejar mi venganza en las manos de Dios. Jorge podría sobrevivir. Al fin y al cabo, es el hermano del propio rey. ¿Podrías matar a un príncipe de la realeza? ¿Serías capaz de asesinar a un príncipe de la casa de York?

Abro mi joyero y extraigo el relicario negro. Aprieto el pequeño cierre y lo abro. En el fragmento de papel que arranqué de la última carta de mi padre hay dos nombres escritos: Jorge, duque de Clarence y Richard Neville, duque de Warwick. Fue el mensaje que él le escribió a mi madre, esperanzado, hablando de su rescate, sin imaginar ni por un momento que aquellos dos hombres, a los que conocía de toda la vida, iban a ser capaces de matarlo por un motivo tan nimio como el despecho. Rasgo el papel por la mitad y arrugo en la mano la parte que dice Richard Neville, conde de Warwick. Ni siquiera me tomo la molestia de arrojarla al fuego; la dejo caer al suelo y la piso para hundirla entre la paja. Puede convertirse en polvo. Pero el nombre de Jorge lo guardo de nuevo en el estuche y en el joyero.

—Jorge no sobrevivirá —digo en tono tajante—. Yo misma he de ahogarlo con una almohada cuando duerma en una cama bajo mi techo, cuando lo tenga de huésped en mi propia casa, bajo mi protección, en calidad de amado hermano de mi esposo. Jorge no sobrevivirá. Un hijo de la casa de York no es intocable. He de verlo muerto. Aun cuando esté durmiendo plácidamente en su cama, en la mismísima Torre de Londres, así y todo he de verlo muerto.

Dos días tengo para estar con Eduardo cuando regresa de la batalla, dos días para los que nos trasladamos a los aposentos reales de la Torre, que se han limpiado a toda prisa tras apartar a un lado las cosas del pobre Enrique. A Enrique, el desdichado rey loco, lo devuelven a su antigua celda, la que tiene barrotes en la ventana, y se arrodilla para rezar. Eduardo come como si llevara semanas hambriento, toma un largo baño en el que se recrea como si fuera Melusina, me toma a mí sin elegancia, sin ternura, me toma como un soldado toma a una ramera, y después se duerme. Despierta tan sólo para anunciar a los ciudadanos de Londres que lo que cuentan de que Warwick ha sobrevivido es falso, que él mismo vio su cadáver, que murió cuando intentaba escapar de la batalla, huyendo como un cobarde. Eduardo ordena que su cuerpo se exponga al público en la catedral de san Pablo para que no quede duda de que ha muerto.

—Pero no tengo intención de deshonrarlo —advierte.

—Ellos colgaron la cabeza de nuestro padre de una pica en las puertas de York —le recuerda Jorge—. Y con una corona de papel. Deberíamos colgar la cabeza de Warwick de una pica en el Puente de Londres y descuartizar su cadáver y enviar los miembros por todo el reino.

—Muy agradable, el plan que proponéis para vuestro suegro —comento yo—. ¿No turbará un poco a vuestra esposa que desmembréis a su padre? Además, yo creía que habíais jurado amarlo y seguirlo.

—Warwick puede ser enterrado con honor por sus familiares en la abadía de Bisham —sentencia Eduardo—. No somos salvajes. No le hacemos la guerra a un cadáver.

Dos días y dos noches tenemos para pasarlos juntos, pero Eduardo está atento a la llegada de cualquier mensajero y mantiene las tropas armadas y dispuestas; hasta que el heraldo llega por fin: Margarita de Anjou ha desembarcado en Weymouth con demasiado retraso para acudir en apoyo de su aliado, pero lista para luchar en solitario por su causa. En seguida recibimos la noticia de que Inglaterra se ha alzado en armas. Lores y terratenientes que no pusieron a sus hombres a disposición de Warwick se sienten en la obligación de prestar apoyo a la reina ahora que ésta viene armada para un enfrentamiento y que su esposo, Enrique, es nuestro prisionero, está en manos de su enemigo. Las gentes empiezan a decir que esta batalla es la última, la única que habrá de contar, una postrera lid que lo decidirá todo. Warwick está muerto; no existen intermediarios. Es la reina de Lancaster contra el rey Eduardo, la casa real de Lancaster contra la casa real de York, y todo varón de toda aldea del reino se ve en la tesitura de escoger; y muchos la escogen a ella.

Eduardo ordena a los lores de todos los condados que lo apoyan que acudan a él armados con el número apropiado de hombres; también exige que cada ciudad le envíe tropas y dinero para pagarlas, sin excepción alguna.

—Tengo que volver a marcharme —me dice al alba—. Cuidad bien de mi hijo, pase lo que pase.

—Cuidaos vos también —replico yo—. Pase lo que pase.

Él afirma con la cabeza, me toma la mano y se la lleva a la boca para depositar un beso en la palma y después cerrarme los dedos para que lo retenga.

—Ya sabéis que os amo —dice—. Sabéis que os amo hoy con la misma intensidad que cuando os vi debajo de aquel roble.

Hago un gesto de asentimiento. No puedo decir nada. Eduardo habla como un hombre que se está despidiendo.

—Bueno —dice jovialmente—, recordad que si algo sale mal debéis llevar a los niños a Flandes. ¿Os acordáis del nombre del barquero de Tournai al que debéis acudir a solicitar refugio?

—Me acuerdo —susurro—, pero todo va a salir bien.

—Dios lo quiera —responde él. Y con esas últimas palabras gira sobre sus talones y se va para enfrentarse a otra batalla más.

Los dos ejércitos compiten en velocidad el uno contra el otro. El de Margarita se dirige a Gales a fin de obtener refuerzos; el de Eduardo lo persigue intentando cerrarle el paso. Las tropas de Margarita, comandadas por el conde de Somerset, a quien acompaña el hijo de la reina, el cruel joven príncipe —que cabalga al frente de las suyas propias—, atraviesa la campiña con rumbo oeste, hacia el país de Gales, cuyos habitantes acudirán a su lado gracias a los oficios de Jasper Tudor y donde se les sumarán los soldados de Cornualles. Una vez que se internen en las montañas de Gales, serán invencibles. Jasper Tudor y su sobrino Enrique Tudor podrán procurarles un refugio seguro y ejércitos dispuestos. Nadie será capaz de sacarlos de las fortalezas de ese país y podrán acumular refuerzos a placer y marchar hacia Londres muy fortalecidos.

Con Margarita viaja la pequeña Ana Neville, la hija menor de Warwick, flamante esposa del príncipe, que todavía está conmocionada por la noticia de la muerte de su padre, la traición de su cuñado Jorge, duque de Clarence, y el abandono de su madre, que, destrozada por la pérdida de su esposo, se ha retirado a un convento. Deben de formar un trío de personas desesperadas, después de haber arriesgado mucho para alcanzar la victoria y habiendo perdido ya tanto.

Eduardo, que ha partido de Londres a toda prisa y va reuniendo tropas por el camino, está ansioso por alcanzarlos antes de que atraviesen el ancho río Severn y desaparezcan en las montañas de Gales. Casi con toda certeza, no podrá cumplir su objetivo. Es una distancia demasiado grande y el ritmo de avance es demasiado rápido, y sus tropas, agotadas tras la batalla de Barnet, de ningún modo lograrán llegar a tiempo.

Pero Margarita encuentra el paso bloqueado en el primer punto por el que puede cruzar, el de Gloucester. Eduardo ha dado la orden de que no se le permita pasar a Gales y el fuerte de Gloucester está de su parte e impide el vado del torrente. El Severn, uno de los ríos más profundos y más caudalosos de Inglaterra, está muy crecido y su corriente baja muy rápida. Sonrío al pensar que las aguas de Inglaterra se han vuelto en contra de la reina francesa.

Así pues, el ejército de Margarita se ve obligado a desviarse hacia el norte, río arriba, y buscar otro sitio por el que poder cruzar. Las tropas de Eduardo ya se encuentran a una distancia de tan sólo veinte millas por detrás de ella, y avanzan al trote como perros de caza, espoleadas por Eduardo y su hermano Ricardo. Esa noche, los de Lancaster instalan el campamento en un viejo castillo en ruinas que hay justo a las afueras de Tewkesbury y se resguardan de la intemperie al abrigo de los muros semiderruidos, con la certidumbre de poder cruzar el río al día siguiente. Esperan, con cierta seguridad en sí mismos, al exhausto ejército de York, que acaba de salir de una batalla y ya se apresta a librar esta otra, y que actualmente avanza derrengado, a un ritmo de treinta y seis millas cada jornada, atravesando el país. Es posible que Eduardo dé alcance a su enemigo, pero también es posible que sus soldados se hayan quedado sin fuerzas librando la lid anterior. Llegará, pero con hombres totalmente desfallecidos, incapaces de hacer nada.

3 de mayo de 1471

La reina Margarita y su desventurada nuera, Ana Neville, requisan una casa cercana que lleva por nombre Payne's Place y se disponen a aguardar la batalla que, según esperan, las convertirá en reina y princesa de Gales respectivamente. Ana Neville pasa la noche entera arrodillada rezando por el alma de su padre, cuyo cadáver se halla expuesto, a la vista de todos los ciudadanos que deseen verlo, en la escalinata que lleva al altar de la catedral de san Pablo de Londres. Ora por la aflicción de su madre, la cual, nada más desembarcar en Inglaterra y antes de que se le hubieran secado los pies, se enteró de que su esposo había sido derrotado y muerto mientras huía de una batalla y de que ella se había convertido en viuda. La condesa viuda, Anne de Warwick, se negó a dar un paso más con el ejército de Lancaster, se encerró en la abadía de Beaulieu y abandonó a sus dos hijas, la una casada con el príncipe de Lancaster y la otra con el duque de York, a la suerte que corrieran sus respectivos maridos, enfrentados entre sí. La pequeña Ana reza por el destino de su hermana Isabel, ligada de por vida al renegado Jorge y ahora condesa de York una vez más, cuyo esposo luchará en el otro bando en la batalla que ha de librarse mañana. Reza pidiendo lo de siempre, que Dios envíe la luz de Su razón a su joven esposo, el príncipe Eduardo de Lancaster, que cada día es más perverso y más cruel; y también ruega por sí misma, pidiendo sobrevivir a este enfrentamiento y poder regresar a su hogar. Aunque ya no sabe qué hogar puede ser ése.

Al mando del ejército de Eduardo caminan los hombres a los que él ama, los hermanos a cuyo lado gustosamente aceptaría morir si es la voluntad de Dios que fallezcan ese día. Con él cabalgan sus temores: ahora ya sabe lo que es la derrota y no se le va a olvidar nunca. Pero también sabe que no hay modo de evitar esta batalla, que debe acudir a ella imprimiendo el ritmo de avance más forzado que se haya visto en Inglaterra. Puede que tenga miedo, pero si quiere ser el rey tendrá que luchar, y hacerlo mejor de lo que se ha hecho nunca. Su hermano Ricardo, duque de Gloucester, lidera la tropa que avanza a la cabeza de todas las demás, ejerce su mando con valentía, lealtad y coraje. Eduardo librará batalla en el centro y William Hastings, que daría la vida con tal de impedir que el rey caiga en una emboscada, defiende la retaguardia. Para Anthony Woodville, Eduardo reserva una misión especial.

—Anthony, quiero que Jorge y tú toméis un pequeño contingente de lanceros y os ocultéis en esos árboles que hay a nuestra izquierda —le dice en voz baja—. Tendréis dos tareas que cumplir: una, vigilaréis que Somerset no envíe tropas desde el castillo en ruinas para sorprendernos por la izquierda; y dos, observaréis atentamente el enfrentamiento y cargaréis cuando lo consideréis necesario.

—¿Me confiáis a mí una misión tan importante? —pregunta Anthony acordándose de los tiempos en que los dos eran enemigos y no hermanos.

—Así es —contesta Eduardo—. Pero, Anthony... ya sabes que eres un hombre sabio, un filósofo, y para ti la vida y la muerte son cosas parecidas.

Anthony hace una mueca.

—Sólo sé unas pocas cosas, pero me siento muy apegado a mi

vida, sire. Aún no tengo un espíritu tan elevado como para sentir desapego hacia ella.

—Yo tampoco —coincide Eduardo con fervor—. Y además le tengo mucho aprecio a mi miembro viril, hermano. Cuida de que tu hermana pueda poner en la cuna a otro príncipe más —dice sin ambages—. ¡Sálvame las pelotas para ella, Anthony!

Anthony lanza una carcajada y hace una venia a modo de parodia.

—¿Me haréis una señal cuando os veáis necesitado?

—Verás con toda claridad el momento en que esté necesitado. Tendré cara de estar perdiendo —replica Eduardo rotundo—. Lo único que te pido es que no esperes hasta ese momento.

—Haré todo lo que esté en mi mano, sire —acepta Anthony en tono sereno; después, da media vuelta y procede a seleccionar el contingente de doscientos lanceros.

Eduardo aguarda hasta ver a todos en posición, invisibles a las fuerzas de Lancaster que se encuentran en lo alto del cerro, detrás de la muralla del castillo, y entonces da la orden de disparar el cañón:

—¡Fuego!

Al mismo tiempo, los arqueros de Ricardo lanzan una lluvia de flechas. El proyectil del cañón impacta en la mampostería semideshecha del castillo y provoca un derrumbe de bloques de piedra que caen directamente sobre los hombres que están refugiados debajo. Se oye un alarido en el momento en que uno de ellos recibe un doloroso flechazo en el rostro, seguido de otra docena de chillidos que responden a otras tantas heridas de saeta. El castillo resulta ser más una ruina que una fortaleza. Los muros no ofrecen protección alguna y los maltrechos arcos y las piedras que caen constituyen más un peligro que un refugio. Los hombres se dispersan en todas direcciones: algunos de ellos echan a correr ladera abajo antes de recibir la orden de avanzar, otros se repliegan a toda prisa hacia Tewkesbury. Somerset ladra la orden de que el ejército se reagrupe y se lance a la carga contra las tropas del rey, que se encuentran al pie del cerro, pero sus hombres ya están en desbandada.

Vociferando de rabia y ayudadas por la inclinación del terreno, que las hace ganar velocidad, las tropas de Lancaster se lanzan a la carrera pendiente abajo, en línea recta, hacia el núcleo de las fuerzas de York. Allí las está esperando el rey, erguido en toda su estatura y luciendo la corona encima del yelmo. Eduardo está iluminado por una dicha despiadada que ya conoce tras haber pasado su adolescencia batallando. En cuanto los hombres de Lancaster rompen la primera fila con la intención de abrirse camino hasta donde se encuentra él, los recibe con la espada en una mano y una hacha en la otra. Ahora se ve el resultado de todas las horas de entrenamiento pasadas en el campo de justa, de pie en tierra. Sus movimientos son tan rápidos y naturales como los de un león al que se provoca con un cebo: un ataque, un rugido, un giro, una cuchillada. Continuamente llegan hombres nuevos que lo embisten, pero él no titubea en ningún momento. Cercena gargantas desprotegidas por debajo del yelmo. Hiere hábilmente el brazo útil de un enemigo buscando el hueco de la axila e introduciendo la espada por él. A otro le propina una patada en la entrepierna y, cuando su víctima se dobla sobre sí misma, le descarga el hacha sobre la cabeza y le destroza el cráneo.

En el instante en que la conmoción del impacto comienza a empujar hacia atrás a las tropas de York, entra en acción el flanco comandado por Ricardo y empieza a luchar provocando una despiadada carnicería. El joven duque está en el centro mismo de la refriega, menudo, cruel, un asesino en el campo de batalla, un aprendiz del terror. El tenaz empuje de los hombres de Ricardo rompe la embestida de los Lancaster, que frenan de pronto. Como sucede siempre en una lucha mano a mano, tiene lugar una pausa durante la cual hasta los hombres más fuertes recuperan el resuello; pero los de York aprovechan dicho receso para arremeter, guiados por el rey y por Ricardo, y empiezan a presionar al enemigo y a obligarlo a retroceder ladera arriba, de vuelta a su refugio.

De repente se oye un alarido, un grito aterrador procedente de la zona boscosa que hay a la izquierda de la contienda, donde nadie sabía que hubiera soldados escondidos. De pronto aparecen doscientos lanceros, aunque se diría que son dos mil, mortalmente armados pero ligeros de pies, corriendo con rapidez en dirección a los de Lancaster y encabezados por el caballero más grande de toda Inglaterra, Anthony Woodville. Llevan las lanzas en ristre, deseosos de usarlas, y los soldados de Lancaster levantan la vista y las ven surcar el cielo, de la misma manera que un hombre podría contemplar una tormenta de rayos luminosos: una muerte que les llega con demasiada velocidad para poder eludirla.

Huyen, no pueden hacer nada más. Las lanzas se abaten sobre ellos como dos centenares de cuchillas unidas a una única arma letal. Las oyen ulular al cortar el aire antes de percibir los gritos que se profieren cuando se clavan en sus objetivos. Los soldados chocan unos con otros en su afán de remontar la ladera, pero los hombres de Ricardo se lanzan tras ellos y los matan sin mostrar ni un ápice de misericordia; al mismo tiempo, los lanceros de Anthony se cierran sobre ellos rápidamente desenvainando espadas y puñales. Los soldados de Lancaster escapan en dirección al río y lo cruzan a pie o a nado, o bien, lastrados por el peso de la armadura, acaban ahogándose en el frenesí de debatirse entre los juncos. Corren en dirección al bosque, pero las huestes de Hastings los acorralan como si fueran conejos al finalizar la cosecha, cuando los agricultores forman un cerco alrededor de la última gavilla de trigo y matan con la hoz a los asustados animalitos. Entonces dan media vuelta y echan a correr hacia la aldea, pero las tropas de Eduardo, con el propio rey a la cabeza, les dan caza igual que a un ciervo exhausto y los masacran justo delante de la muralla. Entre ellos está el muchacho al que llaman príncipe Eduardo, Eduardo de Lancaster, príncipe de Gales, y en el ataque mueren todos bajo la espada, entre gritos que piden clemencia pero sin recibir ninguna.

—¡Perdonadme la vida! ¡Perdonadme la vida! Soy Eduardo de

Lancaster, he nacido para ser rey, mi madre... —Pero el resto de la frase se pierde en un gorgoteo de sangre real cuando un soldado de infantería, un plebeyo, le corta el cuello al joven príncipe con su cuchillo. De ese modo pone fin a las esperanzas que abrigaba Margarita de Anjou, a la vida de su hijo y al linaje de los Lancaster, a cambio de un cinturón elegante y una espada grabada.

Para el rey esto no es una diversión, sino una tarea inmunda, el ejercicio de dar muerte. Eduardo se apoya en su espada y limpia la daga, mientras contempla a sus hombres cercenar gargantas, destripar barrigas, aplastar cráneos y romper piernas hasta que el ejército de Lancaster yace en tierra, gimiendo de dolor, o huye. Y la batalla, por lo menos ésta, se ha ganado.

Pero siempre hay secuelas y siempre son desagradables. La satisfacción que siente Eduardo en una lid no abarca también la ejecución de los prisioneros o la tortura de los cautivos. Ni siquiera disfruta cuando se lleva a cabo una decapitación por orden judicial, a diferencia de los demás líderes militares de su época. Pero los lores de Lancaster se han acogido a sagrado en la abadía de Tewkesbury, y no se puede consentir que se queden ahí ni se les puede conceder un salvoconducto para que regresen sanos y salvos a sus hogares.

—Oblígalos a salir —ordena Eduardo sucintamente a su hermano Ricardo. Ambos comparten el deseo de acabar de una vez. Luego se gira hacia los dos jóvenes Grey, sus hijastros—. Vosotros dos id a inspeccionar el campo de batalla, y a los lores de Lancaster que halléis vivos quitadles las armas y apresadlos.

—Se han acogido a sagrado —señala Hastings—. Están dentro de la abadía, aferrados al altar mayor. Vuestra propia esposa está viva únicamente porque se ha respetado ese derecho. Vuestro único hijo varón nació al amparo del privilegio de acogerse a sagrado.

—Una mujer. Un recién nacido —dice Eduardo de forma seca—. Ese derecho es para los desamparados. Pero el duque Edmund de Somerset no es un desamparado, sino un hombre traidor y letal.

Ricardo lo va a sacar de la abadía y lo va a subir al patíbulo que hay en el mercado de Tewkesbury. ¿No es así, Ricardo?

—Sí —responde el aludido con brevedad—. Siento mayor respeto por la victoria que por el derecho de asilo de un lugar santo.

Acto seguido, con la mano apoyada en la empuñadura de su espada, se encamina hacia la abadía dispuesto a allanarla a pesar de que el abad se agarra con fuerza a su arma y le suplica que sea temeroso de la voluntad de Dios y tenga clemencia. Pero el ejército de York no hace caso, no conoce el perdón. Los hombres de Ricardo apartan a los suplicantes a empujones y Eduardo y su hermano observan la escena mientras sus soldados pasan a cuchillo a los prisioneros refugiados en el cementerio, que ruegan que se les perdone la vida, que se abrazan a las lápidas para pedir socorro a los muertos. Al final los escalones de la abadía se vuelven resbaladizos a causa de la sangre derramada y la tierra del camposanto termina oliendo igual que la casa de un carnicero, como si no existiera nada sagrado. Porque en Inglaterra ya no hay nada sagrado.

14 de mayo de 1471

Estamos en la Torre, a la espera de noticias, cuando de pronto se oye un griterío que me indica que mi esposo regresa a casa. Bajo a la carrera la escalera de piedra con un repiqueteo de tacones seguida por las niñas, pero, cuando se abre el rastrillo y entran los caballos, el que llega sonriéndome no es mi esposo, sino mi hermano Anthony.

—Hermana, alegraos, vuestro esposo se encuentra bien y ha ganado una importante batalla. Madre, dadme vuestra bendición, la necesito.

Se apea del caballo de un salto y me hace una reverencia; después se vuelve hacia mi madre, se descubre y se arrodilla para que ella le ponga una mano en la cabeza. Durante unos instantes se hace el silencio. Se trata de una bendición auténtica, no de ese gesto vacuo que realiza la mayoría de las familias. El corazón de mi madre se vuelca en Anthony, el hijo de más talento, y él inclina su cabeza rubia ante su progenitora. Seguidamente se incorpora y se vuelve hacia mí.

—Ya os lo contaré más tarde, pero podéis tener la seguridad de que Eduardo ha obtenido una gran victoria. Margarita de Anjou se encuentra en nuestro poder, es nuestra prisionera. Su hijo ha muerto, ya no tiene heredero. Las esperanzas de Lancaster yacen ahora en medio de la sangre y del barro. Eduardo habría querido venir a veros, pero ha tenido que partir hacia el norte, donde han surgido más revueltas a favor de los Neville y los Lancaster. Lo acompañan vuestros hijos, que están bien de salud y de ánimo. A mí me ha ordenado que viniera aquí con la misión de guardaros a vos y a Londres. El condado de Kent se ha alzado en nuestra contra, cuenta con el apoyo de Thomas Neville. La mitad de los insurgentes son buenos hombres mal conducidos, pero la otra mitad no son sino ladrones que buscan un botín. La facción más pequeña y más peligrosa es la que forman los que se consideran capaces de liberar al rey Enrique y capturaros a vos, y han jurado hacerlo. Neville viene hacia aquí, hacia Londres, con una peque-ña flota de barcos. He de entrevistarme con el alcalde y con los padres de la ciudad para organizar la defensa.

—¿Nos van a atacar aquí?

Anthony afirma con la cabeza.

—Han sido derrotados y su heredero ha muerto, pero aun así pretenden continuar con la guerra. Elegirán a otro heredero para Lancaster, a Enrique Tudor. Jurarán cobrarse venganza. Eduardo me ha hecho venir para que os defienda. En el peor de los casos, he de organizar vuestra retirada.

—¿Corremos un peligro real?

Mi hermano asiente.

—Lo siento mucho, hermana. Ellos cuentan con barcos y con el apoyo de Francia, pero Eduardo se ha llevado el ejército entero al norte.

Me hace una reverencia, y después da media vuelta y echa a andar hacia el interior de la Torre al tiempo que ordena al alcaide que haga venir de inmediato al primer edil de la ciudad y que le prepare un informe sobre las condiciones de la Torre para sopor-tar un asedio.

Llegan los hombres y confirman que Thomas Neville tiene barcos en el mar, frente a las costas de Kent, y que ha jurado respaldar a las tropas de Kent en una marcha que ascenderá por el río Támesis con la intención de tomar Londres. Acabamos de ganar una batalla dramática y de matar a un niño, el heredero que debía reclamar el trono; con ello deberíamos encontrarnos ya a salvo, sin embargo seguimos estando en peligro.

—¿Qué motivos puede tener para hacer eso? —pregunto—. Se acabó: Eduardo de Lancaster ha muerto, su primo Warwick también, Margarita de Anjou está prisionera, Enrique se halla cautivo dentro de esta misma Torre. ¿Qué ratones puede tener un Neville para traer una flota hasta Gravesend y hacer planes de tomar Londres?

—Es que esto no ha acabado —observa mi madre.

Estamos paseando por el tejado de la Torre, yo con el pequeñín en brazos para que tome el aire y con las niñas detrás de nosotras. Si miramos hacia abajo vemos a Anthony supervisando la colocación del cañón, que ha de quedar orientado hacia el río, y ordenando que se apilen sacos de arena detrás de las puertas y las ventanas de la Torre Blanca. Si volvemos la vista hacia el Támesis divisamos a los hombres que están trabajando en los muelles amontonando sacos de arena y preparando cubos de agua, ya que temen que pueda estallar un incendio en los almacenes cuando Neville traiga sus barcos río arriba.

—Si Neville toma la Torre y Eduardo es derrotado en el norte, todo volverá a empezar otra vez —señala mi madre—. Neville liberará al rey Enrique de su encierro. Margarita se reunirá con su esposo; incluso es posible que engendren otro hijo. La única manera de poner fin con seguridad a su estirpe, el único modo de poner fin a estas guerras para siempre, es la muerte. La muerte de Enrique. Hemos eliminado al heredero y ahora tenemos que matar al padre.

—Pero Enrique tiene otros herederos —apunto yo—, aunque haya perdido a su hijo. Por ejemplo, Margarita Beaufort. La casa de Beaufort sigue adelante con el hijo de Margarita, Enrique Tudor.

Mi madre se encoge de hombros.

—Una mujer —dice—. Nadie va a luchar por sentar en el trono a una reina. ¿Quién iba a sujetar las riendas de Inglaterra sino un soldado?

—Tiene un hijo, de apellido Tudor.

Mi madre se encoge de hombros de nuevo.

—Nadie va a luchar por un mozalbete imberbe. Enrique Tudor carece de importancia. Enrique Tudor jamás podría ser rey de Inglaterra. Nadie batallaría por un Tudor frente a un Plantagenet. Los Tudor son de la realeza sólo a medias, y eso gracias a la familia soberana de Francia. No representa ninguna amenaza para ti. —Baja la mirada por la pared blanca hasta la ventana provista de barrotes en la que se encuentra prisionero el olvidado rey Enrique, que ha vuelto a entregarse a sus plegarias—. No; una vez que Enrique haya muerto, la estirpe de Lancaster se extinguirá y todos estaremos a salvo.

—¿Pero quién iba a atreverse a matarlo? Es un hombre desvalido, medio loco. ¿Quién iba a tener tan mal corazón como para asesinarlo mientras sea nuestro prisionero? —Luego bajo el tono de voz porque sus dependencias se encuentran justo debajo de nosotras—. Pasa los días arrodillado en un reclinatorio, vuelto hacia la ventana con la mirada perdida, sin hablar. Matarlo sería como masacrar a un demente. Y hay quienes dicen que es un trastornado que despide santidad; hay quienes dicen que es un santo. ¿Quién osaría asesinar a un santo?

—Espero que tu esposo —responde mi madre sin rodeos—. Porque el único modo de asegurar el trono de Inglaterra es aplastarle la cara con una almohada y hacerlo dormir el sueño eterno.

De pronto el sol se oculta tras una sombra y yo estrecho a mi pequeño Eduardo con más fuerza, como para impedir que oiga tan malévola sugerencia. Me recorre un escalofrío, como si la muerte que mi madre está prediciendo fuese la mía.

—¿Qué sucede? —me pregunta—. ¿Tienes frío? ¿Quieres que volvamos adentro?

—Es por la Torre —contesto yo irritada—. Siempre he odiado la

Torre. Y por vos, que decís cosas horribles, como que se ha de asesinar a un prisionero de la Torre que se encuentra indefenso. Ni siquiera deberíais hablar de esas cosas, sobre todo delante del pequeñín. Estoy deseando que todo esto termine y podamos regresar al palacio de Whitehall.

De repente, allá abajo, mi hermano Anthony levanta la vista hacia nosotras y me indica con un gesto de la mano que el cañón ya está colocado en su sitio y que estamos preparados.

—Pronto podremos marcharnos —me dice mi madre para reconfortarme—. Eduardo volverá a casa, y tú volverás a estar segura y a salvo con el niño.

Pero esa noche suena la alarma y todos saltamos de la cama. Yo me apresuro a coger al pequeñín; las niñas corren a mi lado y Anthony abre de golpe la puerta de mi cámara y me dice:

—Sed valientes, se acercan por el río y va a haber fuego de artillería. No os acerquéis a las ventanas.

Cierro los postigos y echo el pestillo; corro las cortinas que rodean la gran cama y me meto dentro de ella con las niñas y con el pequeñín; me pongo a escuchar. Nos llegan el estruendo del fuego de los cañones y el silbido de las balas surcando el aire, seguido del crujido que producen al estrellarse contra los muros de la Torre. Isabel, mi hija mayor, se vuelve hacia mí con la cara muy pálida y el labio tembloroso y me susurra:

—¿Es la reina malvada?

—Tu padre ha vencido a la reina malvada y ahora es nuestra prisionera, igual que el antiguo rey —le explico mientras pienso en Enrique, que se encuentra allá abajo; me pregunto si se le habrá ocurrido a alguien cerrar los postigos de sus ventanas o advertirle que no se acerque a ellas. Neville tendría bien merecido, y a nosotras nos ahorraría muchos esfuerzos, que esta noche su rey resultara muerto por su propia mano a causa de una bala de cañón.

De pronto se oyen rugir nuestros cañones, situados delante de la Torre, y las ventanas se iluminan brevemente con el fogonazo del disparo. Isabel se encoge y se refugia detrás de mí.

—Ése es nuestro cañón, que ha disparado contra los barcos de los malos —le digo en tono jovial—. Es un primo de Warwick, Thomas Neville, que es demasiado tonto para saber que ya se ha terminado la guerra y que la hemos ganado nosotros.

—¿Qué es lo que quiere? —pregunta Isabel.

—Empezarla de nuevo —respondo con rencor—. Pero tu tío Anthony está preparado para hacerle frente y cuenta con la ayuda de hombres entrenados y apostados en las murallas de Londres y con todos los jóvenes aprendices, que están deseosos de luchar y de defender la ciudad. Después, tu padre regresará a casa.

Ella me mira con sus enormes ojos grises. Siempre piensa más cosas de las que dice, mi pequeña Isabel. Ha conocido la guerra desde que era una recién nacida; sabe que incluso en estos momentos ella misma es una pieza del juego de ajedrez de Inglaterra; es consciente de que negociarán con ella, de que posee un valor, de que lleva toda la vida corriendo grave peligro.

—¿Y entonces se terminará? —me pregunta.

—Sí —le prometo mirando su expresión de incertidumbre—. Entonces se terminará.

Tres días pasamos bajo asedio, tres días de bombardeos y ataques de los insurgentes de Kent y los barcos de Neville contra Anthony y nuestro pariente Henry Bourchier, conde de Essex, que organizan la defensa. Cada día vienen a refugiarse en la Torre más miembros de mi familia y más personas afines: mis hermanas con sus maridos, la esposa de Anthony, mis antiguas damas de compañía; todos creen que éste es el lugar más seguro que hay en una ciudad que se encuentra sitiada, hasta que Anthony decreta que ya contamos con suficientes oficiales y hombres para lanzar un contraataque.

—¿A qué distancia se encuentra Eduardo? —pregunto yo nerviosa.

—Según las últimas noticias, a cuatro días de aquí —me responde–. Demasiado lejos. No podemos permitirnos esperar a que llegue. Calculo que podemos vencer a nuestros enemigos con las fuerzas de que dispongo.

–¿Y si pierdes? –inquiero inquieta.

Él suelta una carcajada.

–Entonces, mi querida hermana y soberana, deberéis convertiros en una reina militante y dirigir vos misma la defensa de la Torre. Podréis resistir durante días. Lo que tenemos que hacer es obligar al enemigo a retroceder ahora, antes de que comience a acercarse más. Si estrechan el sitio a la Torre o incrementan el fuego de cañón, o si, Dios no lo quiera, consiguen entrar de algún modo, podríais morir antes de que regresara Eduardo.

Hago un gesto de asentimiento.

–Adelante, pues –digo con expresión grave–. Atácalos.

Mi hermano me hace una venia.

–Habéis hablado como una verdadera partidaria de York –me dice–. Todos los miembros de la familia de York son seres sedientos de sangre, nacidos y criados en el campo de batalla. Esperemos que cuando hallemos finalmente la paz no se maten unos a otros impulsados simplemente por la costumbre.

–Ocupémonos de conseguir la paz antes de preocuparnos por que los hermanos de York puedan echarla a perder –replico.

Al amanecer, Anthony ya está preparado. Las bandas entrenadas de Londres están bien armadas y ejercitadas. Ésta es una ciudad que lleva dieciséis años en guerra, así que todos los aprendices tienen armas y saben usarlas. Los hombres de Kent, bajo el mando de Neville, están acampados en todo el perímetro de la Torre y de las murallas de la ciudad, pero, cuando se abre la poterna de la Torre duermen y Anthony y sus hombres salen por ella sin hacer ruido. Yo les sostengo la puerta; el último en salir es Henry Bourchier.

–Excelencia, prima, cerrad bien cuando hayamos salido todos y escondeos en un lugar seguro –me dice.

–No, pienso aguardar aquí –le contesto–. Si sufrís algún contratiempo, estaré aquí para dejaros entrar a mi hermano y a todos vosotros.

Bourchier sonríe.

—Bueno, espero que regresemos trayendo una victoria —me dice.

—Buena suerte —respondo.

Una vez que todos han salido he de cerrar la poterna y echar el pestillo, pero no lo hago. Me quedo a observar. Me siento igual que la heroína de un cuento, la hermosa reina que envía a sus caballeros a la batalla y después vela por ellos como un ángel.

Al principio, así parece ser. Mi hermano, con la cabeza descubierta y protegido con su bella armadura torneada, se encamina en silencio hacia el campamento, espada en mano, seguido por sus hombres, los amigos que nos son leales y los que están emparentados con nosotros. A la luz de la luna parecen caballeros andantes que dejan a su espalda la cinta reluciente del río y que avanzan bajo la negrura del firmamento. Los rebeldes se encuentran acampados junto a la orilla, y también se han acomodado en las calles angostas y sucias de alrededor. Son hombres pobres; hay unos cuantos que tienen tiendas de campaña y refugios, pero en su mayoría duermen en el suelo, al lado de las fogatas. Las calles que quedan fuera de la ciudad están llenas de tabernas y prostíbulos, y la mitad de los soldados se han emborrachado. El grupo de Anthony se divide en tres y, cuando se da la orden, todo cambia de pronto. Se ponen los yelmos, se bajan la visera para cubrirse los ojos, desenvainan las espadas, liberan las pesadas bolas de las mazas de asalto, dejan de ser mortales y se transforman en hombres de metal.

No sé por qué, pero desde la puerta en la que estoy vigilando percibo el cambio que se opera en ellos y, aunque los he enviado yo a combatir y es a mí a quien están defendiendo, me invade la sensación de que está a punto de tener lugar un suceso desagradable y sangriento.

—No —susurro como si quisiera impedir que continuaran

avanzando al ver que echan a correr blandiendo las espadas y haciendo girar las hachas.

Los que dormían se incorporan de repente con un grito de terror y una cuchillada en el corazón o un hachazo en la cabeza. No hay ninguna advertencia; salen de un sueño en el que saboreaban la victoria o regresaban al hogar para encontrarse con una hoja gélida y una muerte dolorosa. Los centinelas que estaban adormilados se despiertan de golpe y dan la voz de alarma, pero una daga que se les clava en la garganta los silencia y caen impotentes agitando los brazos. Un hombre se precipita a las llamas de la fogata y lanza chillidos de dolor, pero nadie se detiene para socorrerlo. Nuestros soldados empiezan a dar patadas a las ascuas de las hogueras y algunas de las tiendas y de las mantas se prenden. Los caballos se alzan y lanzan relinchos de miedo al ver estallar en llamas sus sacos de forraje. Al instante el campamento entero está despabilado e invadido por el pánico. El ejército de Anthony lo recorre a modo de asesinos silenciosos, apuñalando a hombres que dormían justo en el momento en que se dan media vuelta para intentar despertarse, empujando al suelo a otros que han conseguido levantarse, rajando el vientre de un soldado desarmado, golpeando la cabeza de otro que trata de alcanzar su espada. Las tropas venidas de Kent se desperezan del sueño y echan a correr. Los que no han sido abatidos agarran lo que pueden y salen huyendo. Sacuden a los que duermen en las calles aledañas a la Torre y algunos acuden al campamento a toda prisa. Pero los hombres de Anthony, rugiendo de rabia, cargan contra ellos con las espadas ya enrojecidas por la sangre, y los rebeldes, en su mayoría muchachos venidos de la campiña, dan media vuelta y ponen pies en polvorosa.

Las tropas de Anthony se lanzan en su persecución, pero su jefe los hace volver; no quiere dejar la Torre indefensa. Envía un grupo al muelle a capturar los barcos de Neville. El resto regresa a la Torre entre risas y gritos de excitación que resuenan en el aire frío de la mañana; se cuentan unos a otros cómo han apuñalado a un hombre que dormía, cómo han cortado la cabeza a una mujer que se dio la vuelta, o cómo se partió el pescuezo un caballo que reculaba asustado por el fuego.

Yo abro de nuevo la poterna para dejarlos entrar. No quiero darles la bienvenida, no quiero ver nada más, no quiero oír nada más. Subo a mis habitaciones, recojo a mi madre, mis hijas y el pequeñín, y echo el pestillo a la puerta del dormitorio sin pronunciar palabra, igual que si temiera a mi propio ejército. Ya he oído narrar muchas batallas en esta guerra entre primos, y siempre hablan de heroísmo, del valor que tienen los hombres, de la fuerza de la camaradería que los une, de la ferocidad en el enfrentamiento y de la fraternidad en la supervivencia. He oído cantar baladas referidas a grandes lides y poemas que hablaban de la belleza de una embestida y de la elegancia del personaje que los comanda. Pero no sabía que la guerra no era más que una carnicería, tan salvaje y tan burda como clavar un pincho en la garganta de un cerdo y dejar que se desangre para que la carne sea más tierna. No sabía que el estilo y la nobleza que se exhiben en el campo de justa no tenían nada que ver con esta forma de arremeter y de apuñalar. Es igual que matar a un cochinillo que no deja de lanzar berridos después de que lo hayan perseguido alrededor de la pocilga. Y tampoco era consciente de que la guerra enardeciera tanto a los hombres: vuelven a casa riendo como escolares excitados tras haber cometido una fechoría, pero traen sangre en las manos, una suciedad extraña en las capas, olor a humo en el pelo y una terrible expresión de sórdido frenesí en la cara.

Ahora comprendo por qué irrumpen en los conventos, fuerzan a las mujeres en contra de su voluntad y desafían el derecho de acogerse a sagrado para dar por finalizada la cacería. Se provocan a sí mismos una sed de agresividad salvaje, más propia de animales que de seres humanos. Yo no sabía que la guerra era así. Tengo la sensación de haber sido tonta por no saberlo, ya que me crié en un reino que estaba en guerra y soy hija de un hombre que fue capturado en una batalla, viuda de un caballero que luchaba, esposa de un soldado despiadado. Pero ahora lo sé.

21 de mayo de 1471

Eduardo cabalga a la cabecera de sus hombres, como un rey que regresa a casa cubierto de gloria y sin mostrar en su porte, en su montura o en su reluciente arnés un solo indicio de haber librado una batalla. A uno de sus costados cabalga Ricardo, al otro Jorge y, detrás de ellos, mis dos hijos, profundamente entusiasmados. Los tres hermanos de York vuelven a ser ellos mismos, los tres juntos, y Londres enloquece de alegría al verlos. Tres duques, seis condes y dieciséis barones los acompañan a caballo; todos ellos son partidarios de York a ultranza, hombres que les han jurado fidelidad. ¿Quién habría pensado que teníamos tantos amigos? Yo no, cuando estaba refugiada en una iglesia que era más parecida a una prisión, preñada del futuro heredero de toda esta gloria, sumida en la oscuridad y en el miedo, y prácticamente sola.

Detrás de ese séquito viene Margarita de Anjou, pálida y con el semblante grave, sentada en una litera tirada por mulas. No se puede decir sin mentir que esté atada de pies y manos y le hayan echado una cadena al cuello, pero creo que todo el mundo entiende bastante bien que esta mujer está vencida y que no va a resurgir de su derrota. Me llevo a Isabel conmigo para acudir al encuentro de Eduardo en la puerta de la Torre, porque quiero que mi hijita vea a la mujer que ha estado aterrorizándola continuamente a lo largo de los cinco años de edad que tiene, que la vea derrotada y sepa que todos estamos a salvo de esa persona a la que ella llama la reina malvada.

Eduardo me saluda formalmente ante la multitud que lanza vítores, pero luego me susurra al oído:

—Estoy deseando encontrarme con vos a solas.

Pero va a tener que esperar. En agradecimiento a la fidelidad que le ha mostrado Londres, ha armado caballeros a la mitad de sus habitantes, y se ofrece un banquete para celebrar ese ascenso a la grandeza. Ciertamente, tenemos mucho por lo que estar agradecidos. Eduardo ha luchado una vez más por esta corona y una vez más ha vencido; yo sigo siendo la esposa de un rey que jamás ha sido derrotado en una batalla. Acerco la boca a su oído y le susurro a mi vez:

—Yo también lo deseo, esposo.

Nos acostamos tarde, en los aposentos de él. La mitad de los invitados están ebrios y la otra mitad está que no cabe en sí de gozo por encontrarse de nuevo en una corte de York. Eduardo me tiende a su lado y me toma como si estuviéramos recién casados y nos encontráramos en la pequeña cabaña de caza situada junto al río. Yo vuelvo a abrazarme a él porque es el hombre que me salvó de la pobreza y el que salvó a Inglaterra de la guerra constante, y me alegra que me llame «Esposa, mi amada esposa.»

Luego me dice con los labios enterrados en mi cabello:

—Me abrazasteis cuando tuve miedo, amor mío, y os doy las gracias por ello. Es la primera vez que he tenido que marcharme sabiendo que podía perder. Y eso me tenía aterrorizado.

—He visto una batalla. Ni siquiera ha sido una batalla, sino una masacre —le contesto apoyando la frente contra su pecho—. Es algo terrible, Eduardo. No lo sabía.

Él se tumba de espaldas con gesto serio.

—Es algo terrible —coincide—, y no hay nadie que más ame la paz que un soldado. Pienso traer a este país la paz y la lealtad hacia nosotros. Lo juro. Con independencia de lo que tenga que hacer para conseguirlo. Hemos de poner fin a estas luchas interminables. Hemos de poner fin a esta guerra.

—Es una vileza —insisto—. No hay honor en ella.

—Tiene que acabar —repite—. Yo he de ponerle fin.

Ambos guardamos silencio; supongo que se ha quedado dormido, pero permanece despierto, pensativo, con los brazos cruzados por detrás de la cabeza, contemplando el baldaquín dorado que pende sobre la cama. Cuando le pregunto:

—¿Qué ocurre, Eduardo? ¿Hay algo que os preocupe?

Él me contesta muy despacio:

—No, pero hay una cosa que debo hacer antes de poder dormir en paz esta noche.

—¿Queréis que os acompañe?

—No, amor mío, esto es cosa de hombres.

—¿Y qué es?

—Nada. Nada de lo que debáis preocuparos. Nada. Dormid. Más tarde regresaré con vos.

Ahora me siento alarmada. Me incorporo en la cama.

—¿De qué se trata, Eduardo? Estáis... no sé... ¿qué sucede? ¿Estáis enfermo?

Sale de la cama con súbita resolución y se viste.

—Calma, amor mío. Tengo que ir a hacer una cosa; cuando la haya hecho podré descansar. Volveré dentro de una hora. Dormid, y cuando regrese os despertaré y volveré a tomaros.

Río al oírle decir eso y vuelvo a tumbarme, pero una vez que se ha vestido y ha salido de la habitación sin hacer ruido, me levanto de la cama y me pongo el camisón. Con los pies descalzos y gran sigilo, atravieso la estancia de puntillas y salgo a la sala de recibir. Los guardias apostados junto a la puerta están en silencio; los saludo con un gesto de cabeza sin decirles nada y ellos levantan las albardas para dejarme pasar. Me detengo brevemente al inicio de las escaleras y miro hacia abajo. La escalinata desciende en forma de caracol por el interior del edificio y alcanzo a ver la mano de Eduardo bajando poco a poco, en dirección a los aposentos del antiguo rey. Allá abajo distingo también el cabello oscuro de Ricardo, a la puerta de la cámara de Enrique, como si estuviera esperando a entrar, y oigo la voz de Jorge que flota escalera arriba:

—¡Pensábamos que habías cambiado de opinión!

—No. Es necesario hacerlo.

Entonces comprendo qué se proponen los tres dorados hermanos de York, que ganaron su primera batalla cuando había tres soles en el cielo, que cuentan con la bendición de Dios y por eso no pierden nunca. Pero no hago nada para detenerlos. No corro escaleras abajo para sujetar el brazo de Eduardo y jurar que no pienso consentirle que haga eso. Sé que se siente indeciso, pero no expreso lo que yo opino respecto de que hay que tener compasión, de que hay que vivir con un enemigo, confiar en que Dios velará por nuestra seguridad. No pienso: si ellos hacen esto, ¿qué podría hacernos alguien a nosotros? Veo la llave en la mano de Eduardo, oigo girar la cerradura y abrirse la puerta que conduce a los aposentos del rey y permito que los tres entren, sin decirles una sola palabra.

Enrique, loco o santo, es un rey consagrado, su cuerpo es sagrado. Se encuentra en el centro mismo de su propio reino, de su propia ciudad, de su propia torre, y aquí debería estar protegido. Lo guardan hombres buenos. Es un prisionero de honor de la casa de York. Debería estar tan seguro como si se encontrase en su propia corte, confía en que nosotros lo mantendremos sano y salvo.

Es un hombre frágil frente a tres guerreros jóvenes. ¿Cómo pueden no ser compasivos? Es su primo, lleva su misma sangre, y ellos juraron en cierta ocasión amarlo y serle fiel. Cuando los tres entran en la cámara lo hallan durmiendo como un niño pequeño. ¿Qué nos sucederá a todos si osan asesinar a un hombre tan inocente y desvalido como un niño dormido?

Sé que ésta es la razón por la que siempre he odiado la Torre.

Sé que ésta es la razón por la que este palacio tan alto y siniestro que se alza en la orilla del Támesis me ha llenado siempre de malos presagios. Esta muerte ha pesado sobre mi conciencia incluso antes de que se haya perpetrado. Tan sólo Dios y mi conciencia saben cuánto va a pesarme a partir de ahora y qué precio voy a tener que pagar por haber tomado parte en ella, por haber escuchado en silencio, sin pronunciar una palabra de protesta.

No regreso al lecho de Eduardo. No deseo estar en su cama cuando regrese a mí trayendo olor a muerte en las manos. Ni siquiera deseo estar aquí, en la Torre. No quiero que mi hijo duerma aquí, en la Torre de Londres —que supuestamente es el lugar más seguro de toda Inglaterra—, donde unos hombres armados pueden entrar en la habitación de un inocente y asfixiarlo con una almohada. Voy a mis propios aposentos, reavivo las ascuas de la chimenea y paso la noche entera sentada frente al calor del fuego, sabiendo sin la menor duda que la casa de York ha dado un paso por un camino que nos llevará al infierno.

Verano de 1471

Estoy sentada con mi madre sobre un tupido lecho de camomilas. Las dos estamos rodeadas por el cálido aroma de las flores, en el jardín de la mansión real de Wimbledon, una de las casas que forman parte de mi dote —la que recibí al convertirme en reina—, y que sigue siendo una de las residencias de campo que más me gustan. Estoy escogiendo colores para los bordados de mi madre. Los niños están en el río, dando de comer a los patos en compañía de la niñera. Oigo sus agudas voces a lo lejos, llamando a los animales por nombres que ellos mismos les han puesto y reprendiéndolos al ver que no les hacen caso. De vez en cuando alcanzo a oír un nítido grito de alegría de mi hijo pequeño. Cada vez que oigo su voz se me alegra el corazón; pienso que tengo un hijo varón, un príncipe, y que es un niño feliz; y mi madre, que está de acuerdo conmigo, me indica su satisfacción con un gesto de asentimiento.

El país se encuentra tan apacible y tan calmo que cabría creer que nunca ha habido un rey rival y dos ejércitos avanzando a marchas forzadas para enfrentarse el uno al otro. Inglaterra ha acogido con agrado el retorno de mi esposo; todos nos hemos lanzado a los brazos de la paz. Por encima de cualquier cosa, todos deseamos continuar con nuestra vida teniendo un gobierno justo y olvidarnos de las pérdidas y el dolor que hemos sufrido en estos dieciséis años. Bueno, hay varias personas que siguen en la brecha: el hijo de Margarita Beaufort, que ahora es un heredero sumamente improbable de la estirpe de Lancaster, está escondido en el castillo de Pembroke, en Gales, junto con su tío Jasper Tudor. Pero no pueden durar mucho. El mundo ha cambiado y ellos van a tener que pedir la paz. El propio esposo de Margarita Beaufort, Henry Stafford, se pasó al lado de York y luchó a nuestro lado en Barnet. Es posible que tan sólo ella, obstinada como un mártir, y el bobo de su hijo sean los últimos partidarios de Lancaster que queden en el mundo.

Tengo una docena de verdes diferentes extendidos sobre mi vestido blanco, y mi madre está enhebrando la aguja. La sostiene en alto para ver mejor, se la acerca a los ojos y después vuelve a alejarla de nuevo. Me parece que es la primera vez en mi vida que detecto un rasgo de debilidad en ella.

—¿Es que no veis lo suficiente para enhebrar la aguja? —le pregunto un tanto divertida.

Ella se gira, me sonríe y me dice con tono bastante desenfadado:

—Los ojos no son lo único que me está fallando y el hilo no es lo único que veo borroso. No cumpliré los sesenta, hija mía. Has de prepararte.

Es como si el día de repente se hubiera vuelto frío y gris.

—¡Que no cumpliréis los sesenta! —exclamo—. ¿Por qué no? ¿Estáis enferma? ¡No habéis dicho nada! ¿Queréis ir a ver al físico? ¿Debemos regresar a Londres?

Ella niega con la cabeza y suspira.

—No, no hay nada que pueda ver un físico, y, gracias a Dios, nada que un idiota armado con un cuchillo crea que va a poder extirpar. Es mi corazón, Isabel, lo oigo palpitar. No late bien... noto que se salta un latido y que después va más despacio. Me parece que ya no va a volver a latir con fuerza. No espero ver muchos veranos más.

Estoy tan horrorizada que ni siquiera siento pena.

—Pero ¿qué voy a hacer yo? —exijo saber con la mano apoyada en mi vientre, donde está empezando a crecer otra vida nueva—. Madre, ¿qué voy a hacer? ¡No podéis pensar semejante cosa! ¿Cómo voy a arreglármelas?

—No puedes decir que no te lo he enseñado todo —responde ella con una sonrisa—. Te he enseñado todo lo que sé y todo aquello en lo que creo. Y hasta es posible que parte de ello sea verdad. Además, tengo la certeza de que por fin estás segura en el trono. Eduardo tiene Inglaterra en su poder y un hijo que lo suceda, y tú llevas otro retoño más en el vientre. —Inclina la cabeza hacia un lado, como si estuviera escuchando un susurro lejano—. No sabría decirte. No creo que lo que venga ahora sea tu segundo hijo varón, pero sé que tendrás otro más, Isabel, estoy segura. ¡Y será un niño muy especial! También estoy convencida de eso.

—Debéis estar a mi lado cuando nazca otro príncipe, debéis ver a un príncipe de York bautizado como Dios manda —le digo con voz lastimera, igual que si le estuviera prometiendo darle una golosina sólo si se queda—. Seríais su madrina, yo lo dejaría bajo vuestra protección. Podríais elegirle el nombre.

—Ricardo —dice en seguida—. Llámalo Ricardo.

—Pues restableceos y quedaos conmigo para ver nacer a Ricardo —la insto.

Ella sonríe y entonces reparo en las reveladoras señales que no había visto hasta entonces: en el cansancio que la abruma aunque ella se mantenga erguida en la silla, en el color pálido de su tez y en los oscuros círculos que tiene bajo los ojos. ¿Cómo es que no me he fijado antes? Yo, que la amo tanto que todos los días la beso en las mejillas y me arrodillo para recibir su bendición, ¿cómo no me he dado cuenta de lo mucho que ha adelgazado?

Dejo a un lado los hilos y me arrodillo a sus pies para tomarla de las manos; de pronto me percato de que se han vuelto huesudas, de repente caigo en la cuenta de que se han cubierto de pecas a causa de la edad. Miro su semblante agotado y le digo:

—Madre, vos habéis estado conmigo siempre, juntas hemos pasado por todo. ¿No iréis a dejarme ahora?

—Si pudiera escoger quedarme, me quedaría —responde—. Pero llevo varios años notando este dolor y sé que está llegando a su fin.

—¿Desde cuándo? —le pregunto yo con vehemencia—. ¿Cuánto tiempo hace que sentís ese dolor?

—Desde que murió tu padre —contesta con serenidad—. Desde el día en que me dijeron que había muerto, que lo habían decapitado por traición. Sentí que se movía algo en lo más hondo de mí, como si se me rompiese el corazón, y experimenté el deseo de estar con él, incluso en la muerte.

—¡Pero no para abandonarme a mí! —me quejo llevada por el egoísmo. En seguida, agrego inteligentemente—: Y, desde luego, tampoco podéis dejar a Anthony.

Ella lanza una carcajada al oírlo.

—Los dos sois ya adultos —contesta—. Podéis vivir sin mí. Ambos debéis aprender a vivir sin mí. Anthony hará esa peregrinación a Jerusalén que tanto anhela y tú verás a tu hijo crecer y hacerse un hombre. Verás a nuestra pequeña Isabel casada con un rey y llevando una corona propia.

—¡No estoy preparada! —gimoteo igual que una niña desolada—. ¡No puedo pasar sin vos!

Ella sonríe con dulzura, me toca la mejilla con su enflaquecida mano y me dice tiernamente:

—Nadie está preparado nunca. Pero te las arreglarás sin mí. Y gracias a ti y a tus hijos yo habré fundado un linaje de reyes de Inglaterra. Y también de reinas, espero.

Primavera de 1472

Me encuentro en los últimos meses del embarazo y la corte está alojada en el hermoso palacio Nonesuch, en Sheen, un lugar apropiado para la primavera ahora que todos estamos convulsos tras el enorme y delicioso escándalo que ha supuesto el casamiento de Ricardo, el hermano de Eduardo; un enlace que resulta tanto más maravilloso porque nadie habría pensado que Ricardo haría algo que resultara indecoroso. Jorge sí, con su incesante búsqueda de sus propios intereses. Jorge siempre proporcionará grandes cantidades de material a los encargados de tejer los chismorreos, dado que no le importa nadie que no sea él mismo. No hay honor ni lealtad ni afecto que impida a Jorge hacer lo que más le convenga.

Y también Eduardo, que siempre hace lo que le apetece sin preocuparse de lo que diga la gente. ¡Pero Ricardo! Ricardo es el decente de la familia, el que más se ejercita para ser fuerte, el que estudia para ser un hombre culto, el que reza devotamente para obtener el favor de Dios, el que se esfuerza mucho para conseguir el amor de su madre aun sabiendo que siempre resulta eclipsado. Que Ricardo cause un escándalo es como si mi mejor perro de caza declara de repente que ya no quiere cazar. No es propio de él.

Bien sabe Dios que yo intento amar a Ricardo, ya que ha sido un amigo sincero para mi esposo y un buen hermano. Debería amarlo; él se puso al lado de mi esposo sin pensárselo dos veces cuando tuvieron que huir de Inglaterra en un minúsculo barco de pesca; soportó el destierro con él y volvió a casa con él arriesgando la vida media docena de veces. Y Eduardo ha dicho siempre que, si Ricardo tuviera bajo su mando el ala izquierda, podría estar seguro de que el ala izquierda resistiría. Y, si lo que tuviera bajo su mando fuera la protección de la retaguardia, estaría convencido de que por dicho lado no llegaría ningún ataque por sorpresa. Si Eduardo confía en él como hermano y como vasallo y lo ama profundamente, ¿por qué no he de amarlo yo? ¿Qué tiene ese joven que me impulsa a entrecerrar los ojos cuando lo miro, como si tuviera algún fallo que se me escapa? Pero he aquí que ahora este joven cachorro, que aún no ha cumplido veinte años, se ha convertido en un héroe, en un héroe de balada.

—¿Quién habría pensado que el insípido joven Ricardo llevaba dentro tanta pasión? —le pregunto a Anthony, que está sentado a mis pies bajo un emparrado que mira al río. Mis damas están repartidas a mi alrededor, acompañadas por media docena de jóvenes de la corte de Eduardo, mientras cantan y juegan con una pelota y, en general, coquetean y pasan el rato. Yo estoy trenzando una corona de flores silvestres para el vencedor de una carrera que se va a disputar más tarde.

—Es muy profundo —sentencia Anthony. Y al oírlo mi hijo Richard Gray, que tiene dieciséis años, suelta una risa ahogada.

—Calla —lo reprendo—. Muestra respeto a tu tío, por favor. Y pásame unas cuantas hojas.

—Profundo y apasionado —prosigue Anthony—. Y nosotros que creíamos que no era más que un ser insípido. Asombroso.

—Lo cierto es que es apasionado de veras —tercia mi hijo—. Lo subestimáis porque no es pomposo ni arrogante como sus otros hermanos.

Mi hijo Thomas Grey, que está sentado a su lado, afirma con la cabeza.

—Es verdad.

Anthony eleva una ceja al captar la crítica al rey que implica dicho comentario.

—Vamos, id los dos a prepararos para la carrera —los despido.

La corte se ha quedado fascinada con la pobre Ana Neville, la joven viuda del príncipe niño Eduardo de Lancaster. Llevada a Londres como parte de nuestro desfile de la victoria tras la batalla de Tewkesbury, ella y su fortuna captaron de inmediato el interés de Jorge, duque de Clarence, ya que constituían un modo de acceder a la riqueza de Warwick en su totalidad. Dado que la madre de las jóvenes Neville, la pobre condesa de Warwick, se había retirado del mundo y se había encerrado en un convento presa de una profunda desesperación, Jorge hizo planes para apoderarse de todo: ya era dueño de la mitad de la fortuna de los Warwick debido a su matrimonio con Isabel Neville, y a continuación, con grandes alardes, se hizo cargo de la custodia de la hermana menor de ésta. Tomó a la pequeña Ana Neville, se condolió con ella por la muerte de su padre y la ausencia de su madre, la felicitó por haber escapado de la pesadilla que representaba estar casada con aquel pequeño monstruo, el príncipe Eduardo de Lancaster, y pensó en ponerla bajo su protección, alojarla en casa de su esposa, que era hermana de ella, y plantar sus pegajosas zarpas en la fortuna que poseía.

—Fue un acto caballeroso —dice Anthony para irritarme.

—Fue una oportunidad, y ojalá la hubiera visto yo primero —replico.

Ana, peón en la lucha que libraba su padre por el poder, viuda de un monstruo, hija de un traidor, tenía sólo quince años cuando se fue a vivir con su hermana y el marido de ésta, Jorge, duque de Clarence. No tenía ni idea, más de la que podría tener mi gata, de cómo hacer para sobrevivir en este reino poblado de enemigos suyos. Debió de pensar que Jorge era su salvador.

Pero no durante mucho tiempo.

Nadie sabe con certeza qué sucedió a continuación, pero lo

cierto es que algo se torció en el magnífico plan que Jorge había trazado para apoderarse de las dos jóvenes Neville y quedarse para sí la cuantiosa fortuna de ambas. Hay quien dice que Ricardo, en una visita que efectuó a la gran mansión en la que vivía su hermano, volvió a encontrarse con Ana, a la que había conocido en la infancia, y que ambos se enamoraron; que él la rescató, cual caballero de una fábula, de algo que era poco menos que un encarcelamiento. Comentan que Jorge la había disfrazado de criada de la cocina con el fin de que no se acercara a su hermano. Cuentan que la tenía encerrada en su habitación. Pero prevaleció el amor verdadero y el joven duque y la joven princesa viuda se arrojaron el uno a los brazos del otro. En cualquier caso, esta versión de la historia es tremendamente romántica y maravillosa. Gusta mucho a los necios de todas las edades.

—A mí me gusta que se relate de ese modo —dice mi hermano Anthony—. Estoy pensando en componer un poema.

Pero existe otra versión. Otras personas, que admiran a Ricardo, duque de Gloucester, tanto como yo, afirman que éste vio en aquella joven solitaria, recientemente enviudada, a una mujer que podría proporcionarle la popularidad que su apellido de soltera inspiraba en el norte de Inglaterra, que podría aportarle una gran cantidad de tierras adyacentes a las que él ya había recibido de Eduardo y que podría ponerle en las manos una fortuna en concepto de dote sólo con que él se la arrebatara a su madre. Ana era una niña tan sola y tan desprotegida que no podría rechazar a Ricardo, una niña tan acostumbrada a que le dieran órdenes que resultaría fácil intimidarla para que traicionara a su propia progenitora. Esta versión sugiere que Ana, encarcelada por uno de los hermanos de York, fue raptada por otro y obligada a casarse con él.

—No es tan bonita —le comento a Anthony.

—Vos podríais haberlo impedido —me dice en uno de sus repentinos momentos de seriedad— si hubierais acogido a Ana bajo vuestra protección, si hubierais obligado a Eduardo a que ordenase a Ricardo y a Jorge que no la hicieran pedazos igual que dos perros que se disputan un hueso.

—Debería haberlo hecho —reflexiono yo—, porque ahora Ricardo tiene en su poder a una de las Neville, la fortuna de Warwick y el apoyo del norte; y Jorge tiene a la otra. Es una combinación peligrosa.

Anthony eleva una ceja.

—Deberíais haberlo hecho porque era la manera más recta de obrar —me dice con toda la pomposidad de un hermano mayor—. Pero veo que seguís pensando únicamente en el provecho y en el poder.

Abril de 1472

La capacidad que mi madre tenía para predecir el futuro se ha ido desgastando. Hace menos de un año que me advirtió de que su corazón no iba a aguantar mucho más; se queja de fatiga y apenas sale de sus aposentos. La criatura de la que yo estaba encinta en el jardín el día en que celebramos las carreras nació antes de tiempo y por primera vez me recluyo en mis habitaciones sin la compañía de mi madre. Le envío recados desde la oscuridad de mi cámara y ella me responde en tono alegre desde la suya. Pero, cuando salgo llevando en brazos a una frágil niña recién nacida, encuentro a mi madre en su alcoba, demasiado débil para levantarse. Todas las tardes tomo a la pequeña, liviana como un pajarillo, y la deposito en los brazos de mi progenitora. Durante una semana o dos, ambas contemplan cómo el sol se va poniendo por debajo del nivel de la ventana; hasta que un día, igual que el sol del ocaso, las dos me abandonan para siempre, juntas.

El último día del mes de abril, al anochecer, oigo un grito de llamada, como el ulular de una lechuza. Voy hasta mi ventana, empujo los postigos y me asomo al exterior. Hay una luna menguante que se eleva en el horizonte, blanca sobre un cielo también blanco; ella también se está desgastando y bajo su frío resplandor se oye una invocación, como un coro de voces, y sé que esa música no es la de las lechuzas, ni tampoco la de los ruiseñores, sino la de Melusina. Nuestra deidad antepasada se deja oír por los tejados de la casa porque su hija Jacquetta, de la casa de Borgoña, está agonizando.

Me quedo inmóvil unos instantes escuchando ese aullido fantasmal, y después cierro los postigos y acudo a la habitación de mi madre. No me doy prisa, sé que ya no hay necesidad de apresurarse para acudir a su lado. La encuentro tumbada en su cama con la recién nacida en brazos, la cabecita apoyada contra la mejilla de su abuela. Ambas están pálidas como el mármol, ambas tienen los ojos cerrados, ambas dan la impresión de estar apaciblemente dormidas mientras las sombras del anochecer van invadiendo la habitación con lentitud. Al otro lado de la ventana, la luna reflejada en el agua proyecta ondas de luz sobre el yeso blanco del techo; crea la ilusión de que están sumergidas en el agua, flotando con Melusina. Pero yo sé que las dos me han dejado para siempre y que nuestra acuosa madre está acompañándolas con su canto a lo largo del dulce río que ha de conducirlas hasta los manantiales ocultos de su hogar.

Verano de 1472

El dolor que me ha causado la muerte de mi madre no termina con su funeral, no se cura con los meses que van transcurriendo lentamente. Todas las mañanas al despertarme echo de menos su presencia tanto como el primer día. Todos los días he de recordar que no puedo pedirle su opinión, ni discutirle sus consejos, ni reírle los sarcasmos, ni solicitarle que me oriente con su magia. Y todos los días descubro que siento todavía más rencor hacia Jorge, duque de Clarence, por haber matado a mi padre y a mi hermano. Tengo el convencimiento de que, al conocer la noticia de que ambos habían muerto a manos de él siguiendo órdenes de Warwick, a mi madre se le rompió el corazón, y de que, si él no los hubiera asesinado a traición, ella también seguiría viva ahora.

Estamos en verano, una época apropiada para entregarse a los placeres de forma irreflexiva. Sin embargo yo llevo conmigo mi pena a las comidas al aire libre, a las excursiones que hacemos a la campiña, a los paseos a caballo y a las noches de acampada bajo la luna. Eduardo nombra a mi hijo Thomas Grey conde de Huntingdon, pero eso no me produce ninguna dicha. No le hablo a nadie de mi dolor, excepto a Anthony, que también ha perdido a su madre. Y casi nunca la mencionamos; es como si no nos atreviéramos a hablar de ella como de una persona que ha muerto y tampoco pudiéramos mentirnos a nosotros mismos diciéndonos que aún está viva. Pero yo culpo a Jorge, duque de Clarence, de haberle roto el corazón y de haberle causado la muerte.

—Odio a Jorge de Clarence más que nunca —le digo a Anthony mientras vamos juntos a caballo por el camino que lleva a Kent; allí nos esperan un banquete y una semana recorriendo los verdes senderos que discurren entre los huertos de manzanos. Debería tener el corazón alegre porque la corte es feliz, pero mi sentimiento de pérdida me atenaza como si fuera un halcón que me aferrase con fuerza la muñeca.

—Porque estáis celosa —me dice mi hermano Anthony en tono provocador mientras sujetaba con una mano las riendas de su montura y con la otra guía a mi hijo pequeño, el príncipe Eduardo, que cabalga en su poni—. Sentís celos de toda persona que cuente con el cariño de Eduardo. Sentís celos de mí, sentís celos de William Hastings, sentís celos de todo aquel que agasaja al rey, y lo lleva a los burdeles, y lo devuelve a casa borracho, y lo divierte.

Yo me encojo de hombros, indiferente a las chanzas de Anthony. Sé desde hace mucho tiempo que el placer que el rey obtiene bebiendo con sus amigos y viendo a otras mujeres forma parte de su manera de ser. He aprendido a tolerarlo, sobre todo porque eso nunca lo aparta demasiado de mi lecho y porque cuando estamos juntos es como si nos hubiéramos casado en secreto esa misma mañana. Ha sido un soldado en campaña, alejado del hogar, con un centenar de rameras a su disposición; ha sido un exiliado en ciudades donde las mujeres han acudido presurosas a consolarlo; y ahora es el rey de Inglaterra, así que todas las habitantes de Londres estarían deseosas de ser suyas... Y en verdad estoy convencida de que la mitad de ellas ya lo han sido. Mi marido es el rey. Jamás pensé que fuera a casarme con un hombre corriente, de apetitos moderados. Jamás esperé tener un matrimonio en el que él se quedara sentado a mis pies, en silencio. Eduardo es el rey, y ha de hacer lo que le apetezca.

—No, te equivocas. Que Eduardo se acueste con rameras no es algo que me preocupe. Es el rey, de modo que puede obtener sus placeres donde se le antoje. Pero yo soy la reina y siempre termina volviendo conmigo. Eso lo sabe todo el mundo.

Anthony asiente para concederme la razón en ese punto.

—Pero no veo por qué concentráis vuestro odio en Jorge. Todos los familiares del rey son igual de malvados. Su madre nos odia a vos y a todos nosotros desde que aparecimos en Reading y Ricardo está cada día más intratable y más malhumorado. Está claro que la paz no le sienta bien.

—No le sienta bien nada que tenga que ver con nosotros —afirmo—. No se parece en nada a sus dos hermanos; son como el agua y el vino. Él es menudo y moreno, y lo inquietan tanto su salud, su posición y su alma que siempre está anhelando hacer fortuna y rezando oraciones.

—Eduardo vive como si el mañana no existiera, Ricardo como si no quisiera que llegara un mañana, y Jorge como si hubieran de dárselo de forma gratuita.

Lanzo una carcajada.

—Bueno, pues a mí Ricardo me agradaría más si fuera tan sinvergüenza como lo sois los demás —observo—. Y desde que se ha casado es más santurrón todavía. Siempre nos ha despreciado a nosotros, los Rivers, y ahora también desprecia a Jorge. Es justo csa beatería tan pomposa lo que no puedo soportar. Hay ocasiones en que me mira como si yo fuera una especie de...

—¿Una especie de qué?

—Una especie de pescadera gordinflona.

—Pues —responde mi hermano—, para seros sincero, ya no sois precisamente joven, y con determinada luz, ya sabéis...

Le propino un golpecito en la rodilla con mi fusta y él ríe y le guiña un ojo al pequeño Eduardo, que va montado en su poni.

—No me gusta que se haya apoderado de todo el norte. Eduardo le ha concedido un poder excesivo, lo ha convertido en un príncipe dueño de un principado propio. Representa un peligro para nosotros y para nuestros herederos. Eso va a dividir el reino.

—Con algo tenía que recompensarlo. Ricardo ha arriesgado una y otra vez la vida en las apuestas que Eduardo ha jugado. Ricardo ganó el reino para Eduardo, y era justo que recibiera su parte.

—Pero eso lo convierte casi en un rey que cuenta hasta con un territorio propio —protesto—. Le entrega el reino del norte.

—Nadie duda de su lealtad, excepto vos.

—Es leal a Inglaterra y a su casa, pero no le gustamos ni los míos ni yo. Siente envidia de todo lo que tengo y no admira mi corte. ¿Y qué significa eso de que piensa en nuestros hijos? ¿Será leal a mi vástago varón, porque también lo es de Eduardo?

Anthony se encoge de hombros.

—Hemos subido muy alto, ya lo sabéis. Vos habéis elevado nuestra posición. Hay muchas personas que opinan que vivimos por encima de lo que merecemos, y tan sólo por obra y gracia de que vos mostrasteis vuestros encantos en un camino.

—No me gusta que Ricardo se haya casado con Ana Neville.

Anthony deja escapar una breve risa.

—Ah, hermana, a nadie le ha gustado ver a Ricardo, el joven más rico de toda Inglaterra, desposado con la joven más rica de toda Inglaterra. ¡Pero jamás habría imaginado que ibais a poneros del lado de Jorge, duque de Clarence!

Yo río de mala gana. La rabia que invadió a Jorge al ver que las manos de su propio hermano arrancaban de su misma casa a su acaudalada cuñada lleva medio año haciéndonos reír a todos.

—Sea como sea, es vuestro esposo el que ha obligado a Ricardo —señala Anthony—. Si Ricardo deseaba casarse con Ana por amor, podría haberlo hecho y haber obtenido como recompensa el amor de ella. Pero fue necesario que el rey interviniera para declarar que la fortuna de su madre debía dividirse entre las dos hermanas. Fue preciso que vuestro honorable esposo declarase a la madre legalmente muerta, aunque creo que esa anciana continúa insistiendo con tozudez en que aún está viva y exige ejercer el derecho a reclamar sus tierras; fue vuestro esposo el que le arrebató toda la fortuna a esa pobre mujer para entregársela a sus dos hijas y así, de esa manera tan cómoda, a los hermanos de él.

—Yo le dije que no hiciera tal cosa —contesto irritada—. Pero no me hizo caso. Él siempre favorece a sus hermanos, y a Ricardo muy por encima de Jorge.

—Hace bien en preferir a Ricardo, pero no debería infringir las leyes que él mismo ha impuesto en su propio reino —replica Anthony con una súbita seriedad—. Ésa no es forma de gobernar. Robar a una viuda es ilegal, y es justamente lo que él ha hecho. Además, es la viuda de su enemigo y se ha acogido a sagrado en un convento. Debería mostrarse gentil con ella, debería ser misericordioso. Si fuera un auténtico y noble caballero, la animaría a que saliera del convento y asumiera el control de sus tierras, protegiera a sus hijas y frenara la codicia de sus hermanos.

—La ley es lo que los hombres poderosos dicen que es —sentencio enfadada—. Y el derecho de acogerse a sagrado es de obligado respeto. Si tú no fueras un soñador, como los de Camelot, ya sabrías eso a estas alturas. Estuviste en Tewkesbury, ¿no es cierto? ¿Viste la santidad del suelo sagrado cuando sacaron a rastras a los nobles de la abadía y los apuñalaron en el camposanto? ¿Defendiste entonces el derecho de asilo de la Iglesia? Porque, según ha llegado a mis oídos, todo el mundo desenvainó la espada y dio muerte a los hombres que se acercaban ofreciendo sus armas con la empuñadura por delante.

Anthony sacude la cabeza en un gesto negativo.

—Soy un soñador —concede—, no lo niego. Pero he visto suficientes cosas para conocer el mundo. Puede que mi sueño consista en crear uno mejor. A veces este reinado de los York supone demasiado para mí, Isabel. No soporto ver a Eduardo favorecer a un hombre y dejar a otro de lado sin otra razón que la de hacerse él mismo más fuerte o afianzarse más en el trono. Y vos habéis convertido la corona en vuestro feudo: distribuís favores y riquezas a vuestros favoritos, no a quienes los merecen. Ambos os habéis creado enemigos. La gente dice que no nos importa nada que no sea nuestro propio éxito. Cuando veo lo que hacemos ahora que estamos en el poder, hay ocasiones en que me arrepiento de haber luchado por la rosa blanca; hay veces en que pienso que los de Lancaster lo habrían hecho igual de bien o, en cualquier caso, no peor que nosotros.

—Entonces te estás olvidando de Margarita de Anjou y de su esposo demente —replico con frialdad—. Hasta mi madre me dijo el día en que partimos en dirección a Reading que yo no podría hacerlo peor que Margarita de Anjou, y así ha sido.

Anthony me da la razón.

—De acuerdo. Vos y vuestro esposo no sois peores que un trastornado y una arpía. Muy bien.

Me quedo sorprendida por la gravedad con que habla.

—Así es el mundo, hermano mío —le recuerdo—. Y tú también has obtenido favores del rey y de mí. Y ahora eres conde de Rivers, cuñado del rey y tío del futuro monarca.

—Creía que estábamos haciendo algo más que forrarnos los bolsillos —comenta él—. Pensaba que estábamos haciendo algo más que sentar en el trono a un rey y una reina que son sólo un poco mejores de lo peor que podían ser. Veréis, a veces preferiría llevar puesta una túnica blanca con una cruz roja y estar luchando por Dios en el desierto.

Me viene a la memoria la predicción que hizo mi madre en cuanto a que algún día la espiritualidad de Anthony triunfaría por encima del carácter mundano de su apellido Rivers y se iría de mi lado.

—Ah, no digas eso —le digo—. Te necesito. Y, cuando el pequeño Eduardo se haga hombre y tenga un Consejo propio en calidad de príncipe, también te necesitará. No se me ocurre un hombre mejor que tú para guiarlo y enseñarlo. No existe en toda Inglaterra un caballero más leído. No existe ningún poeta que sepa luchar tan bien. No digas que vas a marcharte, Anthony. Sabes que debes quedarte aquí. Yo no puedo ser reina sin ti. Sin ti no puedo ser yo misma.

Él me hace una venia luciendo su sonrisa ladeada, me toma la mano y la besa.

—No me marcharé mientras preciséis de mí —promete—. Jamás me iré voluntariamente mientras vos me necesitéis. Y tened por seguro que los buenos tiempos están a punto de llegar.

Yo sonrío. Pero, por la manera en que mi hermano pronuncia esas palabras tan optimistas, parecen más bien un lamento.

Septiembre de 1472

Una noche en el castillo de Windsor, después de cenar, Eduardo me indica con una seña que me acerque a él y yo acudo sonriente.

—¿Qué deseáis, esposo? ¿Queréis bailar conmigo?

—Así es —contesta él—. Y después pienso emborracharme hasta las cejas.

—¿Por algún motivo?

—Por ninguno en absoluto. Simplemente por placer. Pero, antes de todo eso, he de preguntaros una cosa. ¿Podéis aceptar a otra dama más en vuestros aposentos como dama de compañía?

—¿Tenéis a alguien en mente?

Al momento me pongo alerta ante el peligro de que Eduardo tenga una nueva amante que quiera endosarme y de que piense que voy a aceptar convertirla en dama de compañía para así facilitarle la labor de seducirla. Se me debe de notar en la expresión de la cara, porque de pronto lanza una carcajada y dice:

—No pongáis esa cara de furia. No osaría haceros cargar con mis rameras, yo solo me basto para alojarlas. No, se trata de una dama proveniente de una familia impecable. No es otra que Margarita Beaufort, la última de los Lancaster.

—¿Deseáis ponerla a mi servicio? —pregunto con incredulidad—. ¿Queréis que sea una de mis damas?

El rey asiente.

—Tengo mis razones. ¿Recordáis que acaba de desposarse con lord Thomas Stanley?

Yo afirmo.

—Se ha declarado amigo nuestro, ha jurado prestarnos su apoyo. Además, en la batalla de Blore Heath su ejército se situó en los flancos y nos salvó, a pesar de que había prometido luchar de parte de Margarita de Anjou. Con su fortuna y la influencia que tiene en el país, necesito seguir teniéndolo de nuestro lado. Obtuvo nuestro permiso para desposar a Margarita, y ahora lo ha hecho y desea traerla a la corte. He pensado que podríamos colocarla en alguna parte. Necesito tener a lord Stanley en mi Consejo.

—¿No es religiosa hasta el aburrimiento? —pregunto con poco ánimo de ayudar.

—Es una dama, adaptará su conducta a la vuestra —replica Eduardo en tono ecuánime—. Y yo necesito tener cerca de mí a su esposo, Isabel. Es un aliado que tendrá importancia tanto ahora como en el futuro.

—Ya que me lo pedís con tanta dulzura, ¿qué otra cosa puedo hacer sino acceder? —Le sonrío—. Pero no me echéis a mí la culpa de que sea aburrida.

—Si os tengo a vos delante, no la veré en absoluto; ni a ella ni a ninguna otra mujer —me susurra—. De modo que no os preocupéis por su conducta. Además, dentro de poco, cuando solicite que su hijo Enrique Tudor vuelva a casa, es posible que el joven regrese, siempre que ella nos sea leal y a él se lo pueda persuadir de que olvide sus sueños de ser el heredero de Lancaster. Los dos vendrán a la corte y nos servirán, y todo el mundo se olvidará de que alguna vez existió esa tal casa de Lancaster. Lo casaremos con alguna hermosa joven de la casa de York que vos misma podréis escoger, y la casa de Lancaster dejará de existir para siempre.

—La invitaré —le prometo.

—Pues decid a los músicos que toquen algo alegre y bailaré con vos.

Me vuelvo para hacerles una señal a los músicos; éstos se consultan unos a otros durante un momento y comienzan a tocar la melodía más moderna, venida directamente de la corte de Borgoña, donde Margarita, la hermana de Eduardo, continúa con la tradición yorkiana de divertirse y la tradición borgoñona de seguir la última moda. De hecho, la melodía se denomina «danza de la duquesa Margarita». Eduardo me arrastra a la pista de baile y me hace dar vueltas a toda velocidad hasta que todos los presentes se deshacen en carcajadas y aplausos mientras forman un círculo a nuestro alrededor y antes de salir ellos mismos a bailar.

Cuando finaliza la música y yo me escabullo hacia un rincón más tranquilo, mi hermano Anthony me ofrece un vaso de cerveza ligera que yo bebo con avidez.

—Y bien, ¿todavía te parezco una pescadera gordinflona? —le pregunto.

—Oh, ese comentario hirió una fibra sensible, ¿verdad? —Con una ancha sonrisa, Anthony me rodea con un brazo y me estrecha con delicadeza—. No, parecéis la hermosa mujer que sois, lo sabéis perfectamente. Poseéis el mismo don que poseía nuestra madre, el de ir ganando en belleza a medida que ganáis en edad. Vuestras facciones han dejado de ser tan sólo las de una joven bonita para transformarse en las de una mujer muy bella, de rostro tan perfecto como si lo hubieran esculpido. Cuando reís y bailáis con Eduardo podríais pasar por una veinteañera, pero cuando estáis callada y pensativa sois tan hermosa como las estatuas que se tallan en Italia. No es de extrañar que las mujeres os aborrezcan.

—Mientras no me aborrezcan los hombres... —replico yo sonriendo.

Enero de 1473

En los fríos días de enero, Eduardo viene a mis habitaciones, donde me encuentro sentada frente al fuego con un escabel delante de mí para poder tener los pies levantados. Cuando me ve sentada, una inactividad impropia de mí, se detiene en el umbral y, tras hacer una seña a los hombres que tiene a su espalda y a mis damas de compañía, ordena:

—Dejadnos.

Todos se van con un leve rumor, entre ellos la recién llegada lady Margarita Stanley, que revolotea alrededor de Eduardo como hacen todas las mujeres.

El rey los despide con un gesto hasta que por fin se cierra la puerta.

—Quería preguntaros por lady Margarita. ¿Es una compañía alegre y reconfortante para vos?

—Es suficiente —respondo yo con una sonrisa—. Ella sabe tan bien como yo que, cuando yo estaba acogida a sagrado, ella pasó a bordo de la barcaza de los Tudor por delante de mi ventana y que en aquel momento saboreó un instante de triunfo. E igualmente sabe tan bien como yo que ahora soy yo quien tiene el mando. Ninguna de las dos se olvida de eso. No somos hombres, que se dan una palmada en la espalda después de haber luchado el uno contra el otro en la batalla y se dicen que van a continuar tratándose «sin resentimientos». Pero también sabemos que el mundo ha cambiado y que nosotras tenemos que cambiar asimismo, y ella jamás dice una sola palabra que sugiera que desea que su hijo sea reconocido como heredero del trono de Lancaster con mayor justificación que la que tiene nuestro hijo para ser reconocido como heredero del de York.

—He venido para hablar con vos de nuestro pequeño —dice Eduardo—. Pero veo que sois vos quien debería hablar conmigo.

Yo le miro con sorpresa y le ofrezco una sonrisa.

—Oh. ¿Y de qué?

El rey deja escapar una leve risa, toma un cojín de un banco y lo deja caer al suelo para poder sentarse a mi lado. Las hierbas aromáticas que acaban de esparcirse por el suelo de la habitación desprenden aroma a agua de menta.

—¿Creéis que estoy ciego? ¿O que soy un lerdo?

—Ni lo uno ni lo otro, mi señor —contesto yo con aire coqueto—. ¿Debería?

—A lo largo de todo el tiempo que hace que os conozco, siempre os habéis sentado tal como os enseñó vuestra madre: erguida, con los pies juntos y las manos sobre el regazo o apoyadas en los brazos de la silla. ¿No es así como os enseñó que debíais sentaros? ¿Como una reina? ¿Como si ella hubiera sabido desde siempre que ibais a tener un trono?

Yo sonrío.

—Y probablemente lo sabía, en efecto.

—Y he aquí que ahora os encuentro sentada en una postura indolente en mitad del día y con los pies apoyados en un escabel. —Se inclina hacia atrás y me levanta el borde del vestido para verme los pies—. ¡Y además descalza! Estoy escandalizado. Se ve a las claras que os estáis convirtiendo en una mujer dejada y que mi corte real se halla bajo el mando de una mujerzuela de baja estofa, tal como me advirtió mi madre.

—¿Y bien? —le pregunto impertérrita.

—Y bien, sé que estáis encinta. Porque la única ocasión en que os sentáis con los pies en alto es cuando estáis en ese estado. Y por esa razón os pregunto si pensáis que estoy ciego o que soy un lerdo.

—¡Si queréis saber lo que pienso, os diré que sois más fértil que un semental! —exclamo—. Tengo un hijo vuestro un año sí y otro no.

—Y todos los demás —agrega él en tono impenitente—. No os olvidéis de ellos. ¿Y cuándo ha de nacer este preciado retoño?

—En verano —contesto—. Y hay algo más...

—¿Sí?

Acerco su rubia cabeza a la mía y le susurro al oído:

—Creo que va a ser un varón.

El rey yergue la cabeza bruscamente, con el semblante resplandeciente de alegría.

—¿De veras? ¿Tenéis algún indicio?

—Cosas de mujeres —replico yo acordándome de que mi madre inclinaba la cabeza hacia un lado, como si pretendiera oír en los cielos el taconeo de unas botitas de montar—. Pero me parece que sí. Espero que sí.

—Un varón que le nace a la casa de York en época de paz —dice Eduardo con gesto soñador—. Ah, querida, sois una buena esposa. Sois mi dama, mi único amor.

—¿Y qué pasa con todas las demás?

Él descarta a todas sus amantes y sus respectivos hijos con un gesto de la mano.

—Olvidaos de ellas. Yo las he olvidado ya. La única mujer que me importa en el mundo sois vos. Ahora y siempre.

Me besa con dulzura, reprimiendo su excitación sexual, siempre a punto. No volveremos a ser amantes hasta que el niño haya nacido y yo haya pasado por los oficios de la Iglesia.

—Amor mío —me dice en un susurro.

Dejamos pasar varios minutos en silencio, contemplando el fuego de la chimenea.

—Pero ¿para qué habéis venido a verme? —pregunto.

—Ah, sí. Supongo que no resultará un problema. Quiero enviar al joven Eduardo a Gales, a que inicie su pequeño reino. Al castillo de Ludlow.

Yo asiento con un gesto. Así es como debe ser. Eso es lo que significa tener un príncipe en lugar de una princesa. Mi hija mayor, Isabel, puede permanecer a mi lado hasta que se case; pero mi hijo ha de marcharse a comenzar el aprendizaje de ser rey. Ha de marcharse a Gales porque es el príncipe de Gales y ha de gobernar dicha región con un Consejo propio.

—Pero si aún no tiene ni tres años —me quejo.

—Es edad suficiente —replica mi esposo—. Y vos viajaréis con él a Ludlow, si juzgáis que tenéis bastantes fuerzas, y lo dispondréis todo conforme a vuestros deseos; os aseguraréis de que tenga los acompañantes y los tutores que sean de vuestro agrado. Yo me encargaré de nombraros ante el Consejo y podréis elegir a los demás miembros; daréis orientación a Eduardo y dirigiréis sus estudios y su vida hasta que cumpla los catorce años.

Nuevamente acerco el rostro de Eduardo al mío y lo beso en la boca.

—Gracias —le digo. Está poniendo a mi hijo bajo mi custodia cuando la mayoría de los monarcas dirían que el niño ha de vivir acompañado únicamente por hombres, apartado de los juicios de las mujeres. Pero Eduardo me convierte en guardiana de mi hijo, honra el amor que siento por él, respeta mi criterio. Podré soportar verme separada de mi niño si se me permite escoger quiénes han de ser los miembros de su Consejo, porque eso significará que lo visitaré con frecuencia y que su vida seguirá estando bajo mi custodia.

—Y podrá venir a casa en los días festivos y sagrados —afirma Eduardo—. Yo también lo echaré de menos, no lo dudéis. Pero debe estar en su principado. Debe empezar a gobernar. Gales ha de conocer a su príncipe y aprender a amarlo. Es necesario que él conozca su tierra desde la infancia; de ese modo nos ganaremos la lealtad de sus gentes.

—Ya lo sé —contesto yo—. Ya lo sé.

—Además, Gales siempre ha sido leal a los Tudor —agrega Eduardo casi en un aparte—. Y quiero que los olvide.

Estudio con detenimiento quién ha de encargarse de educar a mi hijo en Gales y quién ha de encabezar su Consejo y gobernar la región por él hasta que alcance la mayoría de edad. Finalmente tomo la decisión que habría tomado si hubiera escogido el primer nombre que me vino a la mente, sin pensar. Por supuesto. ¿A quién si no iba yo a confiar la posesión más preciada que tengo en el mundo?

Voy a las habitaciones de mi hermano Anthony, que se encuentran muy retiradas de la escalinata principal pues dan a los jardines privados. Su sirviente guarda su puerta; la abre y anuncia mi llegada respetuosamente, en voz baja. Cruzo la sala de recibir, llamo a la puerta de la cámara privada y entro.

Lo encuentro sentado a una mesa, delante del fuego, con una copa de vino en la mano. Tiene frente a sí una docena de plumas bien afiladas y varias hojas de carísimo papel cubiertas de rayas que las atraviesan de un lado al otro. Está escribiendo, tal como hace muchas tardes en las que la temprana oscuridad invernal obliga a todo el mundo a refugiarse puertas adentro. Ahora escribe a diario y ya no da a conocer sus poemas en las justas; para él son demasiado importantes.

Sonríe y coloca una silla junto al fuego para que tome asiento. Acto seguido, sin hacer ningún comentario, me pone un escabel bajo los pies. Habrá adivinado que estoy encinta. Anthony es un poeta a la hora de escribir y también a la hora de fijarse en lo que ve. No se le escapa nada.

—Me siento honrado —me dice con una sonrisa—. ¿Tenéis algún recado que encomendarme, excelencia, o se trata de una visita particular?

—Se trata de una petición —respondo—. Eduardo va a enviar a

mi hijo pequeño a Gales para que establezca una corte propia, y deseo que tú lo acompañes en calidad de primer consejero.

—¿Eduardo no preferirá que vaya Hastings? —pregunta mi hermano.

—No. Voy a ser yo quien nombre a los miembros del Consejo. Anthony, es mucho lo que tenemos que ganar con Gales. Es una región que precisa de una mano fuerte, y deseo que esté bajo el mando de nuestra familia. No pueden ser ni Hastings ni Ricardo. Hastings no me agrada ni me agradará nunca, y Ricardo ya posee las tierras de Neville en el norte... No podemos permitir que se apodere también de las del oeste.

Anthony se encoge de hombros.

—Ya tenemos suficientes riquezas e influencia, ¿no es así?

—Nunca se tiene demasiado —replico constatando algo que resulta obvio—. Y sea como fuere, lo más importante es que quiero que seas tú el guardián de mi pequeñín.

—Si ha de ser el príncipe de Gales y tener una corte propia, deberíais dejar de llamarlo pequeñín —me recuerda mi hermano—. Va a asumir la condición de hombre adulto: mando propio, corte propia, un país propio. No tardaréis en buscarle una princesa con quien casarlo.

Yo sonrío con el rostro vuelto hacia el calor de las llamas.

—Ya lo sé, lo sé. Ya estamos pensando en ello. Me cuesta creerlo. Lo llamo pequeñín porque me gusta recordarlo tal como era cuando llevaba ropas de recién nacido, pero ahora ya viste como un hombrecito y hasta tiene su poni propio. Crece con cada día que pasa. Todos los trimestres le cambio las botas de montar.

—Es un niño encantador —dice Anthony—. Y, aunque se parece a su padre, hay veces que tengo la impresión de ver en él a su abuelo. Se nota a las claras que es un Woodville, uno de los nuestros.

—No quiero que tenga ningún otro guardián más que tú —declaro—. Ha de ser educado como un Rivers en una corte formada por Rivers. Hastings es un bruto, y tampoco quiero confiarle el cuidado de mi retoño a ninguno de los hermanos de Eduardo.

Jorge no piensa en nada que no sea él mismo y Ricardo es demasiado joven. Quiero que mi príncipe Eduardo aprenda de ti, Anthony. Tú no consentirías que nadie más influyera en él, ¿verdad que no?

Él niega con la cabeza.

—No consentiría que lo educase ninguna de esas personas. No me había dado cuenta de que el rey iba a enviarlo a Gales tan pronto.

—Esta primavera —le digo—. No sé si podré soportar su partida.

Anthony calla unos instantes.

—No voy a poder llevarme conmigo a mi esposa —dice—, por si estabais pensando en que pudiera convertirse en señora de Ludlow. No es lo bastante fuerte, y este año se encuentra peor que nunca, más débil.

—Lo sé. Si desea vivir en la corte, yo me encargaré de que esté bien atendida. Pero ¿no irás a quedarte aquí por causa de ella?

Anthony niega otra vez.

—Dios la bendiga, pero no.

—Entonces, ¿irás?

—Iré, y vos podréis venir a visitarnos —dice Anthony con solemnidad—. A nuestra nueva corte. ¿Dónde va a estar? ¿En Ludlow?

Hago un gesto de afirmación.

—Podrás aprender galés y hacerte bardo —le digo.

—Bueno, puedo prometeros que educaré al pequeño tal como vos y nuestra familia querríais —me responde él—. Cuidaré de que se aplique a los estudios y a los deportes. Puedo enseñarle lo que necesita para ser un buen monarca de York. Y no es cosa pequeña, educar a un rey. Es un legado que hay que transmitir: el de dar forma al niño que un día será soberano.

—¿Es suficiente para que sacrifiques tu peregrinación durante otro año más? —le pregunto.

—Sabéis que no soy capaz de negaros nada. Y que vuestra palabra equivale a una orden del rey, y a eso no puede negarse nadie. Pero en verdad os digo que no rehusaría servir al joven príncipe Eduardo, será una misión importante ser el guardián de un niño como él. Me sentiré orgulloso de tener en mis manos la formación del próximo soberano de Inglaterra. Y será un placer vivir en la corte del príncipe de Gales.

—¿Voy a tener que llamarlo así de ahora en adelante? ¿Ya no es mi pequeñín?

—Efectivamente.

Primavera de 1473

El joven Eduardo, príncipe de Gales, junto con su tío el conde de Rivers, mi hijo Richard Grey —que ahora es sir por orden de su padrastro el rey—, y yo misma, emprendemos una solemne marcha en dirección a Gales para que vea su país y que tanta gente como sea posible lo vea a él. Su padre dice que de ese modo afianzaremos nuestro gobierno; mostrándonos al pueblo y haciendo gala de nuestra riqueza, nuestra fertilidad y nuestra elegancia, conseguiremos que las gentes se sientan seguras de su monarquía.

Vamos avanzando en etapas cortas. Eduardo es fuerte, pero aún no tiene ni tres años, así que pasar la jornada entera a lomos de un caballo es demasiado extenuante para él. Doy la orden de que todos los días repose un rato después del almuerzo y de que por la noche se acueste temprano, en mi cámara. También me alegro del ritmo pausado de este viaje por mí misma, ya que cabalgo al estilo amazona para poder sentarme de lado, ahora que ya se me empieza a notar la curva del vientre. Llegamos a la bella ciudad de Ludlow sin incidentes y tomo la decisión de pasar en Gales con mi hijo el primer medio año, hasta tener la certeza de que la casa está organizada para procurarle comodidad y seguridad y de que él mismo se siente adaptado y feliz en su nuevo hogar.

El pequeño está encantado; no se queja de nada. Echa de menos la compañía de sus hermanas, pero adora ser el principito de su corte y disfruta teniendo consigo a su medio hermano Richard y a su tío. Empieza a conocer el terreno que circunda el castillo, los profundos valles y las hermosas montañas. Lo atienden los mismos criados que han estado con él desde que era un recién nacido. Ha hecho amigos nuevos entre los niños que hay en su corte, los que han venido a aprender y jugar con él, y cuenta con la atenta vigilancia de mi hermano. Soy yo la que no puede conciliar el sueño durante la semana anterior a mi partida. A Anthony se le ve tranquilo, Richard está contento y el pequeño Eduardo se siente dichoso en su nueva casa.

Como es natural, me resulta casi insoportable separarme de él, ya que no hemos sido una familia real normal. No hemos tenido una vida repleta de formalidades y distancia. Este niño nació acogido a sagrado, bajo amenaza de muerte. Durante los primeros meses de su vida durmió en mi cama, algo inaudito en un príncipe de la realeza. No tuvo ama de cría, yo misma lo amamanté, y mis dedos fueron lo primero que sus manitas agarraron cuando aprendió a andar. Ni él ni ninguno de mis otros hijos fueron apartados de mí para que los criaran nodrizas o para vivir en otro palacio. El rey Eduardo ha tenido siempre a sus hijos junto a sí, y éste, su primer varón, es el primero que nos abandona para asumir sus deberes de futuro rey. Yo lo amo apasionadamente, es mi niño dorado, el que llegó por fin para afianzar mi posición como reina y dar a su padre, que hasta entonces no era más que un pretendiente de York, un motivo más fuerte para reclamar el trono. Es mi príncipe, el que corona nuestro matrimonio, nuestro futuro.

En junio, Eduardo viene a Ludlow para pasar conmigo el último mes de mi estancia y me trae la noticia de que lady Elizabeth, la esposa de Anthony, acaba de morir. Llevaba varios años sufriendo de mala salud a causa de una enfermedad que la iba debilitando. Anthony ordena que se oficien misas por su alma y yo, en secreto y avergonzada de mí misma, empiezo a pensar en quién va a ser la próxima esposa de mi hermano.

—Ya habrá tiempo para eso —dice Eduardo—. Pero Anthony va a tener que poner de su parte a fin de velar por la seguridad del reino. Es posible que tenga que desposarse con una princesa francesa. Necesito tener aliados.

—Pero sin marcharse de aquí —replico yo—. Y sin dejar a Eduardo.

—Claro. Me doy cuenta de que ha convertido Ludlow en su propio hogar. Además, Eduardo necesitará tenerlo aquí cuando nosotros nos vayamos, y hemos de marcharnos pronto. He dado la orden de partir antes de fin de mes.

Yo dejo escapar una exclamación ahogada, aunque lo cierto es que sabía que iba a llegar este día.

—Ya volveremos para ver a nuestro hijo —me promete—. Y él vendrá a visitarnos. No hay necesidad de poner esa cara de tragedia, amor mío. Está iniciándose en su papel de príncipe de la casa de York, éste es su futuro. Debéis estar contenta por él.

—Estoy contenta —respondo sin ninguna convicción en absoluto.

Cuando llega el momento de marcharme, me veo obligada a pellizcarme las mejillas para que tengan un poco de color y a morderme los labios para no llorar. Anthony sabe lo mucho que me cuesta separarme de ellos tres, pero el pequeño Eduardo está feliz, seguro de que no tardará en acudir a la corte de Londres a hacerme una visita, disfrutando de su nueva libertad y de la importancia de ser príncipe de un país que le pertenece. Me permite que lo bese y que lo abrace sin intentar zafarse. Hasta me susurra al oído:

—Te quiero, mamá.

Luego se arrodilla para recibir mi bendición, pero cuando se levanta está sonriente.

Anthony me iza hasta la silla de montar colocada detrás de mi caballerizo mayor y yo me agarro con fuerza al cinturón de éste.

Ya me muevo con cierta torpeza, pues estoy en el séptimo mes de mi embarazo. De repente me invade una oleada de preocupación y miro alternativamente a mi hermano y a mis dos hijos; me atenaza un pánico verdadero.

—Cuídate mucho —le digo al principito—. Cuida de él —le digo después a Anthony—. Escríbeme. No le permitas que salte con el poni; ya sé que quiere saltar, pero es demasiado pequeño. Y no dejes que coja frío, ni que lea con poca luz, ni que se acerque a nadie que esté enfermo. Si estalla un brote de peste en el pueblo, llévatelo en seguida. —No se me ocurre de qué más advertirle; estoy tan abrumada por la preocupación que no dejo de mirar al uno y al otro—. En serio —digo en tono débil—. En serio, Anthony, guárdalo bien.

Mi hermano se acerca a mi caballo, agarra la punta de mi bota y la sacude suavemente.

—Excelencia —me dice con sencillez—, estoy aquí para guardar al príncipe y lo guardaré. Velaré por su seguridad.

—Y tú también —le susurro—. Tú también debes cuidarte, Anthony. Tengo mucho miedo, pero no sé qué es lo que he de temer. Quiero advertirte, pero no sé en qué consiste el peligro. —Vuelvo la vista hacia mi hijo Richard Grey, que está apoyado contra la entrada del castillo y es ya un joven alto y bien parecido—. Y cuida también de mi hijo mayor —le digo—, de mi Richard. No sé decirte por qué, pero temo por todos vosotros.

Anthony se aparta del caballo y se encoge de hombros.

—Hermana —me dice con ternura—, el peligro existe siempre. Vuestros hijos y yo somos hombres y lo afrontaremos como hombres. No os asustéis vos sola pensando en amenazas imaginarias. Os deseo un buen viaje y un buen alumbramiento. ¡Todos hemos depositado nuestras esperanzas en tener otro príncipe tan sano como éste!

Eduardo da la orden de que nos pongamos en marcha y se sitúa a la cabecera, precedido por el portaestandartes y flanqueado por su guardia personal. El cortejo real comienza a desplegarse como una cinta escarlata a través de las puertas del castillo, el rojo vivo de las libreas tachonado por el ondear de las enseñas. Suenan las trompetas y los pájaros que estaban posados en los tejados de la fortaleza salen volando y se pierden en el cielo; anuncian que el rey y la reina se están separando de su preciado hijo. No puedo detener el avance imparable y no debería detenerlo, pero vuelvo la vista atrás para mirar a mi hijo pequeño, a mi hijo adulto y a mi hermano, hasta que la inclinación del camino que va desde la torre interior hasta la muralla exterior termina por ocultarlos y dejo de verlos. En el momento en que dejo de verlos me inunda tal sensación de oscuridad que por un instante tengo el convencimiento de que se ha hecho de noche y de que jamás volverá a existir un amanecer.

Julio de 1473

En los últimos días del mes de julio hacemos un alto en el viaje de regreso a Londres, en la ciudad de Shrewsbury, para que yo pueda dar a luz en la posada de la gran abadía. Me alegro de huir de la luz deslumbrante y el calor del verano y de refugiarme en el frescor de una habitación con las ventanas cerradas. He ordenado que pongan una fuente en un rincón de mis aposentos porque el chapoteo del agua me calma mientras permanezco tumbada en el diván, aguardando a que llegue el momento.

Esta población está construida alrededor del pozo sagrado de St. Winifred y, al tiempo que escucho el rumor del agua en la fuente y la campanilla que anuncia las horas de la oración, pienso en los espíritus que se mueven en las aguas de esta región tan húmeda, tanto en los paganos como en los santos, Melusina y Winifred. Y pienso que los manantiales y los ríos hablan a todos los seres humanos, pero tal vez sobre todo a las mujeres, que reconocen en su propio cuerpo el movimiento de las aguas de la tierra. Todo lugar sagrado de Inglaterra es un pozo o un manantial; las pilas bautismales se llenan de agua bendita que regresa, bendecida, a la tierra. Es un país para Melusina, y por todas partes abunda el elemento que a ella pertenece, unas veces fluyendo en forma de río, otras veces escondido bajo tierra, pero siempre presente.

A mediados de agosto comienzan los dolores. Al sentirlos giro la cabeza hacia la fuente y escucho el chapoteo, como si pretendiera oír en el agua la voz de mi madre. El niño nace con facilidad, tal como yo tenía previsto, y es un varón, tal como previó mi madre.

Poco después Eduardo entra en la habitación a pesar de que se supone que a los hombres no se les debe permitir tal cosa hasta que la parturienta haya sido purificada en la iglesia.

—Tenía que venir a veros —me dice—. Un hijo varón. Otro más. Dios os bendiga y os guarde a los dos. Dios os bendiga, amor mío, y gracias por haber sufrido dolores para darme otro hijo.

—Creía que no os importaba que fuera niño o niña —bromeo.

—Adoro a mis hijas —se apresura a decir—, pero la casa de York necesitaba otro varón más. Puede ser un compañero para su hermano Eduardo.

—¿Podemos llamarlo Ricardo? —pregunto.

—Yo había pensado en Enrique.

—Llamaremos Enrique al siguiente —propongo—. Éste será Ricardo. Es el nombre que me sugirió mi madre.

Eduardo se inclina hacia la cuna en la que está durmiendo el recién nacido y entonces comprende lo que quiero decir.

—¿Vuestra madre? ¿Sabía que ibais a tener un varón?

—Sí, lo sabía —respondo con una sonrisa—. O, en cualquier caso, fingió saberlo. Ya sabéis cómo era mi madre: lo que decía siempre era mitad mágico y mitad absurdo.

—¿Y éste va a ser el último varón que tengamos? ¿También lo predijo? ¿O vos creéis que habrá otro más?

—¿Por qué no ha de haberlo? —contesto lánguidamente—. Si es que aún deseáis tenerme en vuestro lecho, claro está. Si es que no os habéis cansado de mí. Si es que no preferís a vuestras otras mujeres.

Él se aparta de la cuna y viene a mi lado. Desliza las manos por debajo de mi espalda y me levanta hacia su boca.

—Ah, podéis estar segura de que aún os deseo.

Primavera de 1476

He demostrado que tenía razón y que aquel parto no resultó de ningún modo ser el último. Mi esposo continuó siendo tan fértil como yo lo acusé de ser. En el segundo año tras el nacimiento de Ricardo volví a quedar encinta y en noviembre tuve otro retoño, una niña a la que pusimos por nombre Ana. Eduardo me recompensa por mis esfuerzos concediendo a mi hijo Thomas Grey el título de marqués de Dorset, y yo lo desposo con una joven muy agradable, heredera de una poderosa fortuna.

Eduardo abrigaba la esperanza de que fuera otro varón; habíamos prometido llamarlo Jorge, en honor del otro duque de York, para que de ese modo hubiera, una vez más, tres niños de York que se llamaran Eduardo, Ricardo y Jorge; pero el duque no da ninguna muestra de gratitud. De niño fue avariento y caprichoso, y al hacerse mayor se ha convertido en un hombre desilusionado y colérico. Ya se encuentra en la mitad de la veintena y la boquita de rosa que poseía se ha transformado en una mueca de desdén. Cuando era un joven esperanzado se vanagloriaba de ser uno de los hijos de York; luego fue el primero en la línea de sucesión al trono de Inglaterra porque Warwick lo escogió como heredero; y más tarde quedó desplazado cuando Warwick se pasó al bando de Lancaster. Cuando Eduardo recuperó el trono, Jorge pasó a ser el primero de la línea sucesoria, pero fue empujado al segundo lugar cuando nació mi hijo, el príncipe Eduardo. Desde el nacimiento del príncipe Ricardo, Jorge ha caído al tercer puesto de la línea de sucesión al trono de Inglaterra. Ciertamente, cada vez que yo tengo un hijo varón, el duque Jorge desciende otro escalón y se hunde un poco más en su mar de celos. Y, dado que Eduardo es un célebre mujeriego y que yo soy famosa por mi fertilidad, la subida de Jorge al trono se ha convertido en un acontecimiento sumamente improbable. Por eso es el duque de la Desilusión.

Ricardo, el otro hermano de los York, no da la impresión de que eso le importe, pero se vuelve contra nosotros cuando los York regresan de Francia sin librar ninguna batalla pero ganando una paz. Mi esposo, el rey, así como todo hombre o mujer a lo largo y ancho del país que tenga algo de sentido común, se alegra de haber firmado con Francia una paz que ha de durar muchos años y gracias a la que nos pagarán una fortuna por no reclamar las tierras que poseemos en ese país. Todo el mundo está feliz de haberse ahorrado el coste y el dolor que acarrea una guerra con un país extranjero, excepto el duque Ricardo, el muchacho que se educó en un campo de batalla y que ahora cita los derechos que los ingleses tenemos sobre nuestras tierras de Francia, que se aferra a la memoria de su padre, que ha pasado gran parte de su vida combatiendo contra los franceses y que casi llama cobarde a su hermano el rey por no mandar otra expedición cara y peligrosa.

Eduardo lanza una de sus joviales carcajadas y deja pasar el insulto, pero Ricardo parte enfurecido hacia las tierras que posee en el norte llevándose consigo a su obediente esposa, Ana Neville. Se establece allí como un príncipe de segunda categoría, negándose a regresar al sur con nosotros, creyéndose el único y verdadero York de Inglaterra, el único heredero auténtico de su padre en su enemistad con Francia.

Pero nada turba a Eduardo, que entra sonriente en los establos, buscándome, y me encuentra atendiendo a una yegua, un regalo del rey de Francia para señalar la nueva amistad que existe entre los dos países. Es una yegua preciosa, pero se siente inquieta en este nuevo entorno y no quiere siquiera acercarse a mí, a pesar de que tengo en la mano una tentadora manzana.

—Hoy ha venido a verme vuestro hermano a fin de solicitar mi permiso para realizar una peregrinación y dejar a Eduardo al cuidado de su medio hermano, sir Richard, durante una temporada.

Salgo del establo y cierro la puerta con cuidado para que la yegua se quede a buen recaudo.

—¿Por qué? ¿Adónde quiere ir?

—Quiere ir a Roma —me informa Eduardo—. Me dice que desea retirarse del mundo durante un tiempo. —Me ofrece una extraña sonrisa ladeada—. Al parecer, en Ludlow le ha tomado gusto a la soledad. Quiere ser santo. Defiende que desea buscar al poeta que lleva dentro, que desea disfrutar de la quietud y de un camino desierto, que desea encontrar el silencio y la sabiduría.

—Oh, tonterías —replico yo con el típico desdén de hermana—. Siempre ha tenido la idea de marcharse. Lleva haciendo planes para irse a Jerusalén desde que era pequeño. Adora viajar y cree que los griegos y los musulmanes lo saben todo. Puede que quiera ir, pero su vida y su trabajo están aquí. Decidle que no, sin más, y obligadlo a que se quede.

Eduardo titubea.

—Siente un enorme deseo de hacerlo, Isabel. Y es uno de los caballeros más grandes de la cristiandad. No creo que nadie sea capaz de derrotarlo en una justa cuando tiene un día afortunado. Y su poesía es tan excelente como la mejor. Su cultura y sus conocimientos son muy amplios y su dominio de las lenguas es mayor que el de ninguna otra persona de Inglaterra. No es un hombre corriente. Tal vez sea su destino marcharse lejos de aquí y aprender más. Nos ha servido bien, nadie mejor que él, y, si Dios lo ha llamado para que viaje, quizá deberíamos darle permiso.

La yegua se acerca y saca la cabeza por encima de la puerta

para olfatearme el hombro. Yo me quedo muy quieta para no asustarla. Su aliento con olor a avena me roza el cuello.

—Sois muy sensible respecto de los talentos de mi hermano —digo en tono suspicaz—. ¿Cómo es que de repente lo admiráis tanto?

Eduardo se encoge de hombros y, sólo con ese breve gesto, con la intuición propia de una esposa, lo descubro al instante. Me acerco a él y lo tomo de las manos para que no pueda escapar a mi escrutinio.

—¿Quién es ella?

—¿Qué? ¿De qué habláis?

—De la nueva. De la nueva ramera. De la que adora la poesía de Anthony —digo con mordacidad—. Vos nunca la habéis leído. Nunca habíais expresado una opinión tan elevada acerca de sus conocimientos y de su destino. Así que alguien os ha estado leyendo esos poemas. Imagino que os los ha leído una mujer y, si no me equivoco, esa joven los conoce porque Anthony se los ha leído a ella. Y lo más probable es que Hastings también la conozca. Y todos pensáis que es una mujer encantadora. Pero quien se la lleve a la cama seréis vos, y los otros se quedarán olisqueando alrededor como perros. Tenéis una amante nueva y encantadora, eso lo puedo entender. Pero, si pensáis que vais a compartir conmigo sus tontas opiniones, tendréis que libraros de ella.

Eduardo desvía la mirada y la posa en sus botas, en el cielo, en la yegua nueva.

—¿Cómo se llama? —pregunto—. Podéis decirme eso, por lo menos.

Entonces me atrae hacia sí y me estrecha entre sus brazos.

—No os enfadéis, amor mío —me susurra al oído—. Sabéis que no hay nadie más que vos. Vos únicamente.

—Yo y otra veintena más —replico irritada; pero no me aparto de él—. Desfilan por vuestra alcoba igual que una procesión del uno de mayo.

—No —contesta el rey—. Os digo la verdad. No existe nadie más que vos. Sólo tengo una esposa. Tengo muchas amantes, puede que cientos, pero una sola esposa. Eso es importante, ¿no os parece?

—Vuestras amantes son lo bastante jóvenes para ser hijas mías —le digo de mal humor—. Y además vais al interior de la ciudad a buscarlas. Los comerciantes de la ciudad se quejan de que sus esposas y sus hijas no están a salvo de vos.

—No —contesta mi esposo con la vanidad de un hombre atractivo—, no lo están. Tengo la esperanza de que no haya mujer capaz de resistirse a mí. Pero jamás he tomado a ninguna por la fuerza, Isabel. La única mujer que se me ha resistido sois vos. ¿Os acordáis de cuando me amenazasteis con aquella daga?

Yo sonrío sin querer.

—Por supuesto que sí. Y también recuerdo que vos jurasteis que me regalaríais la funda, pero que sería lo último que me regalarais nunca.

—No hay nadie como vos. —Me besa en la frente y a continuación en los párpados y en los labios—. No hay nadie más que vos. Tan sólo mi esposa tiene mi corazón en sus hermosas manos.

—Y bien, ¿cómo se llama, pues? —le pregunto yo mientras él me besa para hacer las paces—. ¿Cómo se llama esa nueva amante?

—Elizabeth Shore —me responde el rey rozándome el cuello con los labios—. Pero eso no importa.

Anthony acude a mis habitaciones tan pronto como llega a la corte, tras el viaje realizado desde Gales, y yo lo recibo en seguida negándome en redondo a concederle permiso para partir.

—No, en serio, querida hermana —me dice—, tenéis que dejarme marchar. No voy a Jerusalén, al menos este año, pero quiero viajar a Roma a confesar mis pecados. Deseo pasar una temporada alejado de la corte y pensar en cosas que importan y no en cosas mundanas. Deseo ir de un monasterio a otro, levantarme al amanecer para orar y, cuando no haya un monasterio en el que pueda pasar la noche, dormir bajo las estrellas y buscar a Dios en el silencio.

—¿No vas a echarme de menos? —le pregunto con actitud infantil—. ¿No vas a echar de menos al pequeñín? ¿Y a las niñas?

—Sí, y ése es el motivo de que ni siquiera considere tomar parte en una cruzada. No soportaría pasar tantos meses ausente. Pero Eduardo vive feliz en Ludlow, con sus compañeros de juegos y sus tutores, y el joven Richard Grey es un buen amigo que le sirve de modelo. No pasará nada si lo dejo solo durante una temporada corta. Siento un fuerte anhelo de viajar por caminos desiertos y he de satisfacerlo.

—Eres un hijo de Melusina —comento intentando sonreír—. Dices las mismas cosas que decía ella cuando sentía la necesidad de ser libre para sumergirse en el agua.

—Es algo parecido —coincide Anthony—. Imaginad que voy a marcharme nadando y que más tarde la marea me devolverá a casa.

—¿Ya has tomado la decisión?

Mi hermano asiente.

—Preciso estar en silencio para oír la voz de Dios —afirma—. Y también para escribir poesía. Y para ser yo mismo.

—¿Pero volverás?

—Dentro de pocos meses —me promete.

Extiendo los brazos hacia él, y él me besa ambas manos.

—Debes regresar —le digo.

—Volveré —asegura—. He dado mi palabra de que tan sólo la muerte me apartará de vos y de los vuestros.

Julio de 1476

Anthony cumple la palabra que dio y regresa de su viaje a Roma a tiempo para reunirse con nosotros en julio en Fotheringhay. Ricardo tiene planeado y organizado un solemne reenterramiento de su padre y de su hermano Edmundo, que murieron en la batalla, sufrieron las burlas de todos y apenas fueron sepultados. Todos los miembros de la casa de York se reúnen para asistir al funeral y al servicio conmemorativo que sigue a continuación, y yo me alegro de que Anthony vuelva a casa a tiempo para traer al príncipe Eduardo a que honre a su abuelo.

Anthony llega bronceado como un moro y rebosante de anécdotas. Robamos unos momentos para escaparnos juntos a dar un paseo por los jardines de Fotheringhay. Le robaron por el camino, creyó que no iba a conseguir salir vivo de aquélla. En una ocasión pasó la noche en un bosque, al lado de un manantial, y no pudo conciliar el sueño pensando que de aquellas aguas iba a surgir Melusina.

—¿Y qué iba a decirle yo? —se queja en tono lastimero—. ¿No resultaría sumamente desconcertante para todos nosotros que yo me enamorase de mi bisabuela?

Conoció al santo padre, ayunó durante una semana y tuvo una

visión; ahora está empeñado en que algún día tendrá que partir de nuevo, pero esta vez mucho más lejos. Quiere ir de peregrinación a Jerusalén.

—Cuando Eduardo sea un hombre y asuma un patrimonio propio al cumplir los dieciséis años, me iré —afirma.

Yo sonrío.

—Muy bien —acepto sin discutir—. Para eso faltan años y años. Diez, a partir de ahora.

—En estos momentos parece mucho tiempo —me advierte Anthony—, pero los años pasan muy de prisa.

—¿Es ésa la sabiduría del peregrino? —me burlo.

—Ésa es —concuerda él—. Antes de que os deis cuenta, será un hombre adulto, más alto que vos, y tendremos que hacer examen de qué clase de rey hemos creado. Será Eduardo V y heredará el trono de manera pacífica, Dios lo quiera. Prolongará la casa real de York sin que nadie se le oponga.

Sin razón aparente, siento un estremecimiento.

—¿Qué sucede?

Nada, no sé. Ha sido un escalofrío, nada. Sé que Eduardo será un rey maravilloso. Es un auténtico York y un auténtico hijo de la casa de Rivers. Ningún niño podría tener mejor comienzo.

Diciembre de 1476

Llega la Navidad y mi querido hijo, el príncipe Eduardo, viene a casa, a Westminster, para pasar las fiestas. Todo el mundo se maravilla de lo mucho que ha crecido. El año que viene cumple los siete, y ya es un muchacho muy guapo, de porte erguido y cabello rubio, dotado de una rapidez intelectual y una educación que son totalmente de Anthony y de un prometedor encanto y un atractivo físico que son totalmente de su padre.

Anthony trae a mi presencia a mis dos hijos Richard Grey y el príncipe Eduardo para que los bendiga; después los deja libres para que vayan a buscar a sus hermanos y hermanas.

—Os echo de menos a los tres. Muchísimo —le digo.

—Y yo a vos —me dice él a su vez con una sonrisa—. Pero tenéis buena cara, Isabel.

Yo hago una mueca.

—Para ser una mujer que vomita todas las mañanas...

A Anthony se le ilumina el semblante.

—¿Estáis de nuevo encinta?

—De nuevo y, teniendo en cuenta las náuseas, todos están convencidos de que va a ser un varón.

—Eduardo debe de sentirse muy feliz.

—Supongo que sí. Demuestra su felicidad coqueteando con todas las mujeres que hay en cien millas a la redonda.

Anthony lanza una carcajada.

—Ése es Eduardo.

Mi hermano está realmente contento. Se advierte en seguida en la postura de sus hombros y en la expresión relajada que muestran sus ojos.

—¿Y qué me dices de ti? ¿Te sigue gustando Ludlow?

—Al joven Eduardo, a Richard y a mí, las cosas nos van tal como queremos —responde—. Formamos una corte dedicada a la erudición, la caballería, las justas y la caza. Es una vida perfecta para los tres.

—¿Eduardo estudia?

—Tal como os estoy diciendo. Es un niño muy inteligente y pensador.

—¿Y tú le impides que se arriesgue cazando?

Mi hermano me muestra una amplia sonrisa.

—¡Naturalmente que no! ¿Queríais que criase como a un cobarde al que ha de ocupar el trono de Eduardo? Tiene que poner a prueba su valor en la caza y en el campo de justa. Tiene que conocer el miedo, mirarlo cara a cara y lanzarse contra él. Tiene que ser un rey valiente, no temeroso. Os habría hecho un flaco servicio si hubiera apartado al príncipe de cualquier riesgo y lo hubiera enseñado a temer el peligro.

—Ya sé, ya sé —contesto—. Pero es que es tan preciado...

—Todos somos seres preciados —declara Anthony— y todos tenemos que vivir una vida llena de riesgos. Lo estoy enseñando a montar cualquier caballo del establo y a enfrentarse a una pelea sin echarse a temblar. Eso le será de más ayuda para conservar la vida que si todo el tiempo procurase montar caballos que sean seguros y no acercarse siquiera a un campo de justa. Bien, hablemos ahora de cosas mucho más importantes. ¿Qué tenéis pensado regalarme esta Navidad? ¿Y vais a ponerle mi nombre a vuestro hijo, si es que es varón?

La corte se prepara para el banquete de Navidad con el derroche de siempre, y Eduardo encarga ropa nueva para todos los niños y también para nosotros; son parte del espectáculo que el mundo espera de la atractiva familia real de Inglaterra. Yo paso un rato con el príncipe Eduardo todos los días; me encanta sentarme a su lado cuando duerme y escucharlo rezar cuando se va a la cama. Todas las mañanas lo llamo para que venga a desayunar conmigo. Es un niño muy serio y formal, y se ofrece a leer para mí en latín, griego o francés hasta que termino por confesarle que sus conocimientos superan con mucho los míos.

Es paciente con su hermano menor, Ricardo –que lo idolatra y lo sigue a todas partes a paso vivo–, y es tierno con la pequeña Ana; se asoma a su cuna y observa maravillado sus manitas. Todos los días componemos una obra de teatro o una mascarada, todos los días salimos a cazar, todos los días celebramos una cena solemne y ceremoniosa y bailamos y nos divertimos. La gente dice que los York tienen una corte encantada y una vida encantada, y yo no puedo negarlo.

Hay una sola cosa que proyecta sombra sobre las jornadas que preceden a la Navidad: Jorge, el duque de la Insatisfacción.

—Estoy convencida de que vuestro hermano se vuelve más peculiar con cada día que pasa –me quejo ante Eduardo cuando acude a mis aposentos del palacio de Whitehall para acompañarme a la cena.

—¿Cuál de ellos? –contesta el rey con gesto perezoso–. Porque sabéis que nunca me libro de las críticas ni del uno ni del otro. Cabría pensar que estarían contentos de tener a un York en el trono y paz en la cristiandad, además de uno de los mejores banquetes de Navidad que hayamos organizado nunca, pero no es así: Ricardo va a dejar la corte y regresar al norte en cuanto haya finalizado el banquete para demostrar lo enfadado que está por el hecho de que no nos hayamos enzarzado en una batalla contra los franceses; y Jorge, simplemente, tiene mal humor.

—No es el mal humor de Jorge lo que me preocupa.

—¿Por qué, qué ha hecho ahora? —me pregunta el rey.

—Le ha dicho a su sirviente que no piensa comer nada que le enviemos desde nuestra mesa —le explico—. Le ha comentado que tiene intención de comer únicamente en privado, en su propia habitación, después de que los demás hayamos cenado. Cuando le enviemos un plato como gesto de cortesía para que lo pruebe, lo rechazará. Al parecer, tiene planeado devolvérnoslo como un insulto descarado. Se sentará con los demás a la mesa, pero con un plato vacío ante sí. Y tampoco piensa beber nada. Eduardo, vais a tener que hablar con él.

—Si se niega a beber, eso es más que un insulto, ¡es un milagro! —Eduardo sonríe—. Jorge no es capaz de rechazar una copa de vino ni aunque provenga del diablo en persona.

—No es cosa de risa que utilice nuestra mesa para insultarnos.

—Sí, ya lo sé. He hablado con él. —Se vuelve hacia el séquito de lores y ladies que forman una fila por detrás de nosotros y les dice—: Perdonadnos un momento. —Me lleva hasta una ventana en cuyo antepecho puede hablar sin que lo oigan—. Lo cierto es que la situación es peor de lo que vos creéis, Isabel. Me parece que está propagando rumores en nuestra contra.

—¿Qué está diciendo? —inquiero yo. El resentimiento de Jorge hacia su hermano mayor no quedó curado con el fracaso de su rebelión y el perdón que se le concedió. Yo había abrigado la esperanza de que se conformase con ser uno de los dos grandes duques de Inglaterra. Había creído que sería feliz con su esposa, la pálida Isabel, y con la enorme fortuna que ésta poseía, aunque se hubiera quedado sin el control de su cuñada Ana cuando la joven se casó con Ricardo. Pero, al igual que todo hombre ambicioso y mezquino, cuenta sus pérdidas más que sus ganancias. Sintió rencor contra Ricardo por casarse con su esposa, la pequeña Ana Neville; sintió rencor contra Ricardo por la fortuna que ella le aportó. A Eduardo no puede perdonarle que diera permiso a Ricardo para que la desposara, y vigila toda concesión que el rey hace a mi familia y mis parientes, todo acre de tierra que le regala a Ricardo. Cabría pensar que Inglaterra es un trocito de terreno tan minúsculo que él teme perder unos granos de tierra, de tan angustiosa que resulta su suspicacia–. ¿Qué puede decir contra nosotros? Vos no habéis dejado de mostrar generosidad con él.

—Está afirmando otra vez que mi madre traicionó a mi padre y que yo soy bastardo —me dice Eduardo al oído.

—¡Es vergonzoso! ¡Esa historia tan antigua! —exclamo.

—Y asegura que estableció un pacto con Warwick y con Margarita de Anjou según el cual él debía convertirse en rey a la muerte de Enrique. De modo que él es ahora el soberano legítimo, ya que fue nombrado heredero de Enrique.

—¡Pero si a Enrique lo mató él mismo!

—Callad, callad. No es nada de eso.

Sacudo la cabeza en un gesto de negación de forma que hago bailar el velo de mi tocado.

—No. Habladme claro a ese respecto ahora que estamos los dos solos. En su momento dijisteis que a Enrique se le había cansado el corazón y que eso era una ventaja para todos. Pero Jorge no puede decir ahora que es el hombre elegido y nombrado heredero de Enrique cuando en realidad fue su asesino.

—Dice cosas peores —advierte mi esposo.

—¿De mí? —sugiero.

Eduardo asiente.

—Dice que vos... —Se interrumpe y mira en derredor para cerciorarse de que nadie pueda oírnos–. Dice que vos sois una b... —Lo dice en voz tan baja que ni siquiera pronuncia la palabra.

Yo me encojo de hombros.

—¿Una bruja?

Eduardo afirma con la cabeza.

—No es el primero que lo dice. Y supongo que tampoco será el último. Pero no puede hacerme nada mientras vos seáis rey de Inglaterra.

—No me gusta que se digan esas cosas de vos no sólo por vuestra reputación, sino también por vuestra seguridad. Es peligroso que a una mujer la llamen eso, con independencia de quién sea su marido. Además, todo el mundo continúa diciendo que nuestra boda fue un hechizo. Y eso lleva a la gente a pensar que no hubo un casamiento de verdad.

Dejo escapar un leve siseo, igual que una gata furiosa. Me importa un comino mi propia reputación; mi madre me enseñó que una mujer poderosa siempre atrae sobre sí las calumnias. Pero los que dicen que no estoy casada de verdad están convirtiendo a mis hijos en bastardos. Y eso equivale a desheredarlos.

—Vais a tener que hacerlo callar.

—Ya he hablado con él, le he advertido. Pero imagino que, a pesar de todo, sigue creando una causa contra mí. Tiene seguidores, cada día más, y creo que podría estar en contacto con Luis de Francia.

—Con el rey Luis tenemos un tratado de paz.

—Eso no impide sus manejos. Creo que no hay nada capaz de frenar sus maquinaciones. Y Jorge es lo bastante necio como para aceptar dinero de él y causarme problemas a mí.

Yo miro a mi alrededor. La corte nos está esperando.

—Tenemos que ir a cenar —le digo—. ¿Qué vais a hacer?

—Hablaré con él otra vez. Pero mientras tanto no le enviéis ningún plato desde nuestra mesa. No quiero que pueda presumir de rechazarlo.

Yo hago un gesto negativo.

—Los platos son para los favoritos —apunto—. Y él no es ningún favorito mío.

El rey ríe mi comentario y me besa la mano.

—Tampoco lo convirtáis en sapo, brujilla mía —me dice en un susurro.

—No necesito hacer tal cosa. Ya es un sapo en el fondo de su corazón.

Eduardo no me cuenta lo que le dice al más difícil de sus hermanos, y no es la primera vez que lamento que mi madre no esté conmigo, porque necesito de sus consejos. Jorge, después de pasar varias semanas enfurruñado y negándose a cenar con nosotros, moviéndose por el palacio como si tuviera miedo de sentarse, evitándome a mí como si sólo con mirarlo pudiera convertirlo en piedra, anuncia que Isabel, que se encuentra en los últimos meses del embarazo, está indispuesta. Ha enfermado a causa del aire, declara Jorge con intención, y se dispone a apartarla de la corte.

—Tal vez sea para mejor —me comenta mi hermano Anthony una mañana durante el camino de regreso a mis aposentos después de oír misa. Me siguen mis damas, a excepción de lady Margarita Stanley, que se ha quedado arrodillada en la capilla, Dios la bendiga. Reza igual que una mujer que ha pecado contra el mismísimo Espíritu Santo, pero yo sé con certeza que es inocente de todo. Ni siquiera yace con su esposo; me parece que no siente deseo. Imagino que a ese célibe corazón Lancaster no lo estimula nada más que la ambición—. Todo el mundo anda preguntando qué ha hecho Eduardo para enfurecerlo, y además Jorge os insulta a ambos. La gente no deja de discutir sobre si el príncipe Eduardo se parece a su padre o no y sobre si es posible saber con seguridad que es hijo vuestro, ya que nació acogido a sagrado sin que estuvieran presentes los debidos testigos. He solicitado permiso a Eduardo para desafiarlo a una justa; no se le puede permitir que hable así de vos. Deseo defender vuestro nombre.

—¿Y qué ha dicho Eduardo?

—Que era mejor ignorarlo que dar pábulo a sus embustes desafiándolo. Pero no me gusta. Está insultándonos a vos y a nuestra familia, y también a nuestra madre.

—Eso no es nada en comparación con lo que les está haciendo a los suyos —señalo yo—. Puede que esté llamando bruja a nuestra madre, pero a la suya la está tachando de prostituta. No es un hombre al que le asuste levantar calumnias. Me sorprende que su madre no lo mande callar.

—Me parece que ya lo ha hecho; y Eduardo lo ha reprendido en privado, pero no se detiene ante nada. Está fuera de sí de puro despecho.

—Al menos, si permanece lejos de la corte, no se pasará los días cuchicheando en los rincones y negándose a bailar.

—Siempre y cuando no conspire contra nosotros. Una vez que se encuentre en su casa, rodeado por sus criados, Eduardo no sabrá a quién está reclutando para su causa hasta que haya reunido de nuevo un contingente de soldados y el rey tenga otra rebelión a la que enfrentarse.

—Oh, por supuesto que Eduardo se enterará —replico yo ladinamente—. Tendrá espías vigilando a Jorge. Hasta yo misma tengo una persona pagada en su casa. Eduardo tendrá docenas. Me enteraré de lo que se propone hacer antes de que lo haga.

—¿Quién es vuestro hombre? —me pregunta Anthony.

Yo esbozo una sonrisa.

—La persona que vigila, entiende e informa no tiene por qué ser un hombre. Tengo a una mujer a su servicio, y ella me lo cuenta todo.

Mi espía, Ankarette, me envía informes todas las semanas y me dice que, efectivamente, Jorge recibe cartas de Francia, nuestro enemigo. Luego, justo antes del día de Navidad, me informa de la débil salud de su esposa, Isabel. La duquesita da a luz a otro hijo, el cuarto, pero no recupera las fuerzas y sólo unas semanas después del parto renuncia a luchar por vivir, le da la espalda al mundo y fallece.

Yo rezo por su alma con sentimiento sincero. Fue una joven terriblemente desgraciada. Su padre, Warwick, la adoraba y pensó en convertirla en duquesa; después creyó que podría convertir a su esposo en rey, pero su marido, en lugar de ser un apuesto soberano de la casa de York, era un segundón malhumorado que cambió de bando no una vez, sino dos. Tras haber perdido a su primer retoño en el mar frente a Calais, a bordo de un barco azotado por los vientos de las brujas, tuvo dos hijos más: Margarita y Eduardo. Ahora van a tener que arreglárselas sin su madre. Margarita es una niña muy inteligente, pero Eduardo es lento de entendederas, tal vez incluso simplón. Dios los ayude a los dos teniendo a Jorge como único progenitor. Envío una carta para expresar mi aflicción y la corte guarda luto por ella, hija de un gran conde y esposa de un duque de la realeza.

Enero de 1477

Guardamos luto por ella, pero Jorge, apenas le ha dado sepultura, apenas ha apagado las velas, regresa ya a la corte pavoneándose, repleto de planes para encontrar nueva esposa. Y esta vez apunta bien alto. Carlos de Borgoña, el esposo de nuestra Margarita de York, ha muerto en batalla y su hija María es duquesa y heredera de uno de los ducados más ricos de la cristiandad.

Margarita, siempre defensora de York y fatalmente ciega a los defectos de su familia, sugiere que su hermano Jorge, que por fortuna está libre, contraiga matrimonio con su hijastra. Con ello atiende más las necesidades de su hermano de York que las de su pupila de Borgoña, o así lo creo yo. A Jorge, naturalmente, la ambición lo inflama al instante. Le anuncia a Eduardo que piensa tomar a la duquesa de Borgoña o a la princesa de Escocia.

—Imposible —contesta Eduardo—, mi hermano ya es lo bastante desleal cobrando el estipendio ducal que le pago. Si fuera rico como un príncipe y poseyera una fortuna independiente, ninguno de nosotros estaría a salvo. ¡Imaginad los problemas que nos causaría en Escocia! ¡Santo Dios, imaginadlo intimidando a nuestra hermana Margarita en Borgoña! Ella acaba de enviudar y su hijastra de quedar huérfana. Antes preferiría enviarles un lobo que a Jorge.

Primavera de 1477

Jorge rumia la negativa de su hermano y poco después nos llega una noticia asombrosa, tan extraordinaria que empezamos a pensar si no se tratará de un rumor exagerado, ya que no puede ser verdad. Jorge declara repentinamente que Isabel no murió de fiebres de parto, sino a causa de un envenenamiento, y encierra al envenenador en la cárcel.

—¡De ningún modo! —exclamo dirigiéndome a Eduardo—. ¿Es que se ha vuelto loco? ¿Quién iba a desear hacerle daño a Isabel? ¿A quién ha apresado? ¿Por qué?

—Es peor que un encarcelamiento —replica Eduardo con expresión de estupor tras haber leído la carta que sostiene en la mano—. Debe de haber enloquecido. Ha llevado a una criada ante un jurado y ha dado la orden de que se la declare culpable de asesinato y sea decapitada. Ya está muerta. Muerta por orden de Jorge, como si en este reino no existieran leyes. Como si él tuviera un poder mayor que el de la ley, mayor que el del rey. Está gobernando mi reino como si yo hubiera dado mi consentimiento para que existiera la tiranía.

—¿Quién es esa mujer? ¿Quién era? —exijo saber—. ¿Una pobre criada?

—Ankarette Twynho —contesta Eduardo leyendo el nombre en la carta de reclamación—. Los miembros del jurado dicen que Jorge los amenazó con ejercer la violencia y que los obligó a emitir un veredicto de culpabilidad a pesar de que no había más pruebas en contra de la mujer que el testimonio de él. Dicen que no se atrevieron a negarse y que él los forzó a enviar a la muerte a una persona inocente. La acusó de envenenamiento y brujería y de servir a una importante bruja. —Levanta la vista de la carta y la posa en mi rostro, pálido como la cal—. ¿Una importante bruja? ¿Vos sabéis algo de esto, Isabel?

—Esa mujer era una espía que trabajaba para mí —confieso rápidamente—. Pero eso es todo. Yo no tenía necesidad de envenenar a la pobre Isabel. ¿Qué iba a ganar con ello? Y lo de la brujería es un absurdo. ¿Por qué razón iba yo a lanzarle un maleficio? No me agradaba, ni tampoco su hermana, pero no tenía motivos para desearles ningún mal.

Eduardo asiente.

—Lo sé. Por supuesto que vos no ordenasteis que envenenaran a Isabel. Pero ¿sabía Jorge que la mujer a la que acusaba recibía una paga de vuestra bolsa?

—Quizá. Quizá. De no ser así, ¿por qué habría de acusarla? ¿Qué otra cosa podría haber hecho ella para ofenderlo? ¿Pretende advertirme a mí? ¿Amenazarnos a nosotros?

Eduardo arroja la carta sobre la mesa.

—¡Sabe Dios! ¿Qué espera ganar asesinando a una criada si no es dar lugar a más problemas y habladurías? Voy a tener que actuar al respecto, Isabel. No puedo dejarlo pasar.

—¿Qué vais a hacer?

—Jorge cuenta con un grupo de consejeros propios, hombres peligrosos, insatisfechos. Uno de ellos es con toda certeza un adivino, si no algo peor. Voy a apresarlos. Los llevaré ante la justicia. Voy a hacerles a sus hombres lo mismo que él ha hecho a vuestra criada. Le servirá de advertencia. No puede desafiarnos ni a nosotros ni a nuestros criados sin ponerse él mismo en peligro. Únicamente espero que tenga la sensatez de comprenderlo.

Hago un gesto de asentimiento.

—¿Esos hombres no pueden hacernos daño? —pregunto.

—Sólo si vos estáis convencida, como parece creer Jorge, de que pueden arrojarnos un maleficio.

Sonrío esperando ocultar el miedo que me invade. Naturalmente que estoy convencida de que pueden arrojarnos un maleficio. Naturalmente que temo que ya hayan hecho tal cosa.

Tengo razón al preocuparme. Eduardo apresa al famoso brujo Thomas Burdett y a dos más; los tres son interrogados y comienza a salir a la luz todo un fárrago de historias de magia negra, amenazas y encantamientos.

Una soleada tarde de mayo, en el palacio de Whitehall, mi hermano Anthony me encuentra con el abultado vientre apoyado contra el muro que da al río y la mirada perdida en el agua. Detrás de mí, en los jardines, los niños juegan con un bastón y una pelota. Por los gritos enfadados con que se acusan de hacer trampas, adivino que mi hijo Eduardo va perdiendo y que se aprovecha de su posición de príncipe de Gales para cambiar las puntuaciones.

—¿Qué estáis haciendo aquí? —me pregunta.

—Desear que este río fuera un foso que nos protegiera a mí y a los míos de todos nuestros enemigos.

—¿Acude Melusina cuando vos la llamáis para que salga de las aguas del Támesis? —me pregunta él con una sonrisa escéptica.

—Si acudiera, le pediría que ahorcara a Jorge, duque de Clarence, y a su brujo. Y que lo hiciera de inmediato, sin necesidad de más palabras.

—No creeréis que ese hombre puede haceros daño con un maleficio, ¿verdad? —me dice—. No es ningún brujo. Esas cosas no existen, son cuentos de hadas para asustar a los niños, Isabel. —Vuelve la cabeza para señalar a mis hijos, que apelan a Isabel para que emita su juicio acerca de una bola perdida.

–Jorge lo cree. Le pagó un buen dinero para que predijera la muerte del rey y luego le pagó otro tanto más para que la provocara echándole un mal de ojo. Jorge contrató a ese brujo para destruirnos. Sus hechizos ya flotan en el aire, en la tierra, incluso en el agua.

–Tonterías. No es más brujo que vos.

–Yo no afirmo ser una bruja –replico con voz serena–, pero tengo el legado de Melusina. Soy su heredera. Ya sabes a qué me refiero: poseo el mismo don que ella, como también lo poseía nuestra madre. Como también lo posee mi hija Isabel. El mundo me canta y yo oigo la canción. Las cosas vienen a mí, mis deseos se hacen realidad, los sueños me hablan. Veo señales y portentos. Y en ocasiones sé lo que va a suceder en el futuro. Poseo la visión.

–Todo eso podrían ser revelaciones de Dios –dice Anthony con firmeza–. Ése es el poder de la oración. Lo demás son ilusiones vanas. Y tonterías de mujeres.

Yo sonrío.

–Yo creo que provienen de Dios, nunca lo dudo. Pero Dios me habla por medio del río.

–Sois una hereje y una pagana –me dice Anthony con desdén fraternal–. Melusina es un cuento de hadas; en cambio Dios y su Hijo son la fe que habéis abrazado. Por amor de Dios, vos habéis fundado conventos, capillas y escuelas en Su nombre. Vuestro amor por los ríos y las fuentes es una superstición aprendida de nuestra madre, como las de los antiguos paganos. No podéis moldearla y convertirla en una religión particular vuestra y luego aterrorizaros con demonios que vos misma habéis inventado.

–Por supuesto, hermano –contesto con la mirada baja–, tú eres un noble erudito, estoy segura de que sabes más que yo.

–¡Basta! –Anthony alza una mano, riendo–. Basta. No es necesario que creáis que voy a intentar discutir con vos. Sé que tenéis vuestra propia teología, formada en parte por cuentos de hadas y en parte tomada de la Biblia, y toda ella una tontería. Os ruego que, por el bien de todos nosotros, la consideréis una religión secreta. Guardáosla para vos. Y no os asustéis con enemigos imaginarios.

—Pero lo que sueño se hace realidad.

—Si vos lo decís...

—Anthony, mi vida entera es una prueba de que la magia existe, de que soy capaz de predecir el futuro.

—Nombradme una cosa.

—¿Acaso no me desposé con el rey de Inglaterra?

—¿Y acaso no os vi yo esperando en aquel camino como la mujerzuela que sois?

Lanza una carcajada y yo protesto airada:

—¡No fue así! ¡No fue así! ¡Además, el anillo salió del río y vino a mí!

Anthony me toma las manos y me las besa.

—Todo eso es absurdo —me dice con dulzura—. Melusina no existe, no es más que un cuento antiguo y semiolvidado que nos contaba nuestra madre antes de acostarnos. No hay más encantamiento que el de nuestra progenitora estimulándonos con juegos. No tenéis poderes. No existe nada más que lo que podemos hacer nosotros como pecadores bajo la voluntad de Dios. Y Thomas Burdett no tiene poderes, sino mala voluntad, y sus promesas valen tanto como las de un buhonero.

Yo le sonrío y no discuto. Pero en lo más hondo de mí sé que hay más.

—¿Cómo terminó la historia de Melusina? —me pregunta mi pequeño Eduardo esa noche mientras lo escucho rezar sus oraciones antes de acostarlo. Comparte una habitación con su hermano Ricardo, que tiene tres años, y ambos me miran esperanzados, queriendo que les cuente un cuento que retrase la hora de dormir.

—¿Por qué lo preguntas?

Me siento en una silla junto al fuego y acerco un escabel para apoyar los pies. Noto cómo se mueve el niño que llevo en el vientre. Ya he cumplido seis meses y lo que aún me queda se me antoja una eternidad.

—Hoy he oído a mi tío Anthony hablar de ella contigo —dice Eduardo—. ¿Qué ocurrió cuando salió del agua y se casó con el caballero?

—Tiene un final triste —le advierto. Les indico con un gesto que deben acostarse y ellos obedecen, pero desde detrás de las sábanas dos pares de ojos brillantes se me quedan mirando sin pestañear—. Hay varias versiones diferentes. Hay quien dice que un día llegó a su casa un viajero curioso, se puso a espiarla, y vio que se transformaba en pez en la bañera. Otros dicen que su esposo incumplió la promesa de que iba a gozar de libertad para nadar a solas, la espió y la vio convertirse de nuevo en pez.

—Pero ¿por qué lo contrariaba tanto? —pregunta Eduardo con toda sensatez—. Ya era medio pez cuando la conoció.

—Ah, porque pensaba que podría cambiarla para que fuera la mujer que él quería —explico—. Hay veces que a un hombre le gusta una mujer, pero luego abriga la esperanza de poder transformarla. A lo mejor él era un hombre así.

—¿En este cuento no hay luchas? —pregunta Ricardo, soñoliento, mientras deja caer la cabeza contra la almohada.

—No, ninguna —contesto. Deposito un beso en la frente de Eduardo y acto seguido voy hasta la otra cama para besar a Ricardo. Los dos siguen oliendo aún a recién nacidos, a jabón y a piel caliente. Tienen el pelo suave y con un aroma a aire fresco.

—¿Y qué ocurre cuando él descubre que su esposa es mitad pez? —susurra Eduardo cuando ya me voy hacia la puerta.

—Que ella coge a los niños y lo abandona —respondo—. Y no vuelven a verse nunca más.

Apago de un soplido las velas de uno de los candelabros, pero dejo las del otro encendidas. El fuego de la chimenea envuelve la habitación en una luz cálida y acogedora.

—Eso es muy triste —dice Eduardo en tono lastimero—. Pobre

esposo, que no pudo ver nunca más ni a su esposa ni a sus hijos.

—Es triste —le digo—, pero no es más que un cuento. A lo mejor existe otro final que a la gente se le ha olvidado contar. A lo mejor ella lo perdonó y regresó con él. A lo mejor él se transformó en pez por amor y se fue nadando tras ella.

—Sí. —Eduardo es un niño feliz, resulta fácil consolarlo—. Buenas noches, mamá.

—Buenas noches y que Dios os bendiga.

Cuando la vio con el agua resbalándole por las escamas y la cabeza sumergida en la bañera que había construido especialmente para ella —pensando en que le gustaría lavarse, no volver a transformarse en pez—, experimentó ese instante de revulsión que algunos hombres sienten cuando comprenden, quizá por primera vez, que una mujer es ciertamente «otra», que no es un niño aunque sea débil como un niño, que no es una necia aunque él la haya visto temblar de emoción como los necios, que no es una persona malvada por su capacidad de guardar rencor ni tampoco una santa por sus arrebatos de generosidad. Ella no posee ninguna de esas cualidades masculinas. Ella es una mujer, una cosa muy diferente de un hombre. Lo que vio él era un ser mitad pez, pero lo que lo aterrorizó profundamente fue el ser que era una mujer.

El rencor que siente Jorge hacia su hermano se aprecia horriblemente durante las jornadas del juicio de Burdett y sus conspiradores. Cuando se ponen a buscar pruebas, la trama se desvela y descubre una maraña de promesas y amenazas siniestras, recetas para poner veneno en la tela de las capas, un saquito de vidrio molido y maldiciones proferidas de forma abierta. Entre los papeles de Burdett encuentran no sólo el dibujo de un calendario para predecir la muerte de Eduardo, sino también un conjunto de hechizos diseñados para matarlo. Cuando mi esposo me los muestra, no puedo evitar un estremecimiento. Tiemblo como si estuviera enferma de fiebres. Con independencia de que puedan causar la muerte o no, yo sé que esos antiguos bosquejos que se esbozan sobre un papel oscuro tienen un poder malévolo.

—Me causan escalofríos —digo—. Me producen una sensación de frío y de humedad, una sensación maligna.

—Desde luego, son pruebas malignas —dice Eduardo con expresión seria—. Yo no habría siquiera soñado que Jorge hubiera podido llegar a este punto para perjudicarme. Yo habría dado cualquier cosa con tal de que viviera en paz con nosotros, o por lo menos para mantener esto en silencio. Pero ha contratado a hombres tan incompetentes que ahora ya es de conocimiento público que mi propio hermano conspiraba contra mí. Burdett será hallado culpable y lo ahorcarán por su delito. Pero seguro que saldrá a la luz que recibía órdenes directas de Jorge. Él también es culpable de traición. ¡Pero no puedo llevar a mi propio hermano ante la justicia!

—¿Por qué no? —pregunto yo con dureza. Estoy sentada en un taburete bajo y almohadillado, junto al fuego de mi dormitorio, vestida únicamente con mi capa de noche forrada de piel. Nos acostaremos en camas separadas, pero Eduardo no soporta guardarse para sí sus preocupaciones durante más tiempo. Es posible que los viles maleficios de Burdett no hayan hecho mella en su salud, pero le han ensombrecido el ánimo—. ¿Por qué no podéis llevar a Jorge ante la justicia y condenarlo a morir por traidor? Se lo merece.

—Porque lo amo —responde el rey con sencillez—. Tanto como vos amáis a vuestro hermano Anthony. No puedo enviarlo al patíbulo. Es mi hermano pequeño. Ha estado a mi lado en la batalla. Tiene mi misma sangre. Es el favorito de mi madre. Es nuestro Jorge.

—También ha luchado en el otro bando —le recuerdo yo—. Ha sido un traidor para vos y para vuestra familia en más de una ocasión. Si Warwick os hubiera capturado y hubierais podido escapar, él habría querido veros muerto. A mí me tachó de bruja, mandó apresar a mi madre, estuvo presente cuando mataron a mi padre y a mi hermano John. No permite que ni la justicia ni los sentimientos familiares se interpongan en su camino. ¿Por qué habéis de permitirlo vos?

Eduardo, sentado en el sillón situado al otro lado de la chimenea, se inclina hacia delante. Iluminado por el resplandor de las llamas, su rostro parece el de un viejo. Por primera vez descubro la huella que el transcurrir de los años y la responsabilidad de ser rey van dejando en él.

—Ya lo sé. Ya lo sé. Debería ser más duro con él, pero no puedo. Es el preferido de mi madre, nuestro niño dorado. Me cuesta trabajo creer que sea tan...

—Cruel —le ofrezco yo el término—. Vuestro niño dorado se ha transformado en un hombre cruel. Ahora es un individuo adulto, ha dejado de ser un tierno cachorrito. Y tiene una maldad innata a la que ha mimado desde que nació. Vais a tener que hacer algo con él, Eduardo, recordad lo que os digo. Cuando vos lo tratáis con bondad, él os corresponde con conspiraciones.

—Puede ser —contesta el rey al tiempo que deja escapar un suspiro—. Es posible que aprenda.

—No aprenderá —prometo—. Tan sólo estaréis a salvo de él cuando esté muerto. Vais a tener que hacerlo, Eduardo. Sólo os queda decidir cuándo y dónde.

Mi esposo se levanta, se estira y da unos pasos hacia la cama.

—Permitidme que os acueste antes de retirarme a mis propios aposentos. Estoy deseando que nazca el niño para que podamos volver a dormir juntos.

—Dentro de un minuto —respondo.

Me inclino hacia delante para observar el fuego. Soy la heredera de una diosa del agua, nunca veo bien a través de las llamas; pero en el resplandor de las ascuas acierto a distinguir la expresión irritante de Jorge y, detrás de él, un edificio de gran altura, lúgubre como un caserón: la Torre. A mí siempre me resulta un palacio siniestro, un lugar de muerte. Pero me encojo de hombros y pienso que a lo mejor esta visión no significa nada.

Me levanto del taburete, voy hasta la cama y me acurruco bajo los cobertores. Eduardo me toma de las manos para darme el beso de buenas noches.

—Pero si estáis helada —me dice sorprendido—. Pensaba que el fuego daba suficiente calor.

—Odio ese lugar —digo de manera impulsiva.

—¿Qué lugar?

—La Torre de Londres. La odio.

El brujo que trabajaba para Jorge, el traidor Burdett, se declara inocente en el cadalso de Tyburn frente a una muchedumbre que le lanza silbidos; lo ahorcan de todas formas. Pero Jorge, sin haber extraído ninguna lección de la muerte de su secuaz, abandona Londres furibundo e irrumpe en el Consejo del rey, que está reunido en el castillo de Windsor, para repetir el discurso y gritarle a Eduardo a la cara.

—¡No puede ser! —exclamo yo dirigiéndome a Anthony. Estoy profundamente escandalizada.

—¡Es cierto! ¡Es cierto! —Anthony se ahoga de la risa en su intento de describirme la escena. Nos encontramos en mis dependencias del castillo, ocultos en mis habitaciones privadas, para que mi hermano me cuente esta noticia tan escandalosa. Mientras, mis damas se han quedado sentadas en mi sala de recibir—. Eduardo estaba a un lado, tan furioso que parecía mucho más alto. Al otro lado estaban los miembros el Consejo Privado, todos con caras de estupor. ¡Deberíais haberlos visto! ¡Thomas Stanley tenía la boca abierta como un pez! Nuestro hermano Lionel asía con desesperación la cruz que llevaba sobre el pecho, horrorizado. Y allí estaba Jorge, plantado ante el rey y declamando su discurso como si fuera un cómico de teatro. Como es natural, la mitad de los presentes no le encontraron sentido alguno, porque no se dieron cuenta de que Jorge estaba recitando de memoria el discurso del patíbulo, igual que hacen los juglares. Por eso cuando dijo lo de «Soy un hombre anciano, un hombre sabio...» se quedaron todos muy desconcertados.

Yo dejo escapar una risita.

—¡Anthony! ¡No es posible!

—Os lo juro, ninguno de los que nos hallábamos presentes sabíamos lo que estaba pasando excepto Jorge y Eduardo. ¡Y de repente Jorge lo llama tirano!

Dejo de reír al instante.

—¿Ante su propio Consejo?

—Tirano y asesino.

—¿Lo llamó eso?

—Sí. Y a la cara. ¿A qué se refería? ¿A la muerte de Warwick?

—No —contesto con brevedad—. A otra cosa peor.

—¿A Eduardo de Lancaster, el joven príncipe?

Yo niego con la cabeza.

—El príncipe murió en la batalla.

—¿No se referiría al antiguo rey...?

—Jamás hablamos de eso —replico—. Jamás.

—Pues ahora Jorge va a hablar de ello. Según parece, está dispuesto a decir cualquier cosa. ¿Sabéis que afirma que Eduardo ni siquiera es hijo de la casa de York, sino que es hijo bastardo de Blaybourne, el arquero, y que por lo tanto el auténtico heredero es él?

Hago un gesto de asentimiento.

—Eduardo va a tener que silenciarlo. Esto no puede continuar.

—Eduardo tendrá que hacerlo callar de inmediato —me advierte Anthony—. O de lo contrario Jorge acabará con vos y con la casa de York entera. Así son las cosas. El emblema de vuestra casa no debería ser la rosa blanca, sino el antiguo símbolo de la eternidad.

—¿De la eternidad? —repito yo con la esperanza de que vaya a decir algo que resulte tranquilizador en los amargos momentos que estamos viviendo.

—Sí, la serpiente que se devora a sí misma. Los hijos de York se destruirán entre sí, un hermano destruirá al otro, los tíos devorarán a sus sobrinos, los padres decapitarán a los hijos. Son una familia que necesita ver la sangre y, si no tienen otro enemigo, son capaces de derramar la suya propia.

Apoyo las manos en el vientre como si quisiera proteger a mi hijo de tan siniestras predicciones.

—No, Anthony. No digas esas cosas.

—Son la verdad —responde él con gesto grave—. La casa de York caerá; no importa lo que hagamos vos o yo, porque terminarán devorándose unos a otros.

Cuando me quedan seis semanas para dar a luz, inicio el confinamiento previo al parto retirándome a mi dormitorio puesto en penumbra y dejando el asunto sin solucionar. A Eduardo no se le ocurre qué hacer. Un hermano desleal no es algo nuevo en Inglaterra, ni tampoco en esta familia, pero a mi esposo le supone un tormento.

—Dejadlo hasta que yo salga de aquí —le digo en el umbral mismo de mi cámara—. A lo mejor entra en razón y suplica el perdón. Cuando salga, podremos decidir.

—Y vos sed valiente. —Recorre con la mirada la habitación oscurecida, caldeada por una pequeña chimenea y con las paredes vacías porque han quitado todas las imágenes que puedan afectar a la forma del niño que está esperando a nacer. Se inclina hacia delante y me susurra—: Ya vendré a visitaros.

Yo sonrío. Eduardo siempre infringe la prohibición que establece que la habitación de confinamiento debe estar reservada a las mujeres.

—Traedme vino y dulces —le pido nombrando alimentos que también están prohibidos.

—Sólo si me besáis con dulzura.

—¡Eduardo, me avergonzáis!

—Entonces habré de esperar a que salgáis de aquí.

Da un paso atrás y, delante de la corte, expresa formalmente el deseo de que todo salga bien. A continuación me hace una reverencia; yo le respondo con otra y cierro la puerta dejándolos fuera a él y a los sonrientes miembros de la corte. Me quedo a solas con las parteras en esas exiguas dependencias, sin otra cosa que hacer salvo esperar a que nazca el niño.

Tengo un alumbramiento largo y difícil al final del cual me espera el deseado tesoro: un varón. Es un encantador niñito York: cabello rubio y fino, ojos azules como un huevo de petirrojo. Es pequeño y liviano y, cuando me lo ponen en los brazos, experimento al instante una punzada de miedo porque me resulta diminuto.

—Ya crecerá —dice la partera para tranquilizarme—. Los niños crecen muy de prisa.

Yo sonrío y toco esa miniatura de mano y veo que la criatura gira la cabeza y frunce los labios.

Lo amamanto yo misma durante los diez primeros días y después permito que se encargue de esa tarea una corpulenta ama de cría que entra en la habitación y lo coge en brazos. Al verla sentada en el sillón y observar la firmeza con que se acerca el niño al pecho, siento la certidumbre de que va a cuidar bien de él. Lo bautizamos con el nombre de Jorge, tal como le prometimos a su desleal tío, y, cuando tras los ritos de purificación en la iglesia salgo de mi oscuro confinamiento al sol fuerte de mediados de agosto, descubro que durante mi ausencia la nueva amante del rey, Elizabeth Shore, casi se ha convertido en la reina de mi corte. Eduardo ha dejado de salir a emborracharse y a retozar con mujeres en las casas de baños de Londres y le ha comprado a Elizabeth una casa cerca del palacio de Whitehall. Cena con ella y se acuesta con ella. Disfruta de su compañía y la corte está al tanto.

—Esta misma noche se va —le digo a Eduardo con voz enérgica cuando, resplandeciente con un traje escarlata recamado de oro, entra en mis habitaciones.

—¿Quién? —me pregunta él con tono manso al tiempo que coge una copa de vino que hay junto a mi chimenea con un gesto de total inocencia. Obedeciendo un ademán suyo, los sirvientes se apresuran a salir de la estancia, sabedores de que se avecina un vendaval.

—Esa tal Shore —contesto sin más—. ¿No se os ocurrió pensar que alguien vendría a contarme el chismorreo en cuanto saliera de mi confinamiento? Lo sorprendente es que se hayan reprimido durante tanto tiempo. Apenas había salido por la puerta de la capilla cuando ya estaban todos amontonándose y pisándose unos a otros para ponerme al corriente. Margarita Beaufort mostró especial compasión hacia mí.

Eduardo deja escapar una leve risa.

—Perdonadme. Desconocía que mis actividades despertaran tan vivo interés.

No contesto nada a esa falsa afirmación, me limito a esperar.

—Ah, querida mía, ha pasado mucho tiempo —dice el rey—. Sé que habéis estado confinada y más tarde pasando por los dolores del parto; mi corazón estaba a vuestro lado, pero un hombre necesita tener un lecho caliente.

—Pues ya he salido de mi confinamiento —replico con rapidez—, y vais a tener un lecho helado, un témpano por almohada, un montón de nieve por cama, si para mañana por la mañana esa mujer no se ha ido.

Eduardo me tiende una mano y yo me levanto y me pongo a su lado. Al momento, me siento abrumada por la familiaridad de su contacto y por el aroma de su piel cuando me inclino para besarlo en el cuello.

—Decid que no estáis enfadada conmigo, amor mío —me susurra él con una voz que más parece un arrullo.

—Sabéis que sí estoy enfadada.

—Pues entonces decid que me perdonáis.

—Ya sabéis que siempre os perdono.

—Pues entonces decid que podemos acostarnos y volver a sentirnos felices de estar juntos. Lo habéis hecho magníficamente bien con este nuevo hijo que me habéis dado. Resultáis encantadora cuando estáis regordeta y volvéis a mí otra vez. Os deseo más que nunca. Decid que podemos ser felices.

—No. Decid vos una cosa.

Desliza una mano por mi brazo, subiendo por dentro de la manga, y la cierra en torno al codo. Como siempre, su contacto es tan íntimo como una caricia de amor.

—Lo que deseéis. ¿Qué queréis que diga?

—Decid que esa mujer se habrá ido mañana.

—Se habrá ido —acepta el rey con un suspiro—. Pero habéis de saber que si la conocierais os agradaría. Es una joven de carácter jovial, muy leída y alegre. Una compañera excelente. Y una de las jóvenes más dulces que he conocido jamás.

—Mañana se habrá ido —repito yo haciendo caso omiso de los encantos de Elizabeth Shore y sin que me importe que sea una persona leída o no. Como si a Eduardo le importase. Como si él tuviera capacidad para distinguir cómo es verdaderamente una mujer. Él persigue a las damas igual que un perro excitado persigue a una hembra en celo. Juro que no sabe una palabra de cuán leídas están ni de cuál es su temperamento.

—A primera hora de la mañana, amor mío. A primera hora.

Verano de 1477

En junio, Eduardo manda apresar a Jorge por traición y lo hace comparecer ante el Consejo. Sólo yo sé lo que le cuesta a mi esposo acusar a su hermano de haber planeado su muerte; la pena y la vergüenza que lo inundan permanecen ocultas para todas las demás personas. En la reunión del Consejo Privado no se presentan pruebas; no hay necesidad de ellas. El rey mismo declara que se ha cometido traición y nadie puede discutirle al soberano una acusación como ésa. Y, ciertamente, en dicho consejo no hay un solo hombre al que Jorge no haya sujetado de la manga en algún pasillo oscuro para susurrarle sus sospechas demenciales. Allí no hay un solo hombre que no haya oído la promesa de recibir un ascenso si formase partido en contra de Eduardo. Allí no hay un solo hombre que no haya visto a Jorge rechazar todo alimento que se haya preparado en la cocina por orden mía, o echarse sal por encima del hombro antes de tomar asiento a nuestra mesa para cenar, o cerrar el puño haciendo el gesto de repeler la brujería cuando yo paso por su lado. Allí no hay un solo hombre que no sepa que Jorge lo ha hecho todo, salvo escribir él mismo la acusación de traición y firmar su propia confesión. Pero ninguno de ellos, ni siquiera ahora, sabe lo que Eduardo desea hacer al respecto. Lo hallan culpable de traición, pero no imponen ningún castigo. Ninguno de ellos sabe hasta qué punto está dispuesto este rey a escarmentar a un hermano al que todavía ama.

Invierno de 1477

Celebramos la Navidad en Westminster, pero es extraña, ya que Jorge, duque de Clarence, falta en su sitio en el gran salón, y su madre muestra todo el tiempo una expresión furibunda. Jorge se encuentra en la Torre acusado de traición, bien servido y alimentado, bebiendo bien —no me cabe duda; pero en el cuarto de los niños tenemos a un pequeño que lleva su mismo nombre, y lo apropiado sería que estuviera con nosotros. Estoy con mis hijos, lo cual me proporciona toda la dicha que puedo desear: Eduardo ha venido de Ludlow; Richard lo ha acompañado; Thomas ha vuelto de una visita a la corte de Borgoña; los demás, sanos y fuertes; el recién nacido, Jorge, en el cuarto de los niños.

En enero celebramos los esponsales más grandiosos que se han visto en Inglaterra: mi pequeño Ricardo sella su compromiso con la heredera Anne Mowbray. En el banquete nupcial, el príncipe, que tiene cuatro años, y la niña suben a la mesa vestidos con sus hermosos ropajes de boda en miniatura y se toman de las manos como dos muñequitos. Vivirán separados hasta que tengan edad suficiente para casarse, pero es maravilloso haber logrado asegurar semejante fortuna para mi hijo; va a ser el príncipe más rico que jamás haya existido en este país.

Pero después de la noche de Reyes, Eduardo viene a verme y me dice que el Consejo Privado lo está presionando para que tome una decisión final acerca del destino de su hermano Jorge.

—Y ¿qué opináis vos? —le pregunto. Tengo una especie de presentimiento. Pienso en mis tres hijos varones que llevan el apellido de York: Eduardo, Ricardo y Jorge. ¿Qué sucedería si terminaran volviéndose el uno contra el otro como han hecho éstos?

—Opino que he de seguir adelante —afirma el rey con tristeza—. La traición se castiga con la muerte. No tengo otra alternativa.

Primavera de 1478

Ni se os pase por la cabeza ejecutarlo. —La madre del rey pasa veloz junto a mí y entra en la cámara privada de Eduardo en su apresuramiento por hablar con su hijo.

Yo me pongo en pie y hago una breve reverencia.

—Mi señora madre —digo.

—Madre, no sé qué he de hacer —contesta Eduardo al tiempo que dobla una rodilla para implorar su bendición. Ella le posa una mano en la cabeza con aire ausente, de forma rutinaria. No siente la menor ternura hacia él; no piensa en nadie más que en Jorge. Me hace una pequeña venia a mí y se vuelve de nuevo hacia su hijo.

—Es vuestro hermano. No lo olvidéis.

Eduardo se encoge de hombros con el gesto descompuesto.

—A decir verdad, él mismo dice que no lo es —señalo yo—. Jorge afirma que es sólo medio hermano de Eduardo, dado que el rey es hijo bastardo de un arquero inglés. Os está traicionando también a vos, además de a nosotros. Es generoso en sus calumnias. No se abstiene de difamarnos a ninguno. A mí me llama bruja, pero a vos os llama meretriz.

—Es falso que él haya dicho algo así —declara la madre del rey con rotundidad.

—Madre, es cierto —replica el monarca—. Y nos ha insultado a Isabel y a mí.

A juzgar por la expresión de su progenitora, esto último no le parece tan grave.

—Está socavando la casa de York con sus injurias —insisto—. Y contrató a un mago para que le echara mal de ojo al rey.

—Es vuestro hermano, tendréis que perdonarlo —declara ella.

—Es un traidor, tendrá que morir —replico yo con sencillez—. ¿Qué, si no? ¿Es perdonable tramar la muerte del rey? Entonces ¿por qué no habría de hacer lo mismo la derrotada casa de Lancaster? ¿Por qué no habrían de hacer lo mismo los espías de Francia? ¿Por qué no habría de venir cualquier maleante de los caminos y atacar con un cuchillo a vuestro hijo más querido?

—Jorge está desilusionado —le dice a Eduardo en tono de urgencia e ignorándome a mí—. Si le hubierais dado licencia para que se casara con la de Borgoña, tal como él quería, o con la princesa escocesa, nada de esto habría sucedido.

—No podía fiarme de él —responde Eduardo sin más—. Madre, mi mente no alberga ninguna duda de que si tuviera un reino propio invadiría el mío. Si tuviera una fortuna, la emplearía únicamente en reclutar un ejército para usurpar mi trono.

—Nació para la grandeza —afirma ella.

—Nació en tercer lugar —replica Eduardo animándose por fin a decirle la verdad—. Sólo podrá gobernar Inglaterra si yo muero, y si muere también mi hijo y heredero, y también mi segundo hijo Ricardo, y también Jorge, que acaba de nacer. ¿Es eso lo que hubierais preferido vos, madre? ¿Deseáis mi muerte y también la de mis tres preciados hijos varones? ¿Tanto favorecéis a Jorge? ¿Deseáis mi mal igual que ese brujo que contrató él? ¿Seréis capaz de ordenar que me pongan cristales molidos en la carne y veneno en polvo en el vino?

—No —contesta ella—. No, por supuesto que no. Vos sois el hijo y heredero de vuestro padre y ganasteis el trono por derecho propio. Y después de vos debe tenerlo vuestro hijo. Pero Jorge es hijo mío y sufro por él.

Eduardo hace rechinar los dientes para no precipitarse al contestar; se vuelve hacia el fuego de la chimenea y guarda silencio con los hombros encorvados. Todos esperamos sin decir nada hasta que el rey habla por fin.

—Lo único que puedo hacer por vos y por él es permitir que escoja él mismo la forma de morir. Debe morir, pero si desea un espadachín francés mandaré que lo traigan. En su caso no tiene por qué intervenir un verdugo. También se puede hacer con veneno, si así lo desea; puede tomarlo en privado. O con una daga que se le deposite sobre la mesa para que lo haga él mismo. Y será en la intimidad, sin que haya espectadores, ni siquiera testigos. Puede ser en su celda de la Torre, si quiere. Él mismo puede meterse en la cama y darse muerte abriéndose las venas. Y sin que haya nadie presente, salvo el sacerdote, si es su deseo.

Su madre deja escapar una exclamación ahogada. No esperaba esto. Yo permanezco muy quieta, observándolos a ambos. No creí que Eduardo fuera a llegar tan lejos.

El rey contempla el rostro compungido de su progenitora.

—Madre, lamento profundamente vuestra pérdida.

Ella está blanca como la cal.

—Debéis perdonarlo.

—Vos misma estáis viendo que no puedo.

—Lo ordeno. Soy vuestra madre. Me debéis obediencia.

—Y yo soy el rey. Él no puede enfrentarse a mí. Ha de morir.

Ella se vuelve hacia mí.

—¡Esto es obra vuestra!

Yo extiendo las manos.

—Jorge se ha buscado la muerte sin ayuda de nadie, señora madre. No podéis echarnos la culpa ni a mí ni a Eduardo. No le ha dejado ninguna alternativa al rey. Es un traidor para nuestro gobierno y representa un peligro para nosotros y para nuestros hijos. Ya sabéis lo que les sucede a los que pretenden el trono. Así se hacen las cosas en la casa de York.

Ella guarda silencio. Luego va hasta la ventana y apoya la cabeza contra el grueso cristal. Mientras observo su espalda y la postura rígida de sus hombros, me pregunto qué debe de sentir una al saber que su hijo va a morir. En cierta ocasión le prometí el dolor de una madre que sabe que ha perdido a su retoño. Ahora lo estoy viendo.

—No puedo soportarlo —dice con la voz atenazada por la congoja—. Se trata de mi hijo, de mi hijo más querido. ¿Cómo sois capaz de arrebatármelo? Antes hubiera preferido morir yo misma que llegar a ver este día. Se trata de mi Jorge, del hijo más preciado que tengo. ¡Me resulta imposible creer que vayáis a enviarlo a la muerte!

—Lo siento —dice Eduardo con pesar—, pero no veo el modo de ponerle a esto otra solución que no sea la muerte.

—¿Podrá elegir la manera? —pide confirmación—. ¿No lo expondréis al verdugo?

—Podrá elegir la manera, pero debe morir —repite Eduardo—. Él ha querido que sea una cuestión de escoger entre él y yo. Naturalmente, tendrá que morir.

La madre del rey da media vuelta sin pronunciar otra palabra y sale de la habitación. Por espacio de un instante, un instante nada más, siento lástima de ella.

Jorge, el necio, elige una muerte propia de un necio.

—Desea morir ahogado en un tonel de vino —me informa mi hermano Anthony, que ha salido de la reunión del Consejo Privado. Me encuentra sentada en la mecedora del cuarto de los niños con el pequeño Jorge en brazos, deseando que todo esto termine de una vez y que el tocayo de mi principito esté por fin muerto y olvidado.

—¿Estás intentando ser gracioso?

—No, me parece que el que intenta ser gracioso es él.

—¿A qué se refiere?

—Imagino que exactamente a lo que dice. Desea que lo ahoguen en un tonel de vino.

—¿De verdad ha dicho eso? ¿Y lo ha dicho en serio?

—Acabo de salir del Consejo Privado. Quiere ahogarse en vino, ya que ha de morir.

—Es una muerte propia de un borrachín —comento, asqueada sólo de pensarlo.

—Supongo que es una forma de burlarse de su hermano.

Apoyo a mi pequeño sobre mi hombro y le acaricio la espalda como si quisiera protegerlo de la crueldad del mundo.

—La verdad es que se me ocurren maneras peores de morir —observa Anthony.

—Pues a mí se me ocurren otras mejores. Yo preferiría que me ahorcasen antes que ahogarme en vino.

Mi hermano se encoge de hombros.

—A lo mejor piensa que puede mofarse de Eduardo y de la condena a muerte. Quizá cree que así obligará a Eduardo a perdonarlo con tal de no ejecutarlo como a un borracho. A lo mejor piensa que la Iglesia protestará y que eso dará lugar a un aplazamiento y él terminará salvándose.

—Esta vez no —contesto yo—. A ese borrachín se le ha acabado la suerte. Es justo que tenga el fin de un bebedor. ¿Dónde van a hacerlo?

—En su celda, en la Torre de Londres.

De pronto siento un escalofrío.

—Que Dios lo perdone —digo en voz baja—. Hoy es un día horrible para morir.

De la tarea se encarga el verdugo, que deja el hacha a un lado pero lleva la cara cubierta con la máscara negra. Es un hombre corpulento, de manos grandes y fuertes, y se ha llevado consigo a su aprendiz. Ambos transportan rodando un tonel de vino de malvasía hasta la celda de Jorge, y el necio hace un chiste al respecto y ríe a carcajadas abriendo mucho la boca, como si ya le faltara el aire, a medida que su semblante se va tornando blanco por el pánico.

Abren la tapa del barril y buscan una caja para que el condenado se suba a ella y así pueda inclinarse sobre el borde y ver su expresión de miedo reflejada en la superficie del líquido. La celda se llena del olor del vino. Jorge musita un «Amén» como respuesta a las plegarias del sacerdote, igual que si no supiera lo que está oyendo.

Acerca la cara a la superficie color rubí del vino de la misma forma que si estuviera posando la cabeza en el tajo y comienza a beber a grandes tragos, como para alejar el peligro. A continuación, saca las manos a modo de señal y los dos hombres le agarran la cabeza y, sujetándolo por el cabello y por el cuello del jubón, se la sumergen por completo al tiempo que le levantan ligeramente los pies del suelo. Las piernas patalean como si estuviera nadando y parte del vino se derrama por fuera a resultas del forcejeo. El líquido se va vertiendo en cascada alrededor de los pies de los verdugos a medida que el aire va saliendo de los pulmones del condenado en bocanadas que forman enormes burbujas. El sacerdote da un paso atrás para no pisar el charco de color rojo y procede a leer los últimos ritos con voz firme y reverente mientras los dos verdugos sujetan dentro del barril la cabeza del hijo más tonto de la familia York. Por fin los pies del condenado quedan colgando inertes y ya no hay más burbujas de aire; la celda entera termina impregnada de un olor que recuerda a una taberna vieja.

Esa noche a las doce, en el palacio de Westminster, me levanto de mi lecho y me dirijo a mi vestidor. Encima de un armario alargado en el que guardo mis pieles hay un cofrecillo que contiene mis cosas privadas. Lo abro. Dentro hay un viejo relicario de plata tan renegrido por el paso del tiempo que parece de ébano. Al retirar el cierre se oye el crujido de un papel viejo, arrancado de una esquina de la carta de mi padre. En él, escrito con sangre, con la mía, figura el nombre de Jorge, duque de Clarence. Arrugo el papel entre los dedos y lo arrojo a las ascuas de la chimenea para contemplar cómo se retuerce en el calor de las cenizas antes de estallar súbitamente en una llama.

—Vete, pues —digo en voz alta cuando el nombre de Jorge desaparece convertido en humo y la maldición que le eché se completa—. Pero que seas el último York que muere en la Torre de Londres. Que esto termine aquí, tal como le prometí a mi madre. Que acabe aquí.

Ojalá hubiera recordado, como ella me enseñó, que es más fácil dar rienda suelta al mal que volver a encerrarlo luego donde estaba. Cualquier necio puede provocar una tormenta, pero ¿quién puede saber hacia dónde soplará el viento y cuándo habrá de cesar?

Verano de 1478

Hago venir a mi hijo Eduardo, a mi otro hijo sir Richard Grey y a mi hermano Anthony a mis aposentos privados para despedirme de ellos. No soporto verlos partir estando en público. No quiero que me vean llorar al decirles adiós. Me agacho para darle un abrazo al pequeño Eduardo, como si no quisiera separarme de él, y él me mira con sus cálidos ojos castaños, me coge la cara con sus manitas y me dice:

—No llores, mamá. No hay por qué llorar. Volveré otra vez la próxima Navidad. Y puedes venir a Ludlow a verme, ¿sabes?

—Lo sé —respondo.

—Y, si vienes con Jorge, yo le enseñaré a montar —me promete—. Y también puedes dejar que yo cuide del pequeño Ricardo, ¿sabes?

—Lo sé. —Procuro hablar con claridad, pero las lágrimas me lo impiden.

Richard se abraza a mi cintura. Ya es tan alto como yo, se ha hecho un hombre.

—Cuidaré de él —me dice—. Debéis venir a visitarnos. Y traed a todos mis hermanos y hermanas. Venid a pasar el verano.

—Iré, iré —le prometo; después me vuelvo hacia mi hermano Anthony.

—No os preocupéis, sabemos cuidarnos solos —me dice antes de que yo pueda empezar a enumerar las cosas que me dan miedo—. Os prometo que el año que viene os lo traeré a casa sano y salvo. Y no pienso dejarlo solo, ni siquiera para irme a Jerusalén. No lo abandonaré hasta que él me lo ordene. ¿De acuerdo?

Yo asiento con la cabeza, parpadeando para contener las lágrimas. Hay algo que me angustia en la idea de que Eduardo ordene a Anthony que se vaya. Es como si sobre nosotros se hubiera abatido una sombra.

—No sé por qué, pero siempre temo mucho por él cada vez que tengo que despedirme de vosotros tres. Me cuesta mucho separarme de él.

—Lo guardaré con mi vida —promete Anthony—. Para mí es tan preciado como la vida misma. No sufrirá daño alguno mientras esté bajo mi custodia. Os doy mi palabra.

Me hace una reverencia y se encamina hacia la puerta. Eduardo, a su lado, ejecuta una copia de ese mismo gesto. Mi hijo Richard se golpea el pecho con el puño en un saludo que significa que me ama.

—Sed feliz —dice Anthony—. Tengo a vuestro hijo sano y salvo.

Y acto seguido los tres me dejan.

Primavera de 1479

A mi hijo Jorge, que siempre ha sido un niño diminuto, se le empieza a quebrar la salud ya antes de cumplir los dos años. Los médicos no saben nada, las niñeras del cuarto de los niños sólo saben recomendar gachas y miel, alimentos que han de serle administrados cada hora. Hacemos lo que está en nuestra mano, pero el pequeño no cobra fuerzas.

Su hermana Isabel, que ya tiene trece años, juega con él a diario, lo toma de las manitas y lo ayuda a dar unos pasos con sus frágiles piernas, inventa un cuento para cada cucharada de comida que se lleva a la boca. Pero incluso ella se da cuenta de que el niño no mejora. No crece, y sus bracitos y sus piernecitas son delgados como palillos.

—¿Podríamos hacer venir a un físico de España? —le propongo a Eduardo—. Anthony siempre dice que los moros tienen los médicos más sabios.

El rey está apesadumbrado a causa de la preocupación y la pena por su hijo, que tan preciado es para él.

—Puede venir quien queráis —contesta—, pero, Isabel, amor mío, tened valor. Es un niño frágil; ya al nacer era muy pequeño. Ya es mucho que hayáis conseguido mantenerlo vivo hasta ahora.

—No digáis eso —respondo en seguida sacudiendo la cabeza en un gesto de negación—. Se pondrá mejor. Llegará la primavera y después el verano. Seguro que en verano mejora.

Paso muchas horas en el cuarto de los niños con mi pequeño en el regazo, dándole de comer gachas en pequeñas cantidades, pegando el oído a su pecho para escuchar el débil golpeteo de su corazón.

Me dicen que Dios nos ha bendecido dándonos dos hijos fuertes, que la sucesión al trono de York no corre peligro. Yo no contesto nada a los necios que me hablan así. No estoy cuidando de mi hijo por el bien de York, sino por el amor que le tengo. Si deseo que salga adelante no es para que sea príncipe, sino para que sea un niño fuerte.

Es mi pequeño. No soportaría perderlo como perdí a su hermana. No soportaría que muriese en mis brazos como murió ella en los de mi madre cuando ambas se fueron juntas. Doy vueltas por el cuarto de los niños durante el día y por la noche incluso entro para verlo dormir; estoy segura de que no está ganando fuerzas.

Un día de marzo, con el niño dormido en mis brazos, sentada en la mecedora, me pongo a tararear en voz baja una melodía sin siquiera darme cuenta: una nana de Borgoña que recuerdo a medias de mi niñez.

Una vez finalizada la canción de cuna, se hace el silencio. Interrumpo el movimiento de la mecedora y todo queda envuelto en un profundo mutismo. Acerco el oído al pecho de mi niño para escuchar los latidos de su corazón, pero no consigo oír nada. Luego acerco la cara a su nariz, a su boca, para sentir el calor de su aliento, pero no capto el aleteo de su respiración. Todavía lo siento cálido y suave en mis brazos, cálido y suave como un pajarillo. Pero mi Jorge se ha ido. He perdido a mi hijo.

De repente vuelvo a oír la tonada de la canción de cuna, ligera como el viento, y comprendo que Melusina es quien se encarga ahora de mecer a mi niño, que mi Jorge ya no está conmigo. Que lo he perdido para siempre.

Me dicen que aún tengo al pequeño Eduardo, que soy afortunada por tener un hermoso hijo varón de ocho años que es muy fuerte y está creciendo muy bien. Me dicen que he de alegrarme por tener a Ricardo, su hermanito de cinco años. Yo sonrío porque me alegro de tener esos dos hijos. Pero eso no mitiga el desconsuelo de haber perdido a mi Jorge, mi pequeño Jorge, el de los ojos azules y la mata de cabello rubio.

Cinco meses después estoy de nuevo pasando el período de confinamiento previo al parto. Esta vez no espero que nazca un varón, no imagino que un niño pueda sustituir a otro. Pero la pequeña Catalina llega justo a tiempo para procurarnos consuelo y, nuevamente, hay otra princesa de York en la cuna y mucha actividad en el cuarto de los niños. Un año más tarde tengo otro retoño, mi pequeña Bridget.

—Me parece que ésta va a ser la última —le digo a Eduardo lastimeramente cuando salgo del confinamiento.

Temía que Eduardo se percatara de que me estoy haciendo vieja, pero en lugar de eso me sonríe como si todavía fuéramos dos jóvenes amantes y me besa la mano.

—A ninguna mujer se le habría podido pedir más —me dice con dulzura—. Y ninguna reina ha hecho tantos esfuerzos para tener descendencia. Me habéis dado una gran familia, amor mío. Y estoy contento de que éste sea el último retoño que tengamos.

—¿No queréis otro varón?

Eduardo niega con la cabeza.

—Quiero tomaros por placer y abrazaros sólo por deseo. Quiero que sepáis que son vuestros besos lo que busco, no otro heredero más para el trono. Quiero que cuando me meta en vuestro lecho sepáis que os amo por vos misma y no porque seáis la yegua de cría de la casa de York.

Inclino la cabeza hacia atrás y lo miro con los ojos entornados.

—¿Estáis pensando en yacer conmigo por amor, no para procrear? ¿Eso no es pecado?

El rey me rodea la cintura con un brazo y cierra la mano sobre mi pecho.

—Ya me encargaré de que parezca tremendamente pecaminoso —me promete.

Abril de 1483

Hace un frío impropio de esta época del año y los ríos bajan muy crecidos. Estamos en Westminster para pasar la Semana Santa y desde mi ventana contemplo el río, que ha aumentado mucho de caudal y de velocidad; pienso en mi hijo Eduardo, que se encuentra más allá del ancho cauce del río Severn, muy lejos de mí. Tengo la sensación de que Inglaterra es un país surcado por cursos de agua que se entrecruzan unos con otros, lagos, arroyos y ríos. Melusina debe de estar en todas partes; éste es un país creado con su elemento.

Mi esposo Eduardo, un hombre amante de los espacios abiertos, tiene el capricho de salir de pesca; pasa la jornada entera al aire libre y regresa a casa empapado y feliz. Insiste en que para cenar tomemos el salmón que ha pescado en el río; lo llevan al comedor en bandejas bien altas y con un toque de trompetas, porque lo ha pescado el rey.

Esa noche Eduardo tiene un poco de fiebre y yo lo reprendo por haberse mojado y enfriado como si todavía fuera un niño y pudiera arriesgar de ese modo su salud. Al día siguiente se encuentra peor; se levanta un rato, pero en seguida vuelve a la cama, está demasiado cansado. Al día siguiente el físico dice que es necesario sangrarlo y Eduardo jura que nadie ha de tocarlo. Yo les digo a los médicos que se hará lo que ordena el rey, pero luego entro en su habitación cuando está dormido y examino su rostro congestionado para cerciorarme de que no es nada más que una dolencia pasajera, de que no se trata de la peste ni de fiebres graves. El rey es un hombre fuerte y goza de buena salud, puede resfriarse y estar repuesto al cabo de una semana.

Pero no mejora. Ahora empieza a quejarse de retortijones en el vientre y de un calor insoportable. Al cabo de una semana, la corte está ya temerosa y yo me encuentro en un estado de mudo terror. Los médicos resultan inútiles, ni siquiera saben cuál es el mal que aqueja al rey; no saben qué es lo que le ha causado la fiebre; no saben con qué puede curarse. Eduardo no es capaz de retener nada de lo que come. Lo vomita todo y lucha contra el dolor del vientre como si fuera otra guerra más. Yo guardo vigilia en su habitación, con mi hija Isabel a mi lado, las dos cuidándolo junto con dos curanderas que gozan de mi confianza. Hastings, amigo del rey desde la infancia y compañero suyo en todas sus empresas —incluida esta estúpida excursión de pesca—, guarda vigilia en la habitación de fuera. Su amante, Elizabeth Shore, ha decidido vivir arrodillada ante el altar de la abadía de Westminster, según me dicen, temiendo angustiada por el hombre que ama.

—Permitidme que lo vea —me implora Hastings.

Pero yo me vuelvo hacia él con una expresión de frialdad.

—No. Está enfermo. No necesita ningún amigo que lo acompañe a visitar mujerzuelas, a beber ni a apostar. No tiene necesidad de vos. Vos sois el culpable de que haya echado a perder su salud, y también todos los que son como vos. Esta vez yo voy a cuidar de él hasta que se reponga y, si consigo lo que me he propuesto, cuando se recupere no volverá a veros más.

—Permitidme que lo vea —repite Hastings sin siquiera defenderse contra mi rabia—. Lo único que quiero es verlo. No soporto no poder verlo.

—Esperad aquí fuera como un perro —digo con crueldad— o

volved con la tal Shore y decidle que a partir de ahora puede prestaros sus servicios a vos, porque el rey ha terminado con ambos.

—Esperaré —afirma él—. Eduardo solicitará mi presencia, querrá verme. Sabe que estoy aquí, aguardando a verlo. Sabe que estoy aquí fuera.

Lo dejo a un lado para dirigirme a la alcoba del rey y cierro la puerta para que ni siquiera alcance a vislumbrar un momento al hombre al que ama, que está luchando por respirar acostado en su enorme cama de cuatro pilares.

Eduardo, al verme entrar, levanta la vista.

—Isabel.

Yo voy a su lado y lo tomo de la mano.

—Sí, amor.

—¿Os acordáis del día en que regresé a casa y os dije que había pasado mucho miedo?

—Me acuerdo.

—Pues ahora tengo miedo otra vez.

—Os repondréis —le digo en un susurro—. Os repondréis, esposo mío.

Él asiente y sus ojos se cierran durante unos instantes.

—¿Hastings está fuera?

—No —respondo.

Él sonríe.

—Deseo verlo.

—Ahora no —le digo. Le acaricio la cabeza. Está ardiendo de fiebre. Tomo una toalla, la mojo con agua de lavanda y se la paso con suavidad alrededor de la cara—. En estos momentos no estáis lo bastante fuerte para ver a nadie.

—Isabel, traédmelo. Y traed también a todos los miembros de mi Consejo Privado que se encuentren en palacio. Mandad que venga mi hermano Ricardo.

Por un momento pienso que me he contagiado del mal que aqueja al rey, porque de repente el estómago se me encoge de dolor. Pero en seguida me doy cuenta de que es pánico.

—No es preciso que los veáis, Eduardo. Lo único que necesitáis es descansar y recobrar las fuerzas.

—Id a buscarlos —insiste él.

Me vuelvo y le doy una orden tajante a la doncella; ésta corre a la puerta para transmitírsela al guardia. De inmediato se extiende por toda la corte la noticia de que el rey ha llamado a sus consejeros y todo el mundo comprende que debe de estar agonizando.

Voy hasta la ventana, pero permanezco de espaldas a la vista del río. No quiero ver el agua; no quiero ver el reflejo luminoso de la cola de una sirena; no quiero oír a Melusina cantando, avisando de que se aproxima una muerte.

Poco después entran en la habitación los lores: Stanley, Norfolk, Hastings, el cardenal Thomas Bourchier, mis hermanos, mis primos, mis cuñados y otra media docena de hombres más. Todos los grandes del reino: hombres que han estado con mi esposo desde los primeros tiempos, los tiempos difíciles, o bien hombres como Stanley, que siempre están perfectamente alineados con el bando vencedor. Los miro a todos con expresión dura y ellos se inclinan ante mí con gesto grave.

Las mujeres han incorporado a Eduardo en la cama para que pueda ver al Consejo. Hastings tiene los ojos llenos de lágrimas y el rostro contorsionado por el dolor. Eduardo le tiende una mano y se abraza a él con fiereza, como si su amigo pudiera sujetarlo a la vida.

—Me temo que no tengo mucho tiempo —dice el monarca. Su voz suena áspera y débil.

—No —susurra Hastings—. No digáis eso. No.

Eduardo vuelve la cabeza y se dirige a todos los presentes:

—Dejo un hijo joven. Abrigaba la esperanza de verlo convertirse en hombre. Abrigaba la esperanza de marcharme dejando en el trono a un hombre hecho y derecho. Pero en cambio he de confiaros el cuidado de un niño.

Yo me muerdo el puño para no romper a llorar.

—No —digo.

—Hastings —dice Eduardo.

—Mi señor.

—Y todos vosotros, y mi reina Isabel.

Me acerco a su lecho y él toma mi mano en la suya y la junta con la de Hastings, como si nos estuviera casando.

—Vais a tener que trabajar juntos. Todos habéis de olvidar vuestras enemistades, vuestras rivalidades, vuestros odios. Todos tenéis cuentas que saldar, todos tenéis ofensas que no podéis olvidar. Pero tenéis que dejarlas de lado. Tenéis que estar todos unidos para velar por la seguridad de mi hijo y verlo ascender al trono. Así os lo pido, así os lo mando desde mi lecho de muerte. ¿Lo haréis?

Pienso en todos los años que llevo odiando a Hastings, el amigo y compañero más querido de Eduardo, camarada suyo en todas sus borracheras y en todos los burdeles, siempre a su lado en la batalla. Recuerdo que sir William Hastings, desde el primer momento, desde aquel día en que me vio de pie junto al camino, me miró con desprecio desde lo alto de su caballo; me acuerdo de que se opuso al ascenso de mi familia y que siempre instó al rey a que prestara oídos a otros consejeros e hiciera uso de otras amistades. Ahora veo que me mira y que, aunque le corren las lágrimas por la cara, la expresión de sus ojos es de dureza. Continúa pensando que yo me puse junto a aquel camino y le lancé a un joven muchacho un hechizo que fue causa de su destrucción. Jamás entenderá lo que sucedió aquel día entre dos jóvenes, un hombre y una mujer. Aquel día sucedió algo mágico, y ese algo mágico se llama amor.

—Trabajaré con Hastings por la seguridad de mi hijo —prometo—. Colaboraré con todos vosotros y olvidaré todas las ofensas para que mi hijo llegue al trono sano y salvo.

—Y yo también —declara Hastings. Y a continuación todos van diciendo lo mismo, uno detrás de otro.

—Y yo.

—Y yo.

—Y yo.

—Su guardián ha de ser mi hermano Ricardo —ordena Eduardo. Yo doy un respingo y hago ademán de retirar la mano, pero Hastings me la sujeta con fuerza.

—Se hará como deseáis, sire —contesta mientras me fulmina a mí con la mirada. Sabe que tengo recelos hacia Ricardo y hacia el poder que ejerce en el norte del país.

—Pero Anthony, mi hermano... —digo yo en un susurro para incitar al rey.

—No —niega Eduardo obstinado—. Ricardo, duque de Gloucester, será su guardián y Protector del Reino hasta que el príncipe Eduardo asuma el trono.

—No —susurro. Si pudiera hablar con el rey a solas, le explicaría que si Anthony fuera el protector los Rivers podríamos mantener la unidad del reino. No quiero que mi poder se vea amenazado por Ricardo. Quiero que mi hijo esté rodeado de mi familia. No quiero que ningún pariente de la rama de York esté presente en el nuevo gobierno que voy a formar alrededor de mi hijo. Quiero que sea un Rivers el que se siente en el trono de Inglaterra.

—¿Lo juráis? —dice Eduardo.

—Lo juro —dicen todos.

Hastings posa la mirada en mí.

—¿Lo juráis vos? —me pregunta—. ¿Juráis que, de igual modo que nosotros prometemos sentar a vuestro hijo en el trono, vos prometéis aceptar a Ricardo, duque de Gloucester, como protector?

Naturalmente que no. Ricardo no es amigo mío y ya manda en media Inglaterra. ¿Por qué habría de confiar en que sentará en el trono a mi hijo siendo él mismo un príncipe de York? ¿Por qué no habría de aprovechar él la oportunidad para apoderarse de la corona? Además tiene un hijo varón nacido de la pequeña Ana Neville, un niño que podría ser príncipe de Gales en sustitución de mi principito. ¿Por qué no iba a querer Ricardo, que ha combatido en media docena de batallas a favor de Eduardo, librar otra más a favor de sí mismo?

En el semblante de Eduardo se aprecian claros signos de fatiga.

—Juradlo, Isabel —me susurra—. Juradlo por mí. Por nuestro hijo Eduardo.

—¿Creéis que Eduardo estará seguro así?

El rey afirma con la cabeza.

—Es el único modo. Estará seguro si vos y los lores estáis de acuerdo, y si Ricardo está de acuerdo.

Me siento acorralada.

—Lo juro —digo.

Eduardo deja de sujetar nuestras manos y se deja caer contra las almohadas. Hastings aúlla como un perro y hunde el rostro en los cobertores de la cama. La mano del rey busca a ciegas la cabeza de su viejo amigo para tocársela a modo de bendición. Después, los demás van abandonando la estancia hasta que quedamos únicamente Hastings y yo, uno a cada lado de la cama, y el rey agonizante en el medio.

No tengo tiempo para afligirme, no tengo tiempo para cuantificar mi pérdida. Dentro de mí, mi corazón se parte en dos por el hombre al que amo, el único hombre al que he amado en toda mi vida, el único al que amaré jamás: Eduardo, aquel muchacho que acudió a mi lado al galope mientras yo lo aguardaba; mi amado. No tengo tiempo para pensar en eso cuando el futuro de mi hijo y el de mi familia dependen de que yo conserve una voluntad fuerte y los ojos secos.

Esa noche escribo a mi hermano Anthony.

El rey ha muerto. Trae al nuevo rey Eduardo a Londres tan rápido como sea posible. Trae tantos hombres como puedas en calidad de guardia real, porque vamos a necesitarlos. Eduardo cometió la necedad de nombrar protector a Ricardo, duque de

Gloucester. Ricardo nos odia a ti y a mí por igual, porque el rey nos amaba y por el poder propio que tenemos. Hemos de coronar a Eduardo de inmediato y defenderlo del duque, que de ningún modo renunciará a su papel de protector sin presentar batalla. Ve reclutando hombres sobre la marcha y reúne las armas que están escondidas a lo largo del camino. Prepárate para una batalla en defensa de nuestro heredero. Yo retrasaré todo lo que pueda el momento de anunciar la muerte del rey para que Ricardo, que aún se encuentra en el norte, no sepa todavía lo que está ocurriendo. De modo que date prisa.

ISABEL

Lo que desconozco es que Hastings está escribiendo a Ricardo, en un papel humedecido con sus propias lágrimas pero suficientemente legible, para decirle que la familia Rivers se está armando en torno a su príncipe y que si él desea asumir su papel de protector, si desea guardar al joven príncipe Eduardo frente a la rapacidad de su familia, más vale que actúe de forma inmediata con tantos hombres como pueda reclutar en sus tierras del norte antes de que el príncipe sea raptado por los suyos. Le escribe lo siguiente:

El rey ha dejado todo bajo vuestra protección: sus bienes, su heredero, su reino. Velad por la seguridad de nuestro soberano lord Eduardo V y regresad a Londres antes de que los Rivers se nos echen encima.

Lo que desconozco, y ni siquiera me permito pensar, es que, aun habiendo aprendido a temer las constantes guerras por el trono de Inglaterra, estoy a punto de provocar una yo misma, y que lo que está en juego esta vez es la herencia y hasta la vida de mi amado hijo.

Lo rapta.

Ricardo se mueve con mayor rapidez y está mejor armado y más decidido de lo que ninguno de nosotros habría podido imaginar. Avanza tan de prisa y con tanta determinación como lo habría hecho el propio Eduardo, y es igual de despiadado. Secuestra a mi hijo en su viaje hacia Londres, despide a los hombres de Gales que nos eran leales a él y a mí, hace prisioneros a mi hermano Anthony, a mi hijo Richard Grey y a nuestro primo Thomas Vaughan, y pone a Eduardo bajo lo que él afirma que es su custodia. En nombre de Dios, mi hijo no ha cumplido aún los trece años. Todavía tiene la voz aflautada, el mentón suave como el de una niña y una ligerísima sombra de vello en el labio superior que tan sólo se aprecia cuando se lo mira de perfil, contra la luz. Cuando Ricardo despide a sus criados reales, cuando apresa a su idolatrado tío, a su querido medio hermano, él los defiende con un leve temblor en la voz. Dice que está convencido de que su padre sin duda quiso poner únicamente a hombres buenos a su alrededor y que desea conservarlos a su servicio.

No es más que un niño. Se ve obligado a enfrentarse a un hombre endurecido en la batalla que está decidido a obrar mal. Cuando Ricardo dice que mi propio hermano Anthony —que ha sido amigo de mi hijo, además de guardián y protector suyo durante toda su vida— y mi otro hijo —Richard Grey— deben separarse de él, mi pequeño intenta defenderlos. Dice que está seguro de que su tío Anthony es un hombre bueno y un guardián excelente. Dice que su medio hermano Richard ha sido para él familiar y camarada; que sabe que su tío Anthony jamás ha hecho otra cosa que lo que corresponde a un gran caballero, al noble hidalgo que es. Pero el duque Ricardo le contesta que todo eso quedará resuelto y que, mientras tanto, él y el duque de Buckingham —mi antiguo pupilo, al cual casé contra su voluntad con mi hermana Katherine y que ahora aparece en esta sorprendente compañía— serán quienes escolten al príncipe hasta Londres.

No es más que un niño pequeño. Siempre ha estado protegido con delicadeza. No sabe hacer frente a su tío Ricardo, un individuo vestido de negro que lo mira con expresión feroz y que lleva tras de sí dos mil hombres aprestados para luchar. De modo que permite que su tío Anthony se vaya; permite que su hermano Richard se vaya. ¿Cómo podría salvarlos? Luego llora amargamente. Así me lo cuentan a mí. Llora como un niño pequeño al ver que nadie le obedece, pero permite que se vayan.

Mayo de 1483

Mi hija Isabel, que ya tiene diecisiete años, llega corriendo en medio de los gritos y del caos que reinan en el palacio de Westminster.

—¡Madre! ¡Señora madre! ¿Qué sucede?

—Vamos a acogernos a sagrado —le contesto con brusquedad—. Date prisa. Coge todo lo que quieras y toda la ropa de los niños. Asegúrate de que saquen todas las alfombras y todos los tapices de las dependencias reales y de que los lleven a la abadía de Westminster. Vamos a acogernos otra vez a sagrado. Y toma también tu joyero y tus pieles. Luego ve a las dependencias reales y cerciórate de que retiran todos los objetos que sean de valor.

—¿Por qué? —me pregunta ella con labios temblorosos—. ¿Qué ha pasado ahora? ¿Qué le ha sucedido a mi hermano?

—A tu hermano el rey lo ha raptado su tío, el lord protector —le explico. Mis palabras son como cuchillos y veo cómo la hieren. Ella admira a su tío Ricardo, lo ha admirado siempre. Abrigaba la esperanza de que él cuidara de todos nosotros, de que nos protegiera de verdad—. La voluntad de tu padre le ha entregado el mando de mi hijo a mi enemigo. Está por ver qué clase de lord protector será. Pero es mejor que lo veamos desde un lugar seguro. Hoy mismo nos acogemos a sagrado, en este mismo minuto.

—Madre. —Isabel está nerviosa a causa del pánico—. ¿No deberíamos esperar, no deberíamos consultar al Consejo Privado? ¿No deberíamos aguardar aquí a mi hermano pequeño? ¿Y si el duque Ricardo nos lo trajera sano y salvo? ¿Y si está haciendo lo que debe hacer en calidad de lord protector, precisamente salvaguardar al pequeñín?

—Para ti ya no será nunca más el pequeñín, sino el rey Eduardo —replico en tono terminante—. Ni para mí tampoco. Y voy a decirte una cosa: sólo los necios se quedan a esperar cuando se acerca el enemigo por si a éste le diera por mostrarse amistoso. Vamos a ponernos a salvo en la medida en que podamos. Acogiéndonos a sagrado. Y además vamos a llevarnos a tu hermano, el príncipe Ricardo, para protegerlo también. Y, cuando llegue a Londres el lord protector con su ejército privado, que me convenza entonces de que es seguro salir a la calle.

Le hablo con entereza a mi valiente hija, que ya es una mujer cuya vida se ha visto truncada por esta súbita caída, ha dejado de ser una princesa de Inglaterra para convertirse en una joven que vive escondida; pero lo cierto es que estamos atravesando momentos de profunda desventura, aquí, en la cripta de santa Margarita de la abadía de Westminster, a solas: mi hermano Lionel, arzobispo de Salisbury, mi hijo Thomas Grey, mi pequeño Ricardo y mis hijas Isabel, Cecilia, Ana, Catalina y Bridget. La última vez que estuvimos aquí estaba encinta de mi primer hijo varón y tenía todas las esperanzas que se pueden tener de que algún día reclamaría el trono de Inglaterra. Aún vivía mi madre, que era mi compañera y mi mejor amiga. Resultaba imposible dejarse dominar por el miedo durante demasiado tiempo cuando ella se ponía a urdir maquinaciones y a tejer sus hechizos mientras se reía de su propia ambición. Mi esposo estaba vivo, en el exilio, haciendo planes para regresar. Jamás dudé de que tornaría. Jamás dudé de que saldría victorioso. En todo momento supe que nunca perdería una batalla. Sabía que volvería, que vencería, que vendría a rescatarnos. Sabía que estábamos atravesando días de infortunio, pero tenía la esperanza de que habrían de llegar otros mejores.

Y ahora, henos aquí nuevamente. Pero esta vez se hace difícil abrigar esperanzas, en esta época de principios de verano —que siempre ha sido la que más me gusta a mí, repleta de excursiones al campo, torneos y fiestas. La penumbra de la cripta resulta opresiva. Es como estar enterrado en vida. Y la verdad es que no hay muchas razones para tener esperanza. Mi hijo está en manos enemigas, mi madre hace mucho que se fue de mi lado y mi esposo acaba de morir. No va a llamar a la puerta ningún alto caballero que bloquee el paso de la luz con su figura, que entre exclamando mi nombre. Mi hijo, que en aquella otra ocasión era un recién nacido, ahora ya tiene doce años y está en poder de nuestro enemigo. Mi hija Isabel, que en aquel confinamiento era cariñosa y jugaba con sus hermanas, ya ha cumplido los diecisiete. Vuelve su rostro de piel clara hacia mí y me pregunta qué vamos a hacer. En la ocasión anterior, nos limitamos a esperar con la certeza de que sólo con que lográsemos sobrevivir acabarían rescatándonos. Pero esta vez no hay certezas.

Durante casi una semana me dedico a escuchar con atención junto al minúsculo ventanillo que hay en la puerta principal. Desde el amanecer hasta el ocaso atisbo a través de la rejilla que lo cubre y aguzo el oído para distinguir, por los ruidos de la calle, qué hace la gente. Cuando me aparto de la puerta, voy hasta el río y observo las embarcaciones que pasan buscando la barcaza real, escuchando por si oyera cantar a Melusina.

A diario envío mensajeros a buscar noticias de mi hermano y de mi hijo y también para hablar con los lores que deberían estar alzándose para defendernos, con aquellos cuyos arrendatarios deberían estar tomando las armas por nosotros. Al quinto día lo oigo: un rumor cada vez más intenso —los vítores de los jóvenes aprendices—, y también otro clamor al fondo, más grave, un abucheo. Distingo el traqueteo de los arneses y el golpeteo de los cascos de un gran número de caballos. Es el ejército de Ricardo, duque de Gloucester, el hermano de mi esposo, el hombre al que éste confió nuestra seguridad, que entra en la capital de mi esposo y es recibido con sentimientos encontrados. Al mirar por la ventana hacia el río, veo una ristra de barcazas suyas que rodea el palacio de Westminster, una barricada flotante que nos mantiene a nosotros cautivos. Nadie puede entrar ni salir.

Me llega el estruendo de una carga de caballería y unas cuantas órdenes dadas a voces; empiezo a pensar: si yo hubiera armado la ciudad contra él, si le hubiera declarado la guerra desde el primer momento, ¿podría haberle hecho frente ahora? Pero luego me digo: ¿y qué le habría ocurrido a mi hijo Eduardo, que avanza dentro del séquito de su tío? ¿Qué les habría sucedido a mi hermano Anthony y a mi hijo Richard Grey, que están presos como rehenes y dependen de mi buena conducta? Y después vuelvo a pensar que a lo mejor no tengo nada que temer. Simplemente no lo sé. No sé si mi hijo es un joven rey que desfila en medio de grandes honores para dirigirse a su coronación o un niño raptado. Ni siquiera sé con seguridad cuál de las dos posibilidades es la más acertada.

Por la noche me acuesto con esa pregunta retumbándome en la cabeza igual que un tambor. Me tiendo en la cama vestida y no logro conciliar el sueño. Sé que en alguna parte, no muy lejos de mí, mi hijo también yace despierto en su lecho. Me siento inquieta, como una mujer atormentada, ansío estar con él, verlo, decirle que vuelve a estar sano y salvo conmigo. Me cuesta creer, como hija de Melusina que soy, que no sea capaz de escabullirme por entre los barrotes de las ventanas y llegar hasta él nadando. Es mi pequeño; tal vez se sienta asustado, tal vez corra peligro. ¿Cómo es que no puedo estar a su lado?

Pero he de quedarme quieta en la cama y esperar a que el cielo cambie del negro al gris en los cristales de la ventana; entonces me daré permiso para levantarme, bajar a la cripta y abrir el ventanillo de la puerta para asomarme al exterior y ver las calles silenciosas. En ese momento caigo en la cuenta de que nadie se ha armado para proteger a mi pequeño Eduardo, que nadie va a acudir en su rescate, que nadie va a liberarme a mí. Puede que hayan abucheado al lord protector que avanzaba a la cabecera de su ejército llevando a mi hijo en su séquito, puede que hayan creado un pequeño alboroto y que hayan organizado alguna que otra escaramuza, pero esta mañana no se ve que hayan tomado las armas para asaltar el castillo de Ricardo. Anoche yo era la única persona de todo Londres que guardaba vigilia, viviendo largas horas de espera preocupada por el pequeño rey.

La ciudad está aguardando a ver qué hace el lord protector. Todo gira en torno a eso. ¿Decidirá Ricardo, duque de Gloucester, amado y leal hermano del fallecido rey, cumplir la orden que dio Eduardo en el lecho de muerte y sentar a su hijo en el trono? ¿Determinará, fiel como siempre, cumplir con la responsabilidad que tiene como lord protector y guardar a su sobrino hasta el día de la coronación? ¿O por el contrario Ricardo, duque de Gloucester, falso como todos los de York, asumirá el poder que le otorgó el fallecido rey, desheredará a su sobrino, se pondrá él mismo la corona y nombrará príncipe de Gales a su propio hijo? Nadie sabe qué puede hacer el duque Ricardo, y muchos, como siempre, desean tan sólo estar en el bando vencedor. Todos tendrán que esperar a ver qué ocurre. Únicamente yo lo atacaría en este instante, si pudiera. Sólo para asegurarme.

Voy hasta las ventanas y observo el río, que pasa tan cerca de aquí que casi podría tocarlo estirando la mano. En la puerta de entrada a la abadía hay una barcaza repleta de hombres armados. Me están guardando a mí, y están impidiendo que se acerquen mis aliados. Cualquier amigo que intente llegar hasta mí será rechazado.

—Va a apoderarse de la corona —musito en voz baja con el rostro vuelto hacia el río y dirigiéndome a Melusina, a mi madre. Ambas me están escuchando en el fluir del agua—. Si tuviera que apostar mi fortuna, la apostaría. Va a apoderarse de la corona. Todos los varones de la casa de York están enfermos de ambición, y Ricardo, duque de Gloucester, no es distinto. Eduardo arriesgó la vida, un año tras otro, luchando por el trono. Jorge prefirió meter la cabeza en un tonel de vino a prometer que no volvería a reclamarlo jamás. Y ahora Ricardo entra en Londres trayendo consigo varios miles de hombres armados. Eso no lo está haciendo por el bien de su sobrino; piensa reclamar la corona para sí. No puede evitarlo, es un príncipe de York. Buscará un centenar de razones para obrar de ese modo, y pasarán años y las gentes todavía continuarán discutiendo lo que hizo hoy. Pero yo estoy segura de que va a apoderarse de la corona porque no puede evitarlo, como tampoco pudo evitar Jorge ser un necio ni Eduardo ser un héroe. Ricardo se apoderará del trono y nos apartará a un lado a mí y a los míos.

Callo unos instantes para hablar con sinceridad.

—Y yo tampoco puedo evitar pelear por lo que me pertenece —digo—. Lo esperaré preparada. Estaré lista para lo peor que pueda hacer. Me dispondré para perder a mi hijo Richard Grey y a mi queridísimo hermano Anthony, como ya he perdido a mi padre y a mi hermano John. Vivimos tiempos difíciles; en ocasiones se me antojan demasiado difíciles. Pero esta mañana estoy preparada. Pienso luchar por mi hijo y por su herencia.

Justo en el momento en que tomo esta firme determinación, llega un visitante a la entrada de la abadía. Da un breve golpecito, con cierta ansiedad; después da otro. Echo a andar muy despacio hacia la enorme puerta enrejada, tratando de apartar el miedo a cada paso que doy. Al abrir el ventanillo descubro a la ramera de Elizabeth Shore con el cabello rubio cubierto por una capucha y los ojos enrojecidos por el llanto. A través de la reja ella ve mi rostro blanco, como el de una prisionera que la observa ceñuda.

—¿Qué queréis? —le pregunto con frialdad.

Ella se sobresalta al oír mi voz. A lo mejor pensaba que seguía teniendo a mi servicio al caballerizo mayor y a una docena de criados que me abriesen la puerta.

—¡Excelencia!

—La misma. ¿Qué queréis, Shore?

Durante un momento dejo de verla, porque me ha hecho una reverencia tan profunda que se ha inclinado por debajo de la abertura del ventanillo; me resulta cómico verla levantarse otra vez como si fuera una luna en el horizonte.

—Vengo a traeros varios obsequios, excelencia —dice con nitidez. Y, seguidamente, baja la voz y añade—: Y noticias. Dejadme entrar, os lo ruego, es por el bien del rey.

Me encolerizo al ver que se atreve a mencionar su persona, pero al momento recapacito y me digo que, por lo visto, esta mujer se considera todavía al servicio del monarca y me sigue considerando a mí su esposa, de modo que retiro los cerrojos de la puerta para dejarla pasar. En cuanto se ha colado en el interior igual que una gata asustada, me apresuro a cerrar de nuevo.

—¿De qué se trata? —le pregunto en tono tajante—. ¿Qué pretendéis al venir aquí sin que se os haya llamado?

Ella no se atreve a profanar el lugar y se queda junto a la puerta. Deja en el suelo un cesto que traía en el brazo como hacen las criadas de la cocina. Yo me fijo en seguida en el jamón curado y en el pollo asado.

—Me envía sir William Hastings, con sus saludos y la reafirmación de su lealtad —dice precipitadamente.

—Oh, ¿ahora habéis cambiado de guardián? ¿Ahora sois la puta de Hastings?

Ella me mira con fijeza a los ojos y me veo obligada a contener una exclamación al apreciar su hermosura. Tiene los ojos grises y el cabello rubio. Es tan bella como lo era yo hace veinte años. Se parece a mi hija Isabel de York: posee la fría belleza inglesa, es una rosa de Inglaterra. Siento deseos de odiarla por ello, pero descubro que no me es posible. Hace veinte años, si Eduardo hubiera estado casado, yo no habría sido mejor que ella y habría preferido convertirme en su puta antes que no volver a saber nada más de él.

De pronto, a mi espalda, mi hijo Thomas Grey sale de las sombras de la cripta y le hace una venia igual que si fuera una dama de la nobleza. Ella esboza una breve sonrisa, como si ambos fueran buenos amigos y no necesitaran decirse nada.

—Sí, ahora soy la puta de sir William —afirma ella con voz calma—. El difunto rey envió a mi esposo al extranjero y anuló nuestro matrimonio. Mi familia no me permite que regrese a casa. Ahora que el monarca ha muerto, carezco de toda protección. Sir William Hastings me ofreció un hogar y estoy contenta de encontrarme a salvo con él.

Hago un gesto de asentimiento.

—¿Y bien?

—Me pide que os entregue este recado. No puede venir él en persona, teme a los espías del duque Ricardo. Pero os dice que conservéis la esperanza y que, en su opinión, todo va a salir bien.

—Y ¿por qué he de fiarme de vos?

Thomas da un paso al frente.

—Escuchadla, señora madre —me aconseja con delicadeza—. Amaba de verdad a vuestro esposo y es una dama sumamente honorable. No es capaz de venir a transmitiros informaciones falsas.

—Entra —le ordeno a mi hijo con voz dura—. Ya me encargo yo de esta mujer. —Me vuelvo hacia ella—. Vuestro nuevo protector ha sido mi enemigo desde la primera vez que posó la mirada en mí —digo con acritud—. No veo por qué habría de ofrecerme ahora su amistad. Nos impuso al duque Ricardo y todavía le ofrece su apoyo.

—Creía estar defendiendo al joven rey —replica la Shore—. No pensaba en nada que no fuera la seguridad del joven soberano. Desea que sepáis eso, y también que está seguro de que todo va a salir bien.

—Ah, ¿sí? —Estoy impresionada, a pesar de la mensajera. Hastings es leal a mi esposo en la vida y en la muerte. Si él cree que las cosas van a salir bien, si está convencido de que mi hijo está a salvo, es posible que todo vaya bien—. ¿Por qué se siente tan seguro?

Ella se acerca un poco más para poder hablarme en susurros.

—El joven rey está alojado en el palacio del obispo —me informa—, muy cerca de aquí. Pero el Consejo Privado está de acuerdo en que debería instalarse en las dependencias reales de la Torre y en que se debería proceder a los preparativos de su coronación. Ha de asumir inmediatamente su dignidad de nuevo rey de Inglaterra.

—¿El duque Ricardo está dispuesto a coronarlo?

Ella afirma con la cabeza.

—Se están acondicionando las dependencias reales para recibirlo. Están ajustando los ropajes para la coronación. Se está preparando la abadía. Están encargando los desfiles y recaudando el dinero necesario para los festejos del evento. Han enviado las invitaciones y han convocado al Parlamento. Se está disponiendo todo lo necesario—. Titubea unos instantes—. Todo de manera precipitada, como es natural. ¿Quién habría pensado que...?

Deja la frase sin terminar. Es obvio que se ha prometido a sí misma no revelar ningún signo de aflicción en mi presencia. Y ¿cómo iba a hacer semejante cosa? ¿Cómo iba a atreverse esta ramera a llorar delante de su reina por haber perdido a su amante, el rey? De modo que no dice nada, pero se le llenan los ojos de lágrimas y parpadea para reprimirlas. Yo tampoco digo nada, pero también se me llenan los ojos de lágrimas y desvío el rostro. No soy de esas mujeres que se ven superadas por un momento de sentimentalismo. Esta mujer es la puta de Eduardo y yo soy su reina. Pero bien sabe Dios que ambas lo echamos de menos. Compartimos la pena igual que antes compartíamos la dicha de tenerlo.

—Pero ¿estáis segura? —le pregunto en un tono de voz muy bajo—. ¿Están preparando los ropajes de la coronación? ¿Se están haciendo todos los preparativos?

—Han fijado la fecha para el veinticinco de junio y se está convocando a los lores del reino para que acudan. No hay duda —afirma—. Sir William me ha ordenado que os diga que mantengáis el ánimo elevado y que no duda de que veréis a vuestro hijo sentado en el trono de Inglaterra. Me ha pedido que os anuncie que él mismo vendrá aquí por la mañana para escoltaros hasta la abadía y que veréis a vuestro hijo coronado. Asistiréis a la ceremonia como la primera persona de su séquito.

Hago una inspiración profunda, henchida de esperanza. Pero me doy cuenta de que es posible que esta mujer esté en lo cierto, que Hastings esté en lo cierto, y que yo esté acogida a sagrado como una liebre asustada que corre cuando no hay sabuesos y permanece agazapada, con las orejas gachas, mientras los cazadores pasan de largo y se van a otro prado.

—Y Eduardo, el joven conde de Warwick, ha sido enviado al norte con la familia de Ana Neville, la esposa del duque de Gloucester —continúa diciendo ella.

Warwick es el niño que quedó huérfano tras el episodio del tonel de vino. Tiene sólo ocho años y es un mozalbete tonto y asustadizo, un auténtico hijo del necio de su padre, Jorge de Clarence. Pero su derecho al trono está por detrás del de mis hijos, si bien por delante del del duque Ricardo, y aun así éste lo está protegiendo.

—¿Estáis segura? ¿Ha enviado a Warwick a casa de su esposa?

—Mi señor dice que Ricardo tiene miedo de vos y de vuestro poder, pero que no desea hacerles la guerra a sus propios sobrinos, que todos los niños están a salvo con él.

—¿Tiene Hastings noticias de mi hermano y de mi hijo Richard Grey?

Ella asiente.

—El Consejo Privado se ha negado a acusar a vuestro hermano sin motivo. Dice que ha sido un servidor eficaz y fiel. El duque Ricardo quería acusarlo de haber raptado al joven rey, pero el Consejo Privado discrepó y no quiso aceptar acusación alguna.

Ha denegado la propuesta del duque Ricardo y éste ha aceptado su resolución. Mi señor cree que vuestro hermano y vuestro hijo serán liberados después de la coronación, excelencia.

—¿El duque Ricardo desea llegar a un acuerdo con nosotros?

—Mi señor dice que el duque se opone enérgicamente a vuestra familia, excelencia, y a la influencia que ejercéis. En cambio, por respeto al rey Eduardo, es leal al joven soberano. Ha dicho que podéis tener la seguridad de que vuestro hijo será coronado.

Hago un gesto de asentimiento.

—Decidle que me sentiré dichosa cuando llegue ese día, pero que hasta entonces me quedaré aquí. Tengo otro hijo y cinco hijas, y preferiría conservarlos a todos sanos y salvos a mi lado. Además, no me fío del duque Ricardo.

—Mi señor dice que vos misma tampoco habéis sido muy de fiar. —Tras este insulto, ejecuta una profunda reverencia y permanece con la cabeza baja—. Me ordena que os diga que no podéis derrotar al duque Ricardo, que vais a tener que colaborar con él. Me ordena que os diga que fue vuestro propio esposo el que nombró lord protector al duque y que el Consejo Privado prefiere la influencia de él a la vuestra. Excusadme, excelencia, pero me ha encargado que os informe de que son muchos los que sienten desagrado hacia vuestra familia y desean ver al joven rey libre de la influencia de sus numerosos tíos y a los Rivers fuera de los muchos lugares que ocupan. Además, todos se han percatado de que vos robasteis el tesoro real cuando vinisteis aquí a acogeros a sagrado, que os llevasteis el Gran Sello y que vuestro hermano, el lord Almirante Edward Woodville, ha hecho zarpar a la flota entera.

Me rechinan los dientes. Esto representa un insulto para mí y para todos mis familiares, sobre todo para mi hermano Anthony, que influye más que nadie en Eduardo, que lo ama como si fuera hijo suyo, que en este mismo día está en la cárcel por él.

—Podéis decirle a sir William que el duque Ricardo debe dejar a mi hermano en libertad sin cargos de inmediato —replico en tono terminante–. Podéis decirle que convendría recordarle al Consejo Privado los derechos que asisten a la familia Rivers y a la viuda del rey. Sigo siendo reina. No es la primera vez que este país ve a una soberana luchar por sus derechos, deberíais estar todos advertidos. El duque ha raptado a mi hijo y ha entrado en Londres armado hasta los dientes. Pienso obligarlo a rendir cuentas de ello lo antes que pueda.

El semblante de la Shore refleja miedo. Se nota a las claras que no quiere hacer las veces de intermediaria entre un cortesano de carrera y una reina vengativa. Pero ese papel es el que está llamada a interpretar en este momento, y va a tener que desempeñarlo lo mejor que sepa.

—Se lo diré, excelencia —contesta. Ejecuta otra profunda reverencia y seguidamente se encamina hacia la puerta–. Permitid que os exprese mis condolencias por la pérdida de vuestro esposo. Era un gran hombre. Fue un honor poder amarlo.

—Él no os amaba a vos —respondo con súbito despecho; advierto que su rostro, ya de natural blanco, palidece todavía más.

—No, nunca amó a nadie como os amó a vos —me contesta con una delicadeza tal que no puedo por menos de sentirme conmovida ante su ternura. En su expresión se aprecia una leve sonrisa, pero vuelve a tener los ojos humedecidos–. Jamás ha habido en mi pensamiento la menor duda de que sólo había una reina en el trono y la misma reina en su corazón. Ya se aseguró él de que yo lo supiera. De que lo supiera todo el mundo. Para él únicamente existíais vos.

Desliza el cerrojo y abre la puerta pequeña encajada dentro de la grande.

—Vos también erais muy querida para él —le digo sin querer, impulsada por el deseo de ser justa con ella–. Yo me sentía celosa porque sabía que a vos os tenía un gran aprecio. Decía que erais la más alegre de sus putas.

De pronto, a Elizabeth Shore se le ilumina el rostro igual que cuando se prende una cálida llama dentro de un farol.

—Me alegra que pensara eso de mí y que vos hayáis tenido la amabilidad de decírmelo —responde—. Nunca me ha guiado la ambición ni de influir en la política ni de obtener puesto alguno. Simplemente adoraba estar con él y hacerlo feliz en la medida de mi capacidad.

—Sí, muy bien, muy bien —me apresuro a decir, ya agotada toda mi generosidad—. Adiós, pues.

—Quedad con Dios, excelencia —me dice ella—. Es posible que vuelvan a pedirme que regrese para traeros algún otro recado. ¿Querréis recibirme?

—A vos igual que a las demás. Bien sabe Dios que, si Hastings va a servirse de las putas de Eduardo como mensajeras, voy a tener que recibir a varios cientos —replico irritada. Veo la ligera sonrisa que ella esboza al escabullirse por la portezuela antes de que yo la cierre otra vez de golpe.

Junio de 1483

El mensaje tranquilizador de Hastings no me impide actuar. Estoy resuelta a declararle la guerra a Ricardo. Voy a destruirlo y a liberar a mi hijo y a mi hermano, así como al joven rey. No pienso esperar, obediente como sugiere Hastings, a que Ricardo corone a Eduardo. No me fío de él, como tampoco me fío del Consejo Privado ni de los ciudadanos de Londres, que están aguardando, como oportunistas, a sumarse al bando vencedor. Pienso lanzarme al ataque, y hemos de tomarlo por sorpresa.

—Envía el recado a tu tío Edward —le digo a Thomas, el más pequeño de los Grey—. Dile que haga regresar a la flota y la apreste para luchar; después saldremos de sagrado y provocaremos un alzamiento del pueblo. El duque duerme en el casillo de Baynard con su madre. Edward ha de bombardear dicho castillo mientras nosotros irrumpimos en la Torre y sacamos a nuestro príncipe Eduardo.

—¿Y si Ricardo no pretende otra cosa que coronarlo? —me pregunta Thomas. Está empezando a escribir un mensaje en clave. Nuestro mensajero está aguardando oculto, listo para allegarse hasta la flota, que se encuentra a la espera en las aguas profundas de los Downs.

—En ese caso Ricardo morirá y coronaremos a Eduardo de todas formas —contesto—. Puede que hayamos matado a un amigo leal y a un príncipe de York, pero ya nos ocuparemos más adelante de guardarle luto. Nuestro momento es éste. No podemos esperar a que refuerce el dominio que ejerce sobre Londres. La mitad del país ni siquiera se habrá enterado todavía de que el rey Eduardo ha muerto. Acabemos con el duque Ricardo antes de que su gobierno se prolongue más.

—Me gustaría reclutar a varios de los lores —dice Thomas.

—Haz lo que puedas —respondo con indiferencia—. Sé por lady Margarita Stanley que su esposo está de nuestra parte, aunque parezca ser amigo de Ricardo. Puedes preguntarle a él. Pero los que no se alzaron para defendernos cuando Ricardo entró en Londres pueden morir con él, por lo que a mí respecta. Me han traicionado a mí y han traicionado la memoria de mi esposo. Los que sobrevivan a esta batalla serán juzgados por traición y decapitados.

Thomas levanta la vista y me mira.

—Entonces pensáis declarar una guerra de nuevo —me dice—. Los Rivers y nuestros hombres de confianza, nuestros primos y parientes, contra los lores de Inglaterra acaudillados por el duque Ricardo, vuestro cuñado. Ahora se trata de una guerra de York contra York. Será una lucha encarnizada y muy difícil de extinguir una vez que haya empezado. Y también difícil de ganar.

—Es necesario comenzar —respondo yo con gesto serio—. Y tengo que ganarla yo.

La ramera Elizabeth Shore no es la única persona que viene a traerme noticias en secreto. Mi hermana Katherine, esposa del orgulloso duque de Buckingham, mi antiguo pupilo, viene a hacerme una visita de familia y me trae vino bueno y frambuesas tempranas de Kent.

—Excelencia, hermana mía —me saluda al tiempo que hace una profunda reverencia.

—Hermana duquesa —contesto con frialdad. La desposamos con el duque de Buckingham cuando éste era un huérfano de sólo nueve años de edad. Conseguimos para ella varios miles de acres de tierra y el título más importante del reino, por detrás del de príncipe. Demostramos a Buckingham que, aunque él se sentía más ufano que un polluelo de pavo real con su elevada dignidad, que era mucho más excelsa que la nuestra, aun así nosotros teníamos poder para elegirle esposa; me resultó divertido tomar su antiguo título y entregárselo a mi hermana. Katherine tuvo la suerte de convertirse en duquesa gracias a mí, mientras yo era la reina. Y ahora, tras las muchas vueltas que da la rueda de la fortuna, se ve casada no con un niño resentido, sino con un hombre de casi treinta años que actualmente es el mejor amigo del lord protector de Inglaterra. Y yo soy una reina viuda que vive escondida y cuyo enemigo se encuentra en el poder.

Enlaza su brazo con el mío, como hacíamos cuando éramos jovencitas y vivíamos en Grafton, y vamos hasta la ventana para contemplar la lentitud con que baja el río.

—Se está rumoreando que os casasteis empleando la brujería —me dice sin apenas mover los labios—. Y buscan a alguien que jure que Eduardo estaba casado con otra mujer cuando se desposó con vos.

Miro a mi hermana con la misma expresión ceñuda que ella muestra.

—Es un antiguo escándalo. No me preocupa.

—Por favor, escuchad. Puede que no me sea posible volver aquí. Mi esposo crece cada día en importancia y en poder. Creo que tiene la intención de enviarme a vivir al campo y no puedo desobedecerlo. Escuchadme. Tienen a Robert Stillington, el obispo de Bath y de Wells...

—Pero si es de los nuestros —la interrumpo olvidando que ya no somos nadie.

—Era de los vuestros. Pero ya no. Fue el canciller de Eduardo, pero ahora es gran amigo del duque. Le ha asegurado, de igual modo que se lo aseguró a Jorge, duque de Clarence, que Eduardo contrajo nupcias con la dama Eleanor Butler antes de casarse con vos y que tuvo un hijo legítimo.

Vuelvo otra vez el rostro. Éste es el precio que hay que pagar por tener un esposo incontinente.

—A decir verdad, me parece que Eduardo le prometió casarse con ella —susurro—. Puede que incluso llegara a celebrar una ceremonia. Eso es lo que siempre ha pensado Anthony.

—Pero eso no es todo.

—¿Hay más?

—Se comenta que el rey Eduardo ni siquiera era hijo de su padre, que era un bastardo que le endosaron.

—¿Otra vez ese viejo escándalo?

—Otra vez.

—¿Y quién está dando pábulo a esos antiguos rumores?

—El duque Ricardo y mi esposo, que hablan por todas partes. Pero, peor todavía: me parece que Cecilia, la madre del rey, está dispuesta a confesar en público que vuestro esposo era un bastardo. Creo que piensa hacerlo para sentar en el trono a su hijo Ricardo... y apartar al vuestro. El duque y mi esposo van por todas partes afirmando que vuestro marido era ilegítimo y que su hijo también. Eso convierte al duque en el siguiente heredero auténtico.

Afirmo con la cabeza. Pues claro. Pues claro. A continuación seremos expulsados al destierro y el duque Ricardo pasará a ser el rey Ricardo y el paliducho de su hijo ocupará el puesto de mi atractivo principito.

—Y lo peor de todo —me susurra mi hermana— es que el duque sospecha que vos estáis reuniendo un ejército propio. Ha advertido al Consejo de que os proponéis destruirlo a él y a todos los demás lores de Inglaterra. De modo que ha mandado venir de York a hombres que le son leales. Va a hacer caer sobre nosotros un ejército de hombres procedentes del norte.

Yo misma noto que aprieto con más fuerza el brazo de mi hermana.

—Estoy reuniendo a mis partidarios —confirmo—. Tengo planes propios. ¿Cuándo llegan los hombres del norte?

—Ricardo acaba de mandar a buscarlos —contesta Katherine—. Aún tardarán varios días en llegar. Puede que una semana, acaso más. ¿Estáis ya lista para el alzamiento?

—No —jadeo—. Todavía no.

—No sé qué vais a poder hacer desde aquí. ¿No haríais mejor en salir y presentaros vos misma ante el Consejo? ¿O no sería mejor que alguno de los lores del Consejo Privado viniera aquí a veros? ¿Tenéis un plan?

Afirmo con la cabeza.

—Puedes estar segura de que tenemos planes. Pienso liberar a Eduardo y también llevar a mi hijo Richard a un lugar seguro de inmediato. Para rescatar al rey voy a sobornar a los guardias de la Torre. Está vigilado por hombres buenos, puedo confiar en que volverán la vista hacia otro lado. Mi hijo Thomas Grey va a escapar de aquí. Recurrirá al gobernador Hutton para rescatar a su hermano Richard Grey y a su tío Anthony y, acto seguido, se armarán y volverán aquí para liberarnos a todos. Levantarán en armas a los nuestros. Venceremos nosotros.

—¿Pensáis sacar primero a los varones?

—Eduardo planeó hace años la manera de escapar, antes de que hubieran nacido siquiera. Yo le juré que velaría por su seguridad, pasara lo que pasara. Recuerda que subimos al trono batallando de esta manera; él nunca creyó que estuviéramos a salvo. Estábamos preparados para el peligro en todo momento. Aunque Ricardo no les haya hecho ningún daño, no puedo permitir que los tenga prisioneros y que le diga al mundo que son bastardos. Nuestro hermano sir Edward hará venir la flota para atacar al duque Ricardo, y uno de sus barcos se llevará a los chicos con Margarita de Flandes; allí estarán seguros.

Katherine me agarra del codo, con el semblante muy pálido.

—Querida... ¡oh, Isabel! ¡Por Dios santo! ¿Es que no lo sabéis?

—¿Qué? ¿Qué sucede ahora?

—Hemos perdido a nuestro hermano Edward. Su flota se amotinó contra él en favor del lord protector.

Durante un instante me quedo paralizada a causa del estupor.

—¿Edward? —Me giro hacia ella y la agarro de las manos—. ¿Está muerto? ¿Han matado a nuestro hermano Edward?

Katherine sacude la cabeza negativamente.

—No lo sé con seguridad. No creo que nadie lo sepa. Desde luego, no han proclamado su muerte. No lo han ejecutado.

—¿Quién volvió a sus hombres contra él?

—Thomas Howard. —Acaba de nombrar al noble en ascenso que se ha sumado a la causa de Ricardo con la esperanza de obtener provecho y posición—. Se encontraba entre la flota. Ya dudaban de hacerse a la mar. Se volvieron contra la autoridad de Rivers. Muchos plebeyos odian a nuestra familia.

—Perdido —repito. Me cuesta trabajo asimilar la enormidad de nuestra derrota—. Hemos perdido a Edward y también la flota, así como el tesoro que transportaba —susurro—. Contaba con que él nos rescatase. Iba a venir río arriba y a llevarnos a un lugar seguro. Y el tesoro nos habría servido para comprar un ejército en Flandes y pagar a quienes nos apoyasen aquí. Además, la flota iba a bombardear Londres y tomarla desde el río.

Mi hermana titubea y seguidamente, como si mi desesperación la hubiera incitado a tomar una decisión, introduce una mano en el interior de su capa, extrae un trozo de tejido arrancado de la esquina de una tela y me lo entrega.

—¿Qué es esto?

—Un trozo de tela que corté de la servilleta que usó el duque Ricardo cuando estaba cenando con mi esposo —me dice—. La sostuvo en la mano derecha y se limpió la boca con ella. —Luego baja la voz y la mirada. Siempre ha tenido miedo de los poderes de nuestra madre, nunca quiso aprender ninguna de nuestras habilidades—. Se me ha ocurrido que os vendría bien —me dice—, que a lo mejor podríais utilizarla para algo. —Duda un instante—. Tenéis que detener al duque de Gloucester. Su poder es mayor cada día que pasa. He pensado que podríais hacerlo enfermar.

—¿Has cortado esto de la servilleta del duque? —pregunto con incredulidad. Katherine siempre ha odiado cualquier clase de conjuro; nunca ha querido siquiera que las gitanas de la feria le digan la buenaventura.

—Es por Anthony —me susurra con vehemencia—. Tengo mucho miedo por nuestro hermano. Vos pondréis a salvo a los chicos, lo sé. Lograréis escapar con ellos. Pero el duque tiene a Anthony en su poder y tanto él como mi esposo lo odian a muerte. Lo envidian por su sabiduría y su valentía, y porque además todos lo aman; le tienen miedo. Y yo lo amo profundamente. Tenéis que detener al duque, Isabel. Tenéis que salvar a Anthony.

Me guardo el trozo de tela en la manga para que nadie lo vea, ni siquiera los niños.

—Déjalo de mi cuenta —le digo—. No pienses en ello. Tienes una expresión demasiado sincera, Katherine. Si no te lo quitas de la cabeza, todos sabrán que me traigo algo entre manos.

Ella deja escapar una risita nerviosa.

—Nunca he sabido mentir.

—Olvídate completamente de ello.

Regresamos a la puerta principal.

—Ve con Dios —le digo—. Y reza por nuestros muchachos y por mí.

Al instante la sonrisa desaparece de su rostro.

—Los Rivers vivimos tiempos difíciles —me dice—. Rezaré por que vuestros hijos estén a salvo, hermana, y por vos también.

—Lamentará haber empezado esto —predigo. De repente me interrumpo porque, como si estuviera teniendo una premonición, veo a Ricardo con la cara de un joven, como un niño perdido, tambaleándose en medio de un campo de batalla, blandiendo sin fuerza su enorme espada con una mano debilitada. Mira en derredor buscando algún amigo, pero no encuentra ninguno. Mira en derredor buscando su caballo, pero su montura se ha ido. Está intentando hacer acopio de fuerzas, pero ya no le quedan. La expresión de asombro que refleja su semblante serviría para inspirar lástima a cualquiera.

Pero pasa el momento y Katherine me toca la cara.

—¿Qué ocurre? ¿Qué veis?

—Veo que lamentará haber empezado esto —respondo con voz queda—. Será su fin y el fin de los suyos.

—¿Y nosotros? —me pregunta observando mi expresión como si quisiera ver lo que he visto yo—. ¿Y Anthony? ¿Y todos nosotros?

—Y el fin de todos nosotros también, me temo.

Esa noche, cuando ya son las doce y todo está oscuro como boca de lobo, me levanto de la cama y cojo el trozo de tela que Katherine me ha dado. Advierto el rastro de comida que el duque ha dejado al limpiarse los labios y me lo acerco a la nariz para olfatearlo. Es carne, me parece, aunque Ricardo es frugal en el comer y no bebe alcohol. Retuerzo la tela hasta formar un cordón y me la ato al brazo derecho apretando con fuerza, hasta que me produce dolor. Después me acuesto de nuevo. A la mañana siguiente tengo la piel del brazo azulada por el moratón y siento un hormigueo en los dedos, como si tuviera clavados un sinfín de alfileres y agujas. Noto el brazo dolorido y, al desatar el cordón, dejo escapar un gemido. Noto la debilidad de los músculos al lanzar el cordón al fuego.

—Vuélvete débil —digo hablando a las llamas—. Pierde las fuerzas. Que tu brazo derecho se afloje, que tu brazo armado se debilite, que tu mano deje de asir. Aspira una bocanada de aire y siente cómo se queda atrapada en tu pecho. Toma otra y siente que te ahogas. Tórnate enfermo y cansado. Arde igual que esa tela.

El cordón se incendia en la chimenea y contemplo cómo va consumiéndose hasta desaparecer.

En las primeras horas de la mañana viene a verme mi hermano Lionel.

—He recibido una carta del Consejo. Nos ruega que salgamos de sagrado y que enviemos a vuestro hijo el príncipe Ricardo a las dependencias reales de la Torre para que esté con su hermano.

Yo me vuelvo hacia la ventana y observo el río, como si éste pudiera aportarme algún consejo.

—No sé —respondo—. No. No quiero que los dos príncipes estén en manos de su tío.

—No hay duda de que la coronación va a tener lugar —dice Lionel—. Todos los lores están en Londres, se están confeccionando los ropajes, la abadía ya está preparada. Deberíamos salir ahora y tomar el lugar que nos corresponde por derecho. Estando aquí escondidos damos la impresión de ser culpables de algo.

Me mordisqueo el labio.

—El duque Ricardo es uno de los hijos de York —señalo—. Vio los tres soles ardiendo en el cielo cuando los tres se dirigían juntos hacia la victoria. No se puede pensar que vaya a dejar pasar la oportunidad de gobernar Inglaterra. No se puede pensar que vaya a entregar todo el poder del reino a un niño.

—Lo que yo pienso es que dirigirá el país por medio de vuestro hijo si vos no estáis presente para impedirlo —me dice Lionel sin rodeos—. Lo sentará en el trono y lo convertirá en una marioneta. Será otro Warwick, otro hacedor de reyes. No desea el trono para sí, lo que quiere es ser regente y lord protector. Se nombrará regente a sí mismo y gobernará a través de vuestro hijo.

—Eduardo será rey a partir del momento en que sea coronado —replico—. ¡Entonces veremos a quién hace caso!

—Ricardo puede negarse a entregar el poder hasta que Eduardo cumpla los veintiún años —razona mi hermano—. Puede dirigir el reino en calidad de regente durante ocho años. Tenemos que estar presentes, con representación en el Consejo Privado, protegiendo nuestros intereses.

—Si pudiera tener la seguridad de que mi hijo está a salvo...

—Si Ricardo pretendiera matarlo, ya lo habría hecho en Stony Stratford, cuando apresaron a Anthony y donde no había nadie que lo protegiera ni testigo alguno salvo Buckingham —dice Lionel tajante—. Pero no lo mató. En vez de eso, se arrodilló, le juró lealtad y lo trajo a Londres rodeado de honores. Somos nosotros los que hemos generado desconfianza. Lo siento, hermana, pero habéis sido vos. Nunca en toda mi vida he discutido con vos, ya lo sabéis; pero en esta ocasión estáis equivocada.

—Oh, para ti es muy fácil decir eso —contesto irritada—. Yo tengo siete hijos que proteger y un reino que gobernar.

—Pues gobernadlo —dice Lionel—. Instalaos en las dependencias reales de la Torre y asistid a la coronación del príncipe Eduardo. Sentaos en el trono e impartid órdenes al duque, que no es nada más que vuestro cuñado y el guardián de vuestro hijo.

Estoy reflexionando sobre todo esto. Tal vez Lionel tenga razón y yo debiera participar de lleno en los preparativos de la coronación ganando hombres para la causa del nuevo rey, prometiéndoles favores y honores en esta corte. Si salgo ahora con mis hijos, todos tan guapos, y formo de nuevo una corte, podré gobernar Inglaterra por medio de Eduardo. Debería reclamar mi puesto, no permanecer escondida y temerosa. Y entonces pienso: puedo hacerlo perfectamente. No necesito ir a la guerra para obtener mi trono. Puedo hacerlo en calidad de reina regente, de reina amada. Tengo al pueblo al alcance de mi mano, soy capaz de ganármelo. Tal vez debería salir de sagrado, mostrarme a la luz del sol y ocupar el lugar que me corresponde.

De pronto se oyen unos leves golpes en la puerta y una voz de hombre que dice:

–Confesor para la reina viuda.

Abro el ventanillo. Fuera hay un sacerdote de la orden de los dominicos con la capucha echada sobre la cabeza para ocultar el rostro.

–Me han ordenado que venga a oíros en confesión –anuncia.

–Entrad, padre –respondo; acto seguido le abro la puerta. Él pasa al interior en silencio, sin que sus sandalias provoquen el menor ruido contra las losas del suelo. Hace una reverencia y espera a que la puerta se cierre tras él.

–Vengo por orden del obispo Morton –dice en voz baja–. Si alguien os pregunta, he venido a ofreceros la posibilidad de confesaros y vos me habéis hablado de un pecado de tristeza y aflicción extrema. Yo os he aconsejado que no perdáis la esperanza. ¿Estáis de acuerdo?

–Sí, padre –contesto yo.

Me entrega una hoja de papel.

–Aguardaré diez minutos y después me macharé –me dice–. No me está permitido recibir ninguna respuesta.

Va hasta el taburete que hay colocado junto a la ventana y se sienta a esperar a que transcurra el tiempo. Yo llevo la nota hacia la luz de la ventana y la leo mientras, al mismo tiempo, oigo el gorgoteo del río. Está sellada con el emblema de los Beaufort. La envía Margarita Stanley, mi antigua dama de compañía. Pese a haber nacido y haberse criado en el seno de los Lancaster, y pese a ser la madre del heredero de dicha familia, ella y su esposo, Thomas Stanley, nos han sido leales durante estos once últimos años. Puede que todavía me sea fiel. Puede que incluso se ponga de mi parte frente al duque Ricardo. Le conviene permanecer a mi lado. Contaba con que Eduardo le perdonase a su hijo el ser sangre de los Lancaster y le diera permiso para volver de la Bretaña, donde está exiliado. Me habló a mí del amor de madre que la unía a su vástago y me aseguró que daría cualquier cosa por tenerlo de nuevo en casa. Yo le prometí que así sería. No tiene motivos para amar al duque Ricardo. Bien podría pensar que tendrá más posibilidades de recuperar a su hijo si conserva la amistad conmigo y apoya mi retorno al poder.

Pero lo que escribe no habla de conspiración, y tampoco son palabras de apoyo. Ha escrito tan sólo unas cuantas líneas:

Ana Neville no va a acudir a Londres para la coronación. No ha solicitado caballos ni guardias para el viaje. No le han hecho ropas especiales para la ceremonia. He pensado que os gustaría saberlo.

M. S.

Sostengo la carta en la mano. Ana es una joven enfermiza y tiene un hijo débil. Es posible que prefiera quedarse en casa. Pero Margarita, lady Stanley, seguro que no se ha tomado tantas molestias ni corrido peligros sólo para decirme esto. Lo que quiere que yo sepa es que Ana Neville no se está apresurando para acudir a Londres con motivo de la solemne coronación porque no tiene ninguna necesidad de darse prisa. Si no va a venir, será porque así se lo ha ordenado su esposo, Ricardo. Él sabe que no va a haber ningún acto al que asistir. Si Ricardo no ha ordenado a su esposa que viaje a Londres a tiempo para la coronación, que es el acontecimiento más importante del nuevo reinado, debe de ser porque sabe que no va a producirse tal evento.

Me quedo contemplando el río largo rato, pensando en lo que esto supone para mí y para mis dos preciados hijos varones. Después me arrodillo ante el dominico.

—Bendecidme, padre —le suplico. Y al instante siento que posa suavemente la mano sobre mi cabeza.

La criada que sale todos los días a comprar el pan y la carne vuelve con la cara muy pálida y se dirige a mi hija Isabel. A continuación, ésta se acerca a mí.

—Señora madre, señora madre, ¿puedo hablar con vos?

Yo estoy mirando por la ventana, observando el río con gesto pensativo, como si de esas aguas que bajan con lentitud estival esperase ver surgir a Melusina para aconsejarme.

—Naturalmente, tesoro. ¿De qué se trata?

Hay algo en su actitud urgente que me pone en estado de alerta.

—No entiendo lo que está pasando, madre, pero Jemma, que acaba de regresar del mercado, dice que corre por ahí el rumor de que en el Consejo Privado ha tenido lugar una pelea, un apresamiento. ¡Una pelea en la sala del Consejo! Y que sir William... —Se queda sin aliento.

—¿Sir William Hastings? —Nombro al amigo más querido de Eduardo, el que juró defender a mi hijo, mi nuevo aliado.

—Sí, él. Madre, en el mercado están diciendo que lo han decapitado.

De pronto siento que la habitación me da vueltas y tengo que agarrarme del alféizar de la ventana.

—No puede ser... Debe de haber oído mal.

—Jemma dice que el duque Ricardo descubrió una conspiración que había contra él y apresó a dos nobles y decapitó a sir William.

—Debe de estar equivocada. Sir William es uno de los hombres más importantes de Inglaterra. No se lo puede decapitar sin antes juzgarlo.

—Es lo que dice ella —susurra Isabel—. Dice que se lo llevaron y le cortaron la cabeza en la explanada de la Torre, sobre un tronco de madera, sin previo aviso, sin juicio, sin acusación.

Se me doblan las rodillas y habría caído al suelo si mi hija no llega a sujetarme. De repente lo veo todo negro; al momento siguiente vuelvo a ver a Isabel, con el tocado torcido hacia un lado y el cabello cayéndole suelto. Mi hermosa hija me mira fijamente y me dice en susurros:

—Señora madre, habladme. ¿Os encontráis bien?

—Estoy bien —le contesto. Tengo la garganta seca y descubro

que estoy tendida en el suelo, sujeta por el brazo de mi hija–. Estoy bien, tesoro. Pero es que me ha parecido que decías... me ha parecido oírte decir... que sir William Hastings ha sido decapitado. ¿Es verdad?

–Eso es lo que ha dicho Jemma, madre. Pero no pensaba que sintierais ningún aprecio por él.

Me incorporo con un leve dolor de cabeza.

–Pequeña, aquí ya no se trata de sentir aprecio. Ese lord es el mayor defensor de tu hermano, el único que se ha puesto de mi parte. No me aprecia, pero sería capaz de dar la vida por sentar a tu hermano en el trono y cumplir la promesa que le hizo a tu padre. Si ha muerto, hemos perdido el aliado más importante que teníamos.

Isabel sacude la cabeza en un gesto de desconcierto y negación.

–¿Es posible que haya hecho algo muy grave, algo que haya ofendido al lord protector?

De repente se oye un leve golpe en la puerta y todos nos quedamos paralizados. A continuación se oye una voz que dice en francés:

–*C'est moi.*

–Es una mujer, abre la puerta –ordeno.

Durante un momento he tenido la certidumbre de que era el verdugo de Ricardo que venía a buscarnos con el filo del hacha todavía manchado con la sangre de Hastings. Isabel corre a abrir la portezuela pequeña de la enorme puerta de madera, y por ella entra la ramera Elizabeth Shore, cubierta con una capucha para ocultar el color claro de su cabello y envuelta en una capa bajo la que lleva un vestido de ricos brocados. Me hace una reverencia profunda, dado que todavía estoy sentada en el suelo.

–Veo que ya estáis enterada –dice brevemente.

–¿Hastings no ha muerto?

Tiene los ojos arrasados de lágrimas, pero contesta de forma sucinta.

—Sí, ha muerto. Ése es el motivo de mi visita. Fue acusado de traición contra el duque Ricardo.

Mi hija Isabel cae de rodillas a mi lado y toma mis manos heladas en las suyas.

—El duque Ricardo acusó a sir William de haber conspirado para asesinarlo. Afirmó que sir William se había servido de una bruja para actuar contra él. Dijo que le faltaba la respiración, que había caído enfermo y que estaba perdiendo las fuerzas. Aseguró que había perdido la fuerza en el brazo de empuñar la espada; se lo descubrió en la cámara del Consejo y se lo mostró a sir William desde la muñeca hasta el hombro para que a éste no le cupiera ninguna duda de que estaba marchitándose. Dice que sus enemigos han lanzado un maleficio contra él.

Mi mirada permanece fija en el rostro de Elizabeth; ni siquiera la desvío hacia la chimenea donde se quemó el trozo de tela arrancado de la servilleta que usó el duque después de que yo me lo hubiera atado alrededor del antebrazo y lo hubiera maldecido para que le robase al duque el aliento y las fuerzas, para que le debilitase el brazo con que maneja la espada y éste terminara siendo como el de un jorobado.

—¿Ha pronunciado el nombre de esa bruja?

—Dice que habéis sido vos. —Noto que mi hija Isabel da un respingo. Seguidamente, Elizabeth agrega—: Y también yo.

—¿Las dos actuando juntas en connivencia?

—Sí —responde ella con sencillez— Por eso he venido a advertiros. Si el duque consigue demostrar que sois bruja, ¿podría vulnerar el derecho de acogeros a sagrado y sacaros de aquí a vuestros hijos y a vos?

Afirmo con la cabeza. Sí que podría.

Y, en cualquier caso, me viene a la memoria la batalla de Tewkesbury, en la que mi esposo vulneró ese derecho sin motivo ni explicación alguna y sacó a rastras a los heridos de la abadía y los masacró en el camposanto; a continuación entró en la abadía y mató a otros cuantos más en los escalones del altar. Tuvieron que limpiar la sangre del suelo del coro y del presbiterio; tuvieron que santificar de nuevo todo el recinto, porque había quedado corrompido por la muerte.

—Sí que podría —contesto—. Cosas peores se han hecho.

—Tengo que irme —dice ella con temor—. Es posible que me estén vigilando. William habría querido que hiciera lo que estuviera en mi mano para velar por la seguridad de vuestros hijos, pero ya no puedo hacer más. He de deciros que lord Stanley hizo todo lo posible por salvar a William. Lo advirtió de que el duque actuaría contra él. Vio en sueños que iban a ser devorados por un oso de colmillos ensangrentados. Advirtió a William. Pero William no creyó que todo fuera a suceder tan rápido... —A estas alturas las lágrimas ya le resbalan por las mejillas y habla con la voz entrecortada—. Es muy injusto —susurra—. Actuar así contra un hombre tan bueno, ¡ordenar a los soldados que lo sacaran del Consejo por la fuerza! ¡Cortarle la cabeza sin que hubiera siquiera un sacerdote presente! ¡Sin darle tiempo para rezar!

—Era un hombre bueno —concedo.

—Ahora ya no está y vos habéis perdido un protector. Corréis grave peligro —afirma—. Lo mismo que yo. —Vuelve a echarse la capucha por la cabeza y se encamina hacia la puerta—. Os deseo mucha suerte. Y también a los hijos de Eduardo. Si en algo puedo serviros, os serviré. Pero entretanto no deben ver que vengo a hablar con vos. No me atrevo a volver más.

—Esperad —le digo—. ¿Habéis dicho que lord Stanley sigue siendo leal al joven rey Eduardo?

—Stanley, el obispo Morton y el arzobispo Rotherham están en prisión por orden del duque. Pesa sobre ellos la sospecha de que han trabajado para vos y para los vuestros. Ricardo cree que han estado conspirando contra él. Los únicos hombres del Consejo que quedan libres son los que están dispuestos a hacer lo que ordene el duque.

—¿Es que se ha vuelto loco? —pregunto con incredulidad—. ¿Ricardo ha perdido el juicio?

Elizabeth niega con la cabeza.

—En mi opinión, ha decidido reclamar el trono —dice sin más—. ¿Recordáis que el rey decía que Ricardo siempre cumplía lo que prometía? ¿Que si Ricardo juraba hacer algo lo hacía costara lo que costase?

No me gusta que esta mujer me cite frases de mi esposo, pero estoy de acuerdo con ella.

—Yo creo que Ricardo ha tomado una decisión, creo que se ha hecho una promesa a sí mismo. Ha resuelto que lo mejor para él, y también para Inglaterra, es que el nuevo soberano sea un hombre fuerte y no un niño de doce años. Y ahora que lo ha decidido, hará lo que sea necesario con tal de sentarse en el trono. Cueste lo que cueste.

Abre ligeramente la puerta y se asoma al exterior. Acto seguido coge el cesto para dar la impresión de que ha venido a traernos víveres. Antes de salir vuelve a dirigirse a mí:

—El rey siempre decía que Ricardo, una vez que había concebido un plan, no se detenía ante nada. Si ahora no se detiene ante nada, vos no estaréis segura. Espero que podáis poneros a salvo, excelencia, vos y los niños... vos y los hijos de Eduardo. —Finalmente se inclina en una pequeña reverencia y susurra—: Dios os bendiga por él.

Y se va dejando que la puerta se cierre con suavidad.

No dudo ni un instante. Es como si el golpe sordo que produjo el hacha al cortar el cuello de Hastings fuera el toque de trompeta que da inicio a una carrera. Pero se trata de una carrera cuyo fin es poner a mi hijo a salvo de la amenaza que representa su tío, que ya se ha lanzado por el camino del asesinato. Mi pensamiento ya no alberga la menor duda de que el duque Ricardo matará a mis dos hijos varones para despejar el camino que conduce al trono. Y tampoco apostaría por la supervivencia del hijo de Jorge, dondequiera que se encuentre. Vi a Ricardo entrar en la habitación del rey Enrique, que estaba dormido, con la intención de darle muerte a un hombre indefenso cuyo derecho al trono valía tanto como el de Eduardo. Ya no me cabe la menor duda de que el duque empleará la misma lógica que empleó aquella noche junto a sus dos hermanos. Un rey sagrado y ordenado se interponía entre el trono y ellos... y lo mataron. Ahora es mi hijo el que se interpone entre el trono y Ricardo. Lo matará si puede, y es probable que yo no sea capaz de impedirlo. Pero juro que no le pondrá una mano encima a mi hijo pequeño, a Ricardo.

Lo he preparado para este momento, pero cuando le digo que va a tener que marcharse de inmediato, esta misma noche, se sorprende de que la hora haya llegado tan pronto. Su semblante ha palidecido bruscamente, pero su valentía infantil lo incita a mantener la cabeza bien alta y a morderse el labio para no llorar. Sólo tiene nueve años, pero ha sido criado para ser un príncipe de la casa de York. Ha sido educado para demostrar valor. Lo beso en la cabeza, sobre su cabellera rubia, y le digo que sea bueno y que no olvide lo que le hemos dicho que haga. Cuando empieza a oscurecer, ambos vamos hasta el otro extremo de la cripta y bajamos la escalera para descender todavía más, hasta la catacumba que hay debajo del edificio. Hemos de cruzarla pasando por delante de los ataúdes de piedra y atravesando las estancias abovedadas de las cámaras de enterramiento. Sostengo un farol en una mano y agarro a mi pequeño con la otra. La luz no parpadea. Ricardo no tiembla, ni siquiera cuando dejamos a nuestro costado las tumbas sumidas en la penumbra. Camina a mi lado con paso vivo y la cabeza erguida.

El pasadizo conduce a una verja de hierro oculta tras la cual hay un embarcadero de piedra que llega hasta el río. Allí aguarda un bote de remos que se mece en silencio. Es una pequeña chalana, de las que se alquilan para navegar por el río, una entre centenares. Abrigaba la esperanza de hacer escapar a mi hijo a bordo del navío de guerra que mandaba mi hermano Edward, junto con hombres armados que jurasen protegerlo; a saber dónde estará

Edward esta noche. Y además la flota se ha vuelto contra nosotros y se ha puesto a las órdenes de Ricardo, el duque. Yo no tengo naves bajo mi mando, así que tendremos que arreglarnos con este bote. Mi hijo se ve obligado a partir sin protección alguna, acompañado tan sólo por dos sirvientes leales y la bendición de su madre. En Greenwich lo está esperando uno de los amigos de Eduardo, sir Edward Brampton, que sentía un gran afecto por él. O eso espero. No puedo saberlo. Ya no puedo estar segura de nada.

Los dos hombres aguardan en silencio en el bote, sujetándolo a contracorriente con una soga que han pasado por el aro que hay en los escalones de piedra. Empujo a mi hijo hacia ellos, lo subo a bordo y lo siento en la popa. No hay tiempo para despedidas y, de todos modos, no hay nada que yo pueda decir, salvo entonar una plegaria para que no le ocurra nada, una oración que se me queda trabada en la garganta como si me hubiera tragado una daga. La embarcación se despega del muelle y yo levanto la mano para decir adiós a mi hijo; veo su carita blanca cubierta por ese sombrero tan grande, mirándome.

Al regresar cierro la verja de hierro con llave y vuelvo a subir la escalera de piedra; atravieso en silencio las silenciosas catacumbas y vuelvo a mirar por mi ventana. Veo la chalana alejarse en dirección al tránsito del río, los dos hombres a los remos y mi hijo en la popa. No hay razón para que nadie los detenga; hay decenas de embarcaciones como la suya, cientos de botes que cruzan el río en todas direcciones, cada uno a lo suyo; dos hombres adultos y un muchacho cumpliendo recados. Abro la ventana, pero no voy a llamar a mi hijo. No pienso llamarlo para que vuelva. Tan sólo quiero que pueda verme si levanta la vista. Quiero que sepa que no lo he dejado marchar a la ligera, que he buscado su figura hasta el último momento. Quiero que me vea buscarlo en medio de la oscuridad y que sepa que seguiré buscándolo durante el resto de mi vida, que lo buscaré hasta la hora de mi muerte, que lo buscaré aun después de muerta, y que el río susurrará su nombre.

Pero él no levanta la vista. Hace lo que le han dicho que debe hacer. Es un niño bueno, valiente. Recuerda que tiene que mantener la cabeza baja y el sombrero bien calado sobre la frente para no dejar que se vea el color rubio de su cabello. Debe acordarse de atender por el nombre de Peter y no esperar que nadie lo sirva doblando una rodilla. Ha de olvidar los desfiles y las procesiones de la realeza, los leones de la Torre y el bufón que se pone boca abajo para hacerlo reír. Ha de olvidar las muchedumbres que vitoreaban su nombre y también a sus bonitas hermanas, que jugaban con él y le enseñaban francés y latín y hasta un poquito de alemán. Ha de olvidarse del adorado hermano que nació para ser rey. Tiene que ser como un pájaro, una golondrina, que en invierno se introduce por debajo de las aguas de los ríos y se queda congelada, inmóvil, en silencio, y no vuelve a volar hasta que llega la primavera para destrabar las aguas y permitirles que fluyan de nuevo. Ha de ser como una pequeña golondrina y meterse en el río, ponerse bajo la custodia de Melusina, su antepasada. Debe confiar en que el río lo ocultará y lo mantendrá a salvo, porque a mí ya no me es posible.

Contemplo el bote desde mi ventana y al principio distingo a mi hijo en la popa, meciéndose al ritmo del agua que lo impulsa con la cadencia de cada golpe de remo. Luego, cuando lo atrapa la corriente, comienza a moverse más de prisa y termina confundiéndose con otras embarcaciones: barcazas, botes de pesca, naves de transporte, barcas de pasajeros, chalanas, incluso un par de enormes balsas de troncos, y dejo de ver a mi hijo. Se ha ido río abajo y he de confiárselo a Melusina y al agua. Me he quedado sin él, privada de mi último vástago varón, varada en la orilla del río.

Mi hijo adulto, Thomas Grey, se marcha esa misma noche. Sale por la puerta vestido como un mozo de cuadra y se pierde por las callejuelas de Londres. Necesitamos tener a alguien en el exterior que reciba noticias y agrupe nuestras fuerzas. Hay centenares de hombres fieles a nosotros y millares que lucharían contra el duque. Pero es preciso concentrarlos y organizarlos, y eso tiene que hacerlo Thomas. No queda nadie más que pueda ocuparse de ello. Ya tiene veintisiete años. Sé que lo envío al peligro, acaso a la muerte.

—Buena suerte —le digo. Él se arrodilla ante mí y yo le poso la mano en la cabeza para darle mi bendición—. ¿Adónde piensas dirigirte?

—Al lugar más seguro de todo Londres —contesta él con una sonrisa irónica—. Un lugar en el que adoraban a vuestro esposo y en el que jamás perdonarán al duque Ricardo por haberlo traicionado. Al único negocio honrado que existe en Londres.

—¿A qué lugar te refieres?

—Al prostíbulo —contesta Thomas con una amplia sonrisa.

Y a continuación se interna en la oscuridad y desaparece.

A la mañana siguiente, temprano, Isabel me trae al pequeño paje. Estuvo a nuestro servicio en Windsor y ha aceptado servirnos de nuevo. Isabel lo trae de la mano porque es bondadosa, pero el chico huele a los establos, que es donde ha dormido.

—Responderás cuando se dirijan a ti por el nombre de Ricardo, duque de York —le ordeno—. La gente te llamará mi señor y sire. Pero tú no deberás corregir a nadie. No dirás una sola palabra. Te limitarás a asentir con la cabeza.

—Sí, señora —musita el pequeño.

—Y a mí me llamarás señora madre —lo instruyo.

—Sí, señora.

—Sí, señora madre.

—Sí, señora madre —repite él.

—Y tomarás un baño y te pondrás ropa limpia.

De repente me mira con una expresión de terror reflejada en su carita.

—¡No! ¡No puedo bañarme! —protesta.

Isabel está horrorizada.

—Entonces se darán cuenta en seguida —razona.

—Diremos que está enfermo —propongo yo—. Diremos que está resfriado o que tiene dolor de garganta. Le ataremos el mentón con una banda de franela y le taparemos la boca con una bufanda. Le ordenaremos que no hable. Sólo van a ser unos días, lo justo para ganar un poco de tiempo.

Isabel hace un gesto de asentimiento.

—Ya me encargo yo de bañarlo —se ofrece.

—Que te ayude Jemma. Y lo más seguro es que tenga que ayudarte uno de los hombres a sujetarlo dentro del agua.

Isabel logra esbozar una sonrisa, pero la expresión de sus ojos es seria.

—Madre, ¿de verdad creéis que mi tío el duque será capaz de hacer daño a su propio sobrino?

—No lo sé —contesto—. Y por eso he apartado de mí a mi querido hijo, y por eso mi otro hijo Thomas Grey ha tenido que salir a la oscuridad de las calles. Ya no sé qué es capaz de hacer el duque.

Jemma, la criada, pregunta si puede salir el domingo por la tarde para ver a la puta Shore cumplir su penitencia.

—¿Cómo dices?

Se inclina en una reverencia, con la cabeza baja, pero está tan deseosa de irse que incluso está dispuesta a correr el riesgo de ofenderme.

—Perdonadme, excelencia, pero es que va a recorrer la ciudad vestida sólo con unas enaguas y llevando una vela encendida en la mano; va a verla todo el mundo. Tiene que hacer penitencia por los pecados cometidos, por ser una ramera. He pensado que, si la próxima semana vengo un poco antes todos los días, a lo mejor vos podríais darme permiso para...

—¿Elizabeth Shore?

La joven afirma con la cabeza.

—La famosa meretriz —explica—. El lord protector ha ordenado que haga penitencia en público para expiar los pecados de la carne.

—Puedes ir a verla —le digo sin delicadeza.

Dará lo mismo que haya otra persona más mirando entre la muchedumbre. Pienso en esa joven amada por Eduardo, amada por Hastings, y la imagino caminando descalza y vestida únicamente con las enaguas, llevando un cirio en la mano, protegiendo la frágil llamita mientras el gentío la insulta o la escupe al pasar. A Eduardo no le gustaría esto y por respeto a él, si no por respeto a ella, yo lo impediría si estuviera en mi mano. Pero no hay nada que yo pueda hacer para salvaguardarla. Ricardo, el duque, se ha convertido en un hombre cruel, y hasta una mujer hermosa ha de sufrir por haber sido amada.

—Van a castigarla tan sólo por su belleza —comenta mi hermano Lionel, que ha estado escuchando en la ventana los murmullos de aprobación de la gente al verla pasar por los límites de la ciudad—. Y porque ahora Ricardo sospecha que ella tiene escondido a vuestro hijo Thomas. Registró su casa, pero no logró encontrarlo. Ella lo ocultó sano y salvo donde los hombres de Gloucester no pudieron hallarlo y después lo hizo desaparecer.

—Dios la bendiga por eso —respondo.

Lionel sonríe.

—Al parecer, este castigo ha resultado contraproducente para el duque Ricardo. Nadie habla mal de Elizabeth cuando la ve pasar —comenta—. Uno de los hombres de las barcas del río me ha contado unas cuantas cosas al verme en la ventana. Me ha dicho que las mujeres le gritan insultos y que los hombres simplemente la admiran. No todos los días se ve a una dama tan encantadora vestida sólo con una enagua. Dicen que parece un ángel desnudo, hermoso y caído.

Yo sonrío.

—Bien, pues que Dios la bendiga de todas formas, ya sea ángel o puta.

Mi hermano el obispo también sonríe.

—Yo creo que sus pecados fueron de amor, no de maldad —observa—. Y en estos tiempos difíciles, puede que eso sea lo que más importe.

17 de junio de 1483

Me envían a mi pariente, el cardenal Thomas Bourchier, y a otra media docena de lores del Consejo Privado para que razonen conmigo. Yo los recibo como una reina, adornada con los diamantes reales saqueados del tesoro, sentada en un imponente sillón que hace las veces de trono. Espero proyectar una imagen regia y digna, pero lo cierto es que me invaden sentimientos de asesina. Éstos son los lores de mi Consejo Privado. Ocupan los puestos que mi esposo les concedió. Eduardo los convirtió en lo que son actualmente. Y ahora tienen el atrevimiento de venir a decirme lo que exige de mí el duque Ricardo. A mi espalda tengo a Isabel y a mis otras cuatro hijas en fila. No está presente ninguno de mis hijos varones ni de mis hermanos. No se fijan en que mi hijo Thomas Grey ha escapado y anda suelto por las calles de Londres y, desde luego, yo no llamo la atención sobre dicha ausencia.

Me dicen que han proclamado al duque Ricardo protector del reino, regente y rector del príncipe Eduardo y me aseguran que los preparativos para la coronación están en marcha. Desean que mi hijo menor, Ricardo, se reúna con su hermano en las dependencias reales de la Torre.

—El duque será el protector sólo durante unos días, hasta que tenga lugar la ceremonia —me explica Thomas Bourchier con una expresión tan sincera que he de creerlo. Es un hombre que ha pasado la vida intentando traer la paz a este país. Coronó a Eduardo rey y a mí reina porque estaba convencido de que con ello traería la paz a Inglaterra. Sé que está diciendo lo que siente en realidad—. Tan pronto como el joven rey haya sido coronado, todo el poder revertirá a él y vos seréis la reina viuda y la madre del rey —asegura—. Regresad a vuestro palacio, excelencia, y asistid a la investidura de vuestro hijo. El pueblo se extrañará al no veros, y lo mismo les ocurrirá a los embajadores extranjeros. Permitidnos que cumplamos lo que todos le prometimos al rey en su lecho de muerte: sentar a vuestro hijo en el trono y trabajar todos juntos dejando a un lado las enemistades. Permitid que la familia real se aloje en las dependencias reales de la Torre y que salga en todo su poder y en toda su belleza para la coronación de su príncipe.

Durante un instante me siento convencida. Más aún, me siento tentada. Tal vez todo acabe en un final feliz. Pero luego pienso en mi hermano Anthony y mi hijo Richard Grey, que están presos, juntos, en el castillo de Pontefract, y vacilo. Tengo que hacer una pausa para reflexionar. Tengo que velar por su seguridad. Mientras yo esté acogida a sagrado, mi seguridad y la de mi hijo Ricardo contrarrestan el encarcelamiento de ellos dos, igual que las pesas en una balanza. Ellos conservarán la vida en tanto que yo observe buena conducta; pero, del mismo modo, el duque Ricardo no se atreve a tocarlos por miedo a enfurecerme a mí. Si Ricardo quiere librarse de los Rivers, necesita tenernos a todos en su poder. Yo, al permanecer fuera de su alcance, protejo a aquellos de nosotros que están bajo su dominio, y también a los que están en libertad. He de mantener a mi hermano Anthony a salvo de sus enemigos. He de hacerlo. Ésta es mi cruzada, igual que la que no le permití realizar a él. Debo mantenerlo con vida para que siga siendo la luz del mundo como hasta ahora.

—No puedo entregaros al príncipe Ricardo —declaro con la voz teñida de falsa pesadumbre—. Últimamente ha estado tan enfermo que no soporto que cuide de él nadie que no sea yo misma. Aún no está repuesto, se ha quedado sin voz y, si sufriera una recaída, ésta podría ser peor que la enfermedad del principio. Si deseáis que se reúna con su hermano, traednos a Eduardo aquí, donde yo pueda cuidar de los dos a la vez con la certeza de que no corren ningún peligro. Anhelo ver a mi hijo mayor, el futuro rey Eduardo, y saber que se encuentra sano y salvo. Os lo ruego, traedlo conmigo, aquí estará seguro. Puede ser coronado tanto si vive aquí como si se aloja en la Torre.

—Pero, mi señora —tercia Thomas Howard revolviéndose como la persona intimidatoria que es—, ¿podríais darnos alguna razón por la que consideréis que puede estar en peligro?

Lo miro a los ojos un instante. ¿De verdad piensa que tiene posibilidades de engañarme para que confiese la enemistad que siento hacia el duque Ricardo?

—Los demás miembros de mi familia han huido o han sido encarcelados —respondo con frialdad—. ¿Por qué habría de pensar que mis hijos y yo estamos seguros?

—Vamos, vamos —interrumpe el cardenal haciéndole una seña con la cabeza a Howard para que guarde silencio—. Toda persona que se encuentre en prisión será juzgada ante un tribunal formado por sus pares, como debe ser; y dicho tribunal demostrará o negará la veracidad de la acusación. Los lores han decidido que no se puede acusar de traición a vuestro hermano Anthony, conde de Rivers. Eso debería constituir para vos la prueba de que hemos venido de buena fe. No imaginaréis que yo mismo he venido a veros con otra actitud que no sea la buena fe, ¿no?

—Ah, mi señor cardenal —le digo—. No dudo de vos.

—Pues entonces confiad en mí si os doy mi palabra, mi palabra de honor, de que vuestro hijo estará a salvo conmigo —contesta—. Vos desconfiáis del duque Ricardo y él sospecha de vos, lo cual me aflige grandemente; pero ambos tendréis vuestros motivos.

Sin embargo, os juro que ni el duque ni ninguna otra persona les causará el menor daño a vuestros hijos, que juntos estarán sanos y salvos y que Eduardo será coronado rey.

Yo dejo escapar un suspiro como si me sintiera abrumada por ese razonamiento.

—¿Y si rehúso?

Él se acerca a mí y me responde bajando la voz:

—Me temo que el duque violará el derecho de acogeros a sagrado y os sacará de aquí a vos y a vuestra familia —me dice en tono muy quedo—. Y todos los lores opinan que haría bien en obrar de ese modo. Nadie defiende vuestro derecho a estar aquí, excelencia. Aquí dentro estáis protegida tan sólo por una cáscara, no por un castillo. Permitid que el príncipe Ricardo salga, y os permitirán a vos continuar aquí si ése es vuestro deseo. Pero, si lo retenéis en este lugar, seréis todos expulsados, igual que sanguijuelas de una botella de vidrio. O también puede ser que rompan la botella en mil pedazos.

Isabel, que hasta ahora ha estado mirando hacia a la ventana, se inclina hacia mí y me susurra:

—Señora madre, en el río hay cientos de barcazas del duque Ricardo. Estamos rodeadas.

Durante un momento no veo el gesto de preocupación del cardenal. No veo la expresión de dureza de Thomas Howard. No veo a la media docena de hombres que han venido con él. Veo a mi esposo irrumpiendo en el templo de Tewkesbury con la espada desenvainada y sé que a partir de aquel instante aquel refugio dejó de ser seguro. Aquel día Eduardo destruyó la seguridad de su hijo... sin saberlo. Pero ahora yo lo sé. Y, gracias a Dios, me he preparado para ello.

Me llevo el pañuelo a los ojos.

—Perdonad la debilidad de una mujer —suplico—. No soporto separarme de él. ¿No sería posible evitarme todo esto?

El cardenal me palmea la mano.

—Tiene que venir con nosotros. Lo lamento.

Yo me vuelvo hacia Isabel y le susurro:

—Ve a buscarlo, trae al pequeño.

Isabel sale en silencio, con la cabeza baja.

—Últimamente no se encuentra bien —le digo al cardenal—. Debéis cuidar de que vaya bien abrigado.

—Confiad en mí —me responde.

Isabel regresa con el pequeño paje, que viene vestido con la ropa de mi Ricardo y luciendo alrededor del cuello una bufanda que le oculta la parte inferior del rostro. En el momento de abrazarlo percibo que incluso huele igual que mi hijo. Le deposito un beso en el pelo, que también es rubio. Al estrecharlo entre mis brazos advierto que posee una constitución delicada, pero que aun así mantiene una actitud valiente, como la que corresponde a un príncipe. Isabel lo ha enseñado bien.

—Que Dios te acompañe, hijo mío —le digo—. Volveré a verte dentro de unos días, en la coronación de tu hermano.

—Sí, señora madre —contesta él como un lorito. Su vocecilla es poco más que un susurro, pero resulta audible para todos los presentes.

Lo tomo de la mano y lo acerco hasta el cardenal. Éste tan sólo ha visto a Ricardo en la corte, de lejos, y este niño tiene el rostro oculto por el gorro recamado de joyas que le cubre la cabeza y por la banda de franela que le abriga la garganta y el mentón.

—Aquí tenéis a mi hijo —le digo con la voz temblorosa a causa de la emoción—. Lo deposito en vuestras manos. Ved que los entrego, a él y a su hermano, a vuestra custodia. —A continuación me vuelvo hacia el pequeño y le digo—: Adiós, querido hijo mío, que el Todopoderoso te proteja.

Él eleva su carita hacia mí, envuelta en la bufanda, y durante un instante me embarga una emoción auténtica al besarlo y sentir el calor de su mejilla. Puede que esté poniendo en peligro a este niño para no poner al mío, pero aun así es un niño y sigue existiendo el riesgo. Tengo lágrimas en los ojos cuando pongo su manita en la palma grande y suave del cardenal Bourchier y le digo a éste:

—Guardad bien de mi pequeño, os lo ruego, mi señor. Mantenedlo sano y salvo.

Esperamos a que se lleven al niño y vayan saliendo de la habitación de uno en uno. Una vez que se han ido, en la estancia queda flotando el olor de sus ropajes. Es el olor de las calles, del sudor de caballo, de la comida caliente, de la brisa fresca que sopla sobre la hierba cortada.

Isabel se vuelve hacia mí, muy pálida.

—Habéis enviado al paje porque pensáis que para mi hermano no es seguro acudir a la Torre —observa.

—Así es —contesto yo.

—Entonces debéis de pensar que nuestro Eduardo no se encuentra a salvo en la Torre.

—No lo sé. Sí. Ése es mi temor.

Bruscamente, Isabel da un paso hacia la ventana y durante un momento me recuerda a mi madre, su abuela. Posee la misma determinación, veo que busca con afán la mejor manera de actuar. Por primera vez pienso que Isabel va a ser una mujer a la que habrá que tener en cuenta. Ya ha dejado de ser una niña.

—Opino que deberíais mandar un mensaje a mi tío y solicitar un acuerdo —me dice—. Podríais pactar que nosotros le entregamos el trono si él nombra heredero suyo a Eduardo.

Yo niego con la cabeza.

—Podríais hacerlo —me dice Isabel—. Es el tío de Eduardo, un hombre de honor. Debe de estar deseando encontrar una salida a todo esto tanto como nosotras.

—No pienso renunciar al trono de Eduardo —replico en tono tajante—. Si el duque Ricardo lo quiere para sí, tendrá que apoderarse de él y deshonrarse él mismo.

—¿Y qué sucederá en ese caso? —me pregunta mi hija—. ¿Qué le ocurrirá a Eduardo? ¿Qué les ocurrirá a mis hermanas? ¿Qué me ocurrirá a mí?

—No lo sé —respondo con cautela—. Es posible que tengamos que luchar, que tengamos que discutir. Pero no vamos a renunciar, no vamos a rendirnos.

—¿Y ese niño? —dice indicando la puerta por la que ha salido el paje con la mandíbula sujeta por una banda de franela para que no pueda hablar—. ¿Se lo hemos arrebatado a su padre, lo hemos bañado y vestido, le hemos dicho que guarde silencio, mientras lo mandábamos a la muerte? ¿Es así como peleamos en esta guerra? ¿Sirviéndonos de un niño pequeño a modo de escudo? ¿Enviando a un niño pequeño a la muerte?

Sábado, 25 de junio de 1483, día de la coronación

Qué? —escupo hacia el sereno cielo del amanecer igual que una gata enfurecida a la que le han quitado las crías para ahogarlas—. ¿No hay barcazas reales? ¿No disparan salvas de cañones en la Torre? ¿No corre el vino por las fuentes de la ciudad? ¿No hay redoble de tambores ni jóvenes aprendices que entonen a gritos las canciones de sus gremios? ¿No hay música? ¿No hay griterío? ¿No hay vítores que acompañen al desfile a lo largo de su ruta? —Abro la ventana que da al río y veo el tráfico habitual de barcazas, chalanas y botes de remos; les digo a mi madre y a Melusina—: Está claro que hoy no van a coronarlo. ¿En vez de eso va a morir?

Imagino a mi hijo como si estuviera pintando su retrato. Imagino la línea recta de su naricilla —que todavía tiene la punta redondeada como la de un recién nacido—, la redondez de sus mejillas y la mirada inocente y despejada de sus ojos. Imagino la curva de la cabeza —que se adaptaba a la perfección a mi mano cuando lo acariciaba—, y la línea recta y pura que formaba su nuca cuando estaba inclinado sobre los libros. Era un niño valiente, un niño al que su tío Anthony había entrenado para subirse de un salto a la silla del caballo y competir en las justas.

Anthony prometió que, aprendiendo a afrontar el miedo, el miedo no haría mella en él. Y era un niño que adoraba el campo. Le gustaba el castillo de Ludlow porque allí podía cabalgar por los cerros, y ver al halcón peregrino volar por encima de los acantilados, y bañarse en las frías aguas del río. Anthony decía que se mostraba sensible al paisaje, cosa poco frecuente en los jóvenes. Era un niño que tenía ante sí el futuro más dorado que cabe imaginar. Nació en tiempos de guerra para ser un emisario de la paz. Habría sido, no me cabe duda, un gran rey Plantagenet, y su padre y yo nos habríamos sentido orgullosos de él.

Hablo de él como si estuviera muerto porque me quedan pocas dudas de que, ya que hoy no van a coronarlo, le darán muerte en secreto, de la misma forma en que se llevaron a rastras a William Hastings y lo decapitaron en la explanada de la Torre encima de un tronco de madera sin que al verdugo le hubiera dado apenas tiempo para limpiarse las manos del desayuno. Dios santo, cuando pienso en la nuca de mi hijo e imagino el hacha del verdugo, me siento lo bastante enferma como para morir yo también.

No me quedo en la ventana contemplando el río que continúa fluyendo con indiferencia, como si la vida de mi hijo no corriera peligro. Me visto, me recojo el cabello y después me pongo a pasear nerviosa por nuestro refugio, igual que uno de los leones de la Torre. Me consuelo tramando conspiraciones. No carecemos de amigos, no hemos perdido la esperanza. Mi hijo Thomas Grey estará actuando, lo sé, reuniéndose en secreto en lugares ocultos con personas a las que se pueda convencer de que se levanten para luchar por nuestra causa. Y debe de haber muchos en el país, y también en Londres, que estén empezando a dudar de lo que Ricardo entiende exactamente por protectorado. Margarita Stanley está trabajando a nuestro favor, sin ninguna duda: su esposo lord Thomas Stanley avisó a Hastings; mi cuñada, la duquesa Margarita de York, actuará en nuestro beneficio en Borgoña; hasta los franceses se interesarán por el peligro que corro, aunque sólo sea por causarle problemas a Ricardo. En Flandes hay una casa segura en la que una familia bien pagada ha acogido en su seno a un niño y le está enseñando a perderse entre los habitantes de Tournai. Puede que el duque nos lleve ventaja en este momento, pero hay tantas personas dispuestas a odiarlo como las que nos odiaron a nosotros, los Rivers, y muchas más que pensarán en mí con afecto ahora que me encuentro en peligro. Y, sobre todo, habrá hombres que querrán ver sentado en el trono al hijo de Eduardo y no a su hermano.

De pronto me llega el rumor de unas pisadas presurosas y, al volver la cara para enfrentarme a esa nueva amenaza, veo que se trata de mi hija Cecilia, que ha venido corriendo por la cripta y abre de golpe la puerta de mi cámara. Está blanca de pánico.

—Hay algo en la puerta —dice—. Algo horrible.

—¿Qué hay? —pregunto yo. Al instante, como es natural, imagino que se trata del verdugo.

—Algo que tiene la altura de un hombre pero que parece la Muerte en persona.

Me cubro la cabeza con un chal, voy hasta la puerta y abro el ventanillo. La Muerte misma parece estar aguardándome. Se trata de un individuo cubierto con una tela de gabardina negra, un sombrero de gran altura en la cabeza y un tubo blanco y alargado que le hace las veces de nariz y le tapa toda la cara. Es un médico que lleva puesta una máscara en forma de cono alargado y rellena de hierbas medicinales para protegerse de los aires de la peste. Fija en mí sus ojos, brillantes a través de las rendijas, y me recorre un escalofrío.

—Aquí dentro no hay nadie que tenga la peste —le digo.

—Soy el doctor Lewis de Caerleon, el médico de lady Margarita Beaufort —informa con una voz que produce un eco extraño por debajo del cono—. Dice que sufrís de los males de las mujeres y que os vendría bien que os viera un médico.

Abro la puerta.

—Entrad, no me encuentro bien —le digo. Pero tan pronto

como vuelvo a cerrar el refugio al mundo exterior, lo desafío–. Estoy perfectamente. ¿Qué estáis haciendo aquí?

–Lady Beaufort... lady Stanley, debería decir, también se encuentra bien, alabado sea Dios. Pero deseaba encontrar la manera de hablaros, y yo soy pariente suyo y leal a vos, excelencia.

Hago un gesto de asentimiento.

–Quitaos la máscara.

El médico se quita el cono de la cara y se descubre la cabeza. Es un hombre menudo y moreno, de rostro risueño y digno de confianza. Ejecuta una profunda reverencia.

–Desea saber si vos habéis ideado algún plan para rescatar a los dos príncipes de la Torre. Desea que sepáis que tanto ella como su esposo, lord Stanley, están a vuestras órdenes y que el duque de Buckingham se siente lleno de dudas respecto de hacia dónde está llevando la ambición al duque Ricardo. Lady Stanley cree que el joven duque está a punto de cambiar.

–Buckingham ha hecho todo cuanto estaba en su mano para situar al duque donde está en este momento –replico–. ¿Por qué habría de cambiar de idea precisamente en el día de su victoria?

–Lady Margarita está convencida de que se podría persuadir al duque de Buckingham –dice el médico al tiempo que se inclina hacia delante para hablarme al oído–. En su opinión, Buckingham está empezando a albergar dudas respecto de su caudillo. Según ella, estaría interesado en otras recompensas más importantes que las que puede ofrecerle el duque Ricardo. Además es un hombre joven, aún no ha cumplido los treinta, razón por la cual es fácil de convencer. Teme que el duque tenga pensado apoderarse del trono para sí; teme por la seguridad de vuestros hijos. Vos sois su cuñada, de forma que los niños son sobrinos suyos. Está preocupado por el futuro de los príncipes, a quienes lo une un lazo de familia. Lady Margarita me pide que os diga que, en su opinión, es posible sobornar a los criados de la Torre y desea saber de qué modo puede serviros en relación con el plan que hayáis urdido para devolver la libertad a los príncipes Eduardo y Ricardo.

—No es Ricardo... —empiezo a decir cuando, de repente, como un espectro, Isabel aparece en la puerta que lleva al río, subiendo los escalones con el borde del vestido empapado de agua.

—Isabel, ¿qué demonios estás haciendo?

—He bajado al río a sentarme en la orilla —me contesta ella. Trae el semblante pálido y con una expresión extraña—. Esta mañana, al principio, estaba tranquilo y muy hermoso, pero luego ha comenzado a haber cada vez más actividad. No sé por qué el río estaba tan agitado, era casi como si quisiera hablarme. —Se vuelve para mirar largamente al médico—. ¿Quién es éste?

—Un mensajero de lady Margarita Stanley —respondo. Me estoy fijando en el vestido mojado, que le arrastra por detrás como si fuera una cola—. ¿Cómo es que te has mojado tanto?

—Por culpa de las barcazas que pasaban —me dice ella con un mohín hostil en el rostro—. De todas las barcazas que se dirigían río abajo, hacia el castillo de Baynard, donde el duque Ricardo celebra una corte grandiosa. El oleaje que provocaban a su paso era tan fuerte que incluso inundó los escalones. ¿Qué está ocurriendo hoy aquí? Medio Londres va a bordo de una nave de camino a la casa del duque, pero se supone que es el día de la coronación de mi hermano.

El doctor Lewis hace un gesto de incomodidad.

—Estaba a punto de informar a vuestra señora madre —dice titubeante.

—El río mismo es testigo —replica mi hija con dureza—. Me ha mojado los pies como si quisiera decírmelo. Cualquiera puede adivinarlo.

—¿Qué hay que adivinar? —les exijo a ambos.

—El Parlamento se ha reunido y ha declarado que el rey legítimo es el duque Ricardo —dice el médico en voz baja; sin embargo sus palabras resuenan en el techo abovedado de la estancia como si estuviera llevando a cabo una proclamación—. Ha decidido que vuestro casamiento con el rey se realizó sin que los lores tuvieran conocimiento de ello y que fue propiciado mediante la brujería por vuestra madre y por vos misma. Y que el monarca ya estaba casado con otra mujer.

—De manera que lleváis años siendo una ramera y nosotros somos bastardos —finaliza Isabel con tono glacial—. Hemos sido derrotados y deshonrados. Se acabó, todo se acabó. ¿Podemos ir a buscar a Eduardo y a Ricardo y marcharnos de una vez?

—¿Qué estás diciendo? —la increpo. Esta hija mía me tiene tan asombrada con ese vestido semejante a una cola y con el que parece una sirena salida del río, como la noticia de que Ricardo ha reclamado el trono y nosotros hemos caído en desgracia—. ¿Qué estás diciendo? ¿En qué has estado pensando sentada a la orilla del río? Isabel, hoy estás muy rara. ¿Por qué te comportas así?

—Porque pienso que estamos malditos —me lanza a la cara—. Creo que estamos malditos. El río me ha susurrado una maldición y yo os reprocho a vos y a mi padre que nos hayáis traído a este mundo y nos hayáis puesto aquí, en las garras de la ambición, y que, sin embargo, no os hayáis aferrado lo bastante fuerte a vuestro poder como para que nos salgan bien las cosas.

La tomo firmemente de las manos y la sujeto como si quisiera evitar que se escabullera nadando como un pez.

—Tú no estás maldita, hija mía. Tú eres la mejor y la más excepcional de todos mis hijos, la más bella, la más amada. Lo sabes de sobra. ¿Qué maldición podría surtir efecto en ti?

La mirada que me devuelve Isabel está oscurecida por el terror, como si hubiera visto su muerte.

—Jamás os rendiréis, jamás nos dejaréis tranquilos. Vuestra ambición acarreará la muerte de mis hermanos y, cuando ellos estén muertos, me pondréis en el trono a mí. Antes preferís tener la corona que a vuestros hijos y, cuando los dos estén muertos, me sentaréis a mí en el trono de mi hermano. Amáis más la corona que a vuestra prole.

Sacudo la cabeza en un gesto de negación para rechazar el poder de esas palabras. Ésta es mi hijita, mi niña sencilla y dócil, mi preferida, mi Isabel. Es carne de mi carne. Jamás ha tenido una idea que no le haya metido yo en la cabeza.

—Tú no puedes saber esas cosas. No es cierto. No puedes saberlo. El río no puede decirte esas cosas y tú no puedes oírlas, no son ciertas.

—Pienso apoderarme del trono de mi propio hermano —dice ella como si me oyera—. Y vos os alegraréis, porque vuestra maldición es la ambición, eso dice el río.

Yo vuelvo la vista hacia el médico, considerando la posibilidad de que mi hija sea víctima de la calentura.

—Isabel, el río no puede hablarte.

—¡Naturalmente que me habla! ¡y naturalmente que lo oigo! —exclama ella con impaciencia.

—No existe ninguna maldición...

De pronto ella da media vuelta, cruza la habitación dejando un reguero de agua en el suelo y abre la ventana de par en par. El doctor Lewis y yo la seguimos temiendo por un momento que haya enloquecido y tenga la intención de saltar; pero me paro en seco de inmediato al percibir un suave canto fúnebre, un lamento, una canción de duelo, una tonada tan angustiosa que me tapo los oídos con las manos para no oírla y miro al galeno en busca de una explicación. Pero él niega con la cabeza desconcertado, porque no oye otra cosa que el alegre rumor de las barcazas que navegan río abajo en dirección a la coronación del rey, el tronar de las trompetas y el retumbar de los tambores. En cambio sí ve las lágrimas que brillan en los ojos de Isabel y me ve a mí retirarme a toda prisa de la ventana tapándome los oídos.

—No va dirigido a ti —digo ahogándome en mi angustia—. Ah, Isabel, amor mío, no va dirigido a ti. Ése es el canto de Melusina, el que oímos cada vez que tiene lugar una muerte en nuestra casa. No es un canto de advertencia para ti, tiene que ver con mi hijo

Richard Grey. Se refiere a mi hijo y a mi hermano Anthony; mi hermano Anthony, al que juré mantener sano y salvo.

El médico ha palidecido de miedo.

—Yo no oigo nada —dice—. Tan sólo a la gente vitoreando al nuevo soberano.

Isabel está a mi lado; el gris de sus ojos es siniestro como una tempestad en el mar.

—¿Vuestro hermano? ¿Qué queréis decir?

—Que mi hermano y mi hijo van a morir a manos de Ricardo, duque de Gloucester, igual que mi hermano John y mi padre hallaron la muerte a manos de Jorge, duque de Clarence —predigo—. Los hijos de York son bestias asesinas y Ricardo no es mejor que Jorge. Me han costado los mejores hombres que tenía en la familia y me han destrozado el corazón. Oigo esa tonada. La oigo muy bien. Es el río, que está cantando. Está cantando un lamento por mi hijo y por mi hermano.

Isabel se acerca un poco más. Vuelve a ser mi tierna hijita, ya se ha esfumado toda su cólera. Me apoya una mano en el hombro.

—Madre...

—¿Crees que va a detenerse aquí? —exploto yo, frenética—. Tiene en su poder a mi hijo, a mi príncipe. Si se atreve a quitarme a Anthony, si ha podido arrebatarme a Richard Grey, ¿crees que habrá algo que le impida eliminar también a Eduardo? En el día de hoy me ha robado un hermano y un hijo. No lo perdonaré jamás. Esto no voy a olvidarlo nunca. Para mí es un hombre muerto. He de ver cómo se vuelve débil, cómo le falla el brazo con que sujeta la espada; he de verlo igual que un niño en el campo de batalla, mirando en derredor en busca de algún amigo; he de verlo caer derrotado.

—Madre, no habléis —me susurra Isabel—. No habléis y escuchad el río.

Es la única palabra capaz de calmarme. Corro al otro extremo de la habitación y abro todas las ventanas. De repente un aire cálido de verano irrumpe en la fría oscuridad de la cripta. El agua chapotea contra las orillas. Se percibe un fuerte olor a marea baja y a fango, pero el río sigue fluyendo como si pretendiera recordarme que la vida continúa, como si quisiera decirme que Anthony ya no está, que tampoco está mi hijo Richard Grey, y que Ricardo, mi querido principito, se ha ido corriente abajo en un pequeño bote a vivir con desconocidos. Pero aun así es posible que algún día nuestras aguas vuelvan a ser profundas.

En algunas de las barcazas que pasan se oye música; son nobles que celebran la subida al trono del duque Ricardo. No entiendo cómo puede ser que no oigan el canto del río, cómo puede ser que no sepan que en el mundo se ha apagado una luz con la muerte de mi hermano Anthony y de mi hijo... mi hijo.

—Mi tío no habría querido que lloraseis por él —me dice Isabel en voz queda—. Tío Anthony os amaba mucho. No habría querido veros afligida.

Pongo mi mano sobre la de mi hija.

—Él habría querido que yo viviera y que os hubiera librado a vosotros de este peligro para que vivierais también —replico—. De momento seguiremos acogidas a sagrado, pero juro que saldremos de nuevo para ocupar el sitio que de verdad nos corresponde. Puedes decir que esto es ambición, si quieres, pero si no la tuviera no lucharía. Y pienso luchar. Me verás luchar y me verás ganar. Si tenemos que zarpar hacia Flandes, zarparemos. Si tenemos que lanzar dentelladas como perros acorralados, lo haremos también. Si tenemos que escondernos como campesinas en Tournai y subsistir comiendo anguilas del río Escalda, nos esconderemos. Pero Ricardo no nos destruirá. No existe un hombre en esta tierra que sea capaz de destruirnos. Volveremos a levantarnos. Somos hijas de la diosa Melusina: es posible que tengamos que replegarnos como la marea, pero creceremos otra vez. Y Ricardo así lo descubrirá. Ahora nos tiene varadas en un terreno bajo y seco, pero por Dios que volverá a vernos inundarlo todo.

Hablo valientemente, pero, en cuanto me quedo en silencio, me hundo de nuevo en la pena por mi hijo Richard y por mi hermano, mi querido hermano Anthony. Vuelvo a imaginar a Richard tal como era de pequeño, sentado en lo alto del caballo real, agarrado de mi mano mientras esperábamos a un lado del camino a que el rey pasara. Era mi niño, mi guapísimo hijo cuyo padre murió guerreando contra uno de los hermanos York; y ahora él mismo ha muerto a manos de otro. Recuerdo que cuando mi madre lloraba la muerte de su hijo afirmó que cuando un vástago consigue superar la primera infancia una piensa que ya está a salvo. Pero una mujer no está a salvo. Nunca está segura en este mundo en el que se lucha hermano contra hermano y nadie guarda la espada del todo ni tiene confianza en la ley. Lo recuerdo cuando era un recién nacido y dormía en su cuna, cuando gateaba y aprendía a andar agarrado a mis dedos y recorría una y otra vez la galería de Grafton hasta que a mí terminaba doliéndome la espalda de tanto encorvarla. Asimismo lo recuerdo como el joven que era, un excelente hombre en ciernes.

Anthony, mi hermano, ha sido mi amigo y consejero más querido y más de fiar desde que los dos éramos pequeños. Eduardo tenía razón cuando dijo que era el poeta más grande y el mejor caballero de la corte. Anthony, que quería ir en peregrinación a Jerusalén y que habría ido si yo no se lo hubiera impedido. Ricardo cenó con ambos en Stony Stratford cuando les salió al paso en el camino de Londres; conversó placenteramente sobre la Inglaterra que íbamos a construir entre todos, los Rivers y los Plantagenet, sobre el heredero que ambos compartían, mi hijo, al que íbamos a sentar en el trono. Anthony no era un necio, pero confiaba en Ricardo. ¿Por qué no habría de confiar en él? Ambos eran parientes entre sí. Habían luchado codo con codo en la batalla, habían sido compañeros de armas. Habían ido juntos al exilio y habían vuelto a Inglaterra triunfantes. Los dos eran tíos y guardianes de mi preciado hijo.

Por la mañana, cuando Anthony bajó a desayunar en la hospedería, halló las puertas cerradas y a sus hombres despedidos. Encontró a Ricardo y a Henry Stafford, el duque de Buckingham, armados para la batalla y a sus hombres de pie en el patio, con el semblante pétreo. Y se lo llevaron, junto con mi hijo Richard Grey y sir Thomas Vaughan —al que acusaron de traición—, a pesar de que los tres eran fieles servidores de mi hijo, el nuevo soberano.

Anthony, en la cárcel, aguardando a morir cuando se haga de día, escucha un momento pegado a la ventana por si captara algo parecido al dulce canto de Melusina, pero esperando no oír nada; sonríe al sentir un tintineo, como el de una campanilla. Sacude la cabeza para liberarse de ese sonido, pero el rumor persiste; es una voz de otro mundo que lo incita a reír de forma irreverente. Nunca ha creído la leyenda de la joven que era mitad mujer y mitad pez, la antepasada de su familia; en cambio ahora descubre que lo consuela oírla cantar anunciando su muerte. Permanece junto a la ventana y apoya la frente contra la piedra fría. El hecho de que esté oyendo por las almenas del castillo de Pontefract la voz de Melusina, aguda y nítida, demuestra por fin que los dones que su madre, su hermana y la hija de ésta poseían eran auténticos, tal como ellas afirmaron siempre, tal como él creyó siempre sólo a medias. Ojalá pudiera decirle a su hermana que ahora sabe que es verdad. Tal vez necesiten hacer uso de esos dones, tal vez basten para salvarles la vida; acaso para salvar la vida de todos los que se llamaron Rivers a fin de honrar a la diosa del agua que fundó dicho clan; acaso para salvar la vida de los dos varones Plantagenet. Si Melusina es capaz de cantar por él, que es un descreído, quizá pueda hacer de guía a quienes hacen caso de sus advertencias. Sonríe porque ese canto agudo y nítido lo hace concebir la esperanza de que Melusina vele por su hermana y por los hijos de ésta, sobre todo por el niño que él tenía a su cuidado, el niño al que tanto ama: Eduardo, el nuevo rey de Inglaterra. Y sonríe también porque esa voz es la de su madre.

No pasa la noche rezando ni llorando, sino escribiendo. En sus últimas horas no es un aventurero, ni un caballero, ni siquiera hermano o tío, sino un poeta. Me traen lo que ha escrito y veo que al final, en el momento mismo de enfrentarse a la muerte, la suya y la de todas sus esperanzas, comprendió que todo era vanidad: la ambición, el poder, hasta el mismo trono que tan caro le ha resultado a nuestra familia. Al final entendió que todo carecía de sentido. Y no murió experimentando amargura al comprenderlo, sino sonriendo ante la locura del hombre, ante la suya propia.

Escribe lo siguiente:

> *Con escaso pensamiento*
> *mas muy hondo sentimiento,*
> *recordando pesaroso*
> *la inconstancia del estar;*
> *en mi pugna desafiante,*
> *contemplando cuán cambiante*
> *es la fortuna en este mundo,*
> *¿qué me cabe ya pensar?*
>
> *Con disgusto*
> *y mucha pena*
> *hoy me enfrento*
> *a esta condena*
> *sin remedio,*
> *es lo crucial;*
> *y atrapado*
> *en este trance,*
> *lo sensato*
> *en dicho lance*
> *es que acepte*
> *mi final.*
>
> *Ahora pienso*
> *con certeza*
> *que debiera*

sin tristeza
despedirme
de vivir,
pues observo
que la suerte
siempre intenta,
hasta la muerte,
mis deseos
incumplir.

Esto es lo último que hace al amanecer y, a continuación, se lo llevan afuera y le cortan la cabeza por orden de Ricardo, duque de Gloucester, el nuevo lord protector de Inglaterra, que es ahora el responsable de mi seguridad, de la seguridad de todos mis hijos y, sobre todo, de la seguridad y el futuro de mi hijo el príncipe Eduardo, el rey legítimo de este país.

Leo más tarde el poema de Anthony y la parte que más me gusta es la que dice: «*pues observo / que la suerte / siempre intenta, / hasta la muerte, / mis deseos / incumplir.*» Últimamente, la suerte nos ha dado la espalda a los Rivers, en eso tenía razón.

Ahora voy a tener que buscar una manera de vivir sin él.

Algo ha cambiado entre mi hija Isabel y yo. Mi niña, mi pequeña, mi primer vástago, se ha hecho mayor de repente y se ha alejado de mí. La niña que tenía el convencimiento de que yo lo sabía todo, de que yo lo dominaba todo, es ahora una joven que ha perdido a su padre y que duda de su madre. Piensa que me equivoco al obligarlos a todos a permanecer acogidos a sagrado. Me echa a mí la culpa de que su tío Anthony haya muerto. Me acusa —aunque sin pronunciar una sola palabra— de no haber rescatado a su hermano Eduardo, de haber separado al pequeño Ricardo de nosotros y de haberlo dejado marchar, desprotegido, hacia el silencioso color gris del río.

Duda que yo tenga preparado un escondite seguro para Ricardo y que nuestro plan de sustituir a un niño por otro funcione. Sabe que si he enviado a un falso príncipe a que haga compañía a Eduardo es porque dudo de poder traerlo de vuelta a casa sano y salvo. No tiene ninguna esperanza depositada en el levantamiento que está organizando mi hijo Thomas. Teme que no nos rescaten nunca.

Desde aquella mañana en que oímos cantar al río y desde aquella tarde en que nos trajeron la noticia de que Anthony y Richard Grey habían muerto, ya no tiene fe alguna en mi criterio. No ha repetido la afirmación de que estamos malditos, pero hay algo en la falta de brillo de sus ojos y en la palidez de su rostro que me dice que tiene el alma atormentada. Bien sabe Dios que yo no le he lanzando ninguna maldición, y sé que nadie le haría nada semejante a una joven de oro y plata como ella; pero es verdad: al verla, diríase que alguien la ha señalado con el dedo y le ha adjudicado un destino doloroso.

El doctor Lewis vuelve a visitarnos y yo le ruego que examine a Isabel y me diga si se encuentra bien. Casi ha dejado de comer y está muy pálida.

—Necesita ser libre —contesta el físico sin más—. Os digo ahora como médico lo que espero ver pronto como aliado: todos vuestros hijos, y también vos misma, excelencia, debéis marcharos de aquí. Es preciso que salgáis al aire puro y gocéis del verano. Vuestra hija es una joven delicada, necesita hacer ejercicio y sentir la luz del sol. Precisa compañía. Es una mujer joven que debería estar bailando y coqueteando. Precisa hacer planes para su futuro, soñar con su compromiso matrimonial, no vivir encerrada aquí temiendo la muerte.

—Tengo una invitación del rey —hago un esfuerzo para pronunciar ese título, como si Ricardo lo mereciera, como si la corona que lleva en la cabeza y el óleo con que le ungieron el pecho pudiera haberlo transformado en otra cosa que no fuera el traidor y el renegado que es—. El monarca desea vivamente que lleve a mis hijas a pasar el verano a mi casa de campo. Dice que allí mismo me pueden entregar a los príncipes.

—¿Y vais a ir? —Aguarda mi respuesta con gran interés, se inclina hacia delante para oírla bien.

—Antes deben liberar a mis hijos y entregármelos. No tengo garantía alguna respecto de mi seguridad ni de la de mis hijas a menos que me devuelvan a mis dos hijos varones tal como me han prometido.

—Tened cuidado, excelencia, tened cuidado. Lady Margarita teme que el rey juegue sucio con vos —suspira—. Dice que el duque de Buckingham piensa que el monarca pretende que vuestros hijos... —titubea como si le resultara doloroso decirlo— sean condenados a muerte. Asegura que el duque de Buckingham está tan horrorizado que piensa rescatarlos para vos, devolveros a vuestros hijos, si vos le garantizáis a él seguridad y prosperidad cuando retornéis al poder, si prometéis otorgarle vuestra amistad, vuestra amistad inquebrantable, cuando recuperéis vuestra posición. Lady Margarita afirma que lo convencerá para que firme una alianza con vos y con los vuestros. Las tres familias: Stafford, Rivers y la casa de Lancaster, contra el falso rey.

Hago un gesto de asentimiento. Lo estaba esperando.

—¿Qué es lo que quiere? —pregunto sin rodeos.

—Que su hija, cuando la tenga, se despose con vuestro hijo, el joven rey Eduardo —dice el médico—. Él mismo debe ser nombrado regente y lord protector hasta que la niña alcance la mayoría de edad. Él mismo debe recibir el mando del reino del norte, de igual modo que lo tuvo el duque Ricardo. Si accedéis a convertirlo en un duque muy importante, tal como hizo vuestro esposo con su hermano, traicionará a su amigo y rescatará a vuestros hijos.

—¿Y qué quiere ella? —pregunto a continuación como si no lo adivinara ya, como si no supiera que Margarita ha pasado estos doce últimos años, día tras día, desde que su hijo fue al destierro, intentando que vuelva a Inglaterra sano y salvo. Es el único retoño que ha concebido, el único heredero de la fortuna de su familia, del título de su difunto esposo. Todo lo que consiga en la vida no significará nada si no logra que su vástago regrese a Inglaterra para heredarlo.

—Quiere un pacto que establezca que su hijo puede asumir su título y heredar las tierras de ella; y que su cuñado Jasper recupere los territorios que tenía en Gales. Quiere que ambos gocen de libertad para regresar a Inglaterra. También desea prometer en matrimonio a su hijo Enrique Tudor con vuestra Isabel y que éste sea nombrado heredero por detrás de vuestros dos hijos —dice rápidamente.

No me entretengo ni un momento. Tan sólo estaba esperando a que me comunicaran las condiciones, y son exactamente las que tenía previstas. No las sabía por ser clarividente, sino porque el sentido común me decía que era lo que yo exigiría si me encontrara en la fuerte posición de lady Margarita: casada con el tercer hombre más importante de Inglaterra y aliada con el segundo, que está pensando en traicionar al primero.

—Acepto —respondo—. Decidles al duque de Buckingham y a lady Margarita que acepto. Y comunicadles el precio que pongo: mis hijos me han de ser devueltos de inmediato.

A la mañana siguiente viene a verme mi hermano Lionel con una sonrisa en la cara.

—En la puerta que da al río hay una persona que desea veros —me dice—. Un pescador. Recibidlo sin formar alboroto, hermana. Recordad que la mayor virtud de una mujer es la discreción.

Yo afirmo con la cabeza y voy corriendo hacia la puerta.

Pero Lionel me pone una mano en el brazo, menos como obispo y más como hermano.

—No chilléis como una niña —me advierte con voz tajante y, a continuación, me suelta.

Salgo por la puerta y desciendo la escalera de piedra que lleva al pasadizo. Éste se encuentra en penumbra, iluminado tan sólo por la claridad del día que se filtra a través de la verja de hierro que da directamente al río. Veo mecerse una pequeña chalana que tiene una red de pescar recogida en la popa. Junto a la verja aguarda un hombre cubierto con una capa sucia y un sombrero muy calado sobre la frente, pero nada alcanza a disimular su gran estatura. Avisada por Lionel, me contengo para no chillar; y, disuadida por el pestilente olor a pescado rancio que despide, no me arrojo a sus brazos. Me limito a decirle en voz baja:

—Hermano, hermano mío, me alegro de todo corazón de volver a verte.

Un destello luminoso de sus ojos oscuros bajo el ala del sombrero me muestra la cara risueña de mi hermano Richard Woodville, maliciosamente disfrazado con una barba y un bigote.

—¿Te encuentras bien? —le pregunto un tanto sorprendida por su apariencia.

—Nunca he estado mejor —contesta él en tono desenfadado.

—¿Estás enterado de lo que les ha sucedido a nuestro hermano Anthony y a mi hijo Richard Grey?

Hace un gesto de asentimiento, serio de repente.

—Lo he sabido esta mañana. Ésa es, en parte, la razón por la que he venido. Lo siento mucho, Isabel. Lamento mucho vuestra pérdida.

—Ahora tú eres el conde de Rivers —le digo—. El tercer conde de Rivers. Eres el cabeza de familia. Por lo visto, cambiamos de cabeza de familia con mucha rapidez. Te ruego que, por favor, tú conserves el título un poco más de tiempo.

—Haré lo que pueda —me promete—. Bien sabe Dios que heredo el título de dos hombres buenos. Espero conservarlo más tiempo, pero dudo que pueda hacerlo mejor que ellos. Sea como fuere, se aproxima una insurrección. Escuchadme. Ricardo cree tener la corona muy afianzada en la cabeza y va a iniciar un viaje con el fin de mostrarse al reino.

En ese momento he de hacer un esfuerzo para no escupir al agua.

—Me extraña que los caballos tengan siquiera el valor de dar un paso.

—En cuanto haya salido de Londres, acompañado de su guardia, irrumpiremos en la Torre y sacaremos a Eduardo. El duque de Buckingham está de nuestra parte y yo me fío de él. Tiene que viajar con el rey Ricardo, y éste obligará a Stanley a que también lo acompañe, porque todavía duda de él. Pero lady Margarita se quedará en Londres y ordenará a los hombres de Stanley y a sus propios parientes que se sumen a nosotros. Ya tiene hombres suyos dentro de la Torre.

—¿Tendremos soldados suficientes?

—Cerca de un centenar. El nuevo rey ha nombrado alcaide de la Torre a sir Robert Brackenbury. Brackenbury no sería capaz de hacer daño a un niño que está a su cuidado, es un hombre bueno. He puesto sirvientes nuevos en las dependencias reales, hombres que me abrirán las puertas cuando les dé la orden.

—¿Y después?

—Después os llevaremos a vos y a las niñas a Flandes. Vuestros hijos Ricardo y Eduardo podrán reunirse con vos —me dice mi hermano—. ¿Habéis tenido noticias de quienes se llevaron al príncipe Ricardo? ¿Está escondido y seguro?

—Aún no —contesto con preocupación—. Todos los días busco a ver si hay algún mensaje. A estas alturas ya debería saber que se encuentra sano y salvo. Rezo por él cada hora del día. Ya debería tener noticias.

—Es posible que la carta se haya extraviado. No significa nada. Si algo hubiera salido mal, os lo habrían hecho saber, sin ninguna duda. Además, pensad: podréis recoger a Ricardo del sitio donde se halla oculto cuando vayáis de camino a la corte de Margarita. Una vez que tengáis con vos a vuestros dos hijos, de nuevo sanos y salvos, nosotros pondremos nuestro ejército en marcha. Buckingham se declarará a nuestro favor. Lord Stanley y toda su familia nos han sido prometidos por su esposa, Margarita Beaufort. La mitad de los demás lores de Ricardo están listos para volverse contra él, según afirma el duque de Buckingham. El hijo de Margarita, Enrique Tudor, reunirá armas y hombres en la Bretaña e invadirá Gales.

—¿Cuándo? —pregunto en un jadeo.

Mi hermano mira a su espalda. El río está tan concurrido como siempre, repleto de embarcaciones que van y que vienen, botes pequeños que navegan en zigzag sorteando los barcos más grandes.

—El duque Ricardo... —De pronto se interrumpe y me sonríe—. Perdonadme. El «rey» Ricardo va a salir de Londres a finales de julio para iniciar el viaje. Rescataremos a Eduardo inmediatamente y os daremos a vos y a él tiempo suficiente para que os pongáis a salvo; digamos que dos días. Y luego, cuando el rey esté fuera de alcance, nos sublevaremos.

—¿Y Edward, nuestro hermano?

—Edward está reclutando hombres en Devon y en Cornualles. Vuestro hijo Thomas está actuando en Kent. Buckingham tomará a los hombres de Dorset y de Hampshire. Stanley a los parientes que tiene en las Midlands. Y Margarita Beaufort y su hijo atraerán a Gales en el nombre de los Tudor. Todos los hombres que pertenecieron a la corte de vuestro esposo están decididos a salvar a sus hijos.

Me mordisqueo el dedo mientras pienso tal como habría pensado mi esposo: hombres, armas, dinero y apoyos repartidos por el sur de Inglaterra.

—Eso bastará si logramos derrotar a Ricardo antes de que traiga a los hombres que tiene en el norte.

Mi hermano me responde con una amplia sonrisa, el ademán temerario de los Rivers:

—Bastará; y no tenemos nada que perder y sin embargo mucho que ganar —afirma—. Ricardo le ha robado la corona a vuestro hijo, no tenemos nada que temer. Ya ha pasado lo peor.

—Ya ha pasado lo peor —repito yo; atribuyo el escalofrío que me recorre la espina dorsal a la pérdida de mi querido hermano Anthony y de mi hijo Richard Grey—. Ya ha pasado lo peor. No puede haber nada peor que las pérdidas que ya hemos sufrido.

Richard pone su sucia mano sobre la mía.

—Estad preparada para partir cuando yo dé la orden —me dice—. En cuanto tenga al príncipe Eduardo sano y salvo, os lo haré saber.

—Conforme.

Julio de 1483

Estoy aguardando junto a la ventana con la capa de viaje puesta, mi joyero en la mano, mis hijas al lado y dispuesta para partir. Estamos todas calladas, llevamos más de una hora esperando en silencio. Nos sentimos deseosas de saber algo, lo que sea, pero tan sólo se oye el chapoteo del agua del río contra los muros y algún que otro retazo de una melodía o una risa procedente de las calles. Isabel, a la que tengo a mi lado, está más tensa que una cuerda de laúd, blanca de pura ansiedad.

De repente se oye un fuerte estrépito y mi hermano Lionel irrumpe en la estancia a toda prisa. Entra y se apresura a trancar de nuevo la puerta.

—Hemos fracasado —dice sin resuello—. Nuestros hermanos están bien, y también vuestro hijo. Escaparon por el río y Richard se refugió en la abadía de las Minories, pero no pudimos tomar la Torre Blanca.

—¿Visteis a mi hijo? —pregunto con urgencia.

Lionel niega con la cabeza.

—Tenían a los dos niños dentro. Yo oí que gritaban órdenes. Estábamos tan cerca que los oíamos vocear a través de la puerta ordenando que se llevasen a los niños hacia el interior, a una habitación más segura. Dios santo, hermana, perdonadme. Tan sólo me separaba de ellos el grosor de una puerta, pero nos fue imposible derribarla.

Tengo que sentarme porque se me empiezan a doblar las rodillas, y el joyero se me cae al suelo. Isabel tiene la tez cenicienta. Se da la vuelta y, muy despacio, comienza a quitarles las capas a las niñas, una por una, y a doblarlas cuidadosamente, como si fuera importante que no se arrugaran.

—Hijo mío —me lamento—. Hijo mío.

—Penetramos por el portón que da al río y conseguimos cruzar la primera calle, pero entonces nos vieron. Estábamos empezando a subir la escalera cuando de pronto alguien dio la voz de alarma y, aunque nos dimos mucha prisa en subir hasta la entrada de la Torre Blanca, ellos nos la cerraron en las narices. Estuvimos a escasos segundos de trasponerla. Thomas disparó a la cerradura y nos lanzamos varias veces contra ella con todas nuestras fuerzas, pero yo oí que echaban los cerrojos por dentro y que seguidamente salían en tropel por la celda de los guardias. Richard y yo nos dimos la vuelta para hacerles frente; peleamos con ellos y logramos mantenerlos a raya mientras Thomas y los hombres de Stanley intentaban derribar el portón o incluso arrancarlo de sus goznes. Pero ya sabéis, es demasiado robusta.

—¿Los de Stanley estaban presentes, tal como prometieron?

—Estaban, y también los hombres de Buckingham. Ninguno iba vestido con sus colores, como es natural, pero todos lucían una rosa blanca. Se hacía raro verla de nuevo. Y también estar luchando por entrar en un sitio que nos pertenece. Le grité a Eduardo que mantuviera el ánimo bien alto, que volveríamos a buscarlo, que no le fallaríamos; pero no sé si me oyó. No lo sé.

—Estás herido —digo reparando de pronto en el corte que tiene en la frente.

Él se lo limpia con la mano, como si su sangre fuera suciedad.

—No es nada, Isabel. Antes preferiría haber muerto que haber regresado sin él.

—No hables de muerte —replico en voz queda—. Quiera Dios que esta noche la pase sano y salvo y que no se haya asustado con todo esto. Quiera Dios que simplemente lo trasladen a otra celda más segura del interior de la Torre y que no estén pensando en llevárselo de allí.

—Puede que su encierro dure sólo otro mes más —me dice Lionel—. Richard me indicó que os recordara ese detalle. Vuestros amigos están armándose. El rey Ricardo está de camino hacia el norte acompañado tan sólo por su guardia personal. Buckingham y Stanley forman parte de su séquito; lo convencerán de que no dé media vuelta, lo animarán a que vaya a York. Jasper Tudor traerá un ejército de la Bretaña. Nuestra próxima batalla tendrá lugar muy pronto. Cuando el usurpador Ricardo esté muerto, tendremos en las manos las llaves de la Torre.

Isabel se incorpora con las capas de sus hermanas pulcramente dobladas sobre el brazo.

—¿Y os fiáis de todos los amigos nuevos que tenéis, madre? —me pregunta en tono glacial—. ¿De todos esos nuevos aliados que de repente han acudido a vuestro lado pero en cambio no han triunfado en su empresa? ¿Todos ellos dispuestos a arriesgar la vida para restaurar a Eduardo en el trono cuando hace unas cuantas semanas estaban comiendo y bebiendo a placer en la coronación del duque Ricardo? Ha llegado a mis oídos que lady Margarita llevó la cola del vestido de la nueva reina Ana, igual que antes llevó la del vuestro. La nueva soberana la besó en ambas mejillas. Recibió honores en la coronación. ¿Y ahora nos envía a sus hombres para que luchen por nosotros? ¿Ahora es nuestra leal aliada? El duque de Buckingham era el pupilo que os odiaba por haberlo desposado con mi tía Katherine, y aún os odia. ¿Ésos son vuestros fieles amigos? ¿O son más bien leales siervos del nuevo rey cuyo objetivo es tenderos una trampa? Porque están jugando con dos barajas, y en estos momentos están dándose un festín en Oxford. No corrieron peligro alguno en la Torre, mientras rescataban a mi hermano.

Yo me vuelvo hacia ella con una expresión de frialdad.

—No puedo escoger a mis aliados —le digo—. Con tal de salvar a mi hijo, soy capaz de pactar hasta con el diablo en persona.

Ella me contesta esbozando una levísima sonrisa amarga.

—Tal vez ya hayáis pactado con él.

Agosto de 1483

El verano está tornándose muy caluroso. Lionel se escabulle de nuestro refugio y sale a Londres para reunirse con nuestros hermanos y sumarse a la rebelión que habrá de derrotar a Ricardo. Sin él me siento muy sola. Isabel está callada y distante y no tengo a nadie con quien compartir mis temores. Río abajo, mi hijo sigue prisionero en la Torre, y Jemma nos informa de que ya nadie lo ve jugando en los jardines, ni a él ni al pequeño que se hace pasar por su hermano. Antes hacían prácticas de tiro con arco en la explanada, pero ahora ya no se los ve. Desde nuestra tentativa de rescate, sus guardias los tienen encerrados en el interior. Yo empiezo a temer que con el calor que hace puedan contraer la peste y los imagino enclaustrados en esas celdas tan pequeñas y oscuras.

A finales de agosto oímos vocear a un barquero en el río y yo abro la ventana de par en par para ver qué sucede. A veces me traen regalos, que a menudo no son más que una cesta de pescado; pero este barquero tiene una pelota en la mano.

—¿Sois capaz de capturar una cosa al vuelo, excelencia? —me pregunta al verme en la ventana.

Yo respondo sonriente:

—Sí, soy capaz.

—Pues entonces coged esto —me dice, y me lanza la pelota, que es de color blanco. Entra volando por la ventana, por encima de mí, y yo la atrapo con las dos manos y río durante unos momentos por la alegría de poder jugar otra vez. Entonces me fijo en que se trata de una pelota envuelta en papel blanco y regreso a la ventana, pero el barquero ya ha desaparecido.

Retiro el envoltorio de papel y me llevo una mano al corazón y después a la boca para no lanzar una exclamación cuando reconozco la letra redondeada e infantil de mi pequeño Ricardo.

Queridísima señora madre:

Saludos y bendiciones [comienza con todo cuidado]. *No se me permite escribir con mucha frecuencia ni deciros con exactitud dónde estoy, por si robaran la carta, salvo para decir que llegué sano y salvo y que aquí todo va bien. Son gentes bondadosas. Ya he aprendido a remar en bote y dicen que se me da muy bien y que soy habilidoso. Dentro de poco tiempo tendré que ir a la escuela, porque estas personas no pueden enseñarme todo lo que necesito saber aquí, pero volveré para pasar el verano y pescar anguilas —que están muy buenas cuando uno se acostumbra a ellas—, a no ser que pueda regresar a casa con vos.*

Enviad mi cariño a mis hermanas, así como mi cariño y mi deber a mi hermano el rey. A vos os envío mi amor y mi respeto.

Firmado,

Vuestro hijo Ricardo, duque de York.

Aunque ahora me llamo Peter y he de acordarme de responder siempre a ese nombre. La mujer de esta casa, que es muy buena conmigo, me llama su pequeño Perkin, y a mí no me importa.

Leo la carta con lágrimas en los ojos; luego me las enjugo y vuelvo a leerla otra vez. Sonrío al pensar que le dicen que es habilidoso y me veo obligada a tomar aire para no romper a llorar al pensar que lo llaman Perkin. Siento ganas de sollozar por el hecho de que lo hayan apartado de mi lado, tan joven, tan pequeño; pero en cambio se encuentra a salvo, debería alegrarme de que esté seguro, el único de mis hijos que está apartado del peligro que entraña formar parte de esta familia en este país, en estas guerras que volverán a reanudarse. El niño que ahora responde al nombre de Peter irá a la escuela discretamente, aprenderá lenguas y música y esperará. Si ganamos, volverá a casa como un príncipe de linaje real; si perdemos, será el arma que ellos desconocen que tenemos, el niño oculto, el príncipe de reserva, la némesis de sus ambiciones: y mi venganza. Él y los suyos atormentarán a todo rey que venga detrás de nosotros, igual que espectros.

—Virgen santísima, protégelo —suplico con la cabeza entre las manos y los ojos cerrados con fuerza para contener las lágrimas—. Melusina, cuida de nuestro pequeño.

Septiembre de 1483

Todos los días recibo noticias de que nuestra gente se está armando y preparando no sólo en los condados en que mis hermanos están actuando, sino por todo el país. A medida que se va extendiendo la noticia de que Ricardo ha tomado la corona, cada vez son más los plebeyos, los pequeños propietarios y los comerciantes, así como sus superiores: los jefes de los gremios y los pequeños terratenientes, los hombres importantes del país, los que preguntan: ¿Cómo es posible que un hermano menor se apodere de la herencia del hijo de su hermano muerto? ¿cómo puede cualquier persona presentarse tranquilamente ante su Hacedor si pueden suceder cosas como ésa con impunidad? ¿Para qué va a esforzarse un hombre toda la vida con el fin de engrandecer a su familia si su hermano pequeño, el más minúsculo de la camada, puede quitarle el puesto en cuanto él se debilite?

Y son muchos, en los muchos lugares que antes visitábamos, los que recuerdan a Eduardo como un joven bien parecido y a mí como su bella esposa, los que recuerdan cuán bonitas eran las niñas y cuán fuertes y listos eran nuestros niños, los que decían que éramos una familia dorada que había traído la paz a Inglaterra y un ramillete de herederos al trono. Y esas personas dicen que es un ultraje que no estemos en nuestros palacios y que nuestro hijo no esté ocupando el trono.

Escribo a mi hijo, el pequeño rey Eduardo, y le ordeno que mantenga el ánimo bien alto, pero han empezado a retornarme mis cartas sin ser abiertas. Regresan intactas, con los sellos sin romper. Ni siquiera me están espiando. Es como si estuvieran incluso negando que Eduardo se encontrara en las dependencias reales de la Torre. Me carcome de impaciencia el estallido de la guerra que lo liberará de esa prisión y quisiera que la provocáramos ya, sin esperar a que el lento y vanidoso viaje de Ricardo hacia el norte atraviese Oxfordshire y después Gloucestershire, para finalmente llegar a Pontefract y concluir en York. Allí corona a su hijo, ese niño delgado y enfermizo, como príncipe de Gales. Entrega a su heredero el título de mi hijo Eduardo, como si hubiera muerto. Paso el día de rodillas rezando para que Dios me conceda venganza por esta afrenta. No me atrevo a pensar que la situación tal vez sea peor que un mero insulto. No soporto pensar que es posible que ese título se halle vacante, que mi hijo esté muerto.

A la hora de la cena, Isabel se acerca a mí y me ayuda a levantarme.

—¿Sabes qué ha hecho hoy tu tío? —le pregunto.

Ella desvía el rostro.

—Lo sé —dice con voz serena—. El pregonero de la ciudad lo ha estado anunciando a voces por toda la plaza. Se le oía desde la puerta.

—¿Y no has abierto? —le pregunto con ansiedad.

Ella deja escapar un suspiro.

—No he abierto. Nunca abro.

—El duque Ricardo ha robado la corona de tu padre y ahora ha vestido a su hijo con los ropajes de tu hermano. Morirá por esto —profetizo.

—¿Es que no ha muerto ya bastante gente?

La tomo de la mano y la obligo a volverse hacia mí para que tenga que mirarme a la cara.

—Estamos hablando del trono de Inglaterra, del derecho que tu hermano tiene por nacimiento.

—Estamos hablando de la muerte de una familia —replica ella con determinación—. También tenéis hijas, ¿sabéis? ¿Habéis pensado en el derecho que tenemos nosotras por nacimiento? Llevamos todo el verano encerradas aquí como ratas mientras vos os pasáis el día rezando para obtener venganza. Vuestro preciado hijo varón está en prisión o muerto, ni siquiera lo sabéis con seguridad. Al otro lo habéis enviado al olvido. No sabemos dónde está, ni si aún sigue con vida. Ansiáis el trono, pero ni siquiera sabéis si tenéis un hijo varón que sentar en él.

Dejo escapar una exclamación ahogada y doy un paso atrás.

—¡Isabel!

—Ojalá mandarais un recado a mi tío diciéndole que aceptáis su gobierno —me dice gélidamente. Su mano también está fría como el hielo—. Ojalá le dijerais que estamos dispuestas a aceptar condiciones... en realidad, las condiciones que él quiera poner. Ojalá lo persuadierais de que nos dejara en libertad para que fuéramos una familia normal y viviéramos en Grafton, muy lejos de Londres, muy lejos de las conspiraciones, traiciones y amenazas de muerte. Si os rindierais ahora, tal vez lográsemos recuperar a mis hermanos.

—¡Eso me supondría volver al sitio del que vine! —exclamo.

—¿Acaso no erais feliz en Grafton con vuestros padres y con el esposo que os dio por hijos a Richard y a Thomas? —me contesta ella rápidamente; tan rápidamente que no preparo con cuidado mi respuesta.

—Sí —respondo con la guardia baja—. Sí, lo era.

—Pues eso es todo cuanto deseo para mí misma —me replica—. Todo cuanto quiero para mis hermanas. Y sin embargo vos insistís en convertirnos en herederas de vuestra desgracia. Yo quiero ser heredera de la época anterior a vuestra condición de reina. No anhelo el trono, deseo casarme con un hombre al que ame y amarlo sin limitaciones.

La miro a la cara.

—En ese caso negarías a tu padre, me negarías a mí, negarías todo aquello que te hace ser una Plantagenet, una princesa de York. Igualmente podrías ser Jemma, la criada, si no tienes el deseo de ser más de lo que eres, si no ves las oportunidades y las aprovechas.

Mi hija me devuelve una mirada firme.

—Antes preferiría ser Jemma, la criada, que ser vos —me dice con un tono de voz teñido del profundo desprecio de una joven—. Jemma puede irse a su casa por la noche y acostarse en su cama. Jemma puede negarse a trabajar. Jemma puede escapar y servir a otro amo. Pero vos estáis amarrada al trono de Inglaterra y también nos habéis esclavizado a nosotras.

Eso me hace erguirme.

—No te atrevas a hablarme de ese modo —le digo con frialdad.

—Sólo digo lo que llevo en el corazón —replica ella.

—Pues dile a tu corazón que sea sincero, pero a tu boca que guarde silencio. No quiero encontrar deslealtad en mi propia hija.

—¡No somos un ejército que esté en guerra! ¡No me habléis de deslealtad! ¿Qué vais a hacer? ¿Cortarme la cabeza por traición?

—Sí somos un ejército que está en guerra —digo yo con sencillez—. Y tú no vas a traicionarme, ni a mí ni la posición que ocupas.

Lo que digo es más cierto de lo que imagino, porque somos una armada en marcha y esa noche hacemos nuestro primer movimiento. Los primeros que se sublevan son los habitantes de Kent y, cuando sus gritos de guerra llegan a Sussex, dicho condado se levanta también. Pero el duque de Norfolk, que sigue siendo fiel a Ricardo, parte de Londres con sus hombres en dirección sur y frena el avance de nuestro ejército. Éste se ve imposibilitado de reunirse con sus camaradas del oeste, ya que el duque bloquea el único camino que conduce a Guildford. Un hombre consigue escapar a la capital, alquila una embarcación pequeña y acude a la puerta de la cripta que da al río, al amparo de la niebla y de la lluvia.

—Sir John —digo desde el otro lado de la verja. No me atrevo ni a abrirla para evitar el chirrido que el hierro podría producir al rozar contra la piedra mojada; además no conozco a este hombre y no me fío de nadie.

—Vengo a expresaros mi solidaridad, excelencia —me dice él con cierto embarazo—. Y para saber... mis hermanos y yo deseamos saber... si es vuestra voluntad que apoyemos en este momento a Enrique Tudor.

—¿Cómo? —contesto—. ¿Qué queréis decir?

—Hemos rezado por el príncipe, todos los días, y hemos encendido una vela por él; en Reigate todos lamentamos muchísimo no haber llegado a tiempo...

—Esperad —lo interrumpo con urgencia—. Esperad. ¿Qué estáis diciendo?

Su ancho rostro adopta de repente una expresión de horror.

—Oh, Dios me perdone, no me digáis que no sabíais nada y que yo, necio de mí, acabo de decíroslo. —Retuerce el gorro entre las manos de tal forma que la pluma cae al agua del río que lame los escalones de piedra . Oh, gentil señora, soy un torpe. Debería haberme asegurado... —Mira con nerviosismo el pasadizo a oscuras que hay detrás de mí—. Llamad a una dama —me ruega—. No vayáis a desmayaros ahora.

Yo me agarro con fuerza a la verja, aunque la cabeza me da vueltas.

—No voy a desvanecerme —le prometo con los labios apretados—. Yo no me desmayo. ¿Estáis diciendo que el joven rey Eduardo ha sido ejecutado?

Él niega con la cabeza.

—Lo único que sé es que está muerto. Dios bendiga vuestro bendito rostro y me perdone a mí por haber sido el que os haya traído tan amarga noticia. ¡Una noticia terrible! ¡Y que os la haya dado yo cuando lo único que queríamos era saber cuál era vuestro deseo en este momento!

—¿No ha sido ejecutado?

Él vuelve a negar.

—No ha sido en público. Pobres niños. No sabemos nada con seguridad. Simplemente nos han dicho que a los príncipes se les ha dado muerte, Dios los bendiga, y que la rebelión proseguiría contra el rey Ricardo, que continúa siendo un usurpador, pero que sentaremos en el trono a Enrique Tudor, que es el siguiente heredero y el mejor soberano para el país.

En ese momento lanzo una fuerte carcajada, aunque no es de alegría.

—¿El hijo de Margarita Beaufort? ¿En lugar del mío?

Él mira en torno buscando ayuda, asustado por el toque de locura que advierte en mi forma de reír.

—No sabíamos nada. Nosotros habíamos jurado liberar a los príncipes. Todos nos hemos unido a favor de vuestra causa, excelencia. Por eso no sabemos qué debemos hacer ahora que vuestros príncipes ya no están. Además, el camino que lleva al campamento de vuestro hermano está bloqueado por los hombres de Thomas Howard, de modo que no podemos preguntarle a él. Hemos pensado que lo mejor era que yo me escabullera sin llamar la atención y viniera a Londres a consultaros a vos.

—¿Quién os ha dicho que los niños han muerto?

Él reflexiona unos instantes.

—Fue uno de los hombres del duque de Buckingham. Nos trajo algo de oro y armas para los que no tuvieran. Afirmó que podíamos fiarnos de su señor, que se había vuelto contra el falso rey Ricardo porque éste había matado a los niños. Dijo que el duque había sido un fiel servidor del monarca mientras estuvo convencido de que era el protector de los pequeños, pero que, cuando descubrió que los había mandado matar, se volvió contra él horrorizado. Aseguró que el duque sabía todo lo que había dicho y hecho el falso rey, pero que no pudo evitar el asesinato. —Vuelve a mirarme con gesto de cautela—. Dios proteja a vuestra excelencia. ¿No deseáis llamar a vuestro lado a alguna dama?

—¿El hombre del duque os dijo todo eso?

—Era un buen hombre, nos lo contó todo. Y además invitó a los soldados a que bebieran a la salud del duque de Buckingham. Dijo que el falso rey Ricardo había ordenado dar muerte a los príncipes en secreto antes de partir de viaje y que, cuando le contó al duque lo que había sucedido, éste juró que ya no iba a aguantar más el reinado de semejante asesino y que pensaba desafiar al rey Ricardo y que todos debíamos sublevarnos contra aquel hombre capaz de matar niños. El propio duque sería mejor rey que Ricardo y, además, él también tiene derecho al trono.

Si mi hijo hubiera muerto, yo lo sabría, ¿no? Cuando murió mi hermano oí cantar al río. Si mi hijo y heredero, el heredero de mi casa, el heredero del trono de Inglaterra estuviera muerto, ¿no me habría enterado? No es posible que a mi hijo lo hayan matado a apenas tres millas de donde estoy y que no me haya dado cuenta. De manera que no creo que sea cierto. No lo creeré hasta que me enseñen su bendito cadáver. No está muerto. No puedo creer que esté muerto. No pienso creer que ha muerto hasta que lo vea dentro de un ataúd.

—Escuchadme. —Me acerco un poco más a los barrotes de la verja para hablar seriamente—. Regresad a Kent y decid a vuestros compañeros que deben sublevarse por los príncipes, porque mis hijos aún están vivos. El duque se ha equivocado y el rey no los ha matado. Lo sé con certeza, soy su madre. Decidles también que, aunque Eduardo estuviera muerto, su hermano Ricardo no está con él, sino que ha huido para ponerse a salvo. Se encuentra escondido en un lugar seguro y un día volverá y recuperará el trono que le pertenece. Regresad a Kent y, cuando os llegue la orden de concentraros y de poneros en marcha, partid con orgullo, porque habéis de destruir a ese falso rey Ricardo, liberar a mis hijos y liberarme a mí.

—¿Y el duque? —me pregunta él—. ¿Y Enrique Tudor?

Yo hago una mueca y les quito importancia a ambos con un gesto de la mano.

—Fieles aliados de nuestra causa, estoy segura —respondo con una certidumbre que ya no siento–. Sedme fiel, sir John, y yo no os olvidaré, ni a vos ni a ninguno de los que luchen por mí y por mis hijos, cuando vuelva a recuperar lo que es mío.

Hace una venia y, seguidamente, se agacha para bajar los escalones de piedra y sube con cuidado al bote de remos que lo aguarda. Poco después se pierde en la densa niebla que cubre el río. Espero a que haya desaparecido del todo y a que deje de oírse el suave chapoteo de los remos; entonces observo fijamente la superficie oscura del agua.

–El duque –susurro dirigiéndome al río–. El duque de Buckingham está diciéndole a todo el mundo que mis hijos están muertos. ¿Por qué motivo lo hará? ¿Después de haber jurado rescatarlos? ¿Al mismo tiempo que envía oro y armas a la rebelión? ¿Por qué razón les estará diciendo, en el mismo momento de llamarlos al combate, que los príncipes han muerto?

Ceno con mis hijas y con los pocos sirvientes que se han quedado con nosotras mientras permanecemos acogidas a sagrado, pero me resulta imposible escuchar cómo la pequeña Ana, que tiene siete años, lee la Biblia, y tampoco puedo sumarme a Isabel para preguntarles acerca de lo que acaban de saber. Presto la misma atención que Catalina, que sólo tiene cuatro años. No soy capaz de pensar en otra cosa que en cuál puede ser la causa del rumor de que mis hijos están muertos.

Acuesto a las niñas temprano; no soporto ni oírlas jugar a las cartas ni cantar a coro. Paso la noche entera paseando por mi habitación, arriba y abajo, recorriendo los silenciosos tablones del suelo, que no emiten crujidos, para acercarme hasta la ventana del río y dar la vuelta otra vez. ¿Por qué iba Ricardo a matar a mis hijos precisamente ahora, cuando ya ha conseguido todo lo que quería sin necesidad de eliminarlos? Ha logrado persuadir al Consejo para que los declare bastardos, ha aprobado una ley del Parlamento que anula mi matrimonio. Se ha nombrado a sí mismo siguiente heredero legítimo. Y el arzobispo en persona le ha puesto la corona en la cabeza. Su esposa, la enfermiza Ana, ha sido coronada reina de Inglaterra, y el hijo de ambos ha sido investido príncipe de Gales. Todo eso lo ha conseguido teniéndome a mí recluida en un lugar sagrado y a mi hijo en prisión. Ricardo ha salido triunfador. Entonces ¿para qué habría de querer que muriésemos? ¿Para qué nos necesita muertos? ¿Y de qué modo espera escapar de la culpabilidad de tal delito cuando todo el mundo sabe que los niños se encuentran bajo su custodia? Todos saben que se llevó a mi hijo Ricardo en contra de mi voluntad; aquello no pudo ser más a la vista del público. Y el propio arzobispo en persona juró que no iba a sufrir el menor daño.

Además, no es propio de Ricardo huir cuando hay una tarea que tiene que cumplir. Cuando sus hermanos y él decidieron que el pobre rey Enrique tenía que morir, los tres se reunieron frente a la puerta de su cámara y entraron a la vez, con expresión grave pero resueltos a actuar. Así son los príncipes de York: no tienen ningún escrúpulo para cometer actos de maldad, pero no dejan dicha labor a otras personas, los llevan a cabo ellos mismos. Para Ricardo sería insoportable arriesgarse a pedirle a otro que matara a dos príncipes inocentes de sangre pura, que sobornara a los guardias, que ocultara los cadáveres. He visto su manera de matar: directa, sin previo aviso, pero descarada, sin sentir vergüenza. El hombre que decapitó a sir William Hastings encima de un tronco de madera no pestañearía a la hora de ahogar a un niño pequeño aplastándole la cara con una almohada. Si hubiera que hacer algo así, yo habría jurado que lo haría él mismo. Como mínimo, daría la orden y vigilaría personalmente que ésta se ejecutara.

Pienso todo esto para convencerme de que sir John de Reigate está equivocado y mi hijo Eduardo aún sigue con vida. Pero una y otra vez, al asomarme a la ventana para contemplar el río sumido en la oscuridad y en la niebla, me pregunto si la equivocada no seré yo, si no estaré confundida en todo, hasta en la confianza que tengo en Melusina. Tal vez Ricardo se las haya arreglado para encontrar a alguien dispuesto a matar a los dos niños. Quizá Eduardo esté muerto y quizá yo haya perdido la visión y simplemente no sepa qué ha ocurrido. Tal vez ya no sepa nada.

A primera hora de la mañana, ya no puedo soportar pasar un minuto más a solas y envío a un mensajero a buscar al doctor Lewis. Le ordeno que lo despierte y lo saque de la cama porque me siento mortalmente enferma. Para cuando los guardias le dan paso, la mentira que he dicho se ha trocado en verdad y me invade una fiebre generada por la intensa angustia mental.

—Excelencia —dice él con cautela al entrar.

Me ve demacrada a la luz de las velas, con el pelo recogido en una trenza descuidada y el vestido todo arrugado.

—Debéis llevar a vuestros sirvientes, hombres de confianza, a la Torre para proteger a mi hijo Eduardo, ya que no podemos sacarlo de allí —le digo sin preámbulos—. Lady Margarita ha de valerse de su influencia para asegurarse de que mis hijos estén bien guardados. Corren peligro. Corren un peligro terrible.

—¿Tenéis noticias?

—Se ha propagado el rumor de que mis vástagos están muertos —lo informo.

Él no da señales de sorpresa.

—Dios no lo quiera, excelencia, pero me temo que es más que un rumor. Ya nos lo advirtió el duque de Buckingham. Dijo que este falso rey iba a matar a sus sobrinos para hacerse con el trono.

Yo me encojo sobre mí misma, muy ligeramente, como si hubiera sacado la mano y hubiera visto aparecer una serpiente en el lugar que estaba a punto de tocar.

—Sí —respondo con precaución de pronto—. Eso es lo que ha llegado a mis oídos, y fue un hombre del duque de Buckingham quien lo dijo.

Él se santigua.

—El cielo nos valga.

—Pero espero que aún no haya sucedido tal desgracia, y también espero poder evitarla.

Él asiente con un gesto.

—Por desgracia, me temo que es posible que hayamos llegado demasiado tarde y que ya los hayamos perdido. Excelencia, mi corazón se aflige profundamente por vos.

—Os agradezco vuestra solidaridad —le digo con voz serena. Me retumban las sienes, no puedo pensar. Es como si estuviera mirando con fijeza a la serpiente y ella me estuviera mirando a mí.

—Quiera Dios que esta insurrección destruya a ese hombre, que ha sido capaz de hacer algo así. Dios estará de nuestro lado contra semejante Herodes.

—Si es que lo ha hecho Ricardo...

De repente el médico se vuelve hacia mí como si mi respuesta lo hubiera dejado estupefacto, aunque parece bastante capaz de soportar la idea del asesinato de niños.

—¿Y qué otra persona iba a hacer algo así? ¿Quién más iba a beneficiarse de ello? ¿Quién mató a sir William Hastings y después a vuestro hermano y a vuestro otro hijo? ¿Quién es el asesino de vuestros familiares y vuestro peor enemigo, excelencia? ¡No podéis sospechar de nadie más!

Yo misma me noto temblar, muy próxima al llanto; ya siento el escozor de las lágrimas en los ojos.

—No lo sé —contesto sin ninguna firmeza—. Lo único que sé con seguridad es que mi hijo no está muerto. Si lo hubieran matado, lo sabría. Las madres sabemos esas cosas. Preguntad a lady Margarita: si su hijo Enrique hubiera muerto, ella lo sabría sin lugar a dudas. Las madres lo sabemos. Y, de todas maneras, por lo menos mi hijo Ricardo se encuentra sano y salvo.

El doctor muerde el anzuelo. Advierto su reacción: en sus tiernos ojos centellea el destello luminoso de un espía.

—Oh, ¿en serio? —me pregunta en tono alentador.

Pero yo ya he dicho bastante.

—Quiera Dios que ambos estén a salvo —me corrijo—. Pero decidme, ¿por qué estáis tan seguro de que han muerto?

Él pone su mano sobre la mía con delicadeza.

—No quería afligiros. Pero nadie los ha visto desde que el falso rey se marchó de Londres y tanto el duque como lady Margarita tienen el convencimiento de que antes de partir dio la orden de que los mataran. No hubo nada que ninguno de nosotros pudiera hacer para salvarlos. Cuando pusimos sitio a la Torre, ya estaban muertos.

Retiro la mano rechazando su gesto de consuelo y me la llevo a mi dolorida frente. Ojalá pudiera pensar con claridad. Recuerdo que Lionel me contó que había oído a dos criados decir a voces que se llevaran a los niños a otras dependencias del interior de la Torre. Recuerdo que me contó que tan sólo el grosor de una puerta lo separaba de Eduardo. Pero ¿por qué iba a querer mentirme el doctor Lewis?

—¿No habría sido más beneficioso para nuestra causa que el duque no hubiera dicho nada? —sugiero—. Mis amigos, mis parientes y mis aliados están reclutando hombres para rescatar a los príncipes; en cambio el duque les está diciendo que ya están muertos. ¿Para qué iban a acudir mis aliados a la Torre si su príncipe ya está muerto?

—Mejor que lo sepan ahora que más tarde —me dice el doctor con suavidad, demasiada suavidad.

—¿Por qué? —replico—. ¿Por qué es mejor que lo sepan ahora, antes de la batalla?

—Así todo el mundo sabrá que fue el falso monarca el que dio la orden —razona el médico—. De ese modo, la culpa recaerá sobre el duque Ricardo. Vuestra gente se sublevará para exigir venganza.

No puedo pensar, no soy capaz de comprender por qué importa eso. Percibo que en alguna parte de todo esto hay una mentira, pero no consigo averiguar dónde. Hay algo que no encaja, lo sé.

—Pero ¿quién iba a dudar de que ha sido el rey Ricardo el que los ha matado? Como decís vos, fue él quien asesinó a miembros de mi familia. ¿Para qué habríamos de declarar ahora nuestros temores y confundir a los nuestros?

—Nadie dudaría tal cosa —me asegura el doctor Lewis—. Nadie sino Ricardo haría algo semejante. Nadie más se beneficiaría de dicho crimen.

Me pongo en pie de un brinco, llevada por una súbita impaciencia, y al chocar con la mesa tiro al suelo el candelabro.

—¡No lo entiendo!

Él recoge la vela y la llama se agita y proyecta una sombra terrible sobre su semblante de expresión amistosa. Durante un momento adquiere de nuevo la misma apariencia que tenía cuando lo vi por primera vez, cuando mi hija Cecilia vino a decirme que la Muerte estaba aguardando al otro lado de la puerta. Asustada, dejo escapar una exclamación ahogada y retrocedo. Él vuelve a poner la vela y el candelabro encima de la mesa, con cuidado, y se queda de pie, cosa natural dado que yo, la reina viuda, también estoy de pie.

—Podéis iros —digo de forma discordante—. Perdonadme, estoy muy nerviosa. No sé qué pensar. Podéis dejarme.

—¿Deseáis que os administre una infusión que os ayude a dormir? Lamento hondamente veros afligida.

—No, voy a echarme a dormir. Os agradezco vuestra compañía. —Hago una inspiración profunda y me aparto el pelo de la cara—. Me habéis calmado con vuestro buen juicio. Ya me siento en paz.

A él se lo ve confuso.

—Pero si no he dicho nada.

Yo sacudo la cabeza en un gesto de negación. Estoy deseando que se marche.

—Habéis compartido mis preocupaciones, y eso es lo que hacen los amigos.

—Lo primero que voy a hacer es ir a ver a lady Margarita y hablarle de vuestros temores. Le pediré que envíe a sus hombres a la Torre para que obtengan información acerca de vuestros hijos. Si están vivos, buscaremos soldados que los guarden. Velaremos por su seguridad.

—Por lo menos Ricardo está a salvo —señalo imprudentemente.

—¿Más a salvo que su hermano?

Yo sonrío igual que una mujer que oculta un secreto.

—Doctor, si tuvierais dos joyas raras y muy preciadas y temierais a los ladrones, ¿las pondríais juntas en el mismo cofre?

—¿Ricardo no estaba en la Torre? —Su voz es un jadeo, sus ojos azules me miran fijamente, todo él está temblando.

Yo me llevo un dedo a los labios.

—Callad.

—Pero mataron a dos niños en la cama...

Ah, ¿sí? ¿Seguro? ¿Cómo estáis tan convencido de eso? Con el semblante pétreo como el mármol, espero a que el médico dé media vuelta, me haga una reverencia y se dirija hacia la puerta.

—Decid a lady Margarita que proteja al hijo que tengo en la Torre como si fuera el suyo —le digo.

Él se inclina otra vez y se va.

Cuando se despiertan las niñas, les digo que estoy enferma y me quedo en mi cámara. A Isabel la hago darse la vuelta en la puerta y le digo que necesito dormir. No necesito dormir, lo que necesito es entender. Con la cabeza entre las manos, camino descalza de un lado al otro de la habitación para que no se den cuenta de que estoy paseando y devanándome los sesos. Estoy sola en un mundo de conspiradores. El duque de Buckingham y lady Margarita están actuando juntos, o puede que estén obrando para sí mismos. Fingen servirme a mí, ser mis aliados, pero también es posible que sean leales y que yo me esté equivocando al juzgarlos. Mi pensamiento da vueltas y más vueltas y me tiro del cabello de las sienes como si el dolor me hiciera pensar mejor.

He lanzado un maleficio contra Ricardo, el tirano, pero su muerte puede esperar. Él encerró en prisión a mis hijos, pero no es quien está haciendo circular el rumor de que están muertos. Los tenía encarcelados en contra de su voluntad, en contra de mi voluntad, pero no estaba preparando al pueblo para la muerte de ambos. Se ha apoderado del trono y se ha hecho con el título de príncipe de Gales mediante embustes y engaños. Para salirse con la suya no necesita matar a los niños. Y ha triunfado sin asesinar a mi hijo. Ya ha conseguido todo lo que quería sin mancharse las manos de sangre, de manera que ya no precisa acabar con Eduardo. Ricardo está seguro en el trono, el Consejo lo ha aceptado, los lores lo han aceptado, se encuentra de viaje oficial por el país y las gentes lo reciben con alegría. Hay una rebelión en ciernes, pero él cree que Howard la ha aplastado. Que él sepa, se encuentra a salvo. Tan sólo necesita mantener a mis hijos en prisión hasta que yo esté dispuesta a aceptar mi derrota, tal como me insta a hacer Isabel.

Pero el duque de Buckingham tiene derecho a heredar el trono, por detrás del de Ricardo... pero sólo si mis hijos mueren. Su aspiración no vale de nada a menos que mis hijos fallezcan antes. Si el enfermizo vástago que tiene Ricardo muriese, Ricardo cayera en la batalla y Buckingham fuera el caudillo de la victoriosa rebelión, este último podría apoderarse de la corona. Nadie negaría que es el siguiente en la línea sucesoria... sobre todo si se supiera que mis hijos ya estaban muertos. Entonces Buckingham haría lo mismo que hizo mi esposo Eduardo cuando reclamó la corona. Pero en aquel entonces había un pretendiente rival encerrado en la Torre. Cuando Eduardo entró en Londres a la cabeza de un ejército victorioso, fue directamente a la Torre, donde se hallaba prisionero el verdadero rey con sus dos hermanos, y entre los tres lo mataron aunque Enrique no tenía más fuerza que un niño inocente. Cuando el duque de Buckingham derrote a Ricardo, entrará en Londres y en la Torre diciendo que va a averiguar la verdad respecto de mis hijos. Entonces tendrá lugar una pausa, lo bastante prolongada como para que el pueblo se acuerde de los rumores y comience a tener miedo, y después Buckingham saldrá poniendo cara de tragedia y anunciará que ha encontrado a mis herederos muertos, enterrados bajo una losa del pavimento u ocultos en un armario, asesinados por su malvado tío Ricardo. Ésa es la verdad del rumor que él mismo ha puesto en marcha. Dirá que, como han fallecido, quien ha de sentarse en el trono es él, y no quedará nadie vivo que se lo niegue.

Y además, Buckingham es el lord condestable de Inglaterra. En estos momentos tiene las llaves de la Torre en sus manos.

Me mordisqueo el dedo y me detengo un momento ante la ventana. Dejemos a Buckingham a un lado. Ahora centrémonos en mi gran amiga lady Margarita Stanley y en su hijo Enrique Tudor. Son los herederos de la casa de Lancaster; es posible que ella piense que ya es hora de que Inglaterra vuelva a ser Lancaster. Tiene que aliarse con Buckingham y con mis partidarios, pues su hijo Tudor no es capaz de atraer suficientes fuerzas del extranjero como para derrotar a Ricardo sin ayuda. Ha pasado toda su vida en el exilio y ésta es la oportunidad que se le presenta para regresar a Inglaterra, y hacerlo siendo rey. Margarita sería tonta si corriese el riesgo de rebelarse contra Ricardo por algo que fuera menos importante que el trono. Su reciente esposo es un aliado esencial de Ricardo, se encuentran bien situados en esta nueva corte. Ella ha negociado con el falso rey que su hijo sea perdonado y que vuelva sano y salvo a casa. Le han dado permiso para que le entregue sus tierras a su primogénito a modo de herencia. ¿Iba a poner todo eso en peligro por el mero placer de sentar a mi hijo en el trono a fin de hacerme a mí un favor? ¿Por qué iba a hacer algo así? ¿Para qué iba a correr semejante riesgo? ¿No es más probable que esté trabajando para que su propio vástago reclame la corona? Ella y Buckingham, los dos juntos, están preparando al país para que se sepa que mis príncipes han muerto a manos de Ricardo.

¿Tendría Enrique Tudor el valor suficiente como para entrar en Londres declarando que está resuelto a rescatar a los dos niños, pero en realidad estrangularlos y después salir a la calle con la horrenda noticia de que los príncipes, por los cuales él ha luchado tan valientemente, están muertos? ¿Serían capaces, él y su gran amigo y aliado Buckingham, de dividirse el reino entre los dos: para Enrique Tudor el feudo de Gales y para Buckingham el norte? O, si Buckingham muriese en combate, ¿acaso no sería Enrique el indiscutible heredero del trono? ¿Enviaría su madre a sus sirvientes a la Torre no a salvar a mi hijo, sino a asfixiarlo mientras duerme? ¿Soportaría hacer algo así, siendo la santa que es? ¿Consentiría cualquier cosa en beneficio de su hijo, incluso la muerte del mío? No lo sé. No puedo saberlo. Lo único que puedo saber con certeza es que el duque y lady Margarita están haciendo correr el rumor, al mismo tiempo que salen a luchar por los príncipes, de que tienen el convencimiento de que los niños ya están muertos. Y a su aliado se le ha escapado la información de que a ambos los mataron en la cama. El único hombre que no está preparando al país para guardar luto por la muerte de ambos, el único hombre que no se beneficia de que mueran, es el único al que yo consideraba mi mortal enemigo: Ricardo de Gloucester.

Me lleva el día entero medir el peligro que corro y, aun cuando llega la hora del almuerzo, sigo sin tener nada seguro. Es posible que las vidas de mis hijos dependan de que yo comprenda quién es mi enemigo y quién mi amigo; en cambio sigo sin saberlo con seguridad. Mi sugerencia, la de que por lo menos mi hijo Ricardo se encuentra a salvo y lejos de la Torre, debería obligar al asesino a hacer una pausa; espero que hayamos ganado un poco de tiempo.

Después de comer escribo a mis hermanos, que están reclutando tropas en los condados del sur de Inglaterra, a fin de advertirlos de esta otra conspiración que puede eclosionar igual que un huevo de serpiente dentro de la nuestra. Les digo que Ricardo sigue siendo nuestro enemigo, pero que su mala voluntad puede que no sea nada en comparación con el peligro que representan nuestros aliados. Envío mensajeros sin tener la seguridad de que consigan llegar hasta mis hermanos o hacerlo a tiempo. Pero les digo claramente:

Tengo el convencimiento de que la seguridad de mis hijos y la mía propia dependen de que el duque de Buckingham y su aliado, Enrique Tudor, no lleguen a Londres. Ricardo es nuestro enemigo, además de un usurpador, pero estoy convencida de que si Buckingham y Tudor entran victoriosos en la capital vendrán con la intención de matarnos. Debéis detener el avance de Buckingham. Hagáis lo que hagáis, debéis llegar a la Torre antes que él y antes que Enrique Tudor y salvar a nuestro pequeño.

Esa noche me acerco a la ventana que da al río y me pongo a escuchar. Isabel abre la puerta de la alcoba en la que duermen las niñas y se sitúa a mi lado con una expresión grave en el rostro.

—¿Qué ocurre ahora, madre? —me pregunta—. Os lo ruego, decídmelo. Lleváis todo el día encerrada. ¿Habéis recibido alguna mala noticia?

—Sí —le contesto—. Dime, ¿has oído cantar al río, como cantó la noche en que murieron mi hermano Anthony y mi hijo Richard Grey?

Ella desvía la mirada.

—¿Isabel?

—Igual que aquella noche, no —precisa.

—Pero ¿has oído algo?

—Muy débilmente —me dice—. Era una melodía muy suave, muy baja, como una canción de cuna, como un lamento. ¿Vos habéis oído algo?

Niego con la cabeza.

—No, pero estoy llena de temor por Eduardo.

Isabel apoya su mano en la mía.

—¿Algún peligro nuevo se cierne sobre mi pobre hermano, incluso ahora?

—Creo que sí. Creo que el duque de Buckingham va a volverse contra nosotros si gana esta batalla contra el falso rey Ricardo. He escrito a tus tíos, pero no sé si podrán interceptarlo. El duque de Buckingham cuenta con un gran ejército. Viene siguiendo el río Severn, en Gales, y pronto penetrará en Inglaterra; yo no sé qué puedo hacer. No sé qué puedo hacer desde aquí para mantener a mi hijo a salvo de él, para que todos estemos a salvo de él. Tenemos que evitar que entre en Londres. Si pudiera acorralarlo en Gales, lo haría.

Mi hija, con el semblante pensativo, se acerca a la ventana. El aire húmedo del río penetra en las sofocantes dependencias donde estamos.

—Ojalá lloviese —dice perezosamente—. Hace mucho calor. Qué ganas tengo de que llueva.

Como para satisfacer su deseo, de pronto entra en la habitación una brisa fresca y, a continuación, comienza a oírse el suave repiqueteo de las primeras gotas de lluvia en los cristales emplomados de la ventana abierta. Isabel la abre del todo para poder ver el cielo y las nubes negras que avanzan por el valle del río.

Yo me pongo a su lado. Veo caer la lluvia en las aguas oscuras del río: gruesos goterones que forman los primeros círculos —semejantes a las burbujas de un pez—, y luego cada vez más, hasta que la sedosa superficie del río se ve picada por completo por las gotas de lluvia. Al poco la tormenta se vuelve tan intensa que no nos permite ver nada más que una manta de agua que cae, como si el cielo mismo estuviera derramándose sobre Inglaterra. Reímos y cerramos la ventana para protegernos de ella, con la cara y los brazos empapados, dándonos prisa en echar el pestillo. Después nos vamos a las otras dependencias para cerrar los ventanales y bloquear los postigos a fin de que no entre el agua que fuera cae con tanta fuerza, como si todas mis penas y mis preocupaciones se hubieran transformado en una tormenta de lágrimas que descarga sobre Inglaterra.

—Esta lluvia provocará una inundación —predigo; mi hija asiente en silencio.

Llueve durante toda la noche. Isabel duerme en mi cama, como hacía cuando era pequeña, y ambas, tumbadas en ese lecho seco y caliente, escuchamos el repiqueteo de la lluvia, el constante azote del agua contra las ventanas y contra la superficie del río. Cuando las alcantarillas comienzan a rebosar y el agua de los tejados a correr produciendo el mismo gorgoteo que las fuentes juguetonas, nos quedamos dormidas, como dos diosas del agua acunadas por el canturreo incesante de la lluvia y el rumor de la riada.

Cuando nos despertamos a la mañana siguiente, el día está casi tan oscuro como si fuera de noche y aún continúa lloviendo. El nivel del río está muy alto, e Isabel baja hasta la verja que conduce a la orilla y anuncia que el agua está inundando los escalones. Todas las embarcaciones que hay en el río están amarradas a causa del mal tiempo, y las pocas chalanas que circulan por necesidad llevan a los remos a hombres encorvados y con telas de arpillera abriéndoles la cabeza, relucientes por el agua que las empapa, para protegerse del viento. Las niñas pasan la mañana asomadas a las ventanas, viendo pasar los botes calados de agua. Circulan más altos de lo habitual, debido a que el río ha aumentado mucho de caudal y ya empieza a desbordarse, de modo que todas las embarcaciones pequeñas se recogen y se amarran junto al muelle o bien se sacan a tierra, pues el río está cada vez más crecido y las corrientes son demasiado fuertes. Encendemos el fuego para alumbrarnos en este día de tormenta tan oscuro como si estuviéramos en noviembre, y yo juego a las cartas con las niñas y las dejo ganar. Cuánto me gusta el ruido que produce esta lluvia.

Isabel y yo nos dormimos la una en brazos de la otra oyendo el ruido del agua que resbala del tejado de la abadía y se precipita en cascada sobre las aceras. A primera hora de la mañana empiezo a oír el goteo de la lluvia que se ha filtrado entre las tejas y me levanto para volver a encender el fuego y poner un recipiente debajo de la gotera. Isabel abre los postigos y dice que llueve con la misma intensidad que antes, que da la impresión de que va a llover durante el día entero.

Las niñas juegan al arca de Noé e Isabel les lee dicha historia de la Biblia; a continuación organizan un desfile con los juguetes y con cojines rellenos que representan las parejas de animales. El arca es mi mesa vuelta del revés, con unas sábanas atadas de una pata a otra. Les permito que almuercen dentro del arca y antes de acostarlas las tranquilizo diciéndoles que el Diluvio Universal de Noé tuvo lugar hace mucho tiempo y que Dios no va a enviar otro, ni siquiera para castigar la maldad. Que este aguacero no va a hacer otra cosa que obligar a los hombres malos a quedarse dentro de casa, donde no puedan hacer daño a nadie. Que una inundación impedirá que todos los hombres malos lleguen a Londres y nosotras estaremos a salvo.

Isabel me mira con una leve sonrisa y, una vez que las pequeñas se han ido a la cama, toma una vela y baja a las catacumbas para ver qué nivel ha alcanzado el agua.

El río baja más crecido que nunca, me dice. Piensa que va a inundar el pasadizo hasta la escalera, que subirá varios pies de altura. Si no deja de llover pronto, el agua ascenderá todavía más. No corremos peligro —hasta el río hay dos tramos de escalera de piedra—, pero las gentes pobres que viven en las orillas deben de estar recogiendo sus enseres y abandonando sus hogares inundados por el agua.

A la mañana siguiente llega Jemma con el vestido remangado, llena de barro hasta las rodillas. Las calles están anegadas en las zonas más bajas y hay casas que están siendo arrastradas por el agua. Además, río arriba están desmoronándose algunos puentes y hay aldeas que la riada está barriendo. Nadie ha visto llover de semejante manera en septiembre, y esto no termina nunca. Jemma dice que en el mercado no hay alimentos frescos porque muchos de los caminos están inundados y los agricultores no pueden traer sus productos. El pan es más caro debido a la escasez de harina y a que algunos panaderos no pueden ni encender el horno, pues la única leña que tienen está mojada. Jemma dice que va a quedarse a pasar la noche con nosotras, que tiene miedo de caminar por las calles anegadas.

Al día siguiente continúa lloviendo y las niñas, otra vez asomadas a la ventana, dan cuenta de extraños sucesos. Bridget se lleva un susto al ver una vaca ahogada que pasa flotando por delante de la ventana; luego se ve una carreta volcada a la que ha arrastrado la corriente y tablones de madera de alguna construcción a los que ha arrollado el agua. De repente oímos el ruido sordo de algo grande que ha chocado contra los escalones que conducen a la verja de hierro. Esta mañana, la verja da directamente al agua, el pasadizo está inundado y no se ve más que la parte superior de la forja y un retazo de luz diurna. El río debe de haber subido casi diez pies y la marea inundará las catacumbas y empapará a los muertos que duermen en ellas.

No busco un mensajero que hayan enviado mis hermanos. No espero que ninguno haya podido viajar desde el oeste hasta Londres con este tiempo. Pero no necesito tener noticias de ellos para saber lo que está ocurriendo. Los ríos se han vuelto en contra de Buckingham, la marea está avanzando en contra de Enrique Tudor, la lluvia está empapando sus ejércitos, las aguas de Inglaterra se han sublevado para proteger a su príncipe.

Octubre de 1483

Ricardo, el falso rey, abatido por la traición de su gran amigo, el hombre al que había ascendido al cargo de Condestable de Inglaterra, tarda sólo un instante en comprender que las fuerzas que ha reunido el duque de Buckingham son suficientes para derrotar dos veces a la guardia real. Tiene que formar un ejército, ordenarle a todo hombre capaz que haya en Inglaterra que luche a su lado, exigirle que le rinda lealtad por ser su rey. Por lo general todos acuden a la llamada, si bien lentamente. El duque de Norfolk ha contenido la rebelión en los condados del sur. Está seguro de que Londres permanece a salvo, pero no le cabe la menor duda de que Buckingham está reclutando tropas en Gales y de que Enrique Tudor va a venir desde Bretaña con sus barcos para reunirse con él. Si Enrique trae un millar de hombres, los rebeldes y el ejército del rey se verán igualados en número. Sería muy difícil calcular cuál podría ser el desenlace. Si trae más, Ricardo tendrá que luchar por sobrevivir, con muy pocas probabilidades de éxito, contra un ejército encabezado por Jasper Tudor, uno de los mejores comandantes que Lancaster haya tenido jamás.

Ricardo se dirige hacia Coventry y mantiene de su parte a lord Stanley, esposo de lady Margarita y padrastro de Enrique Tudor.

Lord Strange, el hijo de Stanley, no está en casa. Sus criados dicen que ha formado un ejército enorme con sus arrendatarios y sus sirvientes y que se ha puesto en camino para servir a su señor. La preocupación de Ricardo es que nadie sabe quién puede ser ese señor.

El falso rey conduce a sus fuerzas al sur de Coventry con el fin de impedir a su traidor amigo Buckingham que subleve a las fuerzas que nosotros tenemos en los condados del sur. Tiene previsto que, cuando el duque cruce el Severn para penetrar en Inglaterra, no encuentre aliados, sino el ejército real esperándolo con gesto severo bajo el aguacero.

Las tropas avanzan con lentitud por los caminos enfangados. El agua ha arrastrado los puentes y se ven obligadas a recorrer muchas millas de más en busca de un punto por donde vadear la corriente. Los caballos de los oficiales y de la guardia montada se esfuerzan sobremanera por avanzar, metidos en el lodo hasta la altura del pecho. Los hombres caminan cabizbajos, empapados hasta los huesos, y cuando llega el momento de descansar por la noche no pueden encender fogatas porque todo está mojado.

Ricardo, con expresión grave, los insta a continuar, ligeramente complacido al pensar que el hombre al que quería y en el que confiaba por encima de todos los demás, Henry Stafford, duque de Buckingham, también avanza de forma penosa por entre el barro, cruzando ríos muy crecidos, caminando bajo la lluvia incesante. Sin duda hace muy mal tiempo para reclutar rebeldes, piensa Ricardo. Sin duda hace muy mal tiempo para el joven duque, que no es un soldado curtido como él. Sin duda hace muy mal tiempo para un hombre que depende de recibir aliados de un país extranjero. Sin duda, Buckingham no puede esperar que Enrique Tudor se haya hecho a la mar con semejante tormenta, y tampoco podrá recibir noticias de lo que las fuerzas de los Rivers están haciendo en los condados del sur.

De repente, el rey recibe noticias alentadoras. Buckingham no sólo tiene que hacer frente a la lluvia que no cesa nunca, sino que además los Vaughan de Gales lo están atacando constantemente. Los Vaughan son jefes tribales en su territorio y no sienten el menor afecto por el joven duque. Éste abrigaba la esperanza de que le permitieran sublevarse contra Ricardo, incluso de que acaso le prestaran su apoyo. Pero ellos no han olvidado que fue él quien separó a Thomas Vaughan de su señor, el joven rey, y lo ejecutó. En cada recodo del camino hay media docena de ellos con las armas cargadas, listos para disparar a la primera fila de soldados y después huir a caballo. En todas las vaguadas, escondidos en los árboles, hay hombres que arrojan piedras, disparan flechas y dejan caer una lluvia de lanzas contra el mermado ejército de Buckingham hasta que sus hombres perciben la lluvia y las lanzas como una misma cosa y creen que están luchando contra un enemigo parecido al agua, contra el que no cabe escapatoria alguna y que les va quitando las fuerzas poco a poco, de forma implacable, sin cesar en ningún momento.

Buckingham no puede enviar a sus mensajeros a Gales para llamar a combatir a los galeses leales a los Tudor porque los interceptan en el instante en que la primera columna los pierde de vista, de modo que no puede engrosar su ejército con hombres que luchen con fiereza, tal como le había prometido lady Margarita. En vez de eso, todas las noches, y en todas las paradas, e incluso a plena luz del día en el camino, el número de sus tropas va disminuyendo. Dicen que es un caudillo poco afortunado y que su campaña será aniquilada sin piedad. Cada vez que forman filas para ponerse en marcha, su número ha menguado; se percata de que la columna que se extiende a lo largo del camino empapado de agua ya no es tan larga. Cuando la recorre a caballo de un extremo al otro, animando a los hombres, prometiéndoles la victoria, ellos no lo miran a los ojos, sino que mantienen la cabeza gacha, como si esa arenga optimista y el golpeteo de la lluvia produjeran el mismo sonido carente de significado.

Buckingham no puede saberlo, pero imagina que Enrique Tudor, el aliado al que piensa traicionar, también ha sido derrotado por este manto de agua que no parece tener fin. Se encuentra aprisionado en puerto por la misma tormenta que está reteniendo a su propio ejército. Enrique Tudor cuenta con cinco mil mercenarios, un contingente masivo, imbatible, pagado y armado por el duque de Bretaña... Suficiente para tomar Inglaterra sin ayuda de nadie. Cuenta con caballos, jinetes, cañones y cinco naves; es una expedición que no puede fracasar, salvo a causa del viento y del aguacero. Los barcos se mecen y cabecean; incluso estando dentro del puerto dan continuos tirones a las amarras que los sujetan. Los hombres, amontonados en el interior de la bodega para realizar la corta travesía del canal de la Mancha, vomitan a causa del mareo. Enrique Tudor recorre el muelle a grandes zancadas, como un león enjaulado, buscando una rendija entre las nubes, esperando a que cambie el viento. Los cielos descargan agua sin cesar sobre su cabellera pelirroja. El negro horizonte amenaza más lluvia; el viento sopla hacia la costa, siempre hacia la costa, haciendo que sus barcos se estremezcan contra los muros del puerto.

Sabe que al otro lado del mar se está decidiendo su destino. Si Buckingham derrota a Ricardo sin él, es consciente de que no tendrá ninguna posibilidad de acceder al trono. Se cambiará un usurpador por otro y él aún se encontrará en el exilio. Es preciso que esté presente en la batalla y que mate a quienquiera que resulte vencedor en la misma. Sabe que debe zarpar de inmediato, pero no puede hacerse a la mar, no deja de llover. No puede ir a ninguna parte.

Buckingham no puede saber esto, no sabe nada. Su vida se ha visto reducida a una larga marcha bajo la lluvia y, cada vez que vuelve la vista hacia atrás, ve menos hombres a su espalda. Están exhaustos, llevan varios días sin comer caliente, avanzan a trompicones con el barro hasta las rodillas y, cuando les dice «Pronto llegaremos a la frontera, la frontera con Inglaterra, terreno seco, gracias a Dios», ellos asienten con la cabeza pero no creen lo que dice.

Al doblar un recodo del camino, aparece un punto apropiado para vadear el río Severn; allí las aguas son menos profundas y el cauce lo bastante ancho como para que el ejército cruce a Inglaterra y se enfrente a su enemigo en lugar de a los elementos. Todo el mundo conoce este punto; Buckingham lleva millas prometiéndolo. El lecho del río es firme y está formado por piedras; es duro como un camino y el agua nunca tiene más de un palmo de profundidad. La gente lleva siglos yendo y viniendo de Gales por este paso, es la vía de entrada a Inglaterra. En la orilla del río que corresponde a Gales hay una taberna y, en el lado que corresponde a Inglaterra, hay una aldea. Esperan que el paso esté inundado, ya que el río baja muy crecido. Puede que incluso hayan puesto sacos de arena en la puerta de la taberna. Pero cuando oyen el bramido de las aguas todos se detienen de pronto como un solo hombre, horrorizados.

No existe ningún paso. No hay ninguna franja de tierra a la vista. La taberna del lado de Gales está anegada y la aldea de la otra orilla ha desaparecido por completo. Ni siquiera hay río: se ha desbordado de tal manera que se ha transformado en un mar interior, con oleaje y tempestades propias. El agua se ha apoderado de la tierra, se la ha tragado como si no hubiera existido nunca. Esto no es ni Inglaterra ni Gales, esto es agua, esto es agua triunfante. El agua se ha apoderado de todo y ningún hombre va a desafiarla.

Ciertamente, nadie puede cruzar dicha extensión. Los soldados buscan en vano marcas que les resulten familiares en el terreno, la pista que se introducía en la parte poco profunda del río, pero ésta se encuentra muy por debajo de la superficie. Alguien cree ver algo por encima del agua y, con un escalofrío, caen en la cuenta de que son las copas de los árboles. El río ha inundado un bosque, los árboles de Gales se están estirando a la desesperada para respirar un poco de aire. El mundo ya no es lo que era. Los ejércitos no pueden encontrarse. Ha intervenido el agua y lo ha conquistado todo. La rebelión de Buckingham ha tocado a su fin.

El duque no dice una sola palabra, no imparte una sola orden. Hace un ligero ademán con la mano, como un gesto de rendición, un saludo con la palma abierta. No se dirige a sus hombres, sino a esta inundación que lo ha destruido. Es como si le concediera la victoria al agua, al poder del agua. Hace girar a su caballo y se aleja de las turbulentas profundidades del río; sus hombres lo dejan hacer. Saben que todo ha terminado. Saben que la rebelión ha muerto aquí, derrotada por las aguas de Inglaterra, que se han sublevado como si la misma diosa del agua las hubiera convocado.

Noviembre de 1483

Está oscuro, son casi las once. Estoy de rodillas, rezando a los pies de mi cama antes de acostarme, cuando de repente oigo un leve golpe en la puerta grande, la que da a la calle. Al instante me da un vuelco el corazón, al instante pienso en mi hijo Eduardo y en mi hijo Ricardo, al instante pienso que han vuelto a casa conmigo. Me incorporo a toda prisa, me echo una capa por encima del camisón, me cubro la cabeza con la capucha y corro hacia la puerta.

Me percato de que ahora las calles están silenciosas a pesar de que durante todo el día ha reinado en ellas el bullicio debido al retorno del rey Ricardo a Londres. La gente no ha dejado de hablar especulando sobre la venganza que va a cobrarse de los rebeldes, sobre si violará mi derecho de acogerme a sagrado y vendrá a por mí ahora que tiene pruebas de que yo he sublevado al país contra él. Sabe eso y sabe qué aliados he escogido: lady Margarita y el falso duque de Buckingham.

Nadie puede decirme si los míos se encuentran sanos y salvos, si han sido capturados o si han muerto mis tres queridos hermanos y mi hijo Thomas Grey, que cabalgaban con los rebeldes en Hampshire y en Kent. Me llegan toda clase de rumores: que han escapado a Bretaña y se han unido a Enrique Tudor, que han muerto en combate, que Ricardo los ha ejecutado, que han cambiado de bando y se han unido a él. Tengo que esperar, como el resto del país, a que lleguen noticias fiables.

Las lluvias han anegado caminos, han destruido puentes, se han llevado aldeas enteras. Las nuevas llegan a Londres en forma de ráfagas excitadas y nadie puede saber con certeza lo que es cierto y lo que no. Pero la tormenta ya ha pasado y ha dejado de llover. Cuando los ríos regresen a sus cauces sabré de mis familiares y de las batallas que se han librado. Rezo para que hayan huido lejos de Inglaterra. El plan era que, en caso de derrota, debían acudir a Margarita —la hermana de Eduardo que está en Borgoña—, recoger a mi hijo Ricardo del sitio en que está escondido y continuar con la guerra desde el extranjero. Ahora, el rey Ricardo atenazará al país con el poder de un tirano, estoy segura.

De nuevo se oye un golpe en la entrada y el ruido que hace el cerrojo cuando alguien intenta abrirlo. No se trata de ningún fugitivo asustado, no es mi hijo. Voy hasta la enorme puerta de madera y abro el ventanillo para mirar al exterior. Hay un hombre, tan alto como yo, con la capucha echada por la cabeza para ocultar el rostro.

—¿Sí? —digo brevemente.

—Necesito ver a la reina viuda —susurra el recién llegado—. Traigo un mensaje de vital importancia.

—Yo soy la reina viuda —respondo—. Dadme ese mensaje.

El otro mira a derecha e izquierda.

—Hermana, dejadme entrar —me dice.

Ni por un instante pienso que se trate de uno de mis hermanos.

—Yo no soy vuestra hermana. ¿Quién creéis que sois?

El visitante se retira la capucha de la cabeza y levanta la antorcha que lleva en la mano para que yo le vea el rostro, moreno y agraciado. No es mi hermano, sino mi cuñado, mi enemigo Ricardo.

—Creo que soy el rey —dice con irónico humor.

—Pues yo no opino lo mismo —replico sin sonreír. En cambio, él deja escapar una risa.

—Dejadlo ya —me aconseja—. Todo ha terminado. He sido ordenado y coronado y vuestra rebelión ha sido aplastada por completo. Soy el rey con independencia de cuáles sean vuestros deseos. Vengo solo y desarmado. Dejadme entrar, hermana Isabel, por lo que más queráis.

A pesar de todo lo que ha sucedido, eso es precisamente lo que hago. Descorro los cerrojos de la puerta pequeña y la abro para que entre. Una vez que está en el interior, vuelvo a cerrar.

—¿Qué queréis? —le pregunto—. Tengo a un sirviente muy cerca de aquí. Entre vos y yo ha habido sangre, Ricardo. Vos habéis matado a mi hermano y a mi hijo. Jamás os lo perdonaré. Ésa es la razón por la que os he lanzado un maleficio.

—No espero recibir vuestro perdón —replica él—. Ni siquiera lo deseo. Sabéis hasta dónde han llegado las conspiraciones que habéis urdido contra mí. Me habríais matado si hubierais tenido ocasión. Entre nosotros había una guerra. Vos lo sabéis tan bien como yo. Y os habéis cobrado venganza. Vos y yo sabemos el dolor que me habéis infligido. Me habéis lanzado un maleficio y el pecho me duele y el brazo me falla sin previo aviso. El brazo de empuñar la espada —me recuerda—. ¿Qué podría ser peor para mí? Habéis lanzado una maldición sobre el brazo con que empuño la espada. Más os valdría rezar para no necesitar nunca mi defensa.

Lo miro fijamente. Sólo tiene treinta y un años, pero las ojeras oscuras y las arrugas de su rostro son las de un hombre más viejo. Tiene cara de vivir atormentado. Imagino que teme que el brazo le falle en la batalla. Durante toda su vida se ha esforzado mucho para ser tan fuerte como sus hermanos, que eran más altos y más musculosos que él. Y ahora hay algo que le está robando las fuerzas. Yo me encojo de hombros y le contesto:

—Si estáis enfermo, deberíais ver a un médico. Sois igual que un niño cuando le echáis la culpa de vuestra debilidad a la magia. A lo mejor son todo imaginaciones vuestras.

Él niega con la cabeza.

—No he venido para quejarme. He venido para otra cosa. —Calla unos instantes y me mira. Tiene esa expresión de franqueza tan típica de los York, la misma mirada directa que mi esposo—. Decidme, ¿tenéis a vuestro hijo Eduardo a salvo? —me pregunta.

—No —respondo. Podría ponerme a gemir como una madre destrozada, pero no pienso hacer tal cosa delante de este hombre—. ¿Por qué? ¿Por qué lo preguntáis?

Él deja escapar un suspiro y se derrumba en la silla del portero con la cabeza entre las manos.

—¿Acaso no los tenéis vos en la Torre? —le pregunto—. ¿A mis hijos? ¿No los tenéis encerrados bajo llave?

Ricardo niega otra vez.

—¿Los habéis perdido? ¿Habéis perdido a mis hijos?

Todavía sin hablar, Ricardo asiente.

—He estado rezando para que vos hubierais conseguido liberarlos en secreto —me dice—. ¡En el nombre de Dios, decídmelo! Si lo habéis hecho, no pienso perseguirlos, no pienso hacerles ningún daño. Podéis elegir cualquier reliquia para que os lo jure por ella. Juraré dejarlos en paz dondequiera que vos los hayáis enviado. No preguntaré siquiera dónde están. Pero decidme que los tenéis sanos y salvos para que yo lo sepa. Porque tengo que saberlo. No saberlo me está volviendo loco.

Yo, sin decir nada, sacudo la cabeza en un gesto negativo.

Ricardo se pasa la mano por la cara, por los ojos, como si los sintiera irritados a causa de la falta de sueño.

—Fui directamente a la Torre —afirma hablando por entre los dedos—. Nada más regresar a Londres. Tenía miedo. Por toda Inglaterra la gente comentaba que estaban muertos. Los seguidores de lady Margarita Beaufort le han dicho a todo el mundo que los príncipes están muertos. El duque de Buckingham convirtió vuestro ejército en el suyo, luchó para obtener el trono para sí, le dijo que los niños habían muerto por mi mano y que tenían que vengarse de mí. Les aseguró que los conduciría para vengar la muerte de los príncipes.

—¿No los habéis matado?

—En absoluto —responde Ricardo—. ¿Por qué habría de matarlos? ¡Pensad! ¡Pensad! Pensadlo bien. ¿Por qué iba yo a asesinarlos? ¿Precisamente ahora? Cuando vuestros hombres atacaron la Torre, mandé que los trasladasen a otra celda más interior. Estaban vigilados de día y de noche. Yo no podría haberlos matado ni aunque hubiera querido. Tenían guardias en todo momento; uno de ellos se habría dado cuenta y habría dado la voz de alarma. A ellos los convertí en bastardos y a vos os deshonré. Vuestros hijos no representan para mí amenaza mayor que vuestros hermanos... Son hombres vencidos.

—Pero matasteis a mi hermano Anthony —le espeto.

—Él sí que representaba una amenaza para mí —replica Ricardo—. Anthony podría haber reunido un ejército y sabía mandar a los hombres. Era mejor soldado que yo. Pero vuestros hijos no. Ni tampoco vuestras hijas. No suponen un peligro para mí. Ni yo para ellos. No tengo por qué matarlos.

—Entonces ¿dónde están? —me quejo—. ¿Dónde está mi hijo Eduardo?

—Ni siquiera sé si están vivos o muertos —dice el rey en tono lastimero—. Ni quién ordenó su captura o su muerte. Creía que a lo mejor vos os los habíais llevado. Por eso he venido aquí. Pero si no habéis sido vos, ¿quién, entonces? ¿Habéis autorizado a alguien para que los rescate? ¿Podrían estar en poder de alguien sin que vos tengáis conocimiento de ello? ¿Podrían ser rehenes?

Yo niego con la cabeza, no puedo pensar. Es la pregunta más grave a la que me he enfrentado en toda mi vida y estoy incapacitada por el dolor.

—No soy capaz de pensar —digo desesperada.

—Intentadlo —me dice el rey—. Sabéis quiénes son vuestros aliados. Vuestros amigos secretos. Mis enemigos ocultos. Sabéis lo que serían capaces de hacer. Sabéis lo que os han prometido y lo que vos habéis tramado con ellos. Pensad.

Hundo la cabeza entre las manos y doy unos cuantos pasos arriba y abajo. Es posible que Ricardo esté mintiéndome, que haya matado a Eduardo y al pobrecillo paje y haya venido aquí a atribuirle la culpa a otros. Pero en contraposición a eso —como él mismo dice— carece de motivos para hacer algo así y, además, ¿por qué no iba a reconocerlo y afirmarlo con todo descaro? ¿Quién iba a quejarse siquiera, ahora que ha aplastado la rebelión que se alzó contra él? ¿Para qué iba a venir aquí a verme a mí? Cuando mi esposo asesinó al rey Enrique, mostró su cadáver al pueblo y le ofreció un funeral apropiado. Precisamente, la razón para matarlo era decirle al mundo que su linaje se había extinguido. Si Ricardo hubiera acabado con mis hijos para extinguir el linaje de Eduardo, lo habría anunciado ahora que ha regresado victorioso a Londres y me habría entregado los cadáveres para que les diera sepultura. Podría decir que habían enfermado. Aún mejor, podría decir que los había matado Buckingham. Podría echarle la culpa a Buckingham y podría organizarles un funeral regio; nadie podría hacer otra cosa que llorar su muerte.

De modo que a lo mejor el duque de Buckingham ordenó que les dieran muerte y ésa era la verdad que subyacía al rumor. Una vez eliminados los dos niños, ya estaba dos pasos más cerca del trono. O bien, quizá, quien los mandó matar fue lady Margarita, a fin de allanar el camino para su hijo Enrique Tudor. Tanto Tudor como Buckingham son los principales beneficiarios de la muerte de mis hijos. Si mis príncipes mueren, ellos se convierten en los siguientes herederos. ¿Podría ser que lady Margarita hubiera ordenado dar muerte a mis hijos cuando afirmaba ser amiga mía? ¿Podría ser que se hubiera enfrentado a su santa conciencia para cometer semejante acto? ¿Podría ser que Buckingham hubiera matado a sus propios sobrinos cuando juraba tener la intención de liberarlos?

—¿Habéis buscado los cadáveres? —pregunto con un hilo de voz.

—He puesto la Torre entera patas arriba y he mandado interrogar a los criados que los atendían. Dicen que una noche los acostaron en la cama y que al día siguiente habían desaparecido.

—¡Pero si son criados vuestros! —exploto—. Obedecen vuestras órdenes. ¡Mis hijos han muerto estando bajo vuestra custodia! ¿De verdad esperáis que crea que no habéis tomado parte en su muerte? ¿Esperáis que crea que se han esfumado sin más?

Ricardo afirma con la cabeza.

—Quiero que creáis que murieron o que se los llevaron, sin que yo lo ordenase, sin que yo lo supiese y sin que yo hubiese dado mi consentimiento, mientras estaba ausente preparándome para la lucha. De hecho, para batallar contra vuestros hermanos. Una noche.

—¿Qué noche? —inquiero.

—La noche en que empezó a llover.

Hago un gesto de asentimiento y pienso en la suave voz que le cantaba una canción de cuna a Isabel, tan tenue que ni siquiera yo fui capaz de oírla.

—Ah, esa noche.

Ricardo titubea.

—¿Me creéis, me consideráis inocente de su muerte?

Me encaro con él, con el hombre al que mi esposo amaba, su hermano; con el hombre que luchó al lado de mi esposo por mi familia y por mis hijos; con el hombre que mató a mi hermano y a mi hijo mayor; con el hombre que tal vez haya asesinado a mi hijo, el príncipe Eduardo.

—No —respondo con frialdad—. No os creo. No me fío de vos. Pero no estoy segura. Todo esto me causa una horrible incertidumbre.

Él asiente con un gesto, como si aceptase una sentencia injusta.

—A mí me sucede lo mismo —señala casi como en un aparte—. No sé nada, no confío en nadie. En esta guerra entre primos hemos matado toda la certeza y lo único que queda es desconfianza.

—¿Y qué vais a hacer, pues? —le pregunto.

—No voy a hacer nada ni a decir nada —decide hablando con voz sombría y cansada—. Nadie se atreverá a preguntarme directamente aunque todos sospechen de mí. No diré nada y dejaré que piensen lo que quieran. No sé qué les ha ocurrido a vuestros hijos, pero nadie va a creérselo. Si los tuviera con vida en mi poder, los mostraría en público y probaría mi inocencia. Si encontrara sus cadáveres, los mostraría y haría recaer la culpa sobre Buckingham. Pero no los tengo, ni vivos ni muertos, y por lo tanto no puedo defenderme. Todo el mundo pensará que he matado a dos niños que tenía a mi cargo, a sangre fría, sin tener motivos. Me llamarán monstruo. —Hace una pausa—. Haga lo que haga en la vida de ahora en adelante, esto proyectará sobre mí una sombra torcida. Lo único que recordará la gente de mí es este crimen. —Sacude la cabeza en un gesto de negación—. Y yo no lo he cometido ni sé quién ha sido; ni siquiera sé si se ha cometido o no.

Guarda silencio durante unos instantes y después me pregunta como si se le acabara de ocurrir:

—¿Y qué vais a hacer vos?

—¿Yo?

—Vos estabais aquí, acogida a sagrado, para guardar a vuestras hijas sanas y salvas cuando creíais que sus hermanos corrían peligro en mi poder —me recuerda—. Lo que más temíais ya ha ocurrido. Sus hermanos ya no están. ¿Qué vais a hacer con vuestras hijas y con vos misma? Ya no merece la pena que sigáis acogiéndoos a sagrado. Ya no sois la familia real ni tenéis un heredero que pueda reclamar su derecho al trono. Ya no sois madre de otra cosa que de niñas.

En el momento en que lo dice, la pérdida de Eduardo me afecta profundamente. Dejo escapar un gemido y vuelvo a sentir una punzada en el vientre, igual que si sufriera de nuevo los dolores que me produjo su alumbramiento. Caigo de rodillas sobre el suelo de piedra y me doblo sobre mí misma. Oigo mis propios lamentos y el balanceo de mi cuerpo moviéndose adelante y atrás.

Pero Ricardo no se apresura a consolarme, ni siquiera corre a socorrerme para que me incorpore. Permanece sentado en su silla, con la cabeza apoyada en una mano, observándome mientras yo gimoteo por la muerte de mi primogénito como una campesina. No dice nada para negar mi aflicción ni para mitigarla. Me deja llorar. Se queda sentado a mi lado durante largo rato y me deja llorar.

Al cabo de unos minutos, me limpio la cara con el filo de mi capa, vuelvo a sentarme sobre los talones y miro al rey.

—Lamento mucho vuestra pérdida —me dice él en tono formal, como si yo no estuviera arrodillada sobre el suelo de piedra con el cabello suelto y el rostro húmedo por las lágrimas—. No fue una orden mía ni fue por mi mano. Yo tomé el trono sin hacer daño a ninguno de vuestros hijos. Y tampoco les habría causado mal alguno después. Eran los hijos de Eduardo. Yo los amaba porque eran de él. Y bien sabe Dios que yo amaba a mi hermano.

—Eso lo sé, al menos —replico yo tan formal como él.

Ricardo se levanta por fin.

—¿Vais a dejar de acogeros a sagrado? —me pregunta—. Quedándoos aquí no tenéis nada que ganar.

—No tengo nada —coincido con él—. Nada.

—Hagamos un pacto entre vos y yo —me dice—. Si salís de aquí, os prometo que vuestras hijas estarán sanas y salvas y que serán bien tratadas. Las mayores podrán venir a la corte, las trataré como sobrinas mías, de forma respetable. Vos podéis acompañarlas. Y me encargaré de desposarlas con hombres adecuados con vuestra aprobación.

—Iré a mi casa —replico yo—. Y me las llevaré conmigo.

Ricardo sacude la cabeza negando.

—Lo siento, pero eso no puedo permitirlo. Estoy dispuesto a recibir a vuestras hijas en la corte y a que vos viváis durante una temporada en Heytesbury, al cuidado de sir John Nestfield. Lo lamento, pero no puedo fiarme de lo que seáis capaz de hacer estando entre vuestros arrendatarios y vuestros parientes. —Titubea un instante—. No puedo dejaros en un lugar en el que podríais sublevar a las gentes en mi contra. No puedo permitiros que estéis en un lugar en el que podríais encontrar personas con las que tramar alguna conspiración. No es que sospeche de vos, entendedlo; es que no puedo fiarme de nadie. Nunca me fío de nadie, en ninguna parte.

De repente oye unos pasos a su espalda. Se vuelve rápidamente y desenvaina su daga, listo para atacar. Yo me apresuro a levantarme y, al ponerle una mano en el brazo derecho, advierto que puedo bajárselo sin esfuerzo. Está sumamente débil. Entonces me acuerdo del maleficio que lancé contra él.

—Aguardad —le digo—, será una de las niñas.

Da un paso atrás y entonces Isabel sale de las sombras y se sitúa a mi lado. Lleva puesto el camisón y una capa echada sobre los hombros; tiene el cabello recogido en una trenza y cubierto por el gorro de dormir. Ya es tan alta como yo. Se queda de pie a mi lado y observa a su tío con expresión grave.

—Excelencia —le dice ejecutando una brevísima reverencia.

Él apenas le hace una venia; la mira fijamente, mudo de asombro.

—Habéis crecido mucho, Isabel —dice vacilante—. ¿Sois la princesa Isabel? Casi no os he reconocido. La última vez que os vi erais una niña y ahora sois... vos.

Observo a mi hija y descubro, para mi asombro, que el color le está subiendo a las mejillas. La mirada de desconcierto de su tío la está ruborizando. Se lleva una mano al pelo, como si quisiera estar vestida y no descalza como una niña.

—Ve a tu habitación —le ordeno bruscamente.

Ella hace una reverencia y da media vuelta obedeciendo al instante, pero al llegar a la puerta se detiene un momento.

—¿Esta conversación tiene que ver con Eduardo? —inquiere—. ¿Se encuentra bien mi hermano?

Ricardo se vuelve hacia mí para averiguar si se le puede decir la verdad, pero yo me doy la vuelta hacia ella y repito:

—Ve a tu habitación. Luego voy a verte.

Ricardo se pone de pie.

—Princesa Isabel —dice en voz baja.

Ella se detiene de nuevo, aunque se le ha ordenado que se vaya, y se vuelve hacia el rey.

—¿Sí, excelencia?

—Lamento informaros de que vuestros hermanos han desaparecido, pero deseo que sepáis que no ha sido por mi culpa. Ya no se encuentran en las dependencias que ocupaban en la Torre y nadie sabe decirme si están vivos o muertos. He venido a preguntarle a vuestra madre, por si se los había llevado ella.

La rápida mirada que mi hija me dirige no deja entrever nada. Yo sé que está pensando que, por lo menos, nuestro Ricardo está sano y salvo en Flandes, pero su semblante permanece inexpresivo.

—¿Que mis hermanos han desaparecido? —repite extrañada.

—Lo más probable es que estén muertos —intervengo yo con la voz áspera a causa del dolor.

—¿No sabéis dónde están? —le pregunta mi hija al rey.

—Ojalá lo supiera —contesta él—. Sin conocer su paradero ni si están a salvo, todo el mundo creerá que han fallecido y me culpará a mí.

—Estaban bajo vuestra custodia —le recuerdo yo—. ¿Por qué iba nadie a tomarlos como rehenes sin decirlo? Como mínimo, habéis dejado morir a mi hijo mientras luchabais por conservar el trono, un trono que por derecho le pertenecía a él.

El rey asiente con la cabeza, como si aceptase esa parte de culpa, y después da media vuelta con la intención de marcharse. Isabel y yo lo observamos en silencio mientras descorre el cerrojo.

—No pienso perdonar esta afrenta que se ha cometido contra mí y contra los míos —le advierto—. No me importa quien sea el que ha matado a mis hijos; lanzaré contra su casa la maldición de que no tenga ningún primogénito que herede. Quienquiera que se haya llevado a mi hijo perderá al suyo. Pasará la vida ansiando tener un heredero. Enterrará a su primogénito y suspirará por él porque yo ni siquiera puedo sepultar al mío.

Ricardo se encoge de hombros.

—Podéis maldecir a quienquiera que lo haya hecho —dice con indiferencia—. Dejad estéril su linaje. Porque a mí me ha costado la fama y la paz.

—Ambas lo maldeciremos —tercia Isabel, de pie a mi lado, al tiempo que me rodea la cintura con un brazo—. Pagará por habernos quitado a Eduardo. Se arrepentirá de la pérdida que nos ha infligido. Lamentará haber cometido esta terrible crueldad. Sufrirá remordimientos. Aunque no sepamos nunca quién ha sido.

—Oh, sí que lo sabremos —intervengo yo a coro, como en un aquelarre—. Lo sabremos por la muerte de sus hijos. Cuando muera su hijo y heredero, entonces sabremos quién es. Sabremos que la maldición que hemos lanzado sobre él está surtiendo efecto, a lo largo de los años, generación tras generación, hasta que su estirpe se extinga del todo. Cuando deposite a su propio hijo en la tumba, será nuestra maldición la que lo esté enterrando. Y entonces sabremos quién fue el que se llevó a nuestro pequeño y sabremos que nuestro maleficio le ha arrebatado lo que él nos quitó a nosotras. Cuando tan sólo le queden hijas que puedan heredar, entonces sabremos quién es.

Ricardo traspone la puerta y se vuelve un instante hacia nosotras con una sonrisa irónica y torcida en los labios.

—¿Es que aún no sabéis que sólo existe una cosa peor que no conseguir lo que se desea —pregunta—, tal como me ha sucedido a mí? Yo deseaba ser rey y ahora que lo soy no me ha procurado ninguna satisfacción. Isabel, ¿no os ha advertido vuestra madre que tengáis cuidado con lo que deseáis?

—Sí me ha advertido —responde mi hija con voz serena—. Y desde que vos os apoderasteis del trono de mi padre y me quitasteis a mi tío y a mis queridos hermanos, he aprendido a no desear nada.

—En ese caso, vuestra hija haría bien en advertiros a vos en contra del efecto que pueda tener vuestra maldición —me dice a mí con una sonrisa rencorosa—. ¿Es que no os acordáis del viento que provocasteis para destruir a Warwick, que le impidió arribar a Calais y, por lo tanto, fue la causa de que su hija perdiera a su recién nacido a bordo de aquel barco? Aquello supuso para nosotros una arma que nadie más podría habernos procurado. ¿Pero no recordáis que la tempestad duró demasiado tiempo y estuvo a punto de ahogar a vuestro esposo y a todos los que lo acompañábamos?

Yo afirmo con la cabeza.

—Vuestras maldiciones duran demasiado tiempo y recaen sobre quien no deben —dice el rey—. Puede que algún día deseéis que mi brazo derecho sea lo bastante fuerte como para defenderos. Quizá algún día lamentéis la muerte del heredero de alguien, aunque ese alguien sea culpable, aunque vuestra maldición surta efecto.

La venganza del rey Ricardo azota con dureza a los lores y los cabecillas de la rebelión; a los secundarios los perdona porque han actuado engañados. Descubre que Margarita Beaufort, la esposa de su aliado lord Stanley, era la dueña y señora de la conspiración y la intermediaria entre su hijo y el duque de Buckingham, así que la destierra a la casa de su esposo y ordena que se la vigile de cerca. Sus aliados, el obispo Morton y el doctor Lewis, logran huir del país. Mi hijo Thomas Grey ha escapado sin dejar rastro y se encuentra en Bretaña, en la corte de Enrique Tudor. Es una corte formada por hombres jóvenes, rebeldes esperanzados, llenos de ambición y de aspiraciones.

El rey Ricardo se queja de que mi hijo Thomas Grey es un rebelde y un adúltero, como si la traición y el amor fueran delitos semejantes. Lo acusa de felonía y pone precio a su cabeza. Thomas me escribe desde Bretaña y me dice que, si Enrique Tudor hubiera podido desembarcar, la rebelión nos habría salido bien con toda seguridad. Su flota se dispersó por culpa de la tormenta que Isabel y yo hicimos caer sobre la cabeza de Buckingham. El joven que dijo que iba a venir a salvarnos estuvo a punto de ahogarse. Thomas no alberga la menor duda de que Enrique Tudor es capaz de reunir un ejército lo bastante poderoso como para derrotar incluso a un príncipe de York. Me dice que Enrique regresará a Inglaterra en cuanto las tormentas de invierno hayan amainado, y que esta vez vencerá.

«Y se sentará en el trono —escribo yo a mi hijo—. Ya no cabe seguir fingiendo que lucha por la herencia de mis vástagos.»

Mi hijo responde: «No, Enrique Tudor no lucha por nadie más que por sí mismo, y probablemente así haya sido siempre y así será en el futuro. Pero el príncipe, como él mismo se denomina, traerá la corona a la casa de York, porque se desposará con Isabel y la convertirá en reina de Inglaterra, y el primogénito que tengan será rey de nuestro país. Vuestro hijo debería haber sido soberano de Inglaterra —prosigue Thomas—, pero vuestra hija aún podría ser reina. ¿He de decirle a Enrique que Isabel se casará con él si derrota a Ricardo? Eso pondría de su parte a todos nuestros parientes y allegados; no sé qué futuro os espera a vos y a mis medio hermanas mientras el usurpador Ricardo esté en el trono y mientras viváis acogidas a sagrado.»

Yo le contesto lo siguiente:

Dile que me mantengo firme en la palabra que le di a su madre, lady Margarita. Isabel será su esposa cuando derrote a Ricar-

*do y tome el trono de Inglaterra. Que York y Lancaster sean uno
solo y que por fin terminen las guerras.*

Hago una pausa y después agrego una nota:

Pregúntale si su madre sabe qué le sucedió a mi hijo Eduardo.

Diciembre de 1483

Espero hasta la noche de fin de año, la noche más oscura de todas, y espero a que llegue la hora más oscura, la que transcurre entre las doce y la una. Entonces tomo una vela, me echo una capa de abrigo encima del vestido y llamo a la puerta de Isabel.

—Ya me voy —le digo—. ¿Quieres venir conmigo?

Mi hija está preparada. Tiene la vela en la mano y la capa con capucha echada sobre la cabeza de forma que oculta su luminosa cabellera.

—Sí, naturalmente. Yo también sufro esta pérdida —me dice—. Yo también deseo venganza. Los que mataron a mi hermano me han puesto un paso más cerca del trono y un paso más lejos de la vida que yo misma podría haberme forjado; me han colocado en el centro mismo del peligro. Tampoco les doy las gracias por eso. Además, mi hermano estaba solo y desprotegido, separado de nosotras. Tuvo que ser una persona hecha de piedra la que fue capaz de matar a nuestro príncipe y también a ese pobre pajecillo. Quienquiera que haya sido se ha ganado una maldición. Deseo maldecirlo.

—Recaerá sobre su hijo —la advierto yo—, y sobre el hijo de su hijo. Pondrá fin a su linaje.

Los ojos verdes de mi hija refulgen a la luz de la vela igual que los de un gato.

—Pues que así sea —responde. Lo mismo que su abuela Jacquetta decía cuando echaba una maldición o una bendición.

Conmigo a la cabeza, ambas recorremos la silenciosa cripta, bajamos la escalera que conduce a las catacumbas y después continuamos bajando otro tramo más de escalones húmedos y helados hasta que por fin oímos el chapoteo del agua del río.

Isabel suelta la cerradura de la verja de hierro y juntas tiramos de ella para abrirla. El río baja crecido; lleva el caudal típico del invierno y sus aguas espejeantes pasan rápidas por delante de nosotras, en medio de la oscuridad de la noche. Pero esto no es nada en comparación con la tormenta que mi hija y yo provocamos para impedir que Buckingham y Enrique Tudor llegaran a Londres. Si aquella noche hubiera sabido que alguien iba a atacar a mi hijo, habría tomado un bote y habría ido a salvarlo por río. Me habría internado en aquellas profundas aguas por él.

—¿Cómo vamos a hacerlo? —me pregunta Isabel temblando a causa del frío y del miedo.

—Nosotras no vamos a hacer nada —replico—. Simplemente se lo vamos a decir a Melusina. Es nuestra antepasada, nuestra guía, ella sentirá tanto como nosotras la pérdida de nuestro hijo y heredero. Buscará a quienes nos lo quitaron y les arrebatará a su vástago a cambio.

A continuación desdoblo el trozo de papel que llevo en el bolsillo y se lo entrego a Isabel.

—Léelo en voz alta —le digo. Sostengo las dos velas mientras ella lee el texto dirigiéndose a las rápidas aguas del río.

—Has de saber esto: que nuestro hijo Eduardo estaba en la Torre de Londres, injustamente hecho prisionero por su tío Ricardo, ahora llamado rey. Has de saber esto: que le dimos un compañero, un niño pobre, para que se hiciera pasar por nuestro segundo hijo Ricardo; pero en realidad a éste lo enviamos sano y salvo a Flandes, donde tú cuidas de él junto al río Escalda. Has de saber esto: que alguien entró y se llevó a nuestro hijo Eduardo o bien lo mató mientras dormía; pero, ¡Melusina!, no logramos encontrarlo y no nos han entregado su cadáver. No tenemos forma de saber quiénes fueron sus asesinos, no podemos llevarlos ante la justicia ni tampoco podemos, si nuestro pequeño aún sigue con vida, encontrarlo para traerlo a casa con nosotras. —La voz se le quiebra un momento y yo me veo obligada a clavarme las uñas en la palma de las manos para no echarme a llorar—. Has de saber esto: que no ha de haber justicia para la afrenta que alguien ha cometido contra nosotras. Y por eso acudimos a ti, nuestra señora madre, y lanzamos a tus oscuras profundidades la siguiente maldición: que a quienquiera que nos haya arrebatado a nuestro primogénito tú le arrebates a su primogénito también. Nuestro pequeño fue apartado de nuestro lado cuando aún no era hombre, cuando aún no era rey, aunque había nacido para ser ambas cosas. Así pues, llévate al hijo de su asesino mientras aún sea niño, antes de que se haga hombre, antes de que reciba la categoría que le corresponde. Y después llévate también a su nieto; y cuando te lo lleves sabremos por su muerte que nuestra maldición está surtiendo efecto y que está pagándose la pérdida de nuestro hijo.

Isabel termina de leer con los ojos llenos de lágrimas.

—Forma un barquito —le digo yo.

Al momento se pone a plegar el papel y le da la forma de un barco en miniatura; las niñas hacen barquitos desde la primera vez que nos recluimos en este lugar, que está situado junto al río. Acto seguido le tiendo la vela y le susurro:

—Préndele fuego. —Ella acerca el barquito a la llama de la vela y éste comienza a arder por la proa—. Ahora déjalo en el río —le ordeno, y ella toma el papel en llamas y lo deposita con delicadeza sobre la superficie del agua.

El barquito se bambolea y la llama parpadea un instante empujada por el viento, pero después se transforma en una llamarada. La rápida corriente arrastra el barco y se lo lleva consigo haciéndolo girar en remolinos. Durante unos instantes todavía lo vemos —una llama reflejada en otra llama, la maldición y el espejo de la maldición viajando juntos por las aguas oscuras— hasta que finalmente el fragor del río los atrapa y lo único que alcanzamos a ver es oscuridad. Melusina ha escuchado nuestro mensaje y se ha llevado nuestra maldición al interior de su reino de agua.

—Ya está —digo yo; seguidamente doy media vuelta y abro la verja para que pase Isabel.

—¿Eso es todo? —me pregunta mi hija como si esperase que yo bajase flotando por el río en un cascarón de nuez.

—Eso es todo. Es todo cuanto puedo hacer ahora que soy reina de nada y que ya no tengo hijos varones. Lo único que puedo hacer ahora es lanzar maldiciones. Pero bien sabe Dios que eso es lo que hago.

Navidad de 1483

Procuro estar alegre por el bien de mis hijas. Envío a Jemma a que les compre brocados nuevos, confeccionamos vestidos y se ponen los últimos diamantes que quedan del tesoro real a modo de coronas para el día de Navidad. El derrotado condado de Kent nos envía un hermoso capón, vino y pan para que celebremos el banquete de la festividad. Nosotras mismas nos cantamos villancicos, nosotras mismas nos interpretamos obras de teatro, nosotras mismas brindamos por nosotras. Cuando finalmente las acuesto en la cama, se sienten felices, como si se hubieran olvidado de la corte de York en Navidad cuando todos los embajadores decían que jamás habían visto una celebración más suntuosa y su padre era el rey de Inglaterra y su madre la reina más bella que se había visto en este país.

Mi hija Isabel se queda un rato conmigo junto al fuego comiendo nueces y arrojando las cáscaras a las ascuas rojas, contemplando cómo prenden llama y chisporrotean.

—Thomas Grey me ha escrito para decirme que Enrique Tudor pensaba declararse rey de Inglaterra y prometido tuyo hoy mismo en la catedral de Rennes. Debería darte la enhorabuena —le digo.

Ella se vuelve hacia mí y me ofrece una sonrisa desenfadada.

—Soy una mujer muy casada —comenta—. Fui la prometida del sobrino de Warwick y más tarde del heredero de Francia, ¿os acordáis? Vos y padre me llamabais la Delfina, recibí clases adicionales en francés y me consideraba muy importante. Iba a ser la reina de Francia, estaba segura de ello. ¡Y miradme ahora! Así que pienso que voy a esperar a que Enrique Tudor haya desembarcado, haya librado su batalla, se haya coronado a sí mismo rey y me haya pedido en matrimonio antes de considerarme una mujer prometida.

—Aun así, ya es tiempo de que te cases —digo yo casi para mí misma y recordando cómo se ruborizó cuando su tío Ricardo le dijo que había crecido tanto que casi no la reconocía.

—Nada puede suceder mientras estemos aquí dentro —afirma.

—Enrique Tudor aún no ha sido puesto a prueba —aseguro pensando en voz alta—. Ha pasado la vida huyendo de nuestros espías, nunca se ha dado la vuelta para pelear. La única batalla que ha visto en su vida es la que mandaba su guardián, William Herbert, ¡y en aquella ocasión luchó por nosotros! Cuando desembarque en Inglaterra y declare que tú eres su futura esposa, todo el que sienta afecto por nosotros se pondrá de su parte. Asimismo todos los demás lo harán llevados por el odio a Ricardo, aunque apenas conozcan a Enrique. Y también se pondrán de su parte todos a los que los norteños traídos por Ricardo han privado de los puestos que ostentaban. La rebelión ha dejado un regusto amargo a demasiadas personas. Ricardo ganó esa batalla, pero ha perdido la confianza del pueblo. Promete justicia y libertad, pero desde que tuvo lugar la rebelión ha establecido a señores venidos del norte y gobierna acompañado de sus amigos. Eso no se lo va a perdonar nadie. Tu prometido contará con miles de soldados y vendrá de Bretaña con un ejército. Pero todo dependerá de si guerreando es tan valiente como Ricardo. El rey está curtido en mil batallas, luchó por toda Inglaterra cuando era un muchacho a las órdenes de tu padre. En cambio, Enrique es nuevo en esas lides.

—Si gana y si cumple lo que ha prometido, seré reina de Inglaterra. Ya os dije que algún día lo sería. Lo he sabido desde siempre. Es mi destino. Pero nunca ha sido mi ambición.

—Ya lo sé —contesto en voz queda—. Pero, si es tu destino, tendrás que cumplir con tu deber. Serás una buena reina, lo sé. Y yo estaré presente cuando lo seas.

—Yo deseaba casarme con un hombre al que amase, como hicisteis vos con padre —me dice—. Quería casarme por amor, no desposarme con un desconocido en un matrimonio concertado entre su madre y la mía.

—Tú naciste siendo princesa, y en cambio yo no —le recuerdo—. Y, así y todo, tuve que aceptar a mi primer marido porque así lo dispuso mi padre. Tan sólo cuando enviudé pude escoger por mí misma. Tú tendrás que vivir más que Enrique Tudor para hacer lo que te plazca.

Ella deja escapar una risita y se le ilumina el semblante al pensarlo.

—Tu abuela, nada más enviudar, se casó con el joven escudero de su esposo —le recuerdo—. Piensa en la madre del rey Enrique, que se desposó en secreto con un Tudor que no era nadie. Por lo menos, yo cuando enviudé tuve la sensatez de enamorarme del rey de Inglaterra.

Isabel se encoge de hombros.

—Vos sois ambiciosa. Pero yo no. Vos jamás os enamoraríais de alguien que no poseyera riqueza o grandeza. Pero yo no anhelo ser reina de Inglaterra. Yo no deseo el trono de mi pobre hermano. He visto el precio que hay que pagar por una corona. Padre nunca dejó de luchar desde el día en que la obtuvo, y aquí estamos nosotras, atrapadas en un lugar que es poco más que una cárcel porque vos todavía abrigáis la esperanza de que podamos recuperar el trono. Queréis el trono a toda costa, aunque para ello yo tenga que casarme con un Lancaster fugitivo.

Yo niego con la cabeza.

—Cuando Ricardo me haga llegar sus propuestas, saldremos

de aquí —anuncio—. Te lo prometo. Ya es hora. No vas a pasar otra Navidad más escondida. Te lo prometo, Isabel.

—No tenemos por qué irnos a vivir rodeadas de lujos —dice ella en tono lastimero—. Podríamos instalarnos en una casa que fuera agradable y ser una familia corriente.

—Muy bien —contesto como si creyera que nosotros podemos ser una familia corriente. Somos Plantagenet. ¿Cómo vamos a ser corrientes?

Enero de 1484

Recibo noticias de mi hijo Thomas Grey en una carta que me llega manchada por el viaje desde Bretaña, desde la corte de pelagatos de Enrique Tudor, y que está fechada en el día de Navidad de 1483.

Tal como prometió, juró su compromiso con vuestra hija Isabel en la catedral de Rennes. Además, reivindicó el título de rey de Inglaterra y fue declarado soberano por aclamación de todos los que estábamos presentes. Recibió nuestro homenaje y nuestro juramento de lealtad, el mío y el de muchos otros. Oí que un hombre le preguntaba cómo era que se proclamaba heredero cuando, que nosotros supiéramos, era posible que el joven rey Eduardo estuviera vivo. Respondió de forma interesante: dijo que tenía pruebas fehacientes de que el joven monarca estaba muerto y que su corazón sufría por ello; que deberíamos cobrarnos venganza de su asesino, el usurpador Ricardo. Yo le pregunté qué evidencias tenía y le recordé el dolor que os afligía a vos al no tener un hijo que enterrar y del que no sabíais nada; él respondió que sabía a ciencia cierta que los hombres de Ricardo habían dado muerte a vuestros hijos. Dijo que los ahogaron con los co-

bertores de la cama mientras dormían y que luego los sepultaron debajo de la escalera de la Torre.

Yo lo llevé a un aparte y le dije que, al menos, podríamos enviar criados o sobornar a los que ya están allí para que buscaran los cadáveres si él me decía dónde estaban, a qué escalera de la Torre se refería. Le dije que, si encontráramos los cuerpos, cuando comenzara la invasión de Inglaterra podríamos acusar a Ricardo de asesinato y el país entero se pondría de nuestra parte. «¿Qué escalera? –le pregunté–. ¿Dónde están los cadáveres? ¿Quién os contó lo del asesinato?»

Señora madre, yo carezco de vuestra capacidad para ver dentro del oscuro corazón de las personas, pero aquel hombre tenía algo que no me gustaba nada. Desvió la mirada y dijo que no era buena idea, que él ya lo había pensado, pero que un sacerdote había ido a levantar los cadáveres y llevárselos en un arcón para darles cristiana sepultura. Los enterró en las aguas más profundas del río, donde jamás podrá encontrarlos nadie. Yo le pregunté cómo se llamaba ese religioso, pero no lo sabía. Exigí saber cómo supo el sacerdote dónde estaban enterrados y por qué razón los hundió en el río en lugar de entregároslos a vos. Le pregunté que, puesto que pretendía darles cristiana sepultura, por qué los echó al agua. Le pregunté en qué parte del río lo hizo y él contestó que no lo sabía. Le pregunté quién le había contado todo eso y contestó que había sido su madre, lady Margarita, y que se fiaba de ella como para confiarle su vida misma; que sin duda todo sucedió tal como ella se lo contó, que lo sabía con total seguridad.

No sé qué penséis vos de esto.

A mí me huele muy mal.

Cojo la carta de Thomas y la arrojo al fuego de la chimenea que caldea el salón. Acto seguido tomo los útiles para responderle, ajusto la plumilla, recorto la pluma en la parte superior y me pongo a escribir.

Estoy de acuerdo. Enrique Tudor y sus aliados han debido de tomar parte en el asesinato de mi hijo. Si no ha sido así, ¿cómo iba a saber que están muertos y el modo en que los han matado? Ricardo va a dejarnos libres este mes. Escápate de ese Tudor pretendiente al trono y ven a casa. Ricardo te perdonará y podremos estar juntos. Con independencia de los votos que haya tomado Enrique en la iglesia y por muchos que hayan sido los hombres que le han jurado vasallaje, Isabel no se casará jamás con el asesino de sus hermanos; y, si en efecto fue él quien los mató, lleva sobre sí una maldición que he hecho recaer también sobre su hijo y su nieto. Ningún Tudor vivirá para llegar a la edad adulta si Enrique ha tomado parte en la muerte de mi hijo.

El final de los doce días de la Navidad y el retorno del Parlamento a Londres me traen la desagradable noticia de que la cámara ha complacido al rey Ricardo y ha decidido que mi matrimonio no fue válido, que mis hijos son bastardos y que yo misma soy una ramera. El rey ya lo había declarado anteriormente y nadie se lo discutió; ahora es ley y el Parlamento, como tantos otros títeres, ha dado su aprobación.

No emito ninguna protesta contra la decisión del Parlamento, ni tampoco encargo a ningún amigo mío que la emita en nuestro nombre. Es el primer paso para vernos libres de este escondite que se ha convertido en nuestra prisión. Es el primer paso para que nos convirtamos en lo que Isabel denomina «gente corriente». Si las leyes del reino dicen que yo no soy más que la viuda de sir Richard Grey y la amante del anterior rey, si las leyes del reino dicen que mis hijas son simplemente niñas nacidas fuera del matrimonio, tenemos escaso valor, vivas o muertas, libres o en la cárcel. A nadie le importa ni dónde vivamos ni lo que hagamos. Eso, por sí solo, nos hace libres.

Más importante todavía, pienso yo, aunque no lo digo ni siquiera a Isabel, es que, una vez que estemos viviendo discretamente en una casa particular, mi hijo Ricardo podrá reunirse con nosotras. Cuando hayamos sido desprovistas de nuestra condición de realeza, mi hijo podrá volver conmigo de nuevo. Cuando ya no sea príncipe quizá pueda recuperarlo. Hasta ahora ha sido Peter, un niño que vivía con una familia pobre de Tournai. Podría seguir siendo Peter, un visitante en nuestra casa de Grafton, mi paje favorito, mi compañero constante, mi corazón, mi alegría.

Marzo de 1484

Recibo un mensaje de lady Margarita. Me preguntaba cuándo iba a tener otra vez noticias de mi querida amiga y aliada. La operación que tenía prevista, consistente en irrumpir en la Torre por la fuerza, fracasó tristemente. Su hijo le está contando al mundo entero que los míos están muertos y afirma que su madre es la única que conoce los detalles de su deceso y de su enterramiento. La rebelión que organizó terminó en derrota y en mis sospechas. Su esposo continúa gozando del favor del rey Ricardo, aunque la participación de Margaret en la revuelta es algo de conocimiento general. Está claro que es una amiga poco de fiar y una aliada dudosa. Da la impresión de saberlo todo pero de no hacer nada y nunca recibe su castigo.

Me explica que no ha podido escribir hasta ahora y que no puede venir a visitarme en persona porque se encuentra cruelmente encerrada por orden de su esposo lord Stanley, que era un fiel amigo del soberano y se mantuvo a su lado en la reciente insurrección. Ahora resulta que el hijo de Stanley, lord Strange, reunió un pequeño ejército para apoyar al rey Ricardo y que todos los rumores que afirmaban que marchaba en apoyo de Enrique Tudor se equivocaban. Su lealtad jamás ha estado en duda.

Pero hubo suficientes hombres que atestiguaron que los agentes de lady Margarita habían estado yendo y viniendo de Bretaña para pedirle a su hijo Enrique Tudor que reclamara el trono para sí. Hubo espías que confirmaron que su gran consejero y amigo, el obispo Morton, persuadió al duque de Buckingham para que se volviera en contra de su señor Ricardo. E incluso hubo hombres que pudieron jurar que ella hizo un pacto conmigo con respecto a que mi hija contraería matrimonio con su hijo y que la prueba de dicho acuerdo fue que el día de Navidad, en la catedral de Rennes, Enrique Tudor declaró que iba a ser el esposo de Isabel y juró que sería rey de Inglaterra; y todo su séquito, del que formaba parte mi hijo Thomas Grey, se hincó de rodillas y le juró vasallaje como soberano de este país.

Imagino que el esposo de Margarita Beaufort, Stanley, debió de verse obligado a hablar de prisa y a mostrarse persuasivo para convencer a su nervioso monarca de que, aunque su esposa es una rebelde y una conspiradora, él mismo no pensó ni por un momento en las ventajas que le podría reportar el hecho de que su hijastro se hiciera con el trono. Pero al parecer sí lo ha pensado. Stanley «Sin cambiar» continúa gozando del favor del usurpador y su esposa Margarita se encuentra exiliada en su propia casa, desprovista de sus criados de siempre, con la prohibición de escribir y enviar mensajes a nadie —sobre todo a su hijo—, y despojada de sus tierras, sus riquezas y su herencia. En cambio todo ello le ha sido entregado a su esposo con la condición de que la tenga controlada a ella.

Para tratarse de una mujer poderosa, no da la impresión de estar muy descorazonada por que su esposo se haya quedado con todas sus riquezas y todas sus tierras y la haya hecho prisionera en su propia casa con el juramento de que jamás escribirá otra carta ni urdirá otra conspiración. Y, ciertamente, hace bien en no sentirse demasiado descorazonada, porque aquí está, escribiéndome a mí y conspirando de nuevo. A la vista de esto, deduzco que puedo suponer que Stanley «Sin cambiar» está obrando con total fidelidad a sus propios intereses —tal vez como ha hecho siempre— prometiendo por un lado vasallaje al rey y por el otro permitiendo que su esposa conspire con un grupo de rebeldes.

Excelencia, querida hermana, porque así he de llamar a quien es la madre de la doncella que va a ser hija mía y que va a engendrar a mi nieto, [empieza. Adopta un estilo muy florido y una actitud muy emotiva. La carta presenta unas manchas, como si hubiera llorado lágrimas de alegría pensando en el casamiento de nuestros respectivos retoños. La observo con desagrado. Aunque no sospechase que está cometiendo la más vil de las traiciones, tampoco me conmovería leer esto.]

Me preocupa grandemente haberme enterado por mi hijo de que vuestro hijo, Thomas Grey, pensó en abandonar su corte y tuvo que ser persuadido de que regresara a ella. Excelencia, querida hermana, ¿qué puede estar sucediéndole a vuestro hijo? ¿Podríais asegurarle vos que los intereses de vuestra familia y de la mía son los mismos y que mi hijo Enrique lo considera un compañero muy querido? Por favor, os lo ruego, ordenadle en calidad de madre afectuosa que soporte los problemas que tengan en el exilio a fin de asegurar las recompensas que obtendrán cuando triunfen. Si ha oído algo o teme algo, debe hablar con mi hijo Enrique Tudor, que podrá apartar a un lado sus temores. El mundo está lleno de habladurías y a Thomas no le convendría en estos momentos parecer un renegado o un débil.

A mí no me llegan noticias, encerrada como estoy, pero tengo entendido que el tirano Ricardo está pensando en llevar a la corte a vuestras hijas mayores. Os ruego encarecidamente que no les permitáis acudir. A Enrique no le gustaría que su prometida estuviera en la corte de su enemigo, expuesta a todas las tentaciones, y yo sé que vos, como madre, sentiríais una profunda revulsión al ver a vuestras hijas en las manos del hombre que asesinó a vuestros dos varones. ¡Pensad que estaríais poniendo a vuestras hijas en poder del hombre que mató a sus hermanos! A ellas

mismas debe de resultarles insoportable mirarlo siquiera. Es me-
jor tenerlas acogidas a sagrado que obligarlas a besarle la mano
y a vivir bajo las órdenes de su esposa. Sé que opinaréis lo mismo
que yo: que es imposible.

Al menos por vuestro propio bien, ordenad a vuestras hijas
que si Ricardo decide liberarlas vivan con vos en el campo, tran-
quilamente, o, en caso contrario, que permanezcan refugiadas en
la iglesia, de forma pacífica, hasta ese feliz día en que Isabel sea
reina y tenga una corte propia y sea tan hija mía como vuestra.

Vuestra sincera amiga en todo el mundo, encarcelada como vos,

LADY MARGARITA STANLEY

Le enseño la carta a Isabel y observo la sonrisa que esboza primero y la carcajada que lanza después.

—¡Oh, Dios mío, menuda vieja chiflada! —exclama.

—¡Isabel! ¡Es tu futura suegra!

—Sí, lo será en ese feliz día. ¿Por qué no quiere que vayamos a la corte? ¿Por qué es necesario protegernos de las tentaciones?

Tomo otra vez la carta y la leo de nuevo.

—Ricardo sabrá que estás prometida con Enrique Tudor. Tudor lo anunció para que todo el mundo lo supiera. El rey sabe que eso pondrá a los parientes Rivers del lado de los Tudor. Ahora la casa de York te persigue a ti, eres nuestra única heredera. Convendría a sus intereses llevaros a todas vosotras a la corte y desposaros con familiares y amigos. De ese modo Tudor quedaría aislado una vez más y las herederas de York estaríais casadas con plebeyos. Lo último que desea lady Margarita es que tú te escabullas para casarte con algún lord bien parecido y que dejes a Enrique con cara de tonto, sin prometida y sin los apoyos que obtendría gracias a ti.

Mi hija se encoge de hombros.

—Siempre y cuando salgamos de aquí, estaré encantada de vivir con vos en el campo, señora madre.

—Ya lo sé —contesto yo—. Pero Ricardo quiere que las mayores vayáis a la corte, donde la gente pueda ver que estáis a salvo bajo su custodia. Iréis Ana, Cecilia y tú, y Bridget y Catalina se quedarán conmigo. El rey querrá que se sepa que os he dado permiso para estar con él, que considero que no os ocurrirá nada malo estando a su cuidado. Además, prefiero que estéis fuera, en el mundo, antes que recluidas en casa.

—¿Por qué? —me pregunta Isabel posando en mí su mirada gris—. Decídmelo. No me gusta cómo suena esto. Vais a tramar alguna conspiración, señora madre, y yo no quiero volver a verme en medio de ninguna otra.

—Eres la heredera de la casa de York —replico con sencillez—. Siempre vas a estar en medio de una conspiración o de otra.

—Pero ¿adónde vais a ir vos? ¿Por qué no venís a la corte con nosotras?

Yo sacudo la cabeza en un gesto de negación.

—No podría soportar ver a esa flacucha de Ana Neville ocupando mi sitio, llevando mis vestidos adaptados a su talla y luciendo mis joyas alrededor de ese cuello escuálido. No sería capaz de inclinarme ante ella y aceptarla como reina de Inglaterra. No podría hacerlo, Isabel, ni siquiera para salvar la vida. Y, para mí, Ricardo jamás será un rey. Yo he visto a un soberano verdadero y lo he amado. Yo he sido una verdadera reina. Para mí, éstos son meros impostores, y no puedo tolerar su presencia.

»Van a ponerme a cargo de John Nestfield, que ha cuidado de nosotras aquí. Viviré en la mansión que posee en Heytesbury y creo que me sentará muy bien. Vosotras podéis ir a la corte y aprenderéis a moveros en ese ambiente. Ya es hora de que os despeguéis de vuestra madre y salgáis al mundo.

Mi hija se acerca igual que una niña pequeña y me da un beso.

—Me gustará más que ser una prisionera —me dice—. Aunque me va a resultar muy extraño estar separada de vos. No me he separado de vos en toda mi vida. —Luego calla unos instantes—. Pero ¿no os sentiréis sola? ¿No nos extrañaréis demasiado?

Yo niego con un gesto de cabeza y la atraigo hacia mí para susurrarle:

—No voy a sentirme sola porque tengo la esperanza de que Ricardo vuelva a casa. Tengo la esperanza de ver otra vez a mi pequeño.

—¿Y Eduardo? —pregunta ella.

Sostengo su mirada esperanzada sin esquivarla.

—Isabel, pienso que ha de estar muerto, porque no sé quién puede haberlo raptado sin decirnos nada. Creo que Buckingham y Enrique Tudor debieron de ordenar que dieran muerte a los dos niños sin saber que nosotras habíamos escondido a Ricardo con la intención de abrirle el camino hasta el trono y de echarle la culpa al rey. Si Eduardo está vivo, ruega a Dios que encuentre la manera de llegar hasta mí. Y siempre habrá una vela encendida en la ventana que le indique el camino a casa; mi puerta no se cerrará jamás, por si acaso un día es su mano la que abre el pestillo.

Mi hija tiene los ojos llenos de lágrimas.

—Pero ¿ya no esperáis que venga?

—Ya no espero que venga —respondo.

Abril de 1484

Mi nuevo hogar de Heytesbury se encuentra en un bonito paraje del país, Wiltshire, en la despejada y ondulante campiña de la llanura de Salisbury. John Nestfield es un guardián relajado. Comprende los beneficios que conlleva estar de parte del rey; en realidad no desea jugar a ser mi niñero. Una vez que estuvo seguro de que me encontraba sana y salva y consideró que yo no iba a intentar escaparme, se fue con el rey a Sheriff Hutton, donde Ricardo ha establecido su grandiosa corte del norte. Está construyendo un palacio que rivalice con el de Greenwich entre las gentes del norte que lo respetan a él y aman a su esposa, la última de los Neville.

Nestfield ordena que yo he de dirigir su casa como me plazca, y en seguida tengo a mi alrededor los muebles y los enseres que mando traer de los palacios reales. Tengo una doncella como Dios manda y un cuarto de estudios para las niñas. Estoy cultivando mis frutas favoritas en los huertos y he comprado unos cuantos caballos de calidad para los establos.

Después de pasar tantos meses acogida a sagrado, todas las mañanas me despierto sintiendo una profunda felicidad por poder abrir la puerta y salir a pasear al aire libre. Está haciendo una primavera bastante cálida y oír cantar a los pájaros, solicitar que me traigan un caballo de los establos y salir a montar representa una dicha tan intensa que siento que he nacido de nuevo. Coloco los huevos de pato para que los empollen las gallinas y contemplo cómo los polluelos rompen la cáscara y empiezan a corretear por el jardín. Río al verlos lanzarse al estanque de los patos mientras las gallinas los reprenden desde la orilla, temerosas del agua. Observo a los potros en la pista de arena y hablo con el caballerizo de cuál podría ser un buen caballo de monta y cuál debería utilizarse para tirar de una carreta. Salgo a los prados con el pastor y veo los corderos que acaban de nacer. Converso con el vaquero sobre las terneras y sobre el momento adecuado para apartarlas de sus madres. Vuelvo a ser lo que fui en otra ocasión: una inglesa de la campiña, cuya mente está centrada en la tierra.

Mis hijas pequeñas se vuelven medio locas al verse liberadas de su confinamiento. Todos los días las sorprendo haciendo algo prohibido: bañándose en el río —de aguas profundas y rápidas—, trepando a las balas de heno y echándolas a perder, subiéndose a los manzanos y rompiendo los frutos en flor, corriendo por el campo con el toro y precipitándose a toda prisa hacia la verja de entrada chillando cuando él levanta su enorme cabeza y las mira. No se las puede castigar por esa alegría desbordante. Son como terneritas que campan libres por el prado por primera vez en su vida. Tienen que correr sin parar, y no saben qué hacer para expresar el asombro que les produce lo alto que está el cielo y lo ancho que es el mundo. Están comiendo el doble de lo que comían cuando estábamos acogidas a sagrado. Merodean por la cocina y engatusan a la cocinera para que les regale las sobras; las lecheras están encantadas de darles mantequilla recién hecha para que se la coman con pan caliente. Han vuelto a ser niñas de corazón alegre, ya no son prisioneras temerosas hasta de la luz.

Estoy en el patio de los establos, desmontando tras un paseo matinal a caballo, cuando de pronto me llevo una sorpresa al ver a Nestfield en persona que se acerca a lomos de su caballo hasta la puerta principal de la casa. Al ver mi montura, gira para dirigirse a los establos, se apea de su semental y le entrega las riendas a un mozo. A juzgar por la forma en que se mueve, con lentitud y cargado de hombros, intuyo que ha ocurrido algo. Alargo una mano para tocar el pescuezo de mi caballo y asir un puñado de gruesas crines para tranquilizarme.

—¿Qué sucede, sir John? Traéis una expresión muy grave.

—He pensado que debía venir a daros la noticia —contesta brevemente.

—¿Es Isabel? No será mi Isabel...

—Vuestra hija se encuentra a salvo y bien de salud —me calma—. Se trata del hijo del rey, Eduardo, Dios lo proteja y lo bendiga. Dios se lo lleve a su trono celestial.

Siento que me palpitan las sienes con fuerza, como una advertencia.

—¿Ha muerto?

—Siempre ha sido frágil —dice Nestfield con la voz quebrada—. Nunca ha sido un muchacho fuerte. Pero en la investidura tenía tan buena cara que lo nombramos príncipe de Gales y pensamos que sin duda alguna iba a heredar... —Deja la frase sin terminar cuando recuerda que yo también tenía un hijo que era príncipe de Gales y que daba la segura impresión de heredar—. Lo lamento —dice—. No ha sido mi intención... Sea como sea, el soberano ha anunciado que la corte está de luto. He pensado que vos debíais saberlo en seguida.

Asiento con gesto serio, pero mi cerebro está pensando a toda velocidad. ¿Será una muerte provocada por Melusina? ¿Será un efecto de la maldición? ¿Será ésta la prueba que yo dije que veríamos, que el hijo y heredero del asesino de mi hijo y heredero había de morir de modo que yo supiera quién era? ¿Es ésta la señal que me envía Melusina para decirme que el asesino de mi hijo es Ricardo?

—Haré llegar mis condolencias al rey y a la reina Ana —contesto; seguidamente doy media vuelta para dirigirme a la casa.

—El rey no tiene heredero —repite John Nestfield como si le costara creer la gravedad de la noticia que acaba de darme—. Todo esto, todo lo que ha hecho, su defensa del reino, su... su aceptación del trono, todo esto que ha hecho, toda esa lucha... y ahora no tiene ningún heredero que venga detrás de él.

—Sí —concuerdo yo, mis palabras frías como piedras heladas—. Todo eso lo ha hecho para nada, ha perdido a su hijo y su linaje se extinguirá.

Por mi hija Isabel me entero de que la corte se ha puesto de riguroso luto y que nadie soporta vivir sin su príncipe. Ricardo no desea oír ni risas ni música; todos se ven obligados a moverse en silencio, con la vista en el suelo, y no hay ni juegos ni deportes a pesar de que los días son cada vez más templados, están en el centro mismo de lo más verde de Inglaterra y las colinas y las vaguadas que los rodean están rebosantes de caza. Sus doce años de matrimonio con Ana Neville han dado como fruto un solo retoño y ahora se ha quedado sin él. No puede ser posible que tengan otro en esta etapa tan tardía y, aunque lo tuvieran, un recién nacido en la cuna no es garantía de que llegue a ser príncipe de Gales en esta Inglaterra tan salvaje que han creado los York. ¿Quién sabe mejor que Ricardo que un niño ha de estar completamente crecido y ser lo bastante fuerte para luchar por sus derechos, para luchar por su vida, si quiere ser rey de Inglaterra?

Nombra heredero suyo a Eduardo, el hijo de su hermano Jorge de Clarence, el único York varón que queda en el mundo, que se sepa; pero transcurridos unos cuantos meses llega a mis oídos el rumor de que va a desheredarlo. No me toma por sorpresa. Ricardo se ha dado cuenta de que ese muchacho es demasiado débil para sostener el trono, algo que ya sabíamos todos. Jorge, duque de Clarence, tenía una fatal mezcla de vanidad, ambición y simple locura; ningún hijo engendrado por él podría ser rey. Eduardo era un niño dulce y sonriente, pero corto de entendederas, el pobrecillo. El que quiera sentarse en el trono de este país tendrá que ser rápido como una víbora y sabio como una serpiente. Tendrá que ser alguien nacido para ser príncipe, que se haya criado en una corte. Tendrá que ser un muchacho acostumbrado al peligro, educado para ser valiente. El pobre hijo de Jorge, que es medio tonto, jamás valdría para dicho puesto. Pero si no es él, ¿quién será? Porque Ricardo debe nombrar un heredero y dejar un heredero; la casa de York actualmente está compuesta sólo por mujeres, que Ricardo sepa. Tan sólo yo sé con seguridad que existe un príncipe, como el de un cuento de hadas, esperando en Tournai, viviendo como un niño pobre, estudiando sus libros y su música, aprendiendo idiomas, vigilado desde lejos por su tía. Una flor de York creciendo con fuerza en suelo extranjero y haciendo tiempo. Y ahora él es el único heredero que existe para el trono de York y, si su tío supiera que está vivo, tal vez lo nombrara heredero suyo.

Escribo a Isabel y le digo:

Ha llegado a mis oídos lo sucedido en la corte y hay una cosa que me preocupa: ¿crees que la muerte del hijo de Ricardo es una señal que nos ha hecho Melusina para decirnos que él fue el asesino de nuestros pequeños? Tú, que lo ves a diario, ¿crees que sabe que nuestra maldición es la causa de su destrucción? ¿Parece un hombre que ha hecho recaer esta aflicción sobre su propia familia? ¿O crees que este fallecimiento ha sido pura casualidad, que a nuestro pequeño lo mató otro hombre y que será el hijo de ese otro hombre el que haya de morir para vengarnos?

Enero de 1485

Estoy esperando a que lleguen a casa las hijas que tengo en la corte. Es una gélida tarde de mediados de enero. Esperaba que viniesen a tiempo para el almuerzo, pero en estos momentos estoy paseando arriba y abajo por delante de la puerta, soplándome aire en los dedos para que no se me enfríen las manos ahora que ya se está poniendo el sol —rojo como una rosa de Lancaster— por encima de las colinas del oeste. De pronto oigo cascos de caballos y al volver la vista hacia el camino las veo llegar, a mis tres hijas, acompañadas por una guardia impresionante, casi una guardia real, las tres en el centro, bamboleándose y haciendo ondear sus vestidos. Un instante después han detenido sus monturas y se han apeado y yo empiezo a besar mejillas enrojecidas y narices heladas de forma indiscriminada, tomándolas de las manos y exclamando cuánto han crecido y qué bonitas están las tres.

Ellas irrumpen en el salón y se abalanzan sobre el almuerzo como si estuvieran muertas de hambre; yo las observo mientras comen. Isabel nunca ha tenido mejor cara. Al salir del refugio y dejar atrás los miedos, ha florecido en todo su esplendor, tal como yo estaba segura de que sucedería. Tiene las mejillas arreboladas, los ojos brillantes, ¡y la ropa! Me fijo una vez más en su ropa con gesto de incredulidad: los bordados y los brocados, las incrustaciones de piedras preciosas. Son ropajes tan elegantes como los que llevaba yo cuando era reina.

—Dios santo, Isabel —le digo—. ¿De dónde sacas estos vestidos? Son igual de maravillosos que los que usaba yo cuando era la reina de Inglaterra.

Su mirada se posa rápidamente en la mía y la sonrisa desaparece de su rostro. Cecilia lanza una brusca carcajada. Isabel se vuelve hacia ella.

—Ya puedes cerrar la boca. Hemos hecho un pacto.

—¡Isabel!

—Madre, no sabéis cómo se ha comportado. No está preparada para ser dama de compañía de una reina. Lo único que hace es chismorrear.

—Vamos, niñas, os envié a la corte para que aprendieseis elegancia, no para que os pelearais como pescaderas.

—¡Preguntadle si está aprendiendo elegancia! —exclama Cecilia a voz en grito—. Preguntad a Isabel si es elegante o no.

—Por supuesto que se lo voy a preguntar, cuando nos quedemos solas y vosotras os hayáis acostado —respondo en tono firme—. Y eso va a suceder muy pronto si no sabéis hablaros con educación las unas a las otras. —Me vuelvo hacia Ana—. A ver, Ana —mi pequeña me mira a la cara—, ¿has estudiado tus libros? ¿Y has practicado los ejercicios de música?

—Sí, señora madre —responde Ana obediente—. Pero por Navidad nos dieron vacaciones a todas y fui a la corte de Westminster con todas las demás.

—Pues aquí comimos cochinillo —cuenta Bridget en tono solemne a sus hermanas mayores—. Y Catalina comió tanto mazapán que por la noche vomitó.

Isabel lanza una carcajada; ya ha desaparecido de su rostro la expresión tensa de antes.

—Os he echado mucho de menos, pequeños monstruos —dice

con ternura—. Después de cenar tocaré un poco y vosotras podréis bailar, si os apetece.

—O podemos jugar a las cartas —propone Cecilia—. En la corte han vuelto a dar permiso para jugar a las cartas.

—¿El rey ya se ha recuperado de su pena? —inquiero yo—. ¿Y la reina Ana?

Cecilia dirige una mirada triunfante a su hermana Isabel, que se sonroja intensamente.

—Oh, sí que se ha recuperado —dice Cecilia con la voz temblorosa por efecto de la risa—. Se lo ve muy recuperado. Todos estamos muy sorprendidos. ¿No opinas lo mismo, Isabel?

Mi paciencia, que nunca ha durado mucho en lo que a despecho femenino se refiere, ni siquiera cuando se trata del de mi propia hija, ya se ha agotado.

—Ya basta —anuncio—. Isabel, ven a mi cámara privada. Las demás podéis terminar de cenar; y tú, Cecilia, puedes reflexionar sobre ese proverbio que reza que más vale decir una sola palabra buena que una docena malas.

Me levanto de la mesa y salgo ligera de la habitación. Percibo que Isabel me sigue de mala gana y, cuando llegamos a mi cámara y cierra la puerta, le digo simplemente:

—Hija mía, ¿qué es lo que está ocurriendo aquí?

Durante un segundo da la impresión de querer resistirse, pero luego se estremece igual que un ciervo acorralado y responde:

—Deseaba vivamente solicitaros consejo, pero no he podido escribiros. He tenido que esperar a poder veros en persona. Mi intención era aguardar hasta después de la cena. No os he engañado, señora madre...

Tomo asiento y le indico con un gesto que puede sentarse a mi lado.

—Se trata de mi tío Ricardo —dice en voz queda—. Es... oh, señora madre, lo es todo para mí.

Me doy cuenta de que estoy inmóvil. Tan sólo se han movido mis manos, y las estoy entrelazando con fuerza para no decir nada.

—Fue muy bondadoso cuando llegamos a la corte y se tomó infinitas molestias para que yo estuviera contenta con mis deberes de dama de compañía. La reina es muy amable, una ama muy fácil de servir, pero él no dejaba de llamarme para preguntarme qué tal me iba todo. —Se interrumpe—. Me preguntaba si os echaba de menos a vos y me dijo que seríais bienvenida en la corte cuando quisierais acudir y que se os rendirían honores. Hablaba de mi padre —agrega—. Señalaba cuán orgulloso se sentiría su hermano de mí si pudiera verme en esos momentos. Decía que en algunos aspectos me parezco a él. Oh, madre, es un hombre muy bueno, me cuesta creer que él... que él...

—Que él ¿qué? —repito yo con un hilo de voz.

—Que se preocupe tanto por mí.

—No me digas. —Me siento helada, igual que si un río invernal me corriera por la espalda—. ¿Se preocupa por ti?

Isabel asiente con vehemencia.

—Nunca ha amado a la reina —afirma—. Se sintió obligado a casarse con ella para salvarla de su hermano Jorge, duque de Clarence —me mira a los ojos—. Sin duda os acordaréis. Estuvisteis presente, ¿no es cierto? Iban a encerrarla en un convento. Jorge iba a robarle la herencia.

Afirmo con la cabeza. Yo no lo recuerdo exactamente de ese modo, pero me doy cuenta de que ésa es una versión más adecuada para una joven impresionable.

—Ricardo sabía que si Jorge la tomaba como pupila le arrebataría la fortuna que poseía. Ella estaba deseosa de casarse y él pensó que era lo mejor que podía hacer. Se desposó con ella para afianzar su herencia y por su propia seguridad, y también para que la reina se quedara tranquila.

—Ya —contesto yo. Lo que yo recuerdo es que Jorge tenía a una heredera Neville y Ricardo se apoderó de la otra, y que ambos se pelearon como perros callejeros por la herencia. Pero me doy cuenta de que el rey le ha contado a mi hija la versión más caballeresca de la historia.

—La reina Ana no se encuentra bien —dice Isabel bajando la cabeza para susurrar—. No puede tener más hijos, Ricardo está seguro de ello. Ha consultado a los médicos y éstos le han asegurado que no es capaz de concebir. Ricardo necesita un heredero para Inglaterra. Me preguntó a mí si creía posible que uno de nuestros pequeños hubiera escapado y se encontrara sano y salvo.

De repente mi pensamiento se vuelve cortante como una espada que levanta chispas al rozar con una piedra de afilar.

—¿Y qué le respondiste?

Isabel esboza una sonrisa.

—Sentí el impulso de confiarle la verdad, de confiarle cualquier cosa, pero sabía que vos querríais que mintiera —me dice con dulzura—. Le dije que no sabíamos nada más que lo que él nos había contado. Y entonces repitió que para él había sido muy doloroso, pero que no sabía dónde estaban los dos niños. Dijo que, si lo supiera ahora, los nombraría herederos suyos. Madre, pensad en ello. Dijo eso. Dijo que si supiera dónde están nuestros pequeños los rescataría y los nombraría herederos suyos.

¿No me digas?, pienso para mis adentros. Pero ¿quién me garantiza que no vaya a enviar a un asesino?

—Es maravilloso —contesto en tono calmo—, pero aun así no debes revelarle lo de Ricardo. Todavía no puedo fiarme de él, aunque tú sí.

—¡Yo sí me fío! —exclama Isabel—. Confío en él. Le confiaría mi vida misma... Jamás he conocido a un hombre igual.

Guardo silencio durante unos momentos. No merece la pena que le recuerde que no ha conocido a otros hombres. La mayor parte de su vida la ha pasado siendo una princesa guardada en una caja de oro, como si fuera una estatua de porcelana. Alcanzó la mayoría de edad siendo una prisionera, viviendo con su madre y con sus hermanas. Los únicos hombres que vio en todo ese tiempo eran sacerdotes y criados. No tiene preparación alguna para enfrentarse a un hombre atractivo que sepa manipular sus sentimientos, seducirla, instarla a amar.

—¿Hasta dónde ha llegado esto? —le pregunto sin rodeos—. ¿Hasta dónde ha llegado la situación entre él y tú?

Ella se apresura a volver la cabeza.

—Es complicado —dice—. Y me da mucha pena la reina Ana.

Hago un gesto de asentimiento. La compasión que siente mi hija por la reina Ana no va a impedirle quitarle el marido, eso es lo que yo calculo. Al fin y al cabo, es hija mía. Y a mí no me detuvo nada cuando dije lo que deseaba.

—¿Hasta dónde habéis llegado? —vuelvo a preguntarle—. Por lo que ha dicho Cecilia, intuyo que existen ciertas habladurías.

Isabel se ruboriza.

—Cecilia no sabe nada. Ella ve lo que todo el mundo y tiene celos de que yo acapare toda la atención. Ve que la reina me trata con favoritismo, me presta sus vestidos y sus joyas. Me trata como a una hija y dice que baile con Ricardo, lo anima a él a que baile conmigo, a que vaya a montar a caballo cuando ella está demasiado enferma para salir. De verdad, madre, es la propia reina la que me ordena que le haga compañía. Dice que nadie más es capaz de divertirlo como yo, y por eso la corte dice que me trata con un favoritismo excesivo, que el rey hace lo mismo, que yo sólo soy una dama de compañía y en cambio se me trata como...

—¿Como a quién?

Isabel baja de nuevo la cabeza para susurrar.

—Como a la primera dama de la corte.

—¿Por los vestidos que llevas?

Isabel afirma con la cabeza.

—Son los vestidos de la reina, ella misma ha ordenado que los confeccionen empleando el mismo patrón. Le gusta que vayamos vestidas iguales.

—¿Es ella la que te viste así?

Isabel afirma de nuevo. No tiene la menor idea de que esto me causa una profunda intranquilidad.

—¿Quieres decir que encarga que te hagan vestidos con las mismas telas y con el mismo diseño que usa ella?

Mi hija titubea.

—Y, naturalmente, a ella no le quedan bien.

No dice nada más, pero yo me imagino a Ana Neville, afligida por la pena, cansada, enferma, al lado de esta joven esplendorosa.

—¿Y tú eres la primera en entrar en la habitación por detrás de ella? ¿Tienes precedencia?

—Nadie habla de la ley que nos convirtió en bastardas. Todo el mundo me llama princesa. Y, cuando la reina no cena, cosa que sucede con frecuencia, yo acudo a cenar en calidad de primera dama y me siento al lado del rey.

—De modo que es la reina Ana la que te empuja a acompañar al rey, incluso a ocupar el puesto que le corresponde a ella, y todos lo ven a las claras. ¿No es Ricardo? ¿Y qué sucede después?

—Ricardo dice que me ama —prosigue Isabel en voz baja. Está procurando ser modesta, pero en sus ojos se ve centellear el orgullo y la dicha—. Dice que soy el primer amor de su vida y que seré el último.

Me levanto de mi asiento y voy hasta la ventana. Descorro la gruesa cortina para poder contemplar las estrellas que relucen frías en el cielo y, debajo de ellas, la tierra oscura de las llanuras de Wiltshire. Creo saber lo que Ricardo está haciendo y ni por un segundo pienso que se haya enamorado de mi hija, ni tampoco que la reina le esté encargando vestidos porque le tenga afecto.

Ricardo está jugando una partida difícil en la que mi hija es un peón. Su objetivo es deshonrarnos a ella y a mí y dejar en ridículo a Enrique Tudor, que ha prometido convertirla en su esposa. Tudor se enterará, tan rápidamente como puedan zarpar los espías que le lleven la noticia, de que su prometida está enamorada de su enemigo y en toda la corte se la conoce como su querida mientras que su esposa lo consiente todo con una sonrisa. Ricardo es muy capaz de hacer esto para perjudicar a Enrique Tudor, aunque con ello deshonre a su propia sobrina. La reina Ana, antes que enfrentarse a su esposo, se mostrará complaciente. Las dos Neville han agachado la cabeza ante sus maridos: Ana ha sido una criada obediente desde el día en que se casó. Y, además, no puede rechazarlo: Ricardo es rey de Inglaterra, carece de un heredero varón y ella es estéril. Estará rezando para que él no la repudie. No tiene ningún poder: no tiene hijo y heredero, no tiene ningún recién nacido en la cuna, no tiene posibilidad de concebir, no tiene ninguna carta que jugar. Es una mujer infértil que carece de fortuna propia, de modo que ya no le queda otra cosa que el convento o la tumba. Tiene que sonreír y obedecer, porque las protestas no la llevarán a ninguna parte. Ni siquiera contribuyendo a destruir la reputación de mi hija ganará nada más que una honrosa anulación matrimonial.

—¿Te ha dicho Ricardo que anules tu compromiso con Enrique Tudor? —le pregunto.

—¡No! ¡No tiene nada que ver con eso!

—Oh. —Afirmo con la cabeza—. Pero comprenderás que esto supondrá una tremenda humillación para él, cuando la noticia llegue a sus oídos.

—De todas formas no pienso casarme con él —exclama Isabel impulsivamente—. Lo odio. Estoy convencida de que fue él quien envió a los asesinos de los niños. Habría venido a Londres y se habría apoderado del trono. Lo sabíamos de sobra. Por eso provocamos la lluvia. En cambio ahora... En cambio ahora...

—Ahora ¿qué?

—Ricardo dice que va a rechazar a Ana Neville y a casarse conmigo —jadea Isabel con el semblante resplandeciente de alegría—. Dice que va a convertirme en su reina y que mi hijo se sentará en el trono de mi padre. Formaremos una dinastía de la casa de York y la rosa blanca será para siempre la flor de Inglaterra. —Vacila unos instantes—. Ya sé que vos no os fiáis de él, señora madre, pero es el hombre al que amo. ¿No podéis amarlo por mi bien?

Me parece que éste es el dilema más antiguo y más difícil que se ha planteado nunca entre una madre y una hija. ¿Puedo amarlo por el bien de ella?

No. Éste es el hombre que envidiaba a mi esposo, que mató a mi hermano y a mi hijo Richard Grey, que se apoderó del trono de mi hijo Eduardo y lo expuso a él al peligro, si es que no hizo algo peor. Pero no es necesario que le diga la verdad a mi hija, una joven tan sincera. No es necesario que sea abierta con esta muchacha tan transparente. Se ha enamorado de mi enemigo y desea tener un final feliz.

Abro los brazos y los tiendo hacia ella.

—Lo único que he querido siempre es tu felicidad —miento—. Si Ricardo te ama y te es fiel, y tú lo amas a él, yo no deseo nada más.

Isabel se arroja en mis brazos y apoya la mejilla sobre mi hombro. Pero mi hija no es ninguna necia. Levanta la cabeza y me dice sonriente:

—Y voy a ser reina de Inglaterra. Por lo menos eso sí os complacerá.

Mis hijas se quedan conmigo durante casi un mes y llevamos la vida de una familia corriente, tal como Isabel quiso en cierta ocasión. Durante la segunda semana nieva y buscamos el trineo de Nestfield, lo enganchamos a uno de los caballos de tiro y organizamos una excursión para ir a ver a uno de nuestros vecinos. Descubrimos que la nieve se ha derretido y que debemos quedarnos a pasar la noche allí. Al día siguiente nos vemos obligadas a volver a casa andando por el barro y la nieve semiderretida porque no nos prestan caballos, así que nos turnamos para montar el nuestro, que no tiene silla. Tardamos casi todo el día en llegar a casa y recorremos todo el camino riendo y cantando.

A mitad de la segunda semana llega un mensajero de la corte que trae una carta para mí y otra para Isabel. Hago venir a mi hija a mi cámara privada, donde no están las niñas, que han invadido la cocina y están haciendo dulces de mazapán para la cena. Abrimos cada una nuestra carta sentadas a uno y otro extremo de la mesa de escribir. La mía es del rey:

Imagino que Isabel habrá hablado con vos del gran amor que le profeso, de modo que quisiera contaros cuáles son mis planes. Tengo la intención de que mi esposa reconozca que ya ha dejado atrás la edad de tener hijos, se vaya a vivir a la abadía de Bermondsey y me libere de mis votos. Solicitaré la debida dispensa y después me casaré con vuestra hija y ella se convertirá en reina de Inglaterra. Vos recibiréis el título de mi señora la reina madre y el día de nuestros esponsales os devolveré los palacios de Sheen y de Greenwich junto con vuestra pensión real. Vuestras hijas vivirán con vos y en la corte y vos tendréis la prerrogativa de concertar sus matrimonios. Se les dará el reconocimiento de hermanas de la reina de Inglaterra y de la real familia de York.

Si alguno de vuestros hijos ha permanecido oculto y conocéis su paradero, ya podéis mandar a buscarlo sin peligro alguno. Lo nombraré heredero mío hasta que Isabel me dé un hijo varón.

Voy a casarme con Isabel por amor, pero no me cabe duda de que vos comprenderéis que ésta es la resolución de todas nuestras dificultades. Espero recibir vuestra aprobación, pero procederé de todas formas. Vuestro afectuoso pariente,

R. R.

Leo la carta dos veces y termino esbozando una sonrisa forzada al percatarme de la poca sinceridad de lo que dice. La frase «resolución de todas nuestras dificultades» es, en mi opinión, una manera muy suave de describir una disputa entre familias que se ha llevado a mi hermano y a mi hijo mayor y que me empujó a mí a fomentar una rebelión contra él y a lanzar un maleficio contra el brazo con que empuña la espada. Pero Ricardo es un York, y los York consideran que tienen derecho a vencer siempre; sin embargo estas propuestas son beneficiosas para mí y para los míos. Si mi hijo Ricardo puede volver a casa sin peligro y ser una vez más príncipe en la corte de su hermana, habré conseguido todo lo que juré recuperar y mi hermano y mi hijo no habrán muerto en vano.

Observo a Isabel, sentada al otro extremo de la mesa. Tiene las mejillas sonrosadas por el efecto del rubor y los ojos brillantes de luminosas lágrimas.

—¿Te propone matrimonio? —inquiero.

—Jura que me ama. Dice que me echa de menos. Quiere que vuelva a la corte. Pide que vos me acompañéis. Desea que todo el mundo sepa que voy a ser su esposa. Dice que la reina Ana está dispuesta a retirarse.

Hago un gesto de asentimiento.

—Mientras ella esté en la corte, yo no iré —afirmo—. Tú puedes regresar, pero has de comportarte con más discreción. Aunque la reina te diga que vayas a pasear con el rey, tienes que tomar un acompañante. Y no debes sentarte en el sitio que le corresponde a ella.

Isabel hace ademán de querer interrumpir, pero yo se lo impido alzando la mano.

—En serio, Isabel, no quiero que empiecen a decir que eres la amante del rey, sobre todo si abrigas la esperanza de convertirte en su esposa.

—Pero yo lo amo —replica ella con sencillez, como si fuera lo único que importase.

La miro fijamente consciente de que mi expresión es de dureza.

—Puedes amarlo —le digo—, pero si quieres que se case contigo y que te convierta en su reina tendrás que hacer algo más que quererlo sin más.

Ella se aprieta la carta contra el corazón.

—Él me ama.

—Puede, pero no se desposará contigo si circulan rumores acerca de ti. Nadie llega a ser la reina de Inglaterra por ser digna de ser amada. Tendrás que jugar tus cartas como es debido.

Isabel hace una inspiración profunda. No es ninguna tonta, mi hija, y además es una York de los pies a la cabeza.

—Decidme lo que tengo que hacer —me ruega.

Febrero de 1485

Me despido de mis hijas un oscuro día de febrero; contemplo cómo su guardia se aleja al trote en medio de la niebla que lleva todo el día arremolinándose a nuestro alrededor. En cuestión de unos momentos los pierdo de vista, como si hubieran desaparecido en el interior de una nube o en el agua; el golpeteo de los cascos de los caballos se debilita y finalmente deja de oírse.

La casa parece muy vacía ahora que no están mis hijas mayores. Envuelta en ese sentimiento de nostalgia descubro que mis plegarias se orientan hacia mis hijos varones: Jorge, que murió; Eduardo, al que perdí; y Ricardo, que se encuentra ausente. No he sabido nada de Eduardo desde que fue a la Torre y tampoco he tenido noticias de Ricardo desde aquella primera carta en la que me decía que las cosas le iban bien y que respondía al nombre de Peter.

Pese a mis precauciones, pese a mis miedos, empiezo a abrigar esperanzas. Empiezo a pensar que, si el rey Ricardo se casa con Isabel y la convierte en reina, yo seré de nuevo bienvenida en la corte, ocuparé el lugar que me corresponde como señora reina madre. Me aseguraré de que Ricardo sea digno de confianza y entonces mandaré a buscar a mi hijo.

Si Ricardo hace honor a su palabra y lo nombra heredero, quedaremos restaurados: mi hijo en el lugar para el que nació, mi hija como reina de Inglaterra. No terminaré siendo lo que Eduardo y yo pensábamos que íbamos a ser cuando teníamos un príncipe de Gales y un duque de York y creíamos, como dos necios, que íbamos a vivir para siempre. Pero saldré bastante bien parada. Si Isabel puede casarse por amor y convertirse en reina de Inglaterra, si mi hijo puede ser rey después de Ricardo, todo habrá salido bastante bien.

Cuando esté en la corte, revestida de poder, daré la orden de que busquen el cadáver de mi hijo ya se encuentre debajo de esa oportuna escalera —tal como nos asegura Enrique Tudor— o sepultado en el río —como él mismo se corrige; ya haya sido abandonado en algún cuarto trastero oscuro o se encuentre escondido en el suelo sagrado de la capilla. Hallaré su cadáver y buscaré a sus asesinos. Sabré qué fue lo que ocurrió: si lo secuestraron y murió de forma accidental en la refriega, si se lo llevaron y murió a causa de mala salud, si fue asesinado en la Torre y enterrado allí mismo, de lo que tan seguro está Enrique Tudor. Descubriré cuál fue su final y lo enterraré con honor y encargaré que se celebren misas por su alma por siempre jamás.

Marzo de 1485

Isabel me escribe una breve misiva para informarme de que la salud de Ana Neville está empeorando. No dice nada más, no necesita decir nada más, las dos nos damos cuenta de que si Ana Neville muere no habrá necesidad de solicitar una anulación matrimonial ni de trasladarla a una abadía; se quitará de en medio de la manera más fácil y más cómoda posible. A la reina la afligen un sinnúmero de penas, pasa horas llorando sin motivo y el rey no acude a su lado. Mi hija da rendida cuenta de esto en su papel de fiel dama de compañía de la soberana y no me dice si sale de la cámara de enferma de su señora para pasear con el rey por los jardines, si los ranúnculos de los setos y las margaritas del prado le recuerdan a ambos que la vida es dichosa y efímera de igual modo que a la reina le recuerdan que es efímera pero triste.

De pronto, una mañana de mediados de marzo, al despertarme, veo un cielo de una oscuridad poco natural y un sol eclipsado por un círculo negro. Las gallinas no quieren salir al exterior, los patos esconden la cabeza bajo el ala y se quedan sentados en las orillas del río. Yo saco a mis dos hijas pequeñas y deambulamos nerviosas observando a los caballos que están en el campo, que se tumban y en seguida vuelven a levantarse, como si no supieran bien si es de día o de noche.

—¿Es un presagio? —me pregunta Bridget, que, de todos mis hijos, es la única que ve en todo la voluntad de Dios.

—Es un movimiento de los cielos —contesto—. Ya he visto suceder esto mismo con la luna, pero nunca con el sol. Pasará.

—¿Es un presagio para la casa de York? —dice después Catalina—. ¿Como los tres soles de Towton?

—No lo sé —le respondo—. Pero no creo que ninguna de nosotras estemos en peligro. ¿Lo sentirías en el corazón si tu hermana se encontrase en una situación apurada?

Bridget adopta una expresión pensativa durante unos momentos, y luego, como la niña prosaica que es, niega con la cabeza.

—Sólo si Dios me hablara muy fuerte —responde—. Sólo si me hablara a gritos y el sacerdote dijera que era Él.

—En tal caso, opino que no tenemos nada que temer —concluyo. No percibo ninguna sensación premonitoria aunque este sol oscurecido transforme el mundo que nos rodea en un sitio desconocido y fantasmal.

En efecto, no pasan ni tres días hasta que llega a Heytesbury John Nestfield portando un estandarte negro y trayendo la noticia de que la reina, tras una larga enfermedad, ha fallecido. Viene para decírmelo a mí, pero se asegura de dar a conocer la nueva por toda la comarca. Los otros sirvientes de Ricardo estarán haciendo lo mismo. Todos harán hincapié en que ha sido una dolencia muy prolongada y en que la reina se ha ido por fin para obtener su recompensa en el cielo llorada por un esposo devoto que la amaba.

—Naturalmente, hay quien afirma que la han envenenado —me comenta en tono jovial la cocinera—. Por lo menos, eso es lo que se dice en el mercado de Salisbury. Me lo ha contado el carretero.

—¡Qué ridículo! ¿Quién iba a envenenar a la reina? —pregunto.

—Dicen que ha sido el rey en persona —asegura la cocinera

inclinando la cabeza hacia un lado y poniendo cara de saber, como si estuviera al tanto de los grandes secretos de la corte.

—¿Asesinar a su esposa? —pregunto—. ¿La gente cree que el rey asesinaría a la que ha sido su esposa durante doce años? ¿Así, de repente?

La cocinera niega con la cabeza.

—En Salisbury nadie habla bien de él —apunta—. Al principio le caía bien a la gente porque todos creían que iba a traer justicia y salarios justos para el pueblo llano, pero desde que ha puesto a lores del norte en todas partes... En fin, ya no dicen de él nada bueno.

—Pues puedes decirle a la gente que la reina siempre ha tenido una salud quebradiza y que nunca llegó a recuperarse del todo de la pérdida de su hijo —declaro yo con firmeza.

La cocinera me sonríe.

—¿Y no he de decir nada de quién puede convertirse en la próxima reina?

Yo guardo silencio. No me había dado cuenta de que los chismorreos se habían extendido tanto.

—No has de decir nada de eso —respondo en tono tajante.

He estado esperando esta carta desde que me trajeron la noticia de que la reina Ana había muerto y de que el mundo entero decía que Ricardo iba a casarse con mi hija. Llega a mis manos —manchada por las lágrimas, como siempre— escrita del puño y letra de lady Margarita.

A lady Isabel Grey
Mi señora,
Ha llegado a mis oídos la nueva de que vuestra hija Isabel, que fue declarada bastarda del finado rey Eduardo, ha pecado contra Dios y contra sus propios votos y se ha deshonrado ella misma con su tío, el usurpador Ricardo, una acción tan errada y

antinatural que hasta los mismos ángeles esconden la mirada. Así pues, he aconsejado a mi hijo Enrique Tudor, legítimo rey de Inglaterra, que no conceda su mano en matrimonio a una joven que ha sido deshonrada tanto por una ley del Parlamento como por su propia conducta; he dispuesto lo necesario para que se despose con una joven de cuna muy superior y comportamiento mucho más cristiano.

Lamento que vos, en vuestra viudez y vuestra humillación, hayáis tenido que inclinar la cabeza ante otra nueva aflicción, la vergüenza de vuestra hija, y os aseguro que os tendré presente en mis oraciones cuando mencione la necedad y la vanidad de este mundo.

Vuestra amiga en Cristo,

Al que rezo por vos para que, en vuestra avanzada edad, aprendáis lo que es la verdadera sabiduría y la dignidad de la mujer,

LADY MARGARITA STANLEY

Me echo a reír ante la pomposidad de esa mujer, pero, a medida que mi carcajada se va agotando, comienzo a sentir frío, un frío que me estremece, un presentimiento. Lady Margarita se ha pasado la vida entera esperando a conseguir el trono que yo consideraba mío. Tengo todos los motivos para creer que su hijo Enrique Tudor también continuará esperando a hacerse con la corona de Inglaterra, continuará llamándose rey, atrayendo a su lado a los marginados, los rebeldes, los desafectos, los hombres que no pueden vivir en Inglaterra. Continuará rondando el trono de York hasta su muerte; tal vez fuera mejor que se viera arrastrado a la batalla y resultara muerto lo antes posible.

Ricardo, sobre todo teniendo a mi hija a su lado, es capaz de rechazar cualquier crítica y desde luego de ganar cualquier batalla contra las tropas que Enrique pudiera traer. Sin embargo, el frío hormigueo que siento en la nuca me indica lo contrario. Vuelvo a coger la carta y la férrea convicción de esta heredera de

Lancaster se me hace palpable. Ésta es una mujer que tiene las entrañas llenas de orgullo; lleva casi treinta años sin comer otra cosa que su propia ambición. Haría bien en ser cauta con ella ahora que ha llegado a la conclusión de que mi poder es tan escaso que ya no tiene necesidad de seguir fingiendo ser amiga mía.

Me gustaría saber en quién ha puesto los ojos para desposar a su hijo Enrique. Supongo que estará seleccionando una heredera; puede que escoja a la de Herbert, pero nadie sino mi hija es capaz de atraer el cariño de Inglaterra y la lealtad de la casa de York para el pretendiente Tudor. Bien puede lady Margarita ventilar el rencor que siente, que poco importa. Si Enrique quiere gobernar Inglaterra, tendrá que aliarse con York. Van a tener que negociar con nosotros de una manera o de otra.

Tomo la pluma y escribo:

Querida lady Stanley,

Lamento profundamente saber que habéis prestado oídos a semejantes calumnias y habladurías y que ello os haya llevado a dudar de la buena fe y del honor de mi hija Isabel, que están, como han estado siempre, por encima de toda sospecha. No me cabe duda de que una serena reflexión por vuestra parte, y también por la de vuestro hijo, os recordará a ambos que Inglaterra carece de otra heredera de York de su importancia.

Su tío ama a mi hija del mismo modo en que la amó su tía, como debe ser; pero sólo las maledicencias que circulan por las cloacas podrían sugerir algo impropio.

Os doy las gracias por vuestras oraciones, claro está. Supondré que el compromiso matrimonial continúa en pie en razón de sus muchas ventajas. A no ser que vos deseéis anularlo en verdad, cosa que considero tan improbable que os envío mis mejores deseos y mi agradecimiento por incluirme en vuestras plegarias, las cuales sé que son especialmente bien recibidas por Dios por proceder de un corazón tan humilde y tan digno.

Isabel R.

Firmo «Isabel R.», algo que últimamente no hago nunca; pero en el momento de plegar el papel y verter la cera para estampar el sello, me sorprendo a mí misma sonriendo por mi arrogancia.

—Isabel regina —digo en voz alta mirando el pergamino—. Y además voy a ser la reina madre mientras que vos seguís siendo lady Stanley y seguís teniendo un hijo en el campo de batalla. Isabel R. Trágate ésa —exclamo dirigiéndome a la carta—, vieja gárgola.

Abril de 1485

Madre, *debéis venir a la corte* —me escribe Isabel en una carta garabateada a toda prisa, plegada dos veces y con doble sello.

Todo se ha torcido terriblemente. Su excelencia el rey está pensando en ir a Londres a decirles a los lores que no va a casarse conmigo, que jamás ha tenido la intención de desposarme, para así acallar los rumores que afirman que él envenenó a la pobre reina. Hay personas malvadas que aseguran que estaba empeñado en casarse conmigo y que no quería esperar a que la reina muriese o diese su consentimiento, y ahora él considera que debe anunciar que para mí no es nada más que mi tío.

Yo le he dicho que no hay necesidad de hacer esa declaración, que podríamos esperar en silencio a que los rumores se disipen; pero él únicamente hace caso a William Catesby y a Richard Ratcliffe, y éstos juran que el norte se volverá contra él si insulta la memoria de su esposa, que era una Neville de Northumberland.

Peor todavía, afirma que para salvaguardar mi reputación debo abandonar la corte, pero no me permite volver con vos. Va a enviarme de visita a casa de lady Margarita y lord Thomas

Stanley, que se cuentan entre las personas más terribles de todas. Dice que lord Thomas es uno de los pocos hombres de los que se puede fiar para que me guarde sana y salva, pase lo que pase, y que nadie podrá dudar de que mi reputación es perfecta si lady Margarita me acoge en su casa.

Madre, tenéis que impedirlo. No puedo irme a vivir con ellos. Lady Margarita no dejará de atormentarme, ya que debe de pensar que he traicionado el compromiso que me unía a su hijo y sin duda me odia en nombre de él. Debéis escribir a Ricardo, o incluso venir personalmente a la corte, y decirle que seremos felices, que todo saldrá bien, que lo único que tenemos que hacer es esperar a que pase esta etapa de rumores y habladurías y que al final podremos casarnos. No tiene consejeros en los que pueda confiar, no tiene un Consejo Privado que le diga la verdad. Depende de esos hombres a quienes la gente llama el Gato y el Ratón,[2] y temen que yo influya en él y en contra de ellos para vengarme de lo que les hicieron a los nuestros.

Madre, yo lo amo. Es la única alegría que tengo en este mundo. Le pertenezco de corazón y de pensamiento, de cuerpo y toda por entero. Vos me dijisteis que iba a necesitar algo más que amor para convertirme en la reina de Inglaterra; tenéis que decirme lo que debo hacer. No puedo irme a vivir con los Stanley. ¿Qué he de hacer ahora?

En verdad no sé qué es lo que ha de hacer, pobre hija mía. Está enamorada de un hombre cuya supervivencia depende de que sea capaz de granjearse la lealtad de Inglaterra y, si le dijera al país que tiene la esperanza de casarse con su sobrina antes de que el cadáver de su esposa se haya enfriado en la tumba, habrá donado todo el norte de Inglaterra a Enrique Tudor en un momento. El norte no va a aceptar de buen grado un insulto dirigido a Ana

---

2. En el original es *the Cat and the Rat*, debido a las primeras letras de los apellidos (Catesby y Ratcliffe). (*N. de la t.*)

Neville, ya esté viva o muerta, y del norte es de donde Ricardo ha sacado sus fuerzas siempre. No se atreverá a ofender a los habitantes de Yorkshire o de Cumbria, de Durham o de Northumberland. No puede siquiera arriesgarse, no mientras Enrique Tudor esté reclutando tropas y reuniendo un ejército, tan sólo a la espera de que lleguen las mareas de la primavera.

Le digo al mensajero que tome algo de comer, que pase aquí la noche y que por la mañana esté preparado para regresar llevando mi respuesta. Después voy hasta el río a escuchar el tranquilo murmullo del agua sobre las piedras blancas. Tengo la esperanza de que Melusina me diga algo, o de encontrar en el agua un hilo que lleve atado un anillo en forma de corona. Pero me veo obligada a volver a casa sin ningún mensaje y tengo que escribir a Isabel sin más guía que los años que pasé en la corte y lo que mi propia intuición me indica respecto de lo que Ricardo puede atreverse a hacer.

Hija,

Sé lo angustiada que estás, lo percibo en cada frase. Sé valiente. Esta estación del año nos traerá todas las respuestas y para cuando llegue el verano todo habrá cambiado. Ve con los Stanley y haz todo lo que esté en tu mano para complacerlos a los dos. Lady Margarita es una mujer piadosa y decidida; no podrías pedir una guardiana más capaz de aplastar un escándalo. Su reputación te dejará inmaculada como una virgen, y ésa es la imagen que debes proyectar pase lo que pase después.

Si consigues tomarle aprecio, si consigues encariñarte con ella, mucho mejor. Es un truco que yo no he logrado dominar jamás. Pero como mínimo lleva una vida agradable en su casa, porque tu estancia no va a durar mucho tiempo.

Ricardo está poniéndote en un lugar seguro, alejada del escándalo, alejada del peligro, hasta que Enrique Tudor presente su desafío para hacerse con el trono y la batalla haya finalizado. Cuando eso ocurra y Ricardo salga vencedor, como yo creo que sucederá, podrá ir a buscarte a la casa de los Stanley con honor y desposarse contigo como parte de las celebraciones de su victoria.

Queridísima hija, no espero que disfrutes con esa visita a los Stanley, pero son la mejor familia de toda Inglaterra para que demuestres que aceptas tu compromiso con Enrique Tudor y que llevas una vida de castidad. Cuando haya finalizado la batalla y Enrique Tudor haya muerto, nadie podrá decir una palabra contra ti y se podrá vencer la desaprobación que reina en el norte. Mientras tanto, deja que lady Margarita crea que te sientes feliz con la promesa que le hiciste a Enrique Tudor y que aguardas esperanzada que éste salga victorioso.

No va a ser una etapa fácil para ti, pero Ricardo ha de ser libre para hacer venir a sus tropas y librar esa batalla. Dado que los hombres tienen que luchar, las mujeres tenemos que esperar y planificar. A ti te ha llegado el momento de esperar y planificar y has de ser constante y discreta.

La sinceridad importa mucho menos.

Mi amor y mis bendiciones,

Tu madre

Algo me despierta temprano, al amanecer. Olfateo el aire como si fuera una liebre erguida sobre las patas traseras en medio de un prado. Está sucediendo algo, lo sé con seguridad. Incluso aquí, en el interior, en Wiltshire, percibo que el viento ha cambiado, casi me parece notar el olor a la sal del mar. El viento viene del sur, del sur pleno. Es el apropiado para una invasión, un viento que sopla hacia la costa, y, no sé por qué, pero estoy segura, casi como si lo estuviera viendo, de que se están cargando cajones llenos de armas a bordo de los navíos; sé que los hombres están subiendo rápidamente a la cubierta por las planchas de embarque, que están desenrollando los estandartes y fijándolos en la proa, que los soldados se están concentrando en el muelle. Sé que Enrique tiene preparado su ejército, las naves junto al embarcadero, los capitanes trazando el rumbo. Está listo para zarpar.

Ojalá pudiera saber dónde pretende tomar tierra. Pero dudo que él mismo lo sepa. Soltarán las amarras de proa y de popa, arrojarán los cabos sobre la cubierta, izarán las velas, y la media docena de barcos pondrá rumbo a la bocana del puerto. Cuando lleguen a mar abierto, las velas comenzarán a ondear, las escotas a crujir y las naves surcarán el oleaje subiendo y bajando. Pero luego tendrán que gobernar siguiendo la dirección que les resulte más favorable. Es posible que se dirijan hacia la costa sur —los rebeldes siempre son bien recibidos en Cornualles o en Kent— o que pongan rumbo a Gales —donde el apellido Tudor podría reunir a millares de seguidores. El viento los empujará y los frenará y tendrán que esperar lo mejor; cuando avisten tierra, calcularán el punto al que han arribado y navegarán siguiendo la costa hasta dar con el puerto que ofrezca más seguridad.

Ricardo no es ningún necio; sabía que esto iba a ocurrir en cuanto finalizasen las tormentas de invierno. Está en su gran castillo de Nottingham, situado en el centro de Inglaterra, concentrando sus reservas, llamando a sus lores, preparado para el desafío que ya esperaba para este año, el que tendría que haber afrontado el pasado si no hubiera sido por los aguaceros que Isabel y yo provocamos para impedir que Buckingham llegara a Londres y se acercara a mi hijo.

Este año Enrique viene con un viento favorable, hay que hacer frente a la batalla. El pretendiente Tudor pertenece a la casa de Lancaster y ésta va a ser la batalla final de la guerra entre primos. Mi mente no alberga la menor duda de que York va a vencer, porque York vence casi siempre. Warwick ya no está —hasta sus hijas Ana e Isabel han muerto— y por lo tanto no queda ningún general importante del lado de Lancaster. Tan sólo están Jasper Tudor y el hijo de Margarita Beaufort contra Ricardo y todo el poder que le proporcionan las levas de Inglaterra. Tanto Ricardo como Enrique carecen de herederos. Los dos saben que su única causa son ellos mismos. Los dos saben que la guerra terminará con la muerte del otro. He visto muchas batallas en Inglaterra a lo largo de mi vida, cuando era esposa y viuda, pero nunca una tan definida como ésta. Predigo un enfrentamiento breve pero brutal. Cuando concluya, habrá un hombre muerto y la corona de Inglaterra, junto con la mano de mi hija, será para el vencedor.

Y también espero ver a Margarita Beaufort vestirse de negro luto para llorar la muerte de su hijo.

Su aflicción marcará el comienzo de una vida nueva para mí y para los míos. Por fin creo que podré traer a mi hijo Ricardo a casa. Creo que ha llegado la hora.

He tenido que esperar dos años para poner en marcha esta parte de mi plan, desde que me vi obligada a apartar a mi hijo de mi lado. Escribo a sir Edward Brampton, leal defensor de los York, gran comerciante, hombre de mundo y a veces pirata. Ciertamente es un hombre que no tiene miedo de correr un pequeño riesgo y que disfruta entregándose a la aventura.

Llega el mismo día en que la cocinera se entera de la noticia de que Enrique Tudor ya ha desembarcado. El viento ha empujado sus naves hasta Milford Haven y ya está cruzando Gales y reclutando tropas para su estandarte. Ricardo está reuniendo soldados y ya ha salido de Nottingham. El país está en guerra una vez más y podría suceder cualquier cosa.

—De nuevo vivimos tiempos difíciles —me comenta sir Edward en tono cortés.

Me entrevisto con él lejos de la casa, en la ribera del río, donde hay un bosquecillo de sauces que nos protege del camino que pasa por allí. El caballo de sir Edward y el mío pastan amigablemente en la hierba mientras nosotros conversamos de pie, los dos intentando distinguir los coletazos de las truchas en las aguas transparentes. He hecho bien en buscar un lugar oculto a las miradas, porque sir Edward es un hombre que llama la atención con su cabello negro y sus ricos ropajes. Siempre ha sido uno de mis favoritos; es ahijado de mi esposo Eduardo, que estuvo presente en su bautizo, celebrado a las afueras de Jewry. Siempre sintió afecto por Eduardo por ser su padrino, y yo le confiaría hasta mi vida, o incluso algo que fuera más preciado que la vida misma. Confié en él cuando mandaba la nave que se llevó a Ricardo y confío en él ahora que abrigo la esperanza de que me devuelva a mi hijo.

—Unos tiempos que yo creo que podrían ser favorables para mí y para los míos —observo.

—Estoy a vuestro servicio —me dice sir Edward—. Y el país está tan distraído por las levas que se están llevando a cabo que pienso que podría hacer por vos cualquier cosa sin que nadie se fijase en mí.

—Ya lo sé —respondo sonriente—. No olvido que me prestasteis un servicio en cierta ocasión, cuando os llevasteis a un niño a Flandes a bordo de vuestro barco.

—¿Qué puedo hacer por vos esta vez?

—Podéis ir a la ciudad de Tournai, en Flandes —contesto—. Al puente de St. Jean. El encargado de manejar las compuertas se llama Jehan Werbecque.

Sir Edward asiente y guarda ese nombre en la memoria.

—¿Y qué encontraré allí? —pregunta en voz muy baja.

Me supone un gran esfuerzo revelar el secreto que llevo tanto tiempo guardando.

—Encontraréis a mi hijo —le digo—. A mi hijo Ricardo. Lo encontraréis y lo traeréis de nuevo a casa.

El semblante grave de sir Edward se alza de pronto, con los ojos brillantes.

—¿Puede regresar sin peligro? ¿Será restaurado en el trono de su padre? —me pregunta—. ¿Habéis hecho un pacto con el rey Ricardo para que el hijo de Eduardo sea rey a su vez?

—Dios mediante —contesto—. Sí.

Melusina, la mujer que no pudo olvidar que en parte estaba hecha para el agua, dejó a sus hijos con su esposo y se fue con sus hijas. Los chicos crecieron y se hicieron hombres; se convirtieron en los duques de Borgoña, gobernantes de la cristiandad. Las chicas heredaron la visión de su madre y el don de conocer lo desconocido. Ella nunca volvió a ver a su esposo, nunca dejó de extrañarlo; pero él, en la hora de su muerte, la oyó cantar una canción. Entonces supo, tal como ella había sabido siempre, que no importa que una esposa sea mitad pez y el esposo sea totalmente mortal. Si hay suficiente amor, no hay nada, ni siquiera la naturaleza, ni siquiera la muerte misma, que pueda interponerse entre dos seres que se aman.

Es medianoche, la hora que hemos acordado; de pronto oigo un suave golpe en la puerta de la cocina y acudo a abrir protegiendo la vela con la mano. La llama baña toda la estancia de un cálido resplandor; los criados están durmiendo sobre la paja esparcida en los rincones. El perro levanta la cabeza cuando me oye pasar, pero nadie más me ve.

Hace una noche templada, reina la quietud, la vela no parpadea cuando abro la puerta. Me quedo inmóvil al ver de pie en el umbral a un hombre corpulento y a un niño, un niño de once años.

—Entrad —digo en voz baja.

Los guío hacia el interior de la casa y escaleras arriba hasta mi cámara privada, donde las lámparas están encendidas, la leña arde alegremente en la chimenea y el vino está servido, aguardando en las copas.

Entonces me doy la vuelta, dejo la vela con manos temblorosas y miro fijamente al muchacho que sir Edward Brampton me ha traído.

—¿Eres tú? ¿Eres tú de verdad? —susurro.

Ha crecido, la frente le llega ya a la altura de mi hombro, pero lo reconocería en cualquier parte por ese cabello —de color bronce como el de su padre— y por sus ojos castaños. Tiene esa familiar sonrisa torcida y un aire juvenil en la manera de ladear la cabeza. Cuando le tiendo las manos, viene a mis brazos como si todavía fuera mi niño pequeño, mi segundo hijo varón, el hijo al que tanto he añorado, el que nació en tiempo de paz y de abundancia y siempre pensó que el mundo era un lugar fácil.

Lo olfateo igual que si fuera una gata buscando a un cachorro perdido. Su piel huele igual que siempre. Su cabello desprende un aroma a pomada ajena y sus ropas están impregnadas de sal a causa de la travesía por mar; pero la piel del cuello y de detrás de las orejas tiene el olor de mi niño, de mi pequeño. Lo habría reconocido en cualquier parte y habría sabido que era mi hijo.

—Hijo mío —exclamo sintiendo que el corazón se me ensancha de amor hacia él—. Hijo mío —repito—. Mi Ricardo.

Él me rodea la cintura con los brazos y me estrecha con fuerza.

—He navegado en barcos, he estado en todas partes, sé hablar tres idiomas —me dice con la voz amortiguada y la cara pegada a mi hombro.

—Hijo mío.

—Ahora ya no es tan duro. Al principio se me hizo raro. He aprendido música y retórica. Sé tocar el laúd bastante bien. Os he escrito una canción.

—Hijo mío.

—Me llaman Piers, que en inglés es Peter. Y me han puesto el apodo de Perkin. —Se aparta un poco para mirarme a la cara—. ¿Cómo me vais a llamar vos?

Yo sacudo la cabeza en un gesto de negación. No puedo hablar.

—Por el momento, vuestra señora madre os llamará Piers —sentencia sir Edward desde la chimenea, a la que se ha acercado para entrar en calor—. Aún no habéis sido restaurado en el trono. Por ahora debéis conservar el nombre que habéis usado en Tournai.

El niño afirma con la cabeza. Veo que para él su identidad se ha convertido en un abrigo: ha aprendido a quitársela o ponérsela. Me viene a la memoria el hombre que me obligó a enviar a este pequeño príncipe al exilio, y a esconderlo en la casa de un barquero, y a mandarlo a la escuela en calidad de niño becado, y me digo que jamás lo perdonaré, sea quien sea. Lanzo mi maldición sobre él, y sus hijos primogénitos morirán, y yo no sentiré el menor remordimiento.

—Voy a dejaros a solas —dice sir Edward con tacto.

Se retira a su habitación y yo me siento en mi silla junto al fuego; mi hijo acerca un taburete y toma asiento a mi lado. A ratos se recuesta de espaldas sobre mis piernas para que yo pueda acariciarle el pelo; otras veces se da la vuelta para explicarme alguna cosa. Hablamos de su ausencia, de lo que ha aprendido mientras ha estado separado de mí. Su vida no ha sido la de un príncipe de la realeza, pero ha recibido una buena educación gracias a Margarita, la hermana de Eduardo, que envió dinero a los monjes a modo de beca por tratarse de un niño pobre; especificó que debía aprender latín y leyes, historia y las normas de gobierno. Pidió que le enseñaran geografía y los límites del mundo conocido y —en recuerdo de mi hermano Anthony— también matemáticas y conocimientos del mundo árabe, así como la filosofía de los antiguos.

—Y, cuando sea mayor, su excelencia lady Margarita dice que volveré a Inglaterra y ocuparé el trono de mi padre —me dice mi hijo—. Dice que hay hombres que han esperado más tiempo y con menos probabilidades que yo. Asegura que Enrique Tudor cree que ahora tiene una posibilidad, que tuvo que huir de Inglaterra cuando era más joven que yo, ¡y que ahora regresa con un ejército!

—Ha pasado la vida entera en el exilio. Quiera Dios que a ti no te ocurra lo mismo.

—¿Vamos a ver la batalla? —me pregunta con avidez.

Yo sonrío.

—No, un campo de batalla no es un sitio adecuado para un niño. Pero, cuando Ricardo entre en Londres victorioso, nos reuniremos con él y con tus hermanas.

—¿Y entonces podré volver a casa? ¿Podré volver a la corte y quedarme con vos para siempre?

—Sí —le contesto—. Sí. Volveremos a estar juntos de nuevo, como debe ser.

Alargo una mano y le aparto el flequillo rubio de los ojos. Él suspira y apoya la cabeza en mi regazo. Durante un instante los dos nos quedamos muy quietos. Oigo a mi alrededor los crujidos que produce esta vieja casa a medida que va acomodándose para la noche y, afuera, en la oscuridad, el ululato de una lechuza.

—¿Y qué ha sido de mi hermano Eduardo? —me pregunta mi hijo en voz muy queda—. Siempre he conservado la esperanza de que vos lo tuvierais escondido en alguna otra parte.

—¿Es que lady Margarita no te ha dicho nada? ¿Ni tampoco sir Edward?

—Me decían que no sabían, que no podían estar seguros. Yo pensé que vos sí lo sabríais.

—Me temo que ha muerto —respondo con delicadeza—. Lo asesinaron unos hombres pagados por el duque de Buckingham y por Enrique Tudor. Me temo que hemos perdido a tu hermano.

—Cuando sea mayor, lo vengaré —afirma mi hijo todo orgulloso, un verdadero príncipe de York.

Yo apoyo una mano sobre su cabecita.

—Cuando seas mayor, si eres rey, podrás vivir en paz —le digo—. Yo me habré cobrado venganza. Eso no te corresponde a ti. Es un asunto acabado. He encargado misas por su alma.

—¡Pero no por la mía! —exclama él con su sonrisa infantil.

—Sí, también por la tuya, porque tengo que disimular igual que disimulas tú, tengo que fingir que te he perdido a ti igual que a él. Pero cuando rezo por ti por lo menos sé que estás vivo y a salvo y que regresarás a casa. Además, no te hará ningún daño que las buenas hermanas de la abadía de Bermondsey recen por ti.

—Pues entonces pueden orar para que vuelva a casa sano y salvo —replica él.

—Así lo hacen —digo yo—. Es lo que todos hacemos. Desde que te fuiste, yo he rezado por ti tres veces al día y he pensado en ti a cada hora.

Él apoya la cabeza sobre mis rodillas y yo le paso los dedos por el cabello. En la parte de la nuca, detrás de las orejas, se le riza en las puntas; puedo enroscarme los rizos en los dedos como si fueran anillos de oro. Sólo cuando deja escapar un leve ronroneo como el de un cachorro me doy cuenta de que llevamos horas aquí sentados y se ha quedado profundamente dormido. Sólo cuando noto el peso de su cabeza tibia en mis rodillas me doy cuenta de que es verdad que ha vuelto a casa, un príncipe que ha regresado a su reino, y de que, cuando la batalla se haya librado y se haya ganado, la rosa blanca de York florecerá una vez más en las verdes campiñas de Inglaterra.

Nota de la autora

Esta nueva novela, la primera de una serie que trata sobre los Plantagenet, se gestó cuando descubrí a una de las reinas de Inglaterra más interesantes y que más curiosidad provocan: Isabel Woodville. Las cosas que cuento de ella son ciertas en su mayor parte, no ficción. ¡Llevó una vida que supera en mucho a mi imaginación! En efecto, fue la descendiente de los duques de Borgoña más famosa por su belleza. Éstos conservaban con cariño la tradición de que descendían de Melusina, la diosa del agua. Cuando descubrí ese dato, me di cuenta de que con Isabel Woodville, que fue una reina más bien relegada al olvido y poco apreciada, iba a poder reescribir la historia de una soberana de Inglaterra que era también descendiente de una diosa e hija de una mujer juzgada por brujería y hallada culpable.

Dado mi interés personal por la visión que se tenía de la magia en la Edad Media —por lo que ello nos indica respecto del poder que tenían las mujeres y de los prejuicios con que se encontraban las damas poderosas—, supe que iba a ser un terreno muy fértil para mí en tanto que investigadora y escritora; y efectivamente lo ha sido.

Sabemos que Isabel conoció a Eduardo cuando acudió a él

para solicitarle ayuda económica y que se casó con él en secreto; pero el encuentro en el camino bajo un roble (que todavía crece en la actualidad en Grafton Regis, Northamptonshire) es una leyenda popular y puede ser cierta o no. Que sacara una daga para evitar la violación fue un rumor que se extendió en aquella época; no sabemos si fue un hecho histórico. Pero una buena parte de la vida que llevó junto a Eduardo está bien documentada, así que me he inspirado en las crónicas y he basado mi novela en los datos que existen. Como es natural, en ocasiones he tenido que elegir entre versiones rivales y contradictorias y otras veces he tenido que llenar las lagunas de la historia con explicaciones elaboradas por mí misma.

En esta novela hay más ficción que en las anteriores porque hemos retrocedido en el tiempo con respecto a los Tudor y los datos que existen son más fragmentarios. Además, este país estaba en guerra y muchas decisiones se tomaban en el momento, sin dejar ningún registro documental. Algunas de las decisiones más importantes fueron conspiraciones secretas y, con frecuencia, he tenido que deducir de las pruebas que han sobrevivido los motivos que dieron lugar a determinadas acciones o incluso qué fue lo que sucedió. Por ejemplo, no poseemos ninguna prueba fiable de la denominada «conspiración de Buckingham»; en cambio, sabemos que lady Margarita Stanley, su hijo Enrique Tudor, Isabel Woodville y el duque de Buckingham fueron los principales cabecillas de la rebelión que se llevó a cabo contra Ricardo. Está claro que todos tenían diferentes motivos para arriesgarse como lo hicieron. Conservamos algunos indicios acerca de los intermediarios y alguna que otra idea de los planes, pero la estrategia exacta y la estructura de mando eran y siguen siendo secretas. He estudiado las pruebas que conservamos hoy en día y las consecuencias de la conspiración, y aquí sugiero el modo en que seguramente todo se llevó a la práctica. El elemento sobrenatural del aguacero, que cayó en la realidad, es por supuesto ficticio, y resultó muy divertido imaginarlo.

Igualmente, ni siquiera ahora sabemos con exactitud (después de cientos de teorías) qué les ocurrió a los príncipes de la Torre. Yo especulo que Isabel Woodville preparó un refugio seguro para su segundo hijo varón, el príncipe Ricardo, después de que el primero, el príncipe Eduardo, fuera apartado de su lado. Sinceramente dudo que fuera capaz de poner a su segundo hijo en las manos del hombre sospechoso de haber encarcelado al primero. La provocativa sugerencia, presentada por muchos historiadores serios, de que el príncipe Ricardo pudo haber sobrevivido me llevó a especular que tal vez Isabel no lo envió a la Torre, sino que se sirvió de otro niño que ocupó su lugar. Pero debo advertir al lector de que no existen pruebas fehacientes de ello.

Una vez más, no existen evidencias definitivas del modo en que los dos niños hallaron la muerte, si es que murieron, ni de quién dio la orden. Y, naturalmente, aún no se han encontrado cadáveres que se hayan podido identificar sin duda con los de los príncipes. Sugiero que el rey Ricardo no mató a los niños, puesto que con ello tenía poco que ganar y mucho que perder; tampoco creo que Isabel Woodville hubiera dejado a sus hijas a su cuidado si hubiera creído que era el asesino de sus dos varones. Asimismo, parece ser que hizo volver a su hijo Thomas Grey de la corte de Enrique Tudor, lo cual acaso indique que estaba desencantada con la reivindicación de Tudor y con la alianza formada entre éste y Ricardo. Todo ello continúa siendo un verdadero misterio y yo me limito a agregar mi sugerencia a las otras muchas que existen, propuestas por historiadores, algunas de las cuales el lector podrá encontrar en los libros enumerados en la bibliografía.

Estoy en deuda con el erudito profesor David Baldwin, autor de *Elizabeth Woodville: Mother of the Princes in the Tower*, tanto por el retrato claro y comprensivo que hace de la reina en su libro como por el asesoramiento que me prestó cuando escribí esta novela. Y también estoy agradecida a los muchos historiadores y entusiastas cuyos estudios están basados en el amor que sienten hacia este período de la historia, un amor que ahora yo también comparto y que espero que embargue al lector de la misma manera.

Se puede encontrar más información sobre la investigación realizada para escribir este libro en mi sitio de la red, <PhilippaGregory. com> —donde también incluyo detalles de seminarios relativos a este libro que di cuando estuve de gira por el Reino Unido, por Estados Unidos y por todo el mundo–, así como en los boletines habituales de la red.

Bibliografía

BALDWIN, David, *Elizabeth Woodville: Mother of the Princes in the Tower*, Sutton Publishing, Stroud, Gloucestershire, 2002.

–, *The Lost Prince: The Survival of Richard of York*, Sutton Publishing, Stroud, Gloucestershire, 2007.

CASTOR, Helen, *Blood & Roses: The Paston Family in the Fifteenth Century*, Faber and Faber, Londres, 2004.

CHEETHAM, Anthony, *The Life and Times of Richard III*, Weidenfeld & Nicolson, Londres, 1972.

CHRIMES, S.B., *Henry VII*, Eyre Methuen, Londres, 1972.

–, *Lancastrians, Yorkists, and Henry VII*, Macmillan, Londres, 1964.

COOPER, Charles Henry, *Memoir of Margaret: Countess of Richmond and Derby*, Cambridge University Press, 1874.

CROSLAND, Margaret, *The Mysterious Mistress: The Life and Legend of Jane Shore*, Sutton Publishing, Stroud, Gloucestershire, 2006.

FIELDS, Bertram, *Royal Blood: Richard III and the Mystery of the Princes*, Regan Books, Nueva York, 1998.

GAIRDNER, James, «¿Did Henry VII Murder the Princes?», *English Historical Review*, VI (1891), pp. 444-464.

GOODMAN, Anthony, *The Wars of the Roses: Military Activity and English Society, 1452-97,* Routledge & Kegan Paul, Londres, 1981.

–, *The Wars of the Roses: The Soldier's Experience,* Tempus, Londres, 2005.

HAMMOND, P.W., y Anne F. Sutton, *Richard III: The Road to Bosworth Field,* Constable, Londres, 1985.

HARVEY, Nancy Lenz, *Elizabeth of York, Tudor Queen,* Arthur Baker, Londres, 1973.

HICKS, Michael, *Anne Neville: Queen to Richard III,* Tempus, Londres, 2007.

–, *The Prince in the Tower: The Short Life & Mysterious Disappearance of Edward V,* Tempus, Londres, 2007.

–, *Richard III.* Tempus, Londres, 2003.

JONES, Michael K., y Malcolm G. Underwood, *The King's Mother: Lady Margaret Beaufort, Countess of Richmond and Derby,* Cambridge University Press, 1992.

KENDALL, Paul Murray, *Richard the Third,* W.W. Norton, Nueva York, 1975.

MACGIBBON, David, *Elizabeth Woodville (1437-1492): Her Life and Times,* Arthur Baker, Londres, 1938.

MANCINUS, Dominicus, The *Usurpation of Richard the Third: Dominicus Mancinus ad Angelum Catonem de occupatione Regni Anglie per Ricardum Tercium Libellus,* traducido al inglés y con una introducción de C.A.J. Armstrong, Clarendon Press, Oxford, 1969.

MARKHAM, Clements, R., «Richard III: A Doubtful Verdict Reviewed», *English Historical Review,* VI (1891), pp. 250-283.

NEILLANDS, Robin, *The Wars of the Roses,* Cassell, Londres, 1992.

PLOWDEN, Alison, *The House of Tudor,* Weidenfeld & Nicolson, Londres, 1976.

POLLARD, A.J., *Richard III and the Princes in the Tower,* Sutton Publishing, Stroud, Gloucestershire, 2002.

PRESTWICH, Michael, *Plantagenet England, 1225-1360,* Clarendon Press, Oxford, 2005.

READ, Conyers, *The Tudors: Personalities and Practical Politics in Sixteenth Century England*, Oxford University Press, 1936.

ROSS, Charles, *Edward IV*, Eyre Methuen, Londres, 1974.

—, *Richard III*, Eyre Methuen, Londres, 1981.

SEWARD, Desmond, *A Brief History of the Hundred Years War: The English in France, 1337-1453*, Constable and Company, Londres, 1978.

—, *Richard III, England's Black Legend*, Country Life Books, Londres, 1983.

SIMON, Linda, *Of Virtue Rare: Margaret Beaufort, Matriarch of the House of Tudor*, Houghton Mifflin, Boston, 1982.

ST AUBYN, Giles, *The Year of Three Kings, 1483*, Collins, Londres, 1983.

THOMAS, Keith, *Religion and the Decline of Magic: Studies in Popular Beliefs in Sixteenth and Seventeenth Century England*, Weidenfeld & Nicolson, Londres, 1971.

WEIR, Alison, *Lancaster and York: The Wars of the Roses*, Jonathan Cape, Londres, 1995.

—, *The Princes in the Tower*, Bodley Head, Londres, 1992.

WILLIAMS, Neville, *The Life and Times of Henry VII*, Weidenfeld & Nicolson, Londres, 1973.

WILLAMSON, Audrey, *The Mystery of the Princes: An Investigation into a Supposed Murder*, Sutton Publishing, Stroud, Gloucestershire, 1978.

WILSON-SMITH, Timothy, *Joan of Arc: Maid, Myth and History*, Sutton Publishing, Stroud, Gloucestershire, 2006.

WROE, Ann, *Perkin: A Story of Deception*, Jonathan Cape, Londres, 2003.